Raabe, Schillers Idealistischer Realismus

AUGUST RAABE

Idealistischer Realismus

Eine genetische Analyse
der Gedankenwelt Friedrich Schillers

Einig sollst du zwar sein, doch Eines nicht mit dem Ganzen.
Durch die Vernunft bist du Eins, einig mit ihm durch das Herz.
Stimme des Ganzen ist deine Vernunft, dein Herz bist du selber:
Wohl dir, wenn die Vernunft immer im Herzen dir wohnt.

1962
EMIL SEMMEL VERLAG BONN

IN MEMORIAM

Luise Raabe

* 9. April 1874 † 27. Februar 1954

VORWORT

Kein größeres Glück kann dem Menschen geschenkt werden, als wenn er dem, was während seiner der Zukunft entgegenreifenden Jugendjahre seiner Seele Spannkraft gab, bis in sein hohes Alter die Treue halten kann und in einer vielleicht letzten Tat seinen Dank abstatten darf.

Als am Vorabend der hundertsten Wiederkehr von Schillers Todestag die Schüler des Protestantischen Gymnasiums zu Straßburg im Elsaß im glänzenden Hauptsaal des Sängerhauses Szenen aus ,Wilhelm Tell' aufführten, da gelobte sich ein junger Oberprimaner, in dem Beruf seiner Mannesjahre an die deutsche Jugend die hohe Freude weiterzugeben, die er selbst durch einen trefflichen Deutschlehrer aus Schillers Gedichten und Dramen empfangen hatte, um schließlich, wenn es gelänge, die Erfahrungen eines langen Lebens zur Deutung des gesamten Schrifttums dieses Dichters auszuwerten.

Sich selbst treu bleiben — das heißt nicht, am Alten hartnäckig festhalten, um zuletzt, wenn die klammernden Hände schwach werden, zu resignieren und stumpf zu werden, weil man die Zeit, diese unablässig fließende Zeit, nicht mehr versteht. Wer das Leben mit warmem Herzen liebt und mit kühlem Kopfe prüft, der schaut, auch wenn er in hohe Jahre gekommen ist, hellen, klaren Auges in die Gegenwart und hält ihr die durch bald zwei Menschenalter bewahrte Treue, indem er beobachtet, wieweit die Einstellung seines Volkes zu Musterbildern seiner Geisteskultur sich auf rechtem Wege befindet oder auf einen Irrweg geraten ist.

,Idealistischer Realismus' — dieser paradox anmutende Haupttitel der vorliegenden Arbeit will als Wegweiser verstanden werden, der dem deutschen Menschen unserer Zeit die Richtung zeigen will, in welcher er zu einer neuen, gegenwartsnahen Würdigung Friedrich Schillers gelangen kann.

Eine Generation, die durch so viele Leiden gegangen ist und noch immer geht und gehen wird, kann mit einem angeblich „weltfremden Idealismus" Schillers tatsächlich nichts anfangen. Daß aber unserm Dichter eine derartige Weltanschauung zeitlebens fremd gewesen ist, will dieses Buch in einer Schillers Werdegang begleitenden Zergliederung seiner Gedankenwelt veranschaulichen. —

Ein Verzeichnis benutzter Literatur erübrigt sich im Hinblick auf die der Arbeit gestellte Aufgabe. Aus demselben Grunde konnte auf die Nennung einer bestimmten Ausgabe der Werke Schillers verzichtet werden.

Notwendig aber erschien ein Verzeichnis der behandelten Werke Schillers mit Angabe der Fundstellen in diesem Buche.

Ein knappes Inhaltsverzeichnis findet sich am Schluß des Buches. Ebendort wird auf die ins Einzelne gehenden Inhaltsverzeichnisse der drei Hauptteile der Arbeit verwiesen.

Endlich sei die Aufmerksamkeit des Lesers auf die auf der letzten Seite befindliche „Anzeige" gelenkt.

Dr. August Raabe

DER ARIADNEFADEN

Wo Schillers Tragödien auf den heutigen Bühnen erscheinen, wirken sie noch immer durch ihre dramatische Technik und ihren sittlichen Ernst stark und nachhaltig. Freilich, für das sogenannte Pathos bringt unsere Generation nicht mehr die erforderlichen Voraussetzungen mit, die auf einem richtigen Verständnis der Schillerschen Aesthetik beruhen und die Gefahr ausschalten, echtes Pathos mit Salbaderei zu verwechseln.

Die schon vor fünfzig Jahren gehörte Klage, daß die Art, wie der Jugend in der Schule die Klassiker vermittelt werden, sehr oft die Wirkung habe, den Menschen späterhin eine Beschäftigung mit Goethe und Schiller zu verleiden, wird heute nicht weniger häufig vernommen. Hinzu kommt, daß viele Begriffe, deren Geltung unlöslich mit Schillers Dichterpersönlichkeit verbunden ist, wie Begeisterung, Idealismus, Vaterlandsliebe, nach den Heimsuchungen des letzten Menschenalters auch im Fühlen und Denken ernster Menschen viel von ihrem edlen und reinen Klang verloren haben. Und endlich: Wer hat in unseren Tagen des Gehetztseins, des Jagens von einem Erlebnis zum andern, der oberflächlichen Vermittlung der mannigfachen, rasch empfangenen und ebenso rasch wieder vergessenen Eindrücke durch Kino, Radio, Fernsehen noch Zeit oder Fähigkeit zu konzentrierter geistiger Arbeit, ohne die eine wirkliche Aneignung der Gedankenwelt unserer klassischen Meister unmöglich ist?

Den Gängen eines Labyrinths vergleichbar, scheinen sich dem Leser der aesthetischen Schriften Schillers, die allein ein rechtes Verständnis seiner späteren dichterischen Schöpfungen vermitteln, die Ideen des spekulativen Denkens zu verwirren; die Geschichtsphilosophie erscheint dem oberflächlichen Beurteiler angesichts des heute gänzlich veränderten Geschichtsbildes überholt — obwohl Schillers Dramatik vom ‚Wallenstein' bis zum ‚Wilhelm Tell' ohne seine geschichtsphilosophischen Erkenntnisse niemals Wirklichkeit geworden wäre.

Und trotz alledem muß doch dieser Dichter, dessen Sprache auf den „Brettern, die die Welt bedeuten", noch immer aufgeschlossene Herzen findet, auch der heute lebenden Generation etwas zu sagen haben. Warum nur?

Wer gibt uns den Ariadnefaden in die Hand, an dem wir erst in das Labyrinth der Schillerschen Gedankenwelt, und dann wieder heraus in die geistige Atmosphäre unserer Gegenwart gelangen können? Wer vermag uns Schillers eigentümliches Denken verständlich zu machen und uns die Augen unserer Seele zu öffnen für das Licht, das aus seinem Denken in unsere widerspruchsvolle Zeit seine Strahlen wirft?

Nun, in Schillers Briefwechsel mit Goethe findet sich ein Schreiben, in welchem unser Dichter die Eigentümlichkeit seines geistigen Seins durch Vergleich mit derjenigen Goethes kennzeichnet. Am 31. August 1794 schreibt er:

> „Ihr Geist wirkt in einem außerordentlichen Grade intuitiv, und alle Ihre denkenden Kräfte scheinen auf die Imagination als ihre gemeinschaftliche Repräsentation gleichsam kompromittiert" — das heißt ‚sich geeinigt' — „zu haben. Im Grund ist dies das Höchste, was der Mensch aus sich machen kann, sobald es ihm gelingt, seine Anschauung zu generalisieren und seine Empfindung gesetzgebend zu machen. ... *Mein* Verstand wirkt eigentlich mehr symbolisierend, und so schwebe ich als eine Zwitterart zwischen dem Begriff und der Anschauung, zwischen der Regel und der Empfindung, zwischen dem technischen Kopf und dem Genie."

Im folgenden gibt Schiller diesen Gegensätzen, zwischen denen sein Geist hin und her schwingt, verschiedene weitere Bezeichnungen: Dichtkunst und Spekulation, Poet und Philosoph, Einbildungskraft und Abstraktion. Dann fährt er fort:

> „Kann ich dieser beiden Kräfte insoweit Meister werden, daß ich einer jeden durch meine Freiheit ihre Grenzen bestimmen kann, so erwartet mich noch ein schönes Los."

Es muß gelingen, diese Gegensätze als in Schillers geistig-seelischer Existenz von jeher wirksame, allmählich zum Ausgleich gelangende Kräfte darzustellen. Damit wäre der aus zwei Fasern gesponnene Faden gefunden, an dem sich der Weg durch des Dichterphilosophen Lebenswerk finden lassen müßte.

Schon jetzt wird der aufmerksame Leser der Schillerschen Selbstcharakteristik jene beiden einander widerstreitenden Wesenkräfte, von denen er spricht, als zwei in jedem Menschen, auch wenn er kein Dichter und Philosoph ist, in verschiedener Wechselbeziehung stehende, für sein Fühlen und Denken entscheidende Mächte erkennen, für welche auch andere, dem nüchternen Bedürfnis des Alltags geläufigere Bezeichnungen möglich sind. Hier sei nur auf das auch von Schiller vielfach verwendete Begriffspaar Kopf und Herz hingewiesen.

Welcher Kenner der seit mehr als zwei Jahrtausenden entwickelten Wesensart des abendländischen Menschen sieht nicht, daß hier eine geistig-seelische Leitung besteht, über welche Schillers Sprache dem deutschen Menschen unserer Zeit verständlich werden muß!

Möge dieses Buch seine Aufgabe erfüllen, über diese Leitung einer menschheitlichen Geistes- und Seelengemeinschaft Schiller zu unserer Generation sprechen zu lassen!

ERSTER TEIL

SYMPATHIE

INHALTSVERZEICHNIS

Erstes Kapitel
Schwärmerei

Es ist *ein* Ziel, das Schiller durch sein ganzes produktives Leben als die Aufgabe des Menschen anerkennt: Vollkommenheit im Sinne der Manifestation der eigentlich-menschlichen Eigenart. In seiner ersten, medizinisch-philosophischen Abhandlung, dem 1780 geschriebenen ‚Versuch über den Zusammenhang der tierischen Natur des Menschen mit der geistigen', sieht der Zögling der Stuttgarter Militärschule den Weg zu dieser menschlichen Vollkommenheit in der „Übung seiner Kräfte durch Betrachtung des Weltplans" (§ 2).

Hier sind zwei Begriffe für das Verständnis der Eigenart Schillers wichtig: „Betrachtung" und „Weltplan".

Die „Betrachtung" dient dazu, die menschlichen Kräfte zu üben; diese Kräfte beruhen auf der tierischen, das heißt sinnlichen, und geistigen Natur des Menschen, welche beide Schiller als in engster Beziehung stehend auffaßt. Die Betrachtung ist also notwendig eine zweifache: eine sinnliche und eine geistige: die eine fördert die andere; jede Empfindung der einen „Natur" löst unmittelbar eine entsprechende der anderen aus. In diesem Begriff der Betrachtung liegt der Ursprung der für Schillers Denken und Schaffen grundlegenden Bedeutung der Aesthetik.

Der „Weltplan" besteht in der „Vollkommenheit des Universums" (§ 13 und 27), von dem Körner, Schillers späterer Freund, in der Rolle Raphaels in den ‚Philosophischen Briefen' schreibt: „Der erste Gegenstand, an dem sich der menschliche Forschungsgeist versuchte, war von jeher — das Universum." Dieses Urteil wird im Hinblick auf die unmittelbar vorhergehende ‚Theosophie des Julius' ausgesprochen, in welcher ihr Verfasser Schiller, wie später gezeigt werden wird, seine eigene Weltanschauung darstellt.

Einen Teil des Weltplans bildet also nach Schillers Ansicht auch der vollkommene Mensch selbst. Betrachtung des Weltplans ist zugleich Selbstbetrachtung des Menschen.

So besteht in Schillers Anschauung eine bedeutsame Beziehung zwischen aesthetischer Betätigung der sinnlich-geistigen Kräfte des Menschen und der im Universum sich offenbarenden Ordnung der Welt; eine Beziehung,

die, wo sie „betrachtend" verwirklicht wird, den Menschen zu einem vollkommenen Menschen macht.

Für die Beziehung zwischen sinnlicher und geistiger Natur, zwischen
dem durch die Übung dieser Kräfte zur Vollkommenheit strebenden Menschen und der Vollkommenheit des Universums, findet sich im Schrifttum
des jungen Schiller der Begriff „Sympathie".

Erster Abschnitt

Der Sympathiekomplex

Als Wort geprägt kommt der Begriff in den Werken des Stürmers und
Drängers verhältnismäßig selten vor; aber in allen Gedichten, Dramen,
Aufsätzen und Briefen der Jahre 1780 bis 1785 herrscht er gleichsam trans-
parent in mannigfachen Formulierungen. Zuerst ein physio-psychologischer
Terminus, wird er erweitert auf klimato-anthropologisches, ethisch-aesthe-
tesches, genialisch-kosmisches, theosophisch-religiöses Gebiet.

Im folgenden seien zunächst Stellen angeführt, welche den Begriff in
seiner Wortprägung als „Sympathie" zeigen.

Von der am Einzelmenschen beobachteten physio-psychologischen Sympathie handelt ein großer Teil des vorhin erwähnten ‚Versuchs' des Jahres
1780. Die Eigentümlichkeit dieser Äußerung einer Sympathie wird schon
durch den Titel in seinem vollkommen Wortlaut angedeutet. „Die wunderbare und merkwürdige Sympathie, die die heterogenen Prinzipien des
Menschen gleichsam zu einem Wesen macht", bringt es dahin, daß „der
Mensch nicht Seele und Körper ist", sondern „die innigste Vermischung
dieser beiden Substanzen" (§ 18). Sie erweist sich in „allen Krankheiten
von Bedeutung" in einer durch körperliche Zustände bedingten Wandlung
des Charakters (§ 19), in der Physiognomik als Gestaltung körperlicher
Phaenomene infolge „habitueller", das heißt gewohnheitsmäßiger Bewegungen des Geistes (§ 22), in der Physiologie als Wechselbeziehung zwischen gewissen Empfindungen und den diese Empfindungen hervorrufen-
den Organen (§ 22).

Ins Große projiziert, zeigt sich die „Sympathie" zwischen stofflichen und
geistigen Prinzipien auf klimato-anthropologischem Gebiet in der Bedingtheit des Nationalcharakters der Völker durch Einflüsse der Wetterverhält-
nisse ihres Wohnorts: „Die Bewohner düsterer Gegenden trauern mit der
sie umgebenden Natur; der Mensch verwildert in wilden, stürmischen Zonen, lacht in freundlichen Lüften und fühlt Sympathie in gereinigten
Atmosphären." So bringe das neblige Lappland „kaum Menschen" hervor;
dagegen: „Nur unter dem freien griechischen Himmel gab es einen Homer,

einen Plato und Phidias; dort nur standen Musen und Grazien auf" (§ 19). Sehr überlegt schränkt der Verfasser des ‚Versuchs' in demselben Zusammenhang die materielle Bedingtheit dieser menschlichen Eigenschaften durch die Worte ein: „Ich will nicht behaupten, daß das Klima die einzige Quelle des Charakters sei; aber gewiß muß, um ein Volk aufzuklären, seine Hauptrücksicht dahin genommen werden seinen Himmel zu verfeinern." Von dem klimato-anthropologischen Gebiet des Sympathiekomplexes führt eine gerade Linie zu dem ethisch-aesthetischen. Wenn Schiller sagte, Lappland bringe „kaum Menschen" hervor, so verstand er den Menschen eben als Träger sympathischen Fühlens, das Karl von Moor (I 2) im gleichen Sinne als „menschliche Schonung" bezeichnet, also eines ethischen Wertes. Und dieselbe Bedeutung hat der Begriff, wenn es heißt, in „gereinigter Atmosphäre" fühle der Mensch „Sympathie." Der Verfasser des ‚Versuchs' ist also der Ansicht, daß die sittliche Entwicklung des Menschen weitgehend von dem Klima seines Wohnortes bestimmt wird, beziehungsweise in Wechselwirkung mit demselben steht. Das ethische Empfinden aber sieht Schiller vorwiegend in dem menschlichen Verständnis für Leiden und Schicksal des Nächsten. Franz von Moor spottet über seines Bruders „Weichheit des Gefühls, die ihn bei jedem Leiden in weinende Sympathie dahin schmelzt" (I 1). Beroë-Juno fordert heuchlerisch Semele auf, ihr ins Angesicht zu schauen, „das sympathetisch dir sich öffnet" (1. Szene).

Aber zur Weckung des Mitgefühls wirkt ja, wie es im ‚Versuch' heißt, nicht das Klima allein mit; vielmehr greift in diesen Vorgang schon dasjenige Gebiet des Sympathiekomplexes ein, das vorhin als genialisch-kosmisch bezeichnet wurde. Wenn Schiller die Existenz eines Homer, Plato, Phidias dem „freien griechischen Himmel" verdanken zu müssen glaubt, so ist nicht zu vergessen, daß es sich ja hierbei um genialische Naturen handelt. Und wenn schon nach des jungen Schiller Ansicht die menschliche Sympathie in hervorragendem Maße durch die aesthetische Wirkung der Tragödie geweckt wird, so geht diese Wirkung doch zuletzt auf das Schaffen genialischer Menschen zurück. Mag immerhin die Wirkung der Schaubühne, wie es in dem ‚Versuch' (§ 15) heißt, unter Umständen zunächst mehr physisch-psychischer Natur sein — hat doch „die Illusion des Zuschauers, die Sympathie mit künstlichen Leidenschaften, Schauer, Gichter und Ohnmachten gewirkt" —, so ist doch ihr Erfolg der aesthetisch-moralische. Ihre höchste Wirkung sieht der junge Schiller darin, wenn im Erleben einer künstlerischen Darstellung großer und erhabener Vorgänge „Menschen aus allen Zonen und Kreisen und Ständen, abgeworfen jede Fessel der Künstelei und der Mode, herausgerissen aus jedem Drange des Schicksals, durch *eine* allwebende Sympathie verbrüdert, in *ein* Geschlecht wieder aufgelöst, ihrer selbst und der Welt vergessen und ihrem himmlischen Ursprung sich nähern. Jeder Einzelne genießt die Entzückungen aller, ... und seine Brust gibt jetzt nur einer Empfindung Raum — es ist diese: ein Mensch zu sein" („Die Schaubühne als eine moralische Anstalt betrachtet').

Ebenso wie Schiller die Entstehung des genialischen Menschen in Zusammenhang mit klimato-anthropologischen Voraussetzungen bringt, so erscheint er ihm auch verwandt mit dem ethisch fühlenden Menschen. Kann man das sympathetische Gefühl, das nach des Dichters Ansicht das Erlebnis einer Tragödie in den Zuschauern weckt, als ein Gefühl brüderlicher Verbundenheit bezeichnen, so gilt dieses Gefühl auch für die Gesamtheit der genialischen Menschen. „Wie doch die großen Geister sympathisieren!" ruft der Freigeist Schwarz in den ‚Räubern' (I 2) spöttisch aus, als seine Kumpane ihre verschiedenen Pläne verraten, wie sie ihrer durch Leichtsinn und Wüstlingsleben gehäuften Schulden ledig werden wollen. Es gehört schon „Genie" dazu, will Schwarz andeuten, um ein verlorenes Dasein wieder gesellschaftsfähig zu machen. Aber man versuche den in der ironischen Anwendung des Begriffes „Sympathie" der großen Geister verborgenen ernsten philosophischen Gedanken herauszuhören: Wenn schon Vorgänge auf der Schaubühne Durchschnittsmenschen auf Augenblicke im Gefühl gemeinsamen Schicksals höheren Wert verleihen, so hebt die unter genialischen Menschen wirkende Sympathie über menschliches Maß hinaus. Dieser Vorzug äußert sich bei derartig ausgezeichneten Menschen in einem Empfinden, das man nicht anders als kosmisch nennen kann. Das Verlangen nach Sympathie ist in dem Genie so stark, daß es dieselbe dank seiner genialisch-schöpferischen Kraft sogar in der leblosen Natur zu finden meint. In diesem Sinne heißt es in dem Gedicht ‚Die Freundschaft':

> „Stünd' im All der Schöpfung ich alleine,
> Seelen träumt' ich in die Felsensteine,
> und umarmend küßt' ich sie —
> Meine Klagen stöhnt' ich in die Lüfte,
> freute mich, antworteten die Klüfte,
> Tor genug! der süßen Sympathie."

Der zu höchster Vollkommenheit gelangte Mensch ersehnt sich von der Schöpfung einen Widerhall seines sympathetischen Fühlens. Aus dem Wehen der Lüfte, aus dem toten Gestein will er ein Echo seiner Freuden und Schmerzen vernehmen, und — es sei gestattet, spätere Ergebnisse vorwegzunehmen — in Musik und Plastik gestaltet er eine neue Welt, eine aus Sympathie geborene Welt stofflich-geistiger Werte.

Und als letzte und höchste Manifestation des Sympathiekomplexes erwächst dem Menschen endlich die religiöse — ihre theosophische Begründung erfolgt in der weiter unten gewürdigten ‚Theosophie des Julius' —,

die Sympathie mit dem Schöpfer des „Weltplans", dessen „Betrachtung",
wie es in dem ‚Versuch' heißt, die Vollkommenheit des Menschen vollendet:

> „Was den großen Ring bewohnet,
> huldige der Sympathie!
> Zu den Sternen leitet sie,
> wo der Unbekannte thronet". (‚An die Freude')

Zweiter Abschnitt

Der Sympathieglaube

Ursprünglich der Formulierung einer medizinischen und völkerpsycho-
logischen Hypothese dienend, entfährt der Sympathiebegriff in Schillers
Denken eine fortschreitende Vergeistigung, um endlich zu einem das Leben des vollkommenen Menschen mit dem Ursprung der Schöpfung in
Beziehung setzenden Glaubensbegriff zu werden.

Der Sympathieglaube des jungen Schiller, ohne daß derselbe immer die
sprachliche Beziehung als „Sympathie" erhalten hätte, ist das große
Thema mehrerer der in der ‚Anthologie' des Jahres 1781 vereinigten Gedichte, aus denen schon eines der vorhin wiedergegebenen Zitate stammt.
Dieses Gedicht, ‚Die Freundschaft' betitelt, stellt einen großartigen, den
ganzen Kosmos beherrschenden Gleichlauf zwischen Geist und Materie fest:

> „Geisterreich und Körperweltgewühle
> wälzet *eines* Rades Schwung zum Ziele:"

die in dem ‚Versuch' beobachtete Sympathie von tierischer und geistiger
Natur im Menschen findet Schiller als umfassendes, in religiöses Gebiet
greifendes Gesetz in der ganzen sinnlichen und übersinnlichen Welt; der
Verbundenheit zwischen Planeten und Sonnen entspricht die Verbundenheit der Geister mit der „großen Geistersonne" Gott. Im menschlich-ethi-
schen Bereich aber sieht der Dichter diese Beziehung wieder in Freundschaft und Liebe, diesen Gefühlen, die dem Menschen ebenso unentbehrlich sind wie jene magnetischen Gesetze dem materiellen Kosmos und der
Geisterwelt ihre Ausrichtung auf die göttliche Lichtkraft. Und hier bestätigt der Dichter diese Unentbehrlichkeit durch die schon angeführten
Worte über die Sehnsucht des fühlenden Menschen nach einem Widerhall seiner Empfindungen sogar in der unbeseelten Natur — ein Gedanke,
der für Schiller später zur Grundlage seiner Auffassung von der Geisteswelt der griechischen Antike werden sollte. Das Gedicht klingt aus in
einen bei dem Stürmer und Dränger oft ausgesprochenen religiösen Gedanken: Die Liebe führt die durch sie geeinten Geister empor zum „Meer

des ew'gen Glanzes", wo „Maß und Zeit sterbend untertauchen" in Unendlichkeit und Ewigkeit, das heißt zum „großen Weltenmeister" — auch
er der Macht der Sympathie unterworfen; denn seine Erschaffung der
Geisterwelt entsprang einem Gefühl des Mangels an Wesen, die er, aus
Liebe, an seiner Seligkeit teilnehmen lassen wollte. Dies eben sieht Schiller als Sympathie zwischen Schöpfer und Geschöpf: Einer sucht beim
Andern ein Echo seiner Existenz, eine Antwort auf seinen Ruf; darum
schuf Gott die Geisterwelt, darum — noch einmal ein Vorgriff auf spätere
Ergebnisse — darum ward der Mensch zum Schöpfer der Kunst.

Weitere Gebiete des Sympathieglaubens eröffnet Schiller in der ‚Phantasie an Laura'. Mit bekannten, in dem ‚Versuch' behandelten Gedanken
setzt das Gedicht wieder ein: Körper treibt im Wirbel um Körper, Geist
im Zauber um Geist; Planeten umtanzen die Sonne, Sonnenstäubchen
paaren sich mit Sonnenstäubchen; Weltsysteme danken ihre Dauer allein
der Liebe. Und nun zurück der Übergang vom Kosmischen zum Menschlichen: Ebenso herrscht die Liebe in der empfindenden Natur, in der
Wechselbeziehung zwischen dem Dichter und seiner Geliebten — ja weiter, ein bisher noch nicht vernommener Gedanke:

> „Waltet nicht auch durch des Übels Reiche
> fürchterliche Sympathie?
> Mit der Hölle buhlen unsre Laster,
> mit dem Himmel grollen sie."

Und schließlich, wie in dem Gedichte ‚Die Freundschaft', ein Blick auf das
Ende der Zeiten: Die Sympathie zwischen der in Saturn verkörperten Zeit
und der Ewigkeit führt schließlich zur Vereinigung beider, in der alle
Sehnsucht gestillt und eine ewige Brautnacht die liebenden Geschöpfe im
Untergang in Gottes Allwesenheit erwartet. Hier ist die erste Spur eines
großen Gedankens des gereiften Schiller zu finden — jenes Gedankens,
der als „Idyll" ewig auf seine dichterische Verwirklichung gewartet hat.

Tiefsinnig deutet ‚Das Geheimnis der Reminiszenz' die Liebe der Geschlechter als dunkle Erinnerung an das ursprüngliche Einssein der Geisterwelt mit dem Schöpfer, und das Verlangen nach Vereinigung als

> „ . . . ein unersättlich Dringen,
> das verlorne Wesen einzuschlingen,
> Gottheit zu erschwingen."

Ein ganzes Gedicht ist dem Thema „Sympathieglaube" in dem ‚Triumph
der Liebe' gewidmet — hier nicht philosophisch, sondern mythologisch
gestaltet. Die Geburt Aphrodites bezeichnet den Eintritt der mächtigen
Liebeskraft in die Welt, der sich die Götter des Himmels und der Unterwelt beugen und durch welche „Menschen Göttern gleich" werden. Die

ganze belebte Natur dankt ihr Dasein und ihre Schönheit der Liebe; ja sie ist es, die uns Elysium als selige Stätte einer ewigen Existenz verheißt. Nach den Gedichten ‚Die Freundschaft' und ‚Phantasie an Laura' ist dies das dritte Mal, daß Schiller sein geistiges Auge hinschweifen läßt zum Ende aller Dinge, das er hier „Elysium" nennt.

Von diesem ‚Elysium' spricht der Dichter dann in dem danach benannten Gedicht. Die Bedeutung, die der Dichter mit diesem Begriff verbindet, ist in den letzten Versen ausgesprochen:

> „Ihre Krone findet hier die Liebe;
> sicher vor des Todes strengem Hiebe
> feiert sie ein ewig Hochzeitsfest."

Elysium ist die Heimat der Unendlichkeit und der Ewigkeit, wo die Geisterwelt in der Rückkehr zu Gott Erfüllung ihrer Sehnsucht nach Liebe findet. Der „Brautnacht" am Schluß der ‚Phantasie an Laura' entspricht hier das „Hochzeitsfest", das als höchste Vollendung einer gleichsam eschatologischen Sympathie gesehen wird.

Zwei der vorhin wiedergegebenen Gedichtzitate aus der ‚Anthologie' finden sich in der ‚Theosophie des Julius', jenem später in die mit Körner geplante Sammlung ‚Philosophischer Briefe' aufgenommenen Versuch, die Begriffe Sympathie, Freundschaft, Liebe sich bewegenden Versuch, die Beziehung zwischen vollkommenem Menschen und Vollkommenheit des Universums durch die Mittel der „Gottesweisheit" zu begründen.

Die fünf Kapitel der ‚Theosophie' — Die Welt und das denkende Wesen, Idee, Liebe, Aufopferung, Gott — behandeln den Kreislauf der Weltentwicklung von Gott her über die aus Gott geschaffene Geisterwelt und die in ihr geltende Ideenwelt der Werte zu der zentralen Kraft der Liebe, die in ihrer höchsten Auswirkung als Aufopferung die Geisterwelt zur Hingabe ihres Eigenlebens und damit zur Rückkehr in den göttlichen Allgeist befähigt.

Zu den einzelnen Kapiteln ist folgendes zu bemerken.

Die aus dem ‚Versuch' bekannte These von der Sympathie zwischen Materie und Geist wird im ersten Kapitel theosophisch begründet mit dem einleitenden Satz: „Das Universum ist ein Gedanke Gottes." Zweimal wird in demselben Kapitel dieser Grundsatz ohne theosophische Einkleidung wiederholt: „Jeder Zustand der menschlichen Seele hat irgend eine Parabel in der physischen Schöpfung, wodurch er bezeichnet wird", und: „Wo ich einen Körper entdecke, da ahnde ich einen Geist — wo ich Bewegung merke, da rate ich auf einen Gedanken." Aber der Schlußsatz des Kapitels lenkt wieder in den theosophischen Gedankengang ein: „ . . . und so verstehe ich die Lehre einer Allgegenwart Gottes."

Theosophisch, das heißt aus der Herkunft des menschlichen Geistes aus dem göttlichen erklärt wird im zweiten Kapitel auch das Streben der Geisterwelt nach Vollkommenheit, die sich in der Anerkennung eines Reiches der Werte — der „Idee" des Schönen, Wahren, Vortrefflichen — bekundet, durch welche Anerknnnung diese Werte zu Eigenschaften der Geister selbst und die Geister zu Teilhabern an der göttlichen Vollkommenheit werden. Von großer Bedeutung ist in diesem Zusammenhang der Satz: „Vollkommenheit in der Natur ist keine Eigenschaft der Materie, sondern der Geister." Hier gewinnt die aus dem ‚Versuch' stammende Betrachtung über eine zwischen tierischer und geistiger Natur des Menschen bestehende Sympathie erst ihre rechte Bedeutung. Schon jener ‚Versuch' sieht ja seine Aufgabe darin, „den merkwürdigen Beitrag des Körpers zu den Aktionen der Seele" zu veranschaulichen, „die höheren moralischen Zwecke, die mit Beihilfe der tierischen Natur erreicht werden", aufzuweisen (§ 1). Die Sympathie, von der Schiller spricht, ist nach des Dichters Anschauung anders geartet zwischen Materie und Geist, anders zwischen Geist und Geist. Nur die letztere ist, wenn man den Ausdruck anwenden darf, gleichgewichtig verteilt. Das Verhältnis zwischen tierischer und geistiger Natur sieht Schiller so: Der aus dem Zusammenhang mit dem göttlichen Allgeist gerissene Einzelgeist, der durch diese Trennung die Vollkommenheit seines Ursprungs verloren hat, ohne indessen das Streben nach Vollkommenheit einzubüßen, empfängt durch den Eintritt in die Materie die Möglichkeit, vermittelst des dem Tierischen eigenen Trieblebens zu neuer Vollkommenheit zu gelangen, welche Erneuerung dann wieder die Eigenschaft der Materie bestimmt. Die Sympathie zwischen tierischer und geistiger Natur des Menschen dient also der Vervollkommnung des Geistes (§ 10); die zwischen vollkommenen Geistern wirkende, gleichgewogene Sympathie dagegen bereitet die Wiedervereinigung der Geisterwelt mit dem göttlichen Allgeist vor.

Mit dem dritten Kapitel gelangt die Theosophie auf den Höhepunkt. Auch der Liebesbegriff wird theosophisch begründet. Objekt der Liebe ist jede Vollkommenheit als Manifestation des Allgeistes. Da nun die Manifestation der unendlichen göttlichen Vollkommenheit nur in der beschränkten Vollkommenheit aller Einzelgeister stattfindet, so richtet sich die Liebe jedes einzelnen Geistes sowohl an sich selbst — als Eigentümer einer bestimmten, wenn auch beschränkten Vollkommenheit, als auch an andere Geister — als Inhaber ihm selbst fremder Vollkommenheiten. Denn „Liebe findet nicht statt unter gleichtönenden Seelen..." Aber aus dem Zusammenklang, der Sympathie verschiedenartiger, aber doch aus demselben göttlichen Urquell stammenden Vollkommenheiten entsteht eine Harmonie, welche die ganze Geisterwelt umfaßt. Das Wesen eines jeden einzelnen Geistes ist nichts als in Freude empfundene Sympathie, die sich

gegen Menschen als Liebe oder Freundschaft äußert, aber selbst die un-
beseelte Natur in ihre Kreise zieht, aus der sie einen Widerhall des eigenen Empfindens zu vernehmen meint.

Aus dem Gesagten wird ersichtlich, daß der Inhalt des vierten Kapitels
nur scheinbar einen neuen Gegenstand des Sympathieglaubens berührt.
Denn „Aufopferung" ist nur die letzte Äußerung der alle Geisterwelt erfüllenden und umfassenden Liebeskraft. Wenn nun Sympathie als Freund-
schaft und Liebe ihre Wirkung aus dem ursprünglichen Einssein aller
Geister im göttlichen Allgeist herschreibt, und durch ein Reich der Werte,
der „Ideen" bestimmt wird, so ist verständlich, daß der einzelne Geist,
wenn er bei seinem Streben nach Vollkommenheit eines weltumfassenden
Wertes gewahr wird, um dieses Wertes willen zum Opfer der eigenen
Existenz bereit ist. Und ebenso ist klar, woher der Geist die Kraft zu dieser
Selbstaufopferung nimmt. Denn wie der Geist durch das Denken eines
Wertes sich denselben zu eigen macht (vgl. Kapitel „Idee"), ebenso wird
er in Gedanken an einen weltumfassenden Wert „mit der ganzen erhabenen Anlage zu der Liebe" zugleich das Weltganze in sich verwirklicht
fühlen. „Die Summe aller dieser Empfindungen", sagt Schiller abschließend, „wird sich verwirren mit seiner Persönlichkeit, wird mit seinem Ich
in Eins zusammenfließen. Das Menschengeschlecht, das er jetzt sich denkt,
ist er selbst. Er ist ein Körper, in welchem sein Leben, vergessen und
entbehrlich, wie ein Blutstropfen schwimmt . . ."

Bevor die ‚Theosophie' in die ‚Philosophischen Briefe' eingereiht wurde,
schloß das fünfte Kapitel wohl mit dem Zitat aus dem Gedicht ‚Der
Triumph der Liebe': Sie findet in Gott Ursprung und Ziel der das Universum erfüllenden Liebeskraft. Die Welt der Geister vergleicht der Verfasser
mit einem Prisma, in welchem sich das weiße Licht des göttlichen Wesens in unzähligen dunklen Strahlen bricht. Alles in den vorhergehenden
Kapiteln Gesagte gewinnt dadurch an Anschaulichkeit. Die aus dem Streben nach Vollkommenheit in den Geistern wirkenden Ideen sind nichts
anderes als die Brechung des göttlichen Urlichtes in den abertausend Flä-
chen des Geisterprismas; die Sympathie, die alle Geister eint, manifestiert
sich gleichsam in dem Prisma selbst als dem Mittler zwischen dem göttlichen Urlicht und den zahllosen dunklen Lichtradien; dasselbe Prisma
aber vermittelt auch den Weg, auf dem die als Lichtradien erscheinenden
Geister, ihrer gemeinsamen Herkunft froh, zu ihrem Ursprung zurückfinden. Der Dichter findet für die Aufforderung, durch „Einsicht" in die
Vortrefflichkeit des Reiches der Werte selbst vortrefflich zu werden, durch
Ausspenden von Schönheit und Freude selbst schön und froh zu sein,
keine würdigere Formulierung als die Worte Christi: „Seid vollkommen,
wie euer Vater im Himmel vollkommen ist!" und: „Liebet euch untereinander!" So haben Wesen des vollkommenen Menschen und Vollkommen-

heit des Universums in der alle Wesen mit Gott einenden Sympathie ihre Erfüllung gefunden.

Dritter Abschnitt

Freundschaft

Freundschaft ist seit seiner Aufnahme in die „Militärische Pflanzschule" im Januar 1773 die stärkste Empfindung, welche die Seele des jungen Schiller beherrscht. Jünglinge wie Scharffenstein, die Brüder von Hoven, Petersen, Albrecht Friedrich Lempp wurden Genossen eines schwärmerischen Freundschaftsbundes, in welchem echte Begeisterung zu jugendlichausgelassener Überspanntheit sich steigern konnte.

Der erste erhaltene — an Scharffenstein gerichtete — Freundschaftsbrief stammt aus dem Jahre 1777 oder 1778. Noch fehlt die klare Begriffsbestimmung der Freundschaft als Spiegelung einer gleichgewogenen Sympathie der Geister, wie sie aus der ‚Theosophie des Julius' herauszulesen ist. Aber entscheidende Schritte zu dieser Anschauung sind getan: Einmal die Vorstellung von der Projektion eigenen Fühlens auf das geliebte Objekt, von dem man einen Widerhall seiner Empfindung ersehnt; und zweitens die Berufung auf Gott als Zeugen und Richter über die Heiligkeit der Freundschaft, deren „Wesentliches" ein „volles Herz" ist. Daher der tröstende Gedanke des schwärmerischen Jünglings, der sich in seinem Verlangen nach einer harmonischen Seele enttäuscht sieht: „Aber im Himmel werd' ich ja edle Herzen finden."

Aus der ‚Anthologie' sind die Gedichte ‚Die Freundschaft', ‚Eine Leichenphantasie' und ‚Elegie auf den Tod eines Jünglings' durch gemeinsame Erlebnisse in diesem Freundeskreis veranlaßt worden. Das zweite und dritte derselben wird in späteren Abschnitten gewürdigt werden. Das erste, schon im vorigen Abschnitt besprochen, wendet sich in der dritten Strophe an einen „Raphael", der in den späteren ‚Philosophischen Briefen' als einer der beiden „Jünglinge von ungleichen Charakteren" genannt wird, die, von einem edlen Drang nach Wahrheit beseelt, „auf ganz verschiedenen Wegen" derselben nachzugehen versuchen, um endlich ihre „einseitigen, oft überspannten, oft widersprechenden Behauptungen in eine allgemeine, geläuterte und festgegründete Wahrheit aufzulösen" — das anschauliche Beispiel einer Freundschaft, von der nach Schillers Überzeugung wie von der Liebe der Grundsatz gilt, daß sie „nicht unter gleichtönenden Seelen, aber unter harmonischen" stattfindet.

Zu einer Freundschaft fürs Leben aber sollte erst der Bund mit Christian Gottfried Körner werden; ein Bund, den ein reicher Briefwechsel bis

Schillers Tod begleitet. Die schwärmerische Stimmung des Stürmers und Drängers findet sich in den aus Schillers Feder stammenden Briefen nur im Jahre 1785, sich äußernd in einer überschäumenden Freude, die damit zu einem wesentlichen Merkmal des Sympathieglaubens des jungen Schiller geworden ist.

Schon in der ‚Theosophie des Julius' ist an zwei Stellen von der Freude die Rede. Im ersten Kapitel heißt es: „Harmonie, Wahrheit, Ordnung, Schönheit, Vortrefflichkeit geben mir Freude, weil ... sie mir die Gegenwart eines vernünftig empfindenden Wesens verraten und meine Verwandtschaft mit diesem Wesen mich ahnden lassen." Ursprung der Freude ist also das Reich der Werte als der Manifestation des denkenden Allwesens. Im zweiten Kapitel sagt der Verfasser: „Jede Vollkommenheit ..., die ich wahrnehme, wird mein eigen; sie gibt mir Freude, weil sie mein eigen ist." Der Satz führt den Gedanken aus dem ersten Kapitel fort: Die Freude hat ihre Ursache nicht nur in dem Erlebnis der Vollkommenheiten als Gottes Offenbarungen, sondern auch in dem Bewußtsein, daß diese Vollkommenheiten gleichzeitig vermöge unserer Verwandtschaft mit dem höheren Wesen unser Eigentum sind — oder mindestens werden können. Das Geschenk dieser Freude ist, wie die dem zweiten Zitat folgenden Ausführungen zeigen, Glückseligkeit, die wiederum eine doppelte ist: Das Glücksgefühl über die unsere Gottesverwandtschaft uns bewußt machende Vollkommenheit und über unsere Fähigkeit, dieses Glücksgefühl auch anderen Menschen mitzuteilen.

Der Zusammenhang des Gefühls der Freude mit Glückseligkeit und Vollkommenheit, wie er in der ‚Theosophie' festgestellt wurde, wird dann wieder aus den Briefen ersichtlich, die Schiller im Laufe des Jahres 1785 an den neu gewonnenen Freund in Dresden schreibt. Aus allen spricht die Freude über diesen Bund zweier Seelen, dessen Wesen er am 3. Juli als die Wirkung von Geistern kennzeichnet, die uns dienstbar sind und unsere Gefühle sind Stimmungen durch „eine sympathetische Magie" fortpflanzen und übertragen. Und von dieser so gewonnenen Sympathie heißt es in demselben Brief: „O wie schön und wie göttlich ist die Berührung zweier Seelen, die sich auf ihrem Wege zur Gottheit begegnen! O mein Freund, nur unserer innigen Verkettung, ich muß sie so nennen, unserer heiligen Freundschaft allein war es vorbehalten, uns groß und gut und glücklich zu machen. Die gütige Vorsehung ... hat mich Dir in die Arme geführt, und ich hoffe, auch Dich mir." Eine Woche später, am 11. Juli, heißt es über das innige Verhältnis der beiden Männer: „Deine Freundschaft und Güte bereitet mir ein Elysium. Durch Dich, teurer Körner, kann ich vielleicht noch werden, was ich je zu werden verzagte. Meine Glückseligkeit wird steigen mit der Vollkommenheit meiner Kräfte, und bei Dir und durch Dich getraue ich mir, diese zu bilden." Schon das Wort „Elysium" verrät, daß hier noch der gleiche sympathieselige Schiller spricht, der in so manchen Gedichten der ‚Anthologie' sich hören ließ. Ganz stark klingt der religiöse Ton hindurch an Stellen wie dieser: „Verbrüderung der Geister ist der unfehlbarste Schlüssel zur Weisheit. Einzeln können wir nichts... Dies lag aufgedeckt vor dem großen Meister der Natur; darum knüpfte er die denkenden Wesen durch die allmächtige Magnetkraft der Geselligkeit aneinander." Von dieser durch göttlichen Willen gestifteten Freundschaft heißt es dann: „Ihre Materialien sind die Grundtriebe der menschlichen Seele. Ihr Terrain ist die Ewigkeit und ihr non plus ultra die Gottheit." In diesem Tone geht es weiter: „Sehen Sie, bester Freund, unsere Seele ist für etwas Höheres da, als bloß den uniformen Takt der Maschine zu halten ... sie kann ihre Rechte reklamieren, und das sind dann die Momente des Genius und der Begeisterung. Nemo umquam vir magnus fuit sine aliquo afflatu divino."

Immer entspringt Schillers Freudegefühl zugleich dem Bewußtsein eigener Vollkommenheit und der geistigen Verbundenheit mit allen nach Vollkommenheit strebenden Geistern. Aber immer ist das Freudegefühl auch religiös; das heißt, im Bewußtsein der göttlichen Herkunft der eigenen Vollkommenheit und geistigen Solidarität ist es zur Selbstaufgabe bereit im Aufgehen im schöpferischen Allgeist, der ja Ursprung aller Freude ist.

So wird das in den Wochen der wachsenden Freundschaft entstandene Gedicht ‚An die Freude' verständlich. Doch erweitert der Dichter in diesem Wechselgesang zwischen einem Solisten und einem Chor den Herrschaftsbereich der Freude auf belebte und unbelebte Natur, wie er in dem Gedicht ‚Die Freundschaft' von dem Gleichlauf zwischen Geisterreich und Körperweltgefühlen gesprochen hatte. Und dies mit Recht: Schreiben doch Freude wie Sympathie ihre Herkunft letztlich von dem Schöpfer alles Seins her! Sympathie ist die Manifestation des gemeinsamen Ursprungs der Wesen aus dem ewigen Allgeist als dem Urbild alles Vollkommenen; Freude ist die im Gefühl dieses Ursprungs wirkende Triebkraft, das Vollkommene zu verwirklichen, wie sie in den großen Naturgesetzen, in der Schönheit der Erde, in dem Streben nach Wahrheit und Tugend, im Glauben und Hoffen, in allen großen Eigenschaften des Charakters wie Milde, Großmut und Versöhnlichkeit, in Sanftmut, Heldensinn und Ehrfurcht, in Leidens- und Hilfsbereitschaft, in Treue und Unbeugsamkeit vor falscher Größe sich darstellt.

In einer geistreichen Fabel, im Brief vom 7. August enthalten, hat Schiller seiner Freundschaft mit Körner ein ihre überpersönliche, weltanschauliche Bedeutung kennzeichnendes Denkmal errichtet.

Drei Göttinnen, Liebe, Tugend und Freundschaft, streiten um den Vorrang. Der Göttervater stellt zur Entscheidung des Streites die Devise auf: „Der ist der Erste, der die glücklichsten Menschen macht." Zeus spricht

schließlich sein Urteil, indem er, die Unentbehrlichkeit aller drei Gottheiten zum Menschenglück anerkennend, ihre Aufgaben im Dienste dieses
Zweckes so verteilt: „Meine männliche Tochter, die Tugend, wird ihre
Schwester Liebe Standhaftigkeit lehren, und die Liebe keinen Günstling
beglücken, den die Tugend ihr nicht zugeführt hat. Aber zwischen Euch
beide trete die Freundschaft und hafte mir für die Ewigkeit dieses Bundes."

Zu diesem Urteil gelangt der göttliche Richter, nachdem die Freundschaft auf Zeus' Frage, was sie ihren Lieblingen Großes bieten werde, erwidert hatte, daß sie den Menschen nichts schenken könne; denn: „Mich
lassen sie stehen, wenn sie glücklich sind; aber sie suchen mich auf, wenn
sie leiden."

Die bisher angeführten Stellen aus dem Briefwechsel der beiden Freunde
haben gezeigt, daß für Schiller Freude und Sympathie als Gefühle der
Freundschaft in Wechselwirkung stehen. Das Urteil des Göttervaters will
also den Menschen bewußt machen, daß die Sympathie in ihrer Manifestation als Freundschaft eine Wahrerin der Freude, eine Wehrerin des
Leides ist.

Vierter Abschnitt

Das Leid

Das Leid nimmt im Erleben und Denken des Stürmers und Drängers
Schiller einen großen Raum ein. Von den Erfahrungen seiner Stuttgarter
und Mannheimer Jahre ist hier nicht zu sprechen. Dagegen mag wieder
eine Reihe von Gedichten aus der ‚Anthologie' das Leidempfinden ihres
Verfassers vergegenwärtigen.

‚Eine Leichenphantasie' wurde veranlaßt durch den Tod des neunzehn-
jährigen August von Hoven, jüngeren Bruders von Schillers Freund Friedrich Wilhelm David. Schon in der Gliederung der Strophen ist das Gedicht auf den Grundgedanken: Glückliches Einst und leidvolles Jetzt,
Triumph und Hinfälligkeit der Lebenswerte, Walten und Welken der
Sympathie, ausgerichtet. Die drei ersten und die drei letzten Strophen
versetzen in die trostlose Stimmung der Bestattung des zu früh dahinge-
gangenen Jünglings. In dem auch durch den Rhythmus abgehobenen Mit-
telteil — wieder drei Strophen — sind die Lebenswerte in ihrer reichen
Fülle vergegenwärtigt: sie alle ihrem Wesen nach gekennzeichnet durch
das Gefühl der Freude, aus dem alle Vorzüge und Vollkommenheiten des
jungen Menschen fließen. Die Lieblichkeit eines Blumenfeldes, die natürliche Freiheit ausgezeichneter Geschöpfe der Tierwelt: Reh, Adler, Roß —
man vermeint eine Vorausahnung von Gedanken des letzten Briefes über

die aesthetische Erziehung des Menschen zu spüren —, die zukunftsträchtige Heiterkeit eines Frühlingstages: das sind im einzelnen die Sinnbilder der „Werte", die der Dichter als Manifestationen der Freude und zugleich als Kennzeichnung des jungen Menschen aufführt. Um so trostloser wirken demgegenüber die einleitenden und abschließenden Strophen, und die Andeutung eines Wiedersehens an „Edens Tor", einer höheren, seligen Vollendung in einer jenseitigen Welt verklingt in der hoffnungslosen Stimmung, welche die Erfahrung der Hinfälligkeit alles „Glücks", der Unbeständigkeit aller Werte, der Schemenhaftigkeit aller Sympathie in dem Hörer hinterläßt.

Von Vergänglichkeit spricht auch die ‚Melancholie an Laura'; nur daß diesmal der Gedanke: „Es ist alles eitel" von dem in „seiner Jugend Felsenkraft" stehenden Dichter vor einem in „der Reize Harmonie" prangenden Mädchen entwickelt wird, daß die „Sonnenaufgangsglut" der Gegenwart durch „düsterer Zukunft Nebelferne" verdunkelt wird — eine eigenartige Situation, aber kennzeichnend für den jungen Schiller, der noch zwei Jahre nach Vollendung seines Liedes ‚An die Freude' an Körner schreibt (29. August 1787): „Ganz glücklich kann ich nirgends und nie sein; das weißt Du, weil ich nirgends die Zukunft über der Gegenwart vergessen kann." Und so sieht der jugendliche Dichter schon die Schönheit seines Mädchens im Tode verloren, wie Planeten im Gang der Geschichte zerstäuben, Sonnen ihre Pracht im Meer der Totennacht verlodern lassen, ja wie der Dichter selbst, aus dessen Geist Götterfunken sprühen, einmal in Staub zerfallen wird. Der düsteren Zukunft eines hohen Alters gegenüber weiß er nur *eine* Rettung: Mitten aus der Fülle der Kraft weggerissen zu werden, wie man die Blume „in der schönsten Schöne" bricht, wie der Vorhang an der Trauerbühne bei der schönsten Szene niederrauscht, während die Zuschauer noch schweigend unter dem Eindruck des Erlebten stehen.

Eine verzweifelte Stimmung liegt über dem Gedicht ‚An Minna', deren Untreue der Liebende mit der Absage der Sympathie erwidert, und die er auf die Vergänglichkeit alles Schönen, aller Jugend hinweist — eine ernste Mahnung an die Leichtfertigkeit, die über der sonnigen Gegenwart die düstere Zukunft vergißt.

Tief erschütternd sind die Abschiedsworte, welche ‚Die Kindesmörderin' am Morgen des Hinrichtungstages an die Welt richtet: Auch hier der unendliche Jammer über die Untreue eines — noch immer geliebten — Menschen, die ein junges Leben zum Verbrechen getrieben und zerbrochen hat, die Warnung vor dem Vertrauen auf die Unvergänglichkeit der Jugendschönheit, wie sie den zwei vorher besprochenen Gedichten, ja wie sie auch in abgewandelter Form, in der ‚Leichenphantasie' zu Worte kommt. Umso stärker wirkt das unerwartete Aufleuchten eines sympathetischen

Empfindens dort, wo die Unglückliche es am wenigsten zu finden hoffen
konnte:

> „Zähren? Zähren in des Würgers Blicken?
> Schnell die Binde um mein Angesicht!
> Henker, kannst du keine Lilie knicken?
> Bleicher Henker, zittre nicht!"

In anderer Weise ist der Gedanke an den in jugendlicher Lebenskraft
schon verborgen wirksam scheinenden Tod in dem Gedicht ‚Der Flüchtling' behandelt. Wer den inneren Zusammenhang mit der Heimat verloren
hat, wem das sympathetische Gefühl für den Boden, auf dem er geboren, geraubt ist, sieht in der lachenden Erde nur ein Grab; denn:

> „Morgen — ach! du rötest
> eine Totenflur,
> ach! und du, o Abendrot! umflötest
> meinen langen Schlummer nur."

Das ergreifendste Bild hoffnungslosen Jammers bietet die ‚Gruppe aus
dem Tartarus'. Am Cocytus, dem „Heulstrom", spielt die kurze Szene.
Schmerz und Verzweiflung stehen am Ufer des „wie durch hohler Felsen
Becken" stöhnend dahinschleichenden Gewässers, „spähen bang nach des
Cocytus Brücke" und fragen einander, ob über diese Brücke nicht endlich
Vollendung ihrer Qual heranschreiten werde. Aber im Tartarus gelten
nicht mehr die Gesetze der Zeit: „Ewigkeit schwingt über ihnen Kreise";
ein Ende des Leides ist nicht abzusehen.

Fünfter Abschnitt

Wahrheit?

Wie vermochte desselben Dichters Phantasie aus der Kraft seines Sympathieglaubens Visionen von so beseligender Art wie diejenige vom ‚Elysium' zu schaffen, und dann wieder, als wäre dieser Glaube ein Phantom,
Szenen so grauenvoller Hoffnungslosigkeit zu gestalten, wie sie die
‚Gruppe aus dem Tartarus' darstellt?

Der Widerstreit dieser inneren Schau hat den Dichter seit seiner Stuttgarter Zeit beschäftigt, und es wird sich im nächsten Kapitel zeigen, daß
auch der schon reifende Denker wiederholt unter seinem „Skeptizismus"
zu leiden hatte, der ihm alle Freude und alle Glückseligkeit des Sympathieglaubens fragwürdig erscheinen ließ.

Die Problematik, die in dem Widerspruch zwischen sympathetischem

Glücksgefühl und leidvoller Vereinsamung liegt, hat der Stürmer und
Dränger zum Gegenstand eines kleinen, 1782 veröffentlichten Prosadialogs
gemacht.

,Der Spaziergang unter den Linden' gibt ein Gespräch zweier Freunde,
Edwin und Wollmar, wieder, von denen jener, der glückliche, „die Welt
mit frohherziger Wärme umfaßt", dieser, der „trübere" Charakter, dieselbe
Welt „in die Trauerfarbe seines Mißgeschicks kleidet." Jener „malt sich
die Natur wie ein rotwangiges Mädchen an seinem Brauttag", diesem
„erscheint sie als eine abgelebte Matrone." Die bekannten Kontraste kehren wieder: Freude und Leid, Jugend und Alter — oder, wie die beiden
Freunde sie formulieren: Gewesen und Vergangen. Und das scheinbar Unbegreifliche dieses Widerspruchs drückt der frohe Edwin in dem Satze
aus: „Sehen Sie, Wollmar! aus eben dem Kelche, woraus Sie bittere Galle
schöpfen, schöpft meine Laune lustige Scherze."

Welcher der Jünglinge besitzt die „Wahrheit"? Wollmar fragt: „Wenn
unsre Launen die Modelle unserer Philosophien sind, — sagen Sie mir
doch, Edwin, in welcher wird die *Wahrheit* gegossen? Ich fürchte, Edwin,
Sie werden weise sein, wenn Sie erst finster werden." Worauf Edwin antwortet: „Das möcht' ich nicht, um weise zu werden!"

Und welches ist denn der Weg, auf welchem Edwin zur Wahrheit zu
gelangen hofft? Er spricht in einem Bild: „Wenn sie auch die Insel verfehlt, so ist doch die Fahrt nicht verloren." Das will sagen: Die Wahrheit
liegt nicht im äußeren Erfolg unseres Tuns, sondern in der inneren Einstellung des handelnden Menschen: daß der Mensch an seinem Tun
Freude hat, weil er in „jedem Laut" nicht nur „den Sterbegesang einer
Seligkeit", sondern auch „die Hymne der allgegenwärtigen Liebe" vernimmt.

Damit erhalten die letzten Worte des Dialogs eine einprägsame Bedeutung. Edwin gesteht dem Freunde: „Wollmar, an dieser Linde küßte mich
meine Julia zum erstenmal." „Heftig davongehend", stößt Wollmar die
Worte hervor: „Junger Mensch! Unter dieser Linde hab' ich meine Laura
verloren." Man verstehe diesen dramatischen Abschluß des Zwiegesprächs
so: Wer durch eine persönliche glückliche oder unglückliche Erfahrung
sein Urteil über die Welt im ganzen bestimmen läßt, dessen „Philosophie"
ist „ das Modell seiner Laune", ist subjektiv und ohne Allgemeingültigkeit.
Wer angesichts aller Vergänglichkeit und allem Leid den Glauben an eine
in der Welt sich manifestierende Liebe nicht verliert, der hat die „Wahrheit."

Der scheinbare Widerstreit, der zwischen der weltanschaulichen Haltung
der im zweiten und der im vierten Abschnitt besprochenen Gedichte der
,Anthologie' besteht, er ist also ein Widerstreit in der Brust des jungen
Schiller. Durch seinen Sympathieglauben im Besitz der von ihm anerkann-

ten Wahrheit, ist diese stark sensible Natur doch zeitbedingten Einflüssen einer düsteren Melancholie, ja eines quälenden Skeptizismus zugänglich. Die Eigentümlichkeit dieser fast labilen Gemütsart wird aber als der Weltanschauung des jungen Schiller gemäß begriffen, sobald man erkennt, daß sie in das ethisch-aesthetische Gebiet des im ersten Abschnitt aufgestellten Sympathiekomplexes gehört. Schillers Verhältnis zu der Heldin seiner Lauragedichte ist durch den Bann eines vielfachen Zaubers bestimmt. ‚Die Entzückung an Laura' schließt in den in der ersten und letzten Strophe besungenen Augenzauber den Sangeszauber und den Tanzeszauber ein. Aber am stärksten wirkte doch der Zauber, der durch Lauras Klavierspiel die Seele des Jünglings in sympathetisches Mitschwingen versetzte. Das Gedicht ‚Laura am Klavier' erscheint geradezu als Gegenstück zu des reifen Schiller Verherrlichung der ‚Macht des Gesanges':

„Wer kann des Sängers Zauber lösen,
wer seinen Tönen widerstehn?
Wie mit dem Stab des Götterboten
beherrscht er das bewegte Herz;
er taucht es in das Reich der Toten,
er hebt es staunend himmelwärts
und wiegt es zwischen Ernst und Spiele
auf schwanker Leiter der Gefühle."

Von Laura heißt es:

„Du gebietest über Tod und Leben;"

eine „Zauberin" ist sie, deren Spiel alle Seelenstimmungen des Hörers rührt:

„Lieblich jetzt, wie über glatten Kieseln
silberhelle Fluten rieseln,
majestätisch prächtig nun,
wie des Donners Orgelton,
stürmend von hinnen jetzt, wie sich von Felsen
rauschende, schäumende Gießbäche wälzen,
holdes Gesäusel bald,
schmeichlerisch linde,
wie durch den Espenwald
buhlende Winde,
schwerer nun und melancholisch düster,
wie durch toter Wüsten Schauernachtgeflüster,
wo verlornes Heulen schweift,
Tränenwellen der Cocytus schleift."

Erinnern die zwei ersten der angeführten Verse an das im ‚Elysium' dargestellte Idyll, so führen die letzten vier Verse unmittelbar die Szene der
‚Gruppe aus dem Tartarus' vor Augen. Wahrlich, auf die zwischen des
Jünglings sensibler Seelenverfassung und „der Töne Zaubermacht" wirkende Wechselbeziehung wäre das schon erwähnte Wort Schillers von
der „sympathetischen Magie" anwendbar, durch welche Geister „unsre
Gefühle und Stimmungen fortpflanzen und übertragen" (An Körner 3. Juli
1785). Und so wird des Dichters Frage verständlich:

> „Mädchen, sprich! Ich frage, gib mir Kunde:
> stehst mit höhern Geistern du im Bunde?"

Es ist ja die Seele, der die Tasten des Klaviers eine Sprache verleihen, die
nicht

> „erst in die Elemente trockner Silben
> zersplittern muß" (An Körner 15. April 1786),

um hörbar zu werden. Wenn aber Lauras Liebhaber von dieser Sprache,
die höchstem Glück und tiefstem Leid Ausdruck gibt, wissen will:

> „Ist's die Sprache, lüg' mir nicht,
> die man in Elysen spricht?"

so ist diese Frage doch nur so zu verstehen, daß in Elysium der Widerstreit, der das „bewegte Herz" hier auf Erden umtreibt, kraft der sympathetischen Macht der Liebe aufgehoben ist, wie es das Gedicht ‚Elysium'
bestätigt.

Prüft man auf diese Erkenntnis hin noch einmal die „Leidgedichte" der
‚Anthologie', so zeigt sich, daß auch in ihnen Schillers Sympathieglaube
sich bewährt. Was ist es anderes als Mitgefühl, das den Dichter der Todes-
ahnung des heimatlosen ‚Flüchtlings' in den zwei letzten Strophen so be-
wegende Worte verleihen läßt? Spricht nicht ebenso sympathetisches
Empfinden aus den Tränen, die in der ‚Melancholie an Laura' „der Reize
Harmonie" gewidmet werden, in denen die Geliebte — noch! — prangt?
Ebenso ist es mit den Tränen, die der von seiner Minna verlassene Liebhaber vergießen will, wenn die Ungetreue dereinst, ihrer Jugendschönheit
beraubt, der Gegenstand des Hohnes junger Stutzer sein wird. Schon erwähnt wurde der „sympathetische" Anlaß der ‚Leichenphantasie', ebenso
hingewiesen auf die letzten vier Verse der ‚Kindesmörderin', die zeigen,
wie selbst im Angesicht des Todes den Sterbenden ein mitfühlendes Herz
noch einmal mit der Welt verbindet. Die ‚Gruppe aus dem Tartarus'
schließlich wird erst verständlich durch die Gegenüberstellung von ‚Elysium', dessen Anfangsverse:

„Vorüber die stöhnende Klage!
Elysiums Freudengelage
ersäufen jegliches Ach —"

vernehmlich auf das grauenvolle Bild am Cocytus Bezug nimmt.

Am vollendetsten ist die heilende Kraft der Sympathie in der ‚Elegie auf den Tod eines Jünglings‘ zur Geltung gebracht.

Die das Gedicht einleitende Stimmung gleicht derjenigen in der ‚Leichenphantasie‘. Der Gedanke an die Grausamkeit des Geschicks, das einen Menschen in der Blüte der Jahre schon der „süßen Welt" entrissen hat, findet sich hier wie dort. Dem Schmerz des Vaters um den toten Sohn in dem früher gewürdigten Gedicht entspricht hier der Schmerz des Dichters um den „Busenfreund", um den „Bruder" — es handelt sich um seinen früheren Studiengenossen Johann Christian Weckherlin. Aber genau in der Mitte des Gedichtes weicht der Ausdruck des Schmerzes einer ganz anderen Stimmung: Glücklich die Toten, die dem „teufelvollen Himmel" dieser Welt entrückt sind; und wir, seine Angehörigen, seine Freunde dürfen auf ein Wiedersehen hoffen dort im Reiche der ...

„Wahrheit, die in tausendfachem Strahle
von des großen Vaters Kelche fleußt."

Woher diese trostvollen Töne, diese Hoffnung? Weil Sympathie stärker ist als der Tod:

„Erde mag zurück in Erde stäuben,
fliegt der Geist doch aus dem morschen Haus!
Seine Asche mag der Sturmwind treiben,
seine Liebe dauert ewig aus."

Wie stark und echt wirkt doch dieser tröstliche Klang, der in der ‚Leichenphantasie‘ als „himmlischer Gedanke" nur in zwei kurzen Versen, ohne organischen Zusammenhang mit dem Ganzen, angeschlagen ist! So ist das Gedicht die rührende Bestätigung der Überzeugung seines Verfassers, daß echte Sympathie kein Leid, keinen Gedanken an Vergänglichkeit und Tod aufkommen läßt. Ebenso wie der Zögling der Militärschule in dem ‚Versuch‘ den Tod als das Aufhören der Sympathie zwischen Körper und Geist bezeichnete (§ 27), so lehrte der Dichter über das Verhältnis von Geist zu Geist (‚Die Freundschaft‘):

„Tote Gruppen sind wir, wenn wir hassen;
Götter — wenn wir liebend uns umfassen!"

Und entsprechend im dritten Kapitel der ‚Theosophie‘: „Wenn ich hasse, so nehme ich mir etwas; wenn ich liebe, so werde ich um das reicher, was ich liebe. Verzeihung ist das Wiederfinden eines veräußerten Eigentums —

Menschenhaß ein verlängerter Selbstmord; Egoismus die höchste Armut eines erschaffenen Wesens." Derselbe Geist spricht aus der ‚Nenie' des reifen Schiller:

> „Auch ein Klaglied zu sein im Mund der Geliebten, ist herrlich."

An der Freundschaft als einer das Glück wahrenden, dem Leide wehrenden Kraft hat sich der Sympathieglaube des jungen Schiller entzündet. Wo hat der Karlsschüler das erste Leid seines Lebens erfahren, und wo fand er den ersten Kreis mitempfindender Freunde, denen er die werdenden ‚Räuber' vorlas? Und war es nicht die Mannheimer Not, die ihm den edlen Freund aus Dresden zuführte, der ihm die Vollendung des ‚Don Carlos' ermöglichte?

Auch das Gedicht der ‚Anthologie': ‚Das Glück und die Weisheit' bestätigt diese Bedeutung, die der Stürmer und Dränger der Freundschaft beimißt. Die „Fortuna" des Gedichtes ist ja nicht die Spenderin der Glückseligkeit, die der junge Schiller in der als Freundschaft und Liebe sich manifestierenden Sympathie der Geister fand — so wenig wie das „Glück", über welches der mit der Welt und mit sich zerfallene Wollmar philosophiert. Der „Freund" Fortunas, der sich ermorden will, ist ein Glücksritter, der sich der launischen Göttin anvertraute und nun am Leben verzweifelt, weil er Glückseligkeit und Glücksfall verwechselt hat. Und warum wischt sich „Sophia" den Schweiß vom Angesicht? Weil ihre Wahrheit nur um den Preis des Leides zu gewinnen ist, das den Menschen in der Freundschaft ein echtes, dauerndes Glück finden läßt.

Freilich hat der Dichter erfahren, daß diese Wahrheit bei den Menschen nicht diejenige Anerkennung findet, die sie im Interesse der Menschenwürde beansprucht. Diese Erfahrung gibt seinem Nachruf auf ‚Rousseau' als dem Vorkämpfer höchsten Menschentums seine tief tragische Stimmung.

Die Gedankenverbindung zwischen Sympathieglaube, Glück und Leid ist der Ursprung des späteren Schillerschen Idealismus, der angesichts der Welt des Leides, die in künftigen Ausführungen dieses Buches das „Leben der Wirklichkeit" genannt werden soll, den tätigen Glauben an eine Welt der Glückseligkeit, an ein „wahres Leben" fordert. Diese idealistische Geisteshaltung als geläuterte Fassung des aus Leiden erwachsenden Sympathieglaubens vermochte aber erst zu reifen, nachdem der Dichter sich mit dem durch Kant vermittelten, geschichtsphilosophischen Vernunftbegriff auseinandergesetzt und der Sympathiekomplex durch das Erlebnis der griechischen Geisteswelt seine ethisch-aesthetische Vollendung erfahren hatte.

Aber noch für den gereiften Verkünder dieses Idealismus gilt das Urteil, mit dem Max Hecker die Einleitung zu den 1909 herausgegebenen Briefen des jungen Schiller schließt: „Eines nur wissen wir: der so von Stufe zu Stufe emporgestiegen ist, ohne die Möglichkeiten seiner Entwicklung zu erschöpfen, er stand noch vor der Pforte des Todes als ‚junger Schiller‘.“

Sechster Abschnitt

Sympathie und Dichtungskraft

„Liebe, mein Freund, das große, unfehlbare Band der empfindenden Schöpfung, ist zuletzt nur ein glücklicher Betrug.“ Dieser auf den ersten Blick ungeheuerlich scheinende Satz steht in einem Brief, den Schiller am 14. April 1783 aus Bauerbach, wo er auf dem Gut der Frau Henriette von Wolzogen seit Dezember 1782 eine Zuflucht gefunden, an den Meininger Bibliothekar und seinen späteren Schwager Reinwald schrieb. Ohne auf den Inhalt der dieser Äußerung folgenden Sätze einzugehen, sei der Sinn jenes erstaunlichen Ausspruchs aus den in den früheren Abschnitten dieses Kapitels, besonders aus den Ausführungen der ‚Theosophie des Julius‘ gewonnenen Erfahrungen klargestellt.

Da wurde gezeigt, daß Liebe sich auf Vollkommenheiten richtet, die als Eigenschaften Gottes in der Natur und in einzelnen Menschen zerstreut sind. Liebe zur Vollkommenheit ist nichts anderes als das Erbe, das in den Menschengeschöpfen von Gott her als dem Eigentümer der Gesamtheit der Vollkommenheiten wirksam ist. Und nun möge wieder der Verfasser des Briefes vom 14. April 1783 sprechen: „Gleichwie keine Vollkommenheit einzeln existieren kann, sondern nur diesen Namen in einer gewissen Relation auf einen allgemeinen Zweck verdient, so kann keine denkende Seele sich in sich selbst zurückziehen und mit sich begnügen. Ein ewiges notwendiges Bestreben, zu diesem Winkel den Bogen zu finden, den Bogen in einen Zirkel auszuführen, hieße nichts anders, als die zerstreuten Züge der Schönheit, die Glieder der Vollkommenheit in *einen* ganzen Leib aufzusammeln — das heißt mit andern Worten: Der ewige innere Hang, in das Nebengeschöpf überzugehen oder dasselbe *in sich hineinzuschlingen, es anzureißen,* ist Liebe.“

Liebe ist also letztlich auf das Ziel gerichtet, Gott zu werden. „Seid vollkommen, wie euer Vater im Himmel vollkommen ist“, hieß es im Kapitel „Gott“ der ‚Theosophie des Julius‘.

> „Selig durch die Liebe
> Götter — durch die Liebe
> Menschen Göttern gleich!“

ist das Leitwort des Gedichtes ‚Der Triumph der Liebe'. Und in anderer
Fassung der gleiche Gedanke in den schon einmal angeführten Zeilen des
Liedes ‚An die Freude':

> „Was den großen Ring bewohnet,
> huldige der Sympathie!
> Zu den Sternen leitet sie,
> wo der Unbekannte thronet."

Denn in der Selbstliebe begegnen sich Geschöpf und Schöpfer. „Gott, wie
ich mir denke", heißt es in dem Bauerbacher Brief, „liebt den Seraph so
wenig als den Wurm, der ihn unwissend lobt. Er erblickt *sich*, sein großes,
unendliches Selbst, in der unendlichen Natur umhergestreut. In der allgemeinen Summe der Kräfte berechnet er augenblicklich sich selbst, — *sein*
Bild sieht er aus der ganzen Ökonomie des Erschaffenen vollständig, wie
aus einem Spiegel zurückgeworfen, und liebt *sich* in dem Abriß, das
Bezeichnete in dem Zeichen." In der letzten Strophe des Gedichtes ‚Die
Freundschaft' sieht Schiller die Beziehung des Schöpfers zu seinem Geschöpf geradezu als ein Freundschaftsverhältnis:

> „Freundlos war der große Weltenmeister,
> fühlte *Mangel* — darum schuf er Geister,
> sel'ge Spiegel seiner Seligkeit!"

Wesensverwandtschaft zwischen Schöpfer und Geschöpf als ein ich-
süchtiges Verlangen nach Freundschaft — von dieser Auffassung der Sympathie her sucht nun Schiller die Eigenart der Dichtungskraft zu erklären:
„Wenn Freundschaft und platonische Liebe nur eine Verwechslung eines
fremden Wesens mit dem unsrigen, nur eine heftige Begehrung seiner
Eigenschaften sind, so sind beide gewissermaßen nur eine andre Wirkung
der Dichtungskraft — oder besser: Das, was wir für einen Freund und
was wir für einen Helden unsrer Dichtung empfinden, ist eben das." Und
etwas später: „Das ist unstreitig wahr, daß wir die Freunde unserer Helden
sein müssen, wenn wir in ihnen zittern, aufwallen, weinen und verzweifeln wollen, daß wir sie als Menschen außer uns denken müssen, die uns
ihre geheimsten Gefühle vertrauen und ihre Leiden und Freuden in unsern Busen ausschütten. Unsere Empfindung ist also Refraktion, keine ursprüngliche, sondern sympathetische Empfindung." Diese „sympathetische
Empfindung" bezeichnet Schiller in demselben Brief, wo er auf den in der
Entstehung begriffenen ‚Don Carlos' zu sprechen kommt, als seinen „Puls".

Den Pulsschlag des jungen Schiller haben die vorhergehenden Abschnitte dieses Kapitels fühlbar zu machen versucht. Es ist der Pulsschlag
einer sensiblen Natur, deren Sympathieglaube sich immer wieder gegen
die durch die Welt des Leidens verursachten Angriffe einer düsteren Melancholie und eines quälenden Skeptizismus behaupten muß.

Um Schillers Jugenddramen zu würdigen, wird es sich darum handeln darzustellen, inwieweit sich der Sympathieglaube ihrer Helden angesichts den Forderungen der Welt bewährt — oder nicht bewährt hat.

1. ,Die Räuber'

Die Welt des Leides verkörpert sich in Franz von Moor; der Puls des Dichters schlägt in dem Haupthelden der Tragödie Karl von Moor.

„Ich habe große Rechte, über die Natur ungehalten zu sein ... Warum mußte sie mir diese Bürde von Häßlichkeit aufladen? ... Warum gerade mir die Lappländersnase? Gerade mir dieses Mohrenmaul? Diese Hottentottenaugen?" (I 1) So konterfeit sich der jüngere Sohn des alten Moor in seinem ersten Selbstgespräch.

Den abstoßenden Gesichtszügen entsprechen Eigenschaften seiner Seele. In demselben Monolog kritisiert er das Gerede „von einer sogenannten *Blutliebe*, das einem ordentlichen Hausmann den Kopf heiß machen könnte — Das ist dein Bruder! — das ist verdolmetscht: Er ist aus eben dem Ofen geschossen worden, aus dem du geschossen bist — also sei er dir heilig! — Merkt doch einmal diese verzwickte Consequenz, diesen possierlichen Schluß von der Nachbarschaft der Leiber auf die Harmonie der Geister ... Aber weiter — es ist dein Vater! Er hat dir das Leben gegeben, du bist sein Fleisch, sein Blut — also sei er dir heilig! Wiederum eine schlaue Consequenz! Ich möchte doch fragen, *warum* hat er mich gemacht? doch wohl nicht gar aus Liebe zu mir, der erst ein *Ich* werden sollte? ... Kann ich eine Liebe erkennen, die sich nicht auf Achtung gegen mein *Selbst* gründet?"

In seinem ,Versuch über den Zusammenhang der tierischen Natur des Menschen mit seiner geistigen' weist Schiller auf „ein bewunderswürdiges Gesetz der Weisheit" hin, „daß jeder edle und wohlwollende Affekt den Körper *verschönert*, den der niederträchtige und gehässige in *viehische* Formen zerreißt" (§ 22).

Sollte Franz, wenn diese Feststellung als zu Recht bestehend anerkannt wird, dann die Natur nicht eher wegen seiner seelischen Mißratenheit anklagen? Jedenfalls weiß er um die Lehre „der Philosophen und Mediziner", „wie treffend die Stimmungen des Geists mit den Bewegungen der Maschine zusammenlauten" (II 1). Diese Kenntnis ruft er zu Hilfe, als er über die Mittel nachsinnt, durch welche er seinen Vater — nicht töten, sondern nur „ableben" lassen könne: „*Den Körper vom Geist aus verderben* — ha! ein Originalwerk! — wer das zustand brächte? — ein Werk ohnegleichen!" Und, „diese süße, friedliche Eintracht der Seele mit ihrem Leibe zu stören", geht er alle „Gattungen von Empfindnissen" durch:

Zorn, Sorge, Gram, Furcht, Schreck, Jammer, Reue, Selbstverklagung, bis
er in der *Verzweiflung* das letzte, unfehlbare Mittel gefunden zu haben
glaubt, um sein Ziel zu erreichen.

Ein entsetzliches Zerrbild menschlicher Würde! Der Hinweis auf die
„Lappländernase" erinnert an die Bemerkung des ‚Versuchs' (§ 19), daß
„das neblichte Lappland kaum *Menschen,* ewig niemals ein Genie gebiert."

Freilich — Genie? „... auch dem Lasterhaftesten ist gewissermaßen
der Stempel des göttlichen Ebenbildes aufgedrückt", heißt es in der „Vorrede" zu den ‚Räubern', und Schiller sieht darin ein Werk der Natur, daß
unmoralische Charaktere „von gewissen Seiten glänzen, ja oft vonseiten
des Geistes gewinnen, was sie vonseiten des Herzens verlieren". Und tatsächlich: auch Franz gesteht, daß er der Natur unrecht tue, wenn er sie
nur anklage: „Gab sie uns doch Erfindungsgeist mit, setzte uns nackt und
armselig ans Ufer dieses großen Ozeans *Welt* — schwimme, wer schwim-
men kann, und wer zu plump ist, geh' unter! Sie gab mir nichts mit; wozu
ich mich machen will, das ist nun meine Sache" (I 1). Welchen Scharfsinn
wendet Franz auf, um seine nihilistische Weltanschauung darzutun! Freilich beachtet er nicht, daß sein unerbittlich folgernder Geist ihn zugleich
um den Reichtum einer fühlenden Seele betrügt: „Ich will alles um mich
her ausrotten, was mich einschränkt, daß ich nicht *Herr* bin. *Herr* muß
ich sein, daß ich das mit Gewalt ertrotze, wozu mir die Liebenswürdigkeit
gebricht" (I 1). Der Mensch, dem jedes sympathetische Gefühl fremd ist,
kennt nur *eine* Freiheit: Die Freiheit des Terrors über ohnmächtig duldende Opfer seiner Willkür. „Blässe der Armut und sklavischen Furcht
sind meine Leibfarbe; in diese Liverei will ich euch kleiden!" (II 2)

So erscheint einer seelenlosen Philosophie das gewaltsame Auslöschen
eines Menschenlebens — und wäre es das Leben des Vaters oder Bruders
— als ein Nichts: „Es war Etwas und wird Nichts — heißt es nicht ebensoviel als: es war Nichts und wird Nichts, und um Nichts wird kein Wort
mehr gewechselt" (IV 2). Und also: „Der milzsüchtige, podagrische Mo-
ralist von einem Gewissen mag runzlige Weiber aus Bordellen jagen und
alte Wucherer auf dem Totenbett foltern — bei mir wird er nimmermehr
Audienz bekommen" (IV 2).

Aber die unbedingte Verneinung sympathetischen Empfindens ist eine
Zumutung, die auf die Länge über menschliche Kraft geht. In dem ‚Versuch' kommentiert Schiller diese Tatsache am Beispiel Franzens von Moor:
Gerade „starke Anstrengung des Denkens" im Bewußtsein eines frevel-
haften Bestrebens bringt es dahin, daß die gewaltsam niedergehaltene
Seele sich in wilden, angstvollen Phantasien ihr Recht verschafft. Mag
immerhin der tiftelnde Verstand Vater und Bruder als tot in Rechnung
stellen — in dunkler Nacht steigen ungekannte Mächte an die Oberfläche

der verkümmerten Seele. Franz, „der sonst spitzfindig genug war, die Empfindungen der Menschlichkeit durch Skeletisierung der Begriffe in nichts aufzulösen, springt eben jetzt bleich, atemlos, den kalten Schweiß auf seiner Stirne, aus einem schrecklichen Traum auf . . . Die *Sensationen* (das heißt die inneren Sinneseindrücke) sind allzu verworren, als daß der langsamere Gang der Vernunft sie einholen und noch einmal zerfasern könnte." (§ 15). So wird, um in Schillers Sinne fortzufahren, die vergewaltigte Sympathie gleichsam durch die Natur erzwungen: Franzens Angstträume sind nichts anderes als ein „Mitleiden" unter den seinen Opfern bereiteten Qualen. Aber erst als zu dem Richter in seiner Brust auch der Rächer von außen herannaht, steigt der Paroxysmus zur letzten Fieberhöhe: Sie führt zur physischen Selbstvernichtung einer psychisch schon zerstörten Existenz.

Und nun: Karl von Moor — welch ein Gegensatz!

Amalie, seine Verlobte, singt im Gedanken an den tot geglaubten Geliebten ein Lied, das mit den Worten beginnt:

> „Schön wie Engel, voll Walhallas Wonne,
> schön vor allen Jünglingen war er,
> himmlisch mild sein Blick wie Maiensonne,
> rückgestrahlt vom blauen Spiegelmeer" (III 1).

Dem schönen Körper entspricht ein schöner Geist, der selbst aus der verzerrten Darstellung, mit der Franz den alten Moor peinigt, hervorleuchtet. „Der feurige Geist, der in dem Buben lodert, der ihn für jeden Reiz von Größe und Schönheit so empfindlich macht, diese Offenheit, die seine Seele auf dem Auge spiegelt, diese Weichheit des Gefühls, die ihn bei jedem Leiden in weinende Sympathie dahin schmelzt, — dieser männliche Mut, der ihn auf den Wipfel hundertjähriger Eichen treibet und über Gräben und Palissaden und reißende Flüsse jagt . . ." (I 1)

Ein für die Schönheit der Welt aufgeschlossener, sympathetisch fühlender Sinn spricht erschütternd aus der Szene am Donauufer (III 2), wo nach einem harten Kampf, der ihm seinen Roller gekostet hat, Karl von Moor im weichen Gras unter Bäumen am Hange des Hügels ausruht: „Seht doch, wie schön das Getreide steht! — Die Bäume brechen fast unter ihrem Segen. — Der Weinstock voll Hoffnung." Und der Sonnenuntergang entlockt ihm den Ausruf: „So stirbt ein Held! — Anbetungswürdig!"

Ganz stark ist der Einfluß, den die Musik auf Karls Seelenleben ausübt. Als am Schluß der vierten Szene des vierten Aktes Amalia vor dem unerkannten Gast im Garten des väterlichen Schlosses den Anfang des Liedes von Hektors Abschied zur Laute anstimmt, das sie in vergangenen glücklichen Zeiten so oft im Wechselgesang mit dem Geliebten gesungen hat, ergreift Karl, einem augenblicklichen Triebe folgend, das Instrument und verrät sich durch Weiterführung des Liedes Amalia, um dann die Laute wegzuwerfen und davonzustürmen. — Und im mitternächtigen Walde, im Kreise seiner Schicksalsgenossen, als unter dem Eindruck des Wiedersehens der Heimat und der Braut der Gedanke seines verspielten Lebens ihn überwältigt, singt er, „daß mein schlafender Genius wieder aufwacht", den Zwiegesang des Caesar und Brutus, der den Selbsterhaltungswillen einer starken Persönlichkeit auch im Untergange ausspricht.

Welche Bedeutung die Musik für die zwischen Elysium und Tartarus umgetriebene Seele des jungen Schiller besaß, hat der fünfte Abschnitt gezeigt. In Karl von Moor schlägt der Puls seines Dichters.

Das Lied von Caesar und Brutus ist zugleich ein Beispiel dafür, wie die Musterbilder von Heldengröße Karls Begeisterungsfähigkeit entflammen. Schon der Knabe liest, wie Franz in böswilliger Entstellung berichtet, „die Abenteuer des Julius Caesar und Alexander Magnus und anderer stockfinsterer Heiden lieber als die Geschichte des bußfertigen Tobias" (I 1), und der Leipziger Student erbaut sich an den „großen Menschen" des griechischen Biographen Plutarch (I 2).

Auch hier spricht aus seinem Helden die Seele des jungen Schiller, der in den drei Gedichten der ‚Anthologie', ‚Graf Eberhard der Greiner von Württemberg', ‚Die Schlacht' und selbst in dem derb-übermütigen ‚Männerwürde' Heldentum und männliche Genialität in weitestem Sinne besungen hat.

Wie zahlreich sind ferner die Beispiele innigen sympathetischen Fühlens für Mitmenschen in Karls Charakter!

Als Kind ließ er sich von seinem Vater Pfennige schenken, um sie „dem ersten dem besten Bettler in den Hut zu werfen" (I 1). Von dieser Seite fällt sogar auf sein Räubertum ein helles Licht: Ein Helfer ist er den Kranken und Schwachen, ein Beschützer der Verfolgten und am Leben Verkürzten, und furchtbar trifft sein Zorn jeden aus seinem Gefolge, der die Gebote der Menschlichkeit gegen Kinder, Frauen und Greise nicht achtet (II 3).

Mit unendlicher Liebe und Verehrung blickt er zu seinem Vater auf, zu dem „vortrefflichen", dem „göttlichen" Mann (IV 2); von schmerzlicher Innigkeit ist Karls Liebe zu Amalia (IV 2 und 4); eine plötzliche Erinnerung an die Geliebte weckt in ihm den Entschluß: „Ich muß sie sehen... Auf! hurtig! Alle! nach Franken! In acht Tagen müssen wir dort sein" (III 2) — und führt dadurch zur Vollendung seines Schicksals.

Wo sich Karls sympathetisches Fühlen als Freundschaft manifestiert, ist es durchaus von seiner Begeisterung für Heldengröße bestimmt. Unter der ganzen Schar seiner Schicksalsgenossen stehen ihm am nächsten der treue Roller und der impulsive Schweizer. In frohen und dunklen Tagen ist er innig mit ihnen verbunden. Alle drei Freunde harmonieren in der zorn-

mütigen Verachtung alles Niedrigen, Gemeinen, Verworfenen; im Kampf-
gewühl schützt einer das Leben des anderen; gemeinsam dringen sie in den
Feind, und Roller wie Schweizer bewährt seine Freundestreue mit dem
Tod.

Wendet sich nun die Betrachtung von Karls sympathetischem Empfinden zu dessen letzter, höchster Manifestation, der religiösen, so gelangt
die Würdigung des Schauspiels damit zu der Frage nach der Tragik seiner
Hauptgestalt.

Den Ausgangspunkt bilde eine Stelle der Szene am Donauufer (III 2).
Nach dem Tode Rollers wird die Räuberschar durch den Beitritt des böhmischen Edelmanns Kosinsky wieder auf die alte Zahl gebracht. Karl prüft
den Ankömmling unnachsichtig auf seine Eignung, indem er ihn mit
tiefem Ernst auf Wesen und Bestimmung der neuen Kameradschaft hinweist: „Du trittst hier gleichsam aus dem Kreise der Menschheit — entweder mußt Du ein höherer Mensch sein, oder du bist ein Teufel — Noch
einmal, mein Sohn! wenn dir noch ein Funken von Hoffnung irgend an-
derswo glimmt, so verlaß diesen schrecklichen Bund, den nur Verzweiflung
eingeht, wenn ihn nicht eine höhere Weisheit gestiftet hat."

Der Widerstreit von Sympathieglaube und Melancholie, der des jungen
Schiller sensible Seele kennzeichnet — er tritt in Karl von Moor als Beru-
fungsglaube und Verzweiflung zutage.

Welches äußere und innere Erleben hat Karl zu dieser Gestaltung seines
Menschentums geführt?

Seinem Bruder Franz ist es gelungen, durch verruchte Machenschaften
Karl um sein Erstgeburtsrecht zu betrügen und ihn glauben zu machen,
sein Vater habe ihn verstoßen, als er von den Jugendstreichen seiner Leipziger Studentenzeit Nachricht erhalten. Der leidenschaftliche Jüngling,
dessen warm fühlendes Herz schon lang von stolzer Verachtung seiner an
überlebten Gesellschaftsformen festhaltenden, kleingeistigen, philisterhaf-
ten Zeitgenossen, von Abscheu gegen die Prediger einer unechten Sittlichkeit erfüllt ist, verliert nun jeden Glauben an das Gute im Menschen: „Ist
das Vatertreue? Ist das Liebe für Liebe? . . . Reue und keine Gnade! . . .
So eine rührende Bitte, so eine lebendige Schilderung des Elends und der
zerfleischenden Reue! . . . Ich hab' ihn so unaussprechlich geliebt! So liebte
kein Sohn . . ." (I 2).

In dieser Lage tritt nun das Schicksal an ihn heran: Karl wird aufgefor-
dert, die Hauptmannschaft einer von seinen Kameraden gebildeten Räuberbande zu übernehmen. Er nimmt die Aufforderung an; denn „Menschen haben Menschheit vor mir verborgen, da ich an Menschheit appel-
lierte; weg dann von mir, Sympathie und menschliche Schonung! — Ich
habe keinen Vater mehr, ich habe keine Liebe mehr, und Blut und Tod
soll mich vergessen lehren, daß mir jemals etwas teuer war!" (I 2)

Hier spricht nur die Verzweiflung eines Unglücklichen, der den Glauben an Welt und Menschen, an alle Lebenswerte verloren hat.

Aber ist es möglich, daß eine Seele, in der alle Anlagen zu reichstem sympathetischen Empfinden vereinigt gewesen, auch durch die härtesten Enttäuschungen dieser Anlagen gänzlich verlustig gehen sollte? Hätte wohl Karl die Führerschaft seiner Kameraden übernommen, wenn nicht sein liebster und treuester Gesell Schweizer, sondern der feige, heimtückische, gemeine Spiegelberg sie ihm angeboten hätte? Hat die furchtbare Enttäuschung, die er durch die vermeintliche Lieblosigkeit des Vaters erfahren, seine Kindesliebe erlöschen lassen? Und endlich: Ist es nicht Sympathie für die leidende Menschheit, die den von Kindheit an für alles Heldentümliche, für alles was Kraft erfordert und mit Gefahr verbunden ist Begeisterten in die Böhmischen Wälder führt? Welche höhere Aufgabe konnte es geben, als die vergewaltigte Sympathie an ihren Verächtern zu rächen?

Und da der Urquell dieser welterfüllenden Macht der Schöpfer ist, wie sollte nicht in Karls Seele das Gefühl einer Verantwortung die Ahnung aufkommen lassen, daß sein Entschluß vielleicht als Auftrag einer „höheren Weisheit" zu verstehen sei? Ein Gedanke, so groß, daß er dem am Leben Verzweifelnden das Leben noch ertragbar machen könnte.

Aber langsam steigt in Karl die Erkenntnis auf, daß seine Vorstellung von dem „Weltplan" Gottes ein furchtbarer Irrtum ist. Führt sympathetisches Fühlen wirklich immer zum lieben Vater überm Sternenzelt?

> „Waltet nicht auch durch des Übels Reiche
> fürchterliche Sympathie?"

hieß es in der ‚Phantasie an Laura'. Schritt vor Schritt kommt Karl von Moor dieser Einsicht näher. Die „Sympathie", die Spiegelberg, Razmann und Schufterle verbindet, läßt ihn zum erstenmal mit Gott hadern: „Höre sie nicht, Rächer im Himmel! — was kann ich dafür? Was kannst du dafür, wenn deine Pestilenz, deine Teurung, deine Wasserfluten den Gerechten mit dem Bösewicht auffressen? Wer kann der Flamme befehlen, daß sie nicht auch durch die gesegneten Saaten wüte, wenn sie das Genist der Hornissel zerstören soll?" (II 3) Dann fällt sein lieber Geselle Roller, einziger Verlust im siegreichen Kampf mit einem gegen ihn aufgebotenen Soldatentrupp, der seinerseits dreihundert Tote hat. Die sympathetisch empfindende Seele glaubt im Gedanken an die überlebenden Spiegelberg und Genossen einen Klang aus dem späteren ‚Siegesfest' zu vernehmen:

> „Ohne Wahl verteilt die Gaben,
> ohne Billigkeit das Glück;
> denn Patroklus liegt begraben,
> und Thersites kommt zurück!"

Da ist es Karl, als sei seine Jugend von ihm gewichen; wie der ,Flücht-
ling' sieht er sich verstoßen aus den Schönheiten der Welt — „ich ein
Ungeheuer auf dieser herrlichen Erde. ... Die ganze Welt *eine* Familie
und *ein* Vater dort oben — *mein* Vater nicht — ich allein der Verstoßene,
ich allein ausgemustert aus den Reihen der Reinen — mir nicht der süße
Name Kind — nimmer mir der Geliebten schmachtender Blick — nimmer,
nimmer des Busenfreundes Umarmung. Umlagert von Mördern — von
Nattern umzischt — angeschmiedet an das Laster mit eisernen Banden —
hinausschwindelnd ins Grab des Verderbens auf des Lasters schwanken-
dem Rohr — mitten in den Blumen der glücklichen Welt ein heulender
Abbadonna!" (III 2) Das Wiedersehen mit seiner ihm auf ewig verlorenen Heimat, die Vergeltung, die den auf Meuchelmord sinnenden Spiegelberg durch Schweizers Dolch trifft, bestätigt ihm seine Ahnung: „Ich verstehe — Lenker im Himmel — ich verstehe — die Blätter fallen von den
Bäumen — und mein Herbst ist kommen —" (IV 5).

Aber wer scheidet gern vom Leben? Wer läßt sich so leicht überzeugen,
daß alles vorbei ist, wenn noch ein Schimmer Hoffnung auf heilige Sympathie vorhanden?

Das Schicksal schreitet seinen Gang: Franz richtet sich selbst; der letzte
Herzensfreund Karls, Schweizer, sühnt einen nicht verschuldeten Unge-
horsam gegen seinen Hauptmann durch einen freiwilligen Tod; der alte
Moor, von Karl aus furchtbarem Verließ befreit, in das ihn des jüngeren
Sohnes Unmenschlichkeit geworfen, gibt seinen Geist auf, als er in seinem
Retter den totgeglaubten rechtmäßigen Erben erkennt.

Aber Amalia — Amalia glaubt unentwegt an Karls Reinheit, und diese
Sympathie läßt den Unglücklichen für einen Augenblick all sein Leid ver-
gessen: „Sie vergibt mir, sie liebt mich! Rein bin ich wie der Aether des
Himmels, sie liebt mich! — Weinenden Dank dir, Erbarmer im Himmel!
Der Friede meiner Seele ist wiedergekommen, die Qual hat ausgetobt, die
Hölle ist nicht mehr" (V 2).

Doch jetzt meldet die Sympathie eben dieser Hölle ihren Anspruch an:
„ Halt' ein, Verräter! ... Denk' an die böhmischen Wälder! ... Treuloser,
wo sind deine Schwüre? Vergißt man Wunden so bald? Da wir Glück,
Ehre und Leben in die Schanze schlugen für dich? ... hubst du da nicht
deine Hand zum eisernen Eid auf, schwurst, *uns nie zu verlassen,* wie wir
dich nicht verlassen haben? ... Pfui über den Meineid! Der Geist des
geopferten Rollers, den du zum Zeugen aus dem Totenreich zwangest,
wird erröten über deine Feigheit, und gewaffnet aus seinem Grabe steigen,
dich zu züchtigen."

Dieser Höllensympathie erliegt Karls letzte Hoffnung. „Es ist aus! —
Ich wollte umkehren und zu meinem Vater gehn, aber der Himmel sprach,
es soll nicht sein." Er erfüllt das entsetzliche Werk der Barmherzigkeit, in-

dem er Amalia, der ganz Verlassenen, den Dolch ins Herz stößt. Dann
zieht er die Bilanz seines verfehlten Lebens, hält Abrechnung mit seinem
anmaßenden Unterfangen, Gottes „Weltplan" begreifen und an seiner
Verwirklichung mitwirken zu wollen. „O über mich Narren, der ich wäh-
nete, die Welt durch Greuel zu verschönern und die Gesetze durch Gesetzlosigkeit aufrecht zu halten! Ich nannte es Rache und Recht — Ich
maßte mich an, o Vorsicht, die Scharten deines Schwerts auszuwetzen und
deine Parteilichkeiten gut zu machen — aber — o eitle Kinderei — da
steh' ich am Rand eines entsetzlichen Lebens, und erfahre nun mit Zähne-
klappern und Heulen, daß *zwei Menschen wie ich den ganzen Bau der
sittlichen Welt zu Grund richten würden.* Gnade — Gnade dem Knaben,
der *Dir* vorgreifen wollte — *Dein* eigen allein ist die Rache. *Du* bedarfst
nicht des Menschen Hand."

So spricht Karl das Schuldig über sein Leben — ein Schuldig, weil er
statt des Sympathieglaubens den Berufungsglauben zur Richtschnur seines
Handelns machte.

Es liegt hier ein Fall vor, an welchem die Gültigkeit des am Schluß des
fünften Abschnitts angeführten Worten von Max Hecker erwiesen wird.

In der Anfang November 1804 entstandenen ,Huldigung der Künste'
spricht der „Genius" die Worte:

> „Wisset, ein erhabner Sinn
> *legt* das Große in das Leben,
> und er *sucht* es nicht darin."

Daß er die Führung einer Räuberbande übernimmt, weil er im Leben das
Große sucht, statt es durch eigenes Tun hineinzulegen, darin besteht Karls
Schuld. Nicht diejenige Gesinnung ist erhaben, heißt es in Schillers 1793
erschienenen Schrift ,Über das Erhabene', welche fordert, daß „das
Schöne und Gute und Vollkommene existiere", sondern die, welche „mit
rigoristischer Strenge verlangt, daß das Existierende gut und schön und
vollkommen sei! Mit seiner Forderung, daß „das Schöne und Gute und
Vollkommene existiere", durchbricht Karl die der Menschheit gesetzten
Grenzen und glaubt sich von Gott berufen, seiner Forderung als einer
Forderung Gottes Geltung zu verschaffen — Geltung auf dem Wege der
Gewalt und des Unrechts.

Und wo liegt die Tragik des Schicksals unseres Helden? Sie liegt in der
Tatsache, daß „auch durch des Übels Reiche fürchterliche Sympathie waltet." Karls Fall ist ein Grenzfall, der auf der Schneide zwischen Gut und
Böse liegt — daher sein Abgleiten von dem zum Himmel führenden Sympathieglauben in den schließlich „mit der Hölle buhlenden" Berufungsglauben, der ihn versucht, daß er sein will wie Gott.

Ob das Leid der Welt den Menschen auf den einen oder den anderen
Weg führt, ist Sache seiner inneren Haltung.

Diese Erfahrung macht Karl von Moor an sich selbst, als er, von Gott
und Menschen verlassen, ganz allein dasteht. Aus der tragischen Ver-
strickung, in die ihn sein unseliger Irrtum gerissen hat, rafft er sich auf
zur Betätigung der Sympathie der Liebe: Der verletzten Majestät der
Ordnung stellt er sich als Opfer und hilft damit zugleich einem „armen
Schelm" aus der Not, dem er den auf die Lieferung des „großen Räubers"
ausgesetzten Preis zuwendet: „Dem Mann kann geholfen werden."

Der gereifte Schiller hätte die Gestalt Karls von Moor anders gesehen.
Der Irrtum, der bei dem Helden des Stürmers und Drängers in der Ver-
kehrung des Sympathieglaubens in einen Berufungsglauben liegt, wäre
dem Gestalter des Marquis Posa, wie das nächste Kapitel wahrscheinlich
machen wird, zu einem Irrtum der „beschränkten Vernunft" geworden.
Um aber diese Art Irrtum glaubhaft zu machen, hätte das ganze Menschentum Karls geändert werden müssen. Der Marquis des vollendeten
,Don Carlos' ist von jeher Vertreter einer Venunftidee; Karl von Moor ist
nichts weniger als Vernunftmensch. Schillers „Pulsschlag" war im Jahre
1787 ein anderer als 1780; und demgemäß gilt für den Verfasser wie für
seinen Helden das Wort ,An einen Moralisten' aus der ,Anthologie':

„die Philosophie
schlägt um, wie unsre Pulse anders schlagen".

Ethisch-aesthetisches Zwischenspiel

Unter der Arbeit an ,Fisco' und ,Kabale und Liebe' befaßte sich Schiller auch mit theoretischen Fragen, wie sie ihm die Berührung mit dem
Theater seit der Aufführung seiner ,Räuber' nahelegte. Hier sei zunächst
an Ausführungen des ersten Abschnitts über das ethisch-aesthetische Gebiet des Sympathiekomplexes angeknüpft, in denen eine Stelle aus dem
1784 entstandenen Aufsatz: ,Die Schaubühne als eine moralische Anstalt
betrachtet' angeführt wurde.

Die genannte Untersuchung setzt sich mit der Auffassung ihrer Zeit
auseinander, nach der das Theater eine sittliche Erziehungsaufgabe zu
erfüllen habe. Ausführlich werden die Möglichkeiten behandelt, die dem
Schauspiel in dieser Richtung gegeben seien, und zwar nach zwei Seiten
hin: Nach der Seite der sittlichen Bildung und nach der Seite der Aufklärung des Verstandes.

Aber in diesen Leistungen sieht Schiller nicht die wesentliche Bedeutung des Theaters, da seine Wirkung auf diesen Gebieten immer zweifelhaft bleibe. Unbestritten dagegen sei der Einfluß, den die dramatischen

Vorgänge auf der Bühne auf den Menschen als solchen ausüben. Der Würdigung dieses Einflusses sind die einleitenden Sätze und der Schluß- abschnitt der Abhandlung gewidmet. In fast wörtlicher Übereinstimmung wird hier wie dort der Charakter des Theaters darin gesehen, daß in ihm, indem sich „Vergnügen mit Unterricht, Ruhe mit Anstrengung, Kurzweil mit Bildung gattet", „jede Seelenkraft Nahrung" findet, „ohne eine ein- zige zu überspannen", so daß sich die Menschen „durch eine allwebende Sympathie verbrüdert" fühlen, indem „der aesthetische Sinn oder das Ge- fühl für das Schöne" „jeden Einzelnen die Entzückungen aller genießen" läßt.

Indem Schiller damit das Schauspiel eindeutig in den Dienst des sym- pathetischen Empfindens stellt, unterscheidet er scharf zwischen Moral im eigentlichen Sinn und Menschentum in weitester Bedeutung und weist dem Theater als ihm gemäßen Wirkungskreis das letztere zu, in welchem die ethisch-aesthetische Sympathie die belebende Kraft ist. Vielleicht wird das, was der Verfasser in diesem Sinne als „moralische" Aufgabe der Bühne ansieht, noch deutlicher, wenn man das Verhältnis berücksichtigt, in welches Schiller das Theater zur Religion stellt.

Der Dichter unterscheidet zwischen einer „politischen" und einer „gött- lichen" Seite der Religion. Politisch nennt er diejenigen Wirkungen der Religion, die sie durch ihre „Gemälde von Himmel und Hölle" hervorruft, also durch Bilder der Phantasie, „Rätsel ohne Auflösung, Schreckbilder und Lockungen aus der Ferne." Man denke an die Szene im fünften Akt der ‚Räuber', wo Franz von Moor von den furchtbaren Gesichten des Welt- gerichts zum Wahnsinn getrieben wird. Die Bezeichnung „politisch" mag insofern am Platze sein, als diese „Schreckbilder" den schwachen Charak- ter vielleicht auf dem Weg der Gesetze festzuhalten vermögen, also in ge- wissem Sinne der „Moral" dienen. Dem gegenüber wendet sich die „gött- liche" Seite der Religion an den Menschen als Geschöpf des Herrn der Welt, dient also der „Sympathie", die das Menschenherz mit dem Vater im Himmel verbindet. Und dieses Menschenherz ist es auch, das nach Schillers Theorie von der dramatischen Kunst angesprochen werden soll, indem sie „in tausend Gemälden" voll „lebendiger Gegenwart" die Ge- heimnisse dieses Menschenherzens zur Anschauung bringt, dieser „so oft zu Boden getretenen, so oft wieder auferstehenden Natur", bis „jeder Ein- zelne ... nur *einer* Empfindung Raum gibt — es ist diese: ein *Mensch* zu sein."

Damit freilich das Drama diese hohe Aufgabe erfülle, sind große Forde- rungen zu verwirklichen. Mit ihnen befaßt sich der schon 1782 veröffent- lichte Aufsatz Schillers: ‚Über das gegenwärtige deutsche Theater'. Die Forderungen richten sich an das Publikum, an den Dichter und an den Schauspieler.

Ist der Zuschauer oberflächlich, mangelt ihm der Sinn für das Wesentliche und für den Zauber der Dichtung, so vermag er nicht die innere Teilnahme an den Vorgängen auf der Bühne aufzubringen, das eigene Herz zur „Sympathie" mit den im Schauspiel dargestellten Herzensvorgängen zu befähigen.

Eine hohe Aufgabe hat der Dichter zu erfüllen. Dem Dramatiker deutscher Nationalität liegt es ob, gerade jene göttliche Seite der Religion zum Gehalt seines Werkes zu machen, indem er die Unendlichkeit des Universums für unsere „Ameisenaugen" zur Anschauung bringt, das heißt durch eine auf die Beschränktheit der menschlichen Sinne berechnete Aesthetik eine Sympathie für das Ungeheure weckt. „Er bereite uns von der Harmonie des Kleinen auf die Harmonie des Großen, von der Symmetrie des Teils auf die Symmetrie des Ganzen, und lasse uns letztere in der erstern bewundern."

Der Schauspieler endlich muß zwischen Gesten seines Körpers, der Beherrschung der Stimme, dem Ausdruck in Maske und Kostüm einerseits, dem Charakter der von ihm dargestellten Persönlichkeit und ihrem Schicksal andererseits eine geradezu schlafwandlerische Sicherheit der gegenseitigen Anpassung besitzen — eine besondere Art von Sympathie sinnlichgeistiger Natur also, vermöge deren er allein imstande ist, als Mittler zwischen Dichter und Zuschauer, ja zwischen Weltordnung und Menschsein zu wirken.

Dem tieferen Blick offenbaren sich alle diese ethisch-aesthetischen Grundsätze über Wesen und Aufgaben des Theaters als notwendige Folgerungen aus des jungen Schiller Anschauung von der Identität der Sympathie und der Dichtungskraft.

2. ‚Fiesco'

„Ich habe in meinen Räubern das Opfer einer ausschweifenden Empfindung zum Vorwurf genommen. — Hier versuche ich das Gegenteil, ein Opfer der Kunst und Kabale." Mit diesen Sätzen umschreibt Schiller in der Vorrede zu seinem „republikanischen Trauerspiel" den Unterschied der Themen seiner ersten zwei dramatischen Dichtungen. In die Terminologie des vorliegenden Versuchs übertragen, heißt das: In Karl von Moor zeigte der Dichter einen Menschen, dessen Sympathieglaube in Berufungsglauben „ausschweift"; in Fiesco wird der Konflikt zwischen sympathetischem Empfinden und den Lockungen der Macht veranschaulicht.

Der Held der Tragödie besitzt starke sympathische Züge. „Ein blühender Apoll, verschmolzen in den männlich-schönen Antinous" (I 1), zeigt er zugleich einen hochfliegenden Geist, eine Heldenseele, in der ein glühender Patriotismus mit dem Verlangen nach großen Taten sich verbindet.

Genua, seine Vaterstadt, hat ihre republikanische Freiheit dem herzoglichen Willen des vom deutschen Kaiser Karl V. gehaltenen Hauses Doria unterwerfen müssen. Eine starke Partei der genuesischen Stadtvertretung, der Signoria, ist der Sache der Freiheit treu und findet in Fiesco, dem Grafen von Lavagna, ihren genialen Führer. Aber das wachsende Bewußtsein seiner Führereigenschaften, seiner Gabe, Menschen zu lenken und zu seinen Zwecken zu gebrauchen, verbunden mit der Meinung, daß Genua, dessen Patriziat die Interessen der Republik seinen Handelsvorteilen geopfert hat, während der Pöbel dem jeweiligen Erfolge huldigt, nicht mehr zur Freiheit fähig sei (II 5), und ein starker Stolz auf seine Ahnen, deren zwei schon „die dreifache Krone trugen" (IV 14), lassen in Fiesco das Freiheitsideal hinter dem Bild der Machtfülle verblassen.

Lavagna erkennt deutlich, welche schicksalhafte Bedeutung die Welt hat, vor die er gestellt ist. Das zeigt sein Monolog am Schluß des zweiten Aufzugs.

„*Republikaner Fiesco? Herzog Fiesco?* — Gemach — hier ist der jähe Hinuntersturz, wo die Mark der Tugend sich schließt, sich scheiden Himmel und Hölle — Eben hier haben Helden gestrauchelt, und Helden sind gesunken, und die Welt belagert ihren Namen mit Flüchen — Eben hier haben Helden gezweifelt, und Helden sind stillgestanden und Halbgötter geworden —".

Fiescos Selbstgespräch liegt zwischen zwei Auftritten von außerordentlicher Bedeutung.

Voraus geht (II 18) die Verschwörung der „fünf größten Herzen Genuas". Ihr Initiator ist Fiesco, ihr Sprecher der junge Bourgognino. Die Worte, mit denen dieser Jüngling dem Bund seine höhere Weihe gibt, lauten: „Eh wir scheiden, laßt uns den heldenmütigen Bund durch eine Umarmung beschwören". (Sie schließen mit verschränkten Armen einen Kreis.) „Hier wachsen Genuas fünf größte Herzen zusammen, Genuas größtes Los zu entscheiden". (Drücken sich inniger.) „Wenn der Welten Bau auseinanderfällt und der Spruch des Gerichts auch die Bande des Bluts, auch der Liebe zerschneidet, bleibt dieses fünffache Heldenblatt ganz!" Aus Worten und Gesten spricht die heilige Überzeugung Bourgogninos, daß die Versammelten alle von demselben Gefühle erfüllt sind: Dem Gefühle für die Freiheit der Vaterstadt. Und in stürmisch sich übersteigernder Begeisterung versichert der letzte Satz, daß über alle Sympathien hinaus, welche der Bau der Welt, die Fesseln des Blutes und der Liebe manifestieren, die Sympathie ihrer zu Genuas Befreiung vereinigten Herzen bestehen bleiben wird.

In „furchtbarer Wildnis" (III 1), wohin Verrina den jungen Bourgognino geführt hat, enthüllt der lebenserfahrene Republikaner dem schwärmerischen Jüngling, daß von jener Sympathie in Fiescos Brust kein Funken glüht. „Sahest du ihn gestern in unserer Bestürzung sich spiegeln? Der Mann, dessen Lächeln Italien irre führte, wird er seinesgleichen in Genua dulden?" Schiller charakterisiert seinen Helden im Personenverzeichnis zwar als „stolz mit Anstand — freundlich mit Majestät", aber auch als „höfisch geschmeidig und ebenso tückisch." Paßt zu einem für eine hohe Aufgabe ganz aufgeschlossenen Herzen die „Kunst und Kabale", mit der Fiesco die Verwirklichung seines stolzen Planes ins Werk setzt?

Verrinas Urteil ist richtig. Hat sich Lavagna unter dem unmittelbaren Eindruck des durch Bourgogninas Worte geweihten Bundes aus dem Zwiespalt zwischen „Himmel und Hölle" zu dem Bekenntnis aufgeschwungen: „Ein Diadem erkämpfen ist groß. Es wegwerfen ist göttlich. Geh' unter, Tyrann! Sei frei, Genua, und ich — dein glücklichster Bürger", so sieht die aufgehende Sonne des nächsten Morgens einen ganz anderen Fiesco. Nichts mehr von sympathetischem Fühlen mit dem Bruder Mensch, das sich in den Worten „glücklichster Bürger" aussprach — nur noch ein Schwelgen im Bewußtsein einzigartiger Überlegenheit eines zum Herrschen geborenen Geistes über „der Menschlichkeit reißenden Strudel, wo das Rad der blinden Betrügerin Schicksal schelmisch wälzt —", des siegreichen Kampfes eines fürstlichen Willens mit den „unbändigen Leidenschaften des Volkes", dem „emporstrebenden Stolz der Vasallen", und zuletzt das herrische: „Ich bin entschlossen!"

Vom Forum der Politik wird der Konflikt in Fiescos Brust hinübergeführt auf intimstes Gebiet durch die Rolle, die der Dichter der Gestalt Leonores, Lavagnas Gemahlin, zugewiesen hat.

In Leonore vereinigen sich sittliche Reinheit, innige Liebe zu ihrem Gatten und Begeisterung für Genuas republikanische Freiheit. Fiesco „muß Genua von seinen Tyrannen erlösen!" — diese Gewißheit beherrscht Leonore schon an ihrem Hochzeitstag (I 1). Sie ahnte nicht, welches Leid ihr die Verwirklichung dieser Aufgabe durch den Gatten bereiten sollte. Um den Gegner in Sicherheit zu wiegen, spielt Fiesco die Rolle eines seiner ehelichen Treue vergessenen Verehrers der koketten Schwester des verhaßten Gianettino Doria, entweiht eine von Gott gestiftete Sympathie im Interesse seines machtpolitischen Spiels. Als er kurz vor Ausbruch der Revolte die Maske fallen läßt und seiner Gattin eröffnet, daß er sie zum Entgelt für das erlittene Unrecht zur Herzogin erheben werde, ruft sie verzweifelt: „Gott! meine Ahndung! Ich bin verloren!" (IV 14) Eindringlich schildert sie ihm die Verworfenheit der Habsucht, die Erbärmlichkeit der Fürsten, „dieser mißratenen Projekte der wollenden und nicht könnenden Natur", dieser „heillosen Geschöpfe, schlechterer Schöpfer." Sie fleht ihn an, dem Diadem zu entsagen, „in den Staub zu werfen all diese prahlenden Nichts." Wirkungsvoll die Gegenüberstellung der beiden Mächte, deren Konflikt den Leitgedanken der Tragödie darstellt: „Liebe hat Tränen und kann Tränen verstehen; Herrschsucht hat eherne Augen, worin ewig nie die Empfindung perlt — Liebe hat nur ein Gut, tut Verzicht auf die ganze übrige Schöpfung; Herrschsucht hungert beim Raube der ganzen Natur — Herrschsucht zertrümmert die Welt in ein rasselndes Kettenhaus, Liebe träumt sich in jeder Wüste Elysium —" Und entzückt schwärmt sie von diesem Elysium, in dem sie beide nur noch ihrer Liebe leben wollen: „Unsre Seelen, klar wie über uns das heitre Blau des Himmels, nehmen dann den schwarzen Hauch des Grams nicht mehr an — unser Leben rinnt dann melodisch wie die flötende Quelle zum Schöpfer —".

Fiesco scheint den beschwörenden Worten Leonores zu erliegen — da dröhnt der Kanonenschuß, der den Beginn des Aufruhrs anmeldet, und jäh zerreißt das kaum geknüpfte Band der Sympathie.

Die letzten Schicksale der unglücklichen Gräfin, die Schiller im fünften Aufzug sich erfüllen läßt, bestätigen nur — mag man ihre dichterische Gestaltung als gelungen oder als mißglückt beurteilen —, daß sympathetisches Fühlen, wo es in ungehemmte Schwärmerei ausartet, neben einem Charakter wie Fiesco zum Untergang — ob physisch oder psychisch, ist dasselbe — verurteilt ist. Doch ist Leonores Ende nicht maßgebend für die Abrechnung, die das Schicksal und der Dichter an seinem Helden vollzieht.

Wie in den ‚Räubern' Karl von Moor über sich selbst, so spricht über Fiesco am Ende des Schauspiels Verrina das Urteil: „Du hast eine Schande begangen an der Majestät des wahrhaftigen Gottes, daß du dir die Tugend die Hände zu deinem Bubenstück führen und Genuas Patrioten mit Genua Unzucht treiben ließest" (V 16). Das will besagen: Du hast Sympathie geheuchelt, um das für republikanische Freiheit entflammte sympathetische Empfinden deiner Freunde für eigenmächtige Zwecke zu mißbrauchen. Damit hast du dich versündigt an Gott, dem als Urquell und Endziel aller Sympathie dein Denken und Tun verantwortlich ist.

So ist vor Gott die Schuld Karls wie Fiescos die gleiche: Ein Hinausgreifen menschlichen Strebens über die dem Geschöpf von einem höheren Willen gezogenen Grenzen. Aber Fiescos Schuld ist ungleich größer. Handelt es sich bei Karls Berufungsglauben um eine Verirrung seines Sympatieglaubens, den er den Mitmenschen gegenüber durch die Tat bewährt oder zu bewähren strebt, so fehlt es Fiesco gerade an diesem, insofern er in den Menschen — der Monolog zu Anfang des dritten Aufzugs hat es gezeigt — nichts als Objekte seines Herrscherwillens sieht.

Während daher in dem Helden der ‚Räuber' der Pulsschlag seines Dichters fühlbar wird, spürt man bei dem Genueser Revolutionär davon nichts. Daraus erklärt sich wohl, daß ‚Fiesco' unter Schillers Jugenddramen das schwächste ist.

Dagegen schlägt des Dichters Puls rein und stark in Bourgognino. Genial darf man die Kunst nennen, mit der Schiller noch im letzten Aufzug seinen Liebling Bourgognino gegen Fiesco ins Licht setzt. Der als edel, angenehm und natürlich gekennzeichnete Jüngling darf die seiner Braut angetane Schmach rächen, indem er Gianettino Doria erschlägt (V 3); Fiesco muß ahnungslos sein Weib morden, weil er, irregeführt durch ihre Verkleidung, in ihr den Nebenbuhler um die Macht in Genua vermutet. Für Fiesco ist Genuas Not eine Gelegenheit zur Befriedigung selbstsüchtiger Machtwünsche; Bourgognino sieht in der Befreiung seiner Vaterstadt zugleich die Befreiung der Unschuld und Reinheit edler Weiblichkeit.

In Fiesco und Bourgognino stehen sich die Welt des Leides und die Welt des Sympathieglaubens gegenüber, wie sie ihre eschatologische Vollendung in Tartarus und Elysium finden. Es ist das erste Mal, daß Schiller diese Gegenüberstellung in einer dramatischen Dichtung Gestalt gewinnen läßt. Nicht ohne einen wunderbar zarten poetischen Reiz ist der kurze Auftritt im fünften Akt (V 8), wo inmitten des Sturmgeläutes der Revolution Bourgognino und Bertha sich begegnen und einen Augenblick wie auf einer stillen Insel des Friedens ihre Herzen sprechen lassen dürfen. Zum zweitenmal gelingt Schiller die Gestaltung eines solchen Moments im dritten Aufzug von ,Wallensteins Tod‘ zwischen Max und Tehkla; ein drittes Mal im ,Wilhelm Tell‘ in der Jagdszene zwischen Rudenz und Bertha. Daß es sich im Sinne Schillers in allen drei Fällen nicht etwa um einfache „Liebesszenen“ handelt, das zu erweisen wird Aufgabe späterer Untersuchung sein.

Wieder bewahrheitet sich Max Heckers Ausspruch, daß Schiller auch vor der Pforte des Todes der *junge* Schiller ist.

3. Semele

Die beiden Szenen veranschaulichen am Schicksal der thebanischen Königstochter die „Ameisensperktive“ des Menschen gegenüber dem Universum. Nur in Menschengestalt vermag Semele den Gott zu erleben; nur dem göttlich-schönen Jüngling vermag sie ihre Sympathie zuzuwenden; nur in dieser Sympathie von Mensch zu Mensch kann der Sterbliche sich dem Unsterblichen nahen. Hingebungsvolles Vertrauen, das keinen Zweifel an der göttlichen Eigenschaft des Geliebten aufkommen läßt, ist Bewährung des Sympathieglaubens, der, wie es im Lied ,An die Freude‘ heißt, zu den Sternen leitet. Den Beweis der Wahrheit zu fordern, den Gott selbst in seiner übermenschlichen Herrlichkeit und Furchtbarkeit mit menschlichen Sinnen erleben zu wollen, gleicht dem Unterfangen des „Sonnenwandrers“, der seine Pfade zum Gestade der Welt lenken will,

„ . . . wo kein Hauch mehr weht,
und der Markstein der Schöpfung steht" —

ein Unterfangen, dessen Aussichtslosigkeit der Dichter in dem Anthologiegedicht ‚Die Größe der Welt' knapp und meisterhaft veranschaulicht hat.
Vergebliches, weil verkehrtes menschliches Streben nach „Wahrheit" ist
ein Gegenstand, der Schiller über das philosophische Gespräch im ‚Geisterseher' bis hin zum ‚Verschleierten Bild zu Sais' und zahlreichen Epigrammen der ‚Votivtafeln' sein Leben lang beschäftigt hat. In den hier kurz behandelten Szenen wird dieses Bestreben, gemäß der bei dem jungen Schiller vorherrschenden Gedankenrichtung, als Verirrung des Sympathieglaubens verstanden. Spätere Erörterungen werden zeigen, daß der gereifte
Schiller auch hier der Anschauung seiner Jugendjahre nicht untreu geworden ist.

4. Kabale und Liebe

Die Klarheit und Schlichtheit, welche die Handlung des „bürgerlichen
Trauerspiels" auszeichnet, macht es möglich, die leitenden Gesichtspunkte
der dramatischen Dichtung in knapper Fassung hervorzuheben.

Die Tragödie ‚Kabale und Liebe' vergegenwärtigt kurz gesagt ein Kräftemessen zwischen Sympathie und Herkommen. Mit diesem Thema greift
der Dichter unmittelbar die Aufgabe an, die er am Schluß der Abhandlung
über ‚Die Schaubühne als eine moralische Anstalt betrachtet' als das Ziel
der dramatischen Dichtung bezeichnet hatte: Die Menschen frei zu machen
von „der Künstelei und der Mode" und „durch eine allwebende Sympathie" zu verbrüdern.

Ferdinand von Walter sagt im Gespräch mit Lady Milford: „Wir wollen
sehen, ob die *Mode* oder die *Menschheit* auf dem Platz bleiben wird" (II 3).

Die Mode: Tyrannei einer lebensfremden Gesellschaftsform, stumpfer
Respekt vor Ordnungsbändern, Adelsbriefen und Fürstenlaunen, Standesvorurteile und Rücksichtnahme gegenüber künstlichen Schranken unnatürlicher Bindungen.

Die Menschheit: Lebendige Harmonie fühlender Seelen und über diese
Harmonie hinweg gläubiges Vertrauen auf eine höhere Weltordnung, eine
Liebe — so stark, daß ihre gewaltsame Trennung zugleich den Faden zerreißt, der den Menschen an die Schöpfung bindet (II 5).

Vertreter der Mode sind der Präsident von Walter, sein Haussekretär
Wurm und — eine traurig-komische Karikatur — der Hofmarschall von
Kalb. Alle drei irgendwie Kreaturen eines Mächtigeren, dem sie ihre Menschenwürde um äußerer Glücksgüter willen verkauft haben, die beiden
ersten gerissene Spieler mit dem Schicksal ihrer Mitmenschen.

Und dies sind die Verkörperungen der menschlichen Belange: Ferdinand, des Präsidenten Sohn, die Tochter des Stadtmusikus Miller, Louise, und, in einigem Abstand von beiden, Miller selbst. Ferdinand und Louise sind „zwei Herzen, die *Gott* aneinander band" (IV 7). In diesen Worten, die das Bürgermädchen Louise an ihre adlige Rivalin, die Lady Milford, richtet, wird wieder das Verhältnis klar, in welchem Schiller sympathetisches Fühlen zu seiner Gottesvorstellung sieht: Jede Sympathie ist Manifestation des göttlichen Willens und zugleich der Weg zum Erleben Gottes. Wer daher Sympathie zerreißt, versündigt sich an Gott und an seiner Schöpfung; wer in der Sympathie lebt, siegt über die Mächte der Vernichtung und bleibt auch untergehend der Triumphierende. Das „satanisch feine Gewebe" (III 1), das Wurm im Einverständnis mit dem Präsidenten um die beiden Liebenden spinnt, indem er Louises Anhänglichkeit an ihren Vater als Mittel benutzt, um die Sympathie zwischen ihr und Ferdinand zu zerstören, zerreißt schließlich doch, als Louise ihrem Mörder vergibt und Ferdinand seinem Vater verzeihend die „sterbende Hand" reicht.

Gleichsam in der Mitte zwischen den beiden in Konflikt befindlichen Mächten steht Lady Milford.

Eine Verkörperung schönsten Menschentums, eine edle Frau, die, von einem harten, unverdienten Schicksal heimgesucht, nach einer mitfühlenden Seele verlangt, sich dem Fürsten in die Arme geworfen hat, weil er ihr für ihre Liebe mit der Glückseligkeit seiner Untertanen zu lohnen versprach — und schließlich erkennt, daß dieser Mann nur ein wollüstiger Tyrann ist und in ihr nur das begehrenswerte Weib sieht und nicht den Menschen achtet. Und die, als ihr in Louise das schlichte Kind aus dem Volke begegnet das um ihrer Liebe willen das Leben wegzuwerfen bereit ist, in heroischem Entschluß auf ein Wohlleben in einer verkommenen Welt verzichtet und als Lorettopilgerin für ihr verfehltes Dasein büßen will.

Diese Tragödie darf als praktisches Beispiel für Schillers früher erörterte Theorie gelten, welche gegenüber einer zweifelhaften „moralischen" Wirkung des Theaters die unzweifelhafte rein-menschliche Bedeutung der Bühne unterscheidet, deren Vorgänge selbst beim roheren Haufen „zum mindesten eine verlassene Saite der Menschheit verloren nachsummen lassen" (,Über das gegenwärtige deutsche Theater') und mit dieser Wirkung zugleich dasjenige für das Theater gewinnen, was der Dichter „die göttliche Seite der Religion" nennt.

Zweites Kapitel

Ernüchterung

Am 8. Dezember 1787 berichtet Schiller dem Dresdener Freund von seinem Aufenthalt in Meiningen und Bauerbach, wo er vor kurzem einige Tage zugebracht hatte: „Ich war wieder in der Gegend, wo ich von 82 bis 83 als ein Einsiedler lebte. Damals war ich nicht in der Welt gewesen, ich stand sozusagen schwindelnd an ihrer Schwelle, und meine Phantasie hatte ganz erstaunlich viel zu tun. Jetzt, nach fünf Jahren, kam ich wieder, nicht ohne manche Erfahrungen über Menschen, Verhältnisse und mich. Jene Magie war wie weggeblasen. Ich fühlte nichts. Keiner von allen Plätzen, die ehemals meine Einsamkeit interessant machten, sagte mir jetzt etwas mehr. Alles hatte seine Sprache an mich verloren."

Um die Bedeutung dieser Sätze zu verstehen, erinnere man sich an den im sechsten Abschnitt des vorigen Kapitels erwähnten Brief an Reinwald vom 14. April 1783, der Schillers, nach Monaten bitterster Erfahrungen, auf Frau von Wolzogens Gut neu gewonnene Hochstimmung zum Klingen bringt. In jenem Brief kommt der Dichter auch auf seine Arbeit an dem neuen dramatischen Stoff des ‚Don Carlos' zu sprechen.

In den trüben Tagen des Februar hatte Schiller noch geklagt, daß ihm, um „eine dichterische Stimmung hervorzuarbeiten", manches fehle (An Reinwald 21. Februar 1783). Erst mit der neuen Frühlingsahnung, nachdem er sich schon in den Charakter des Titelhelden mit wachsender Anteilnahme hineingelebt hat, beschwingt frisches Hoffen seine Seele: „Itzt, bester Freund, fangen die herrlichen Zeiten bald an, worin die Schwalben auf unsern Himmel und Empfindungen in unsere Brust zurückkommen. Wie sehnlich erwarte ich sie!" Und einige Zeilen später: „Die Freundschaft und der Mai sollen das sonst reine Instrument meiner Empfindung, hoff' ich, aufs neue in Gang bringen. Ein Freund soll mich mit dem Menschengeschlecht, das sich mir auf einigen häßlichen Blößen gezeigt hat, wiederum aussöhnen und meine Muse halbwegs nach dem Kozytus wieder einholen" (An Reinwald 27. März 1783).

Damit sind die Voraussetzungen für die seelische Haltung gegeben, die aus dem Briefe vom 14. April 1783 spricht. Die Errungenschaft dieser Haltung ist bekanntilch die These von der Identität sympathetischen Fühlens

und dichterischer Schöpferkraft. Im weiteren Verlauf des Briefes macht
Schiller dann „eine kleine Anwendung auf meinen Karlos. Ich muß Ihnen
gestehen, daß ich ihn gewissermaßen statt meines Mädchens habe. Ich trage
ihn auf meinem Busen — ich schwärme mit ihm durch die Gegend um —
um Bauerbach herum." Von Bauerbachs Umgebung ging also die „Magie"
aus, die damals auf seine empfindende Seele wirkte, und von der das Wiedersehen mit den einst geliebten Stätten im Spätherbst 1787 nichts mehr
spüren läßt.

Welche Einflüsse diese innere Wandlung des Dichters herbeigeführt
haben, und wie sich dieselben in den schriftstellerischen Werken jener Jahre
ausgewirkt hat, sei in diesem Kapitel vergegenwärtigt.

Erster Abschnitt

Probleme und Aufgaben der Zukunft

Zeigten die Briefe, die Schiller im Jahre 1785 an Körner schrieb, bekanntlich noch durchaus den in der Seligkeit sympathetischen Freund-
schaftsfühlens schwelgenden Stürmer und Dränger, so tritt dem Leser des
Briefes vom 15. April 1786 scheinbar ein ganz anderer Mensch entgegen.
Alles, was die geistige Wandlung der nächsten zwei Jahre entscheidend
bestimmen sollte, ist in diesem Schreiben schon vorbereitet.

Der Inhalt des Briefes bedarf daher einer eingehenden Würdigung; und
zwar wird er abschnittweise behandelt werden, um seine große Bedeutung
für das Verständnis des weiteren Denkens und Schaffens des Dichters zu
veranschaulichen.

1. Die Sprache Elysiums

Der Verfasser fühlt selbst, daß er Entscheidendes zu sagen hat. Worte
scheinen ihm unzureichende Hilfsmittel, um Seele zu Seele sprechen zu
lassen. Er zitiert vier Verse aus einer später gestrichenen Szene seines ‚Don
Carlos':

> „ . . . Schlimm, daß der Gedanke
> erst in die Elemente trockner Silben
> zersplittern muß, die Seele zum Gerippe
> verdorren muß, der Seele zu erscheinen."

Dreimal finden sich — nicht in wörtlicher Übereinstimmung und noch
um einige vermehrt — diese Verse in Schillers Briefwechsel: Außer in dem
hier behandelten Schreiben noch in einem Brief an Charlotte von Lenge-

feld vom 24. Juli 1789 und in einer Sendung an Wilhelm von Humboldt vom 1. Februar 1796. Der allen drei Stellen gemeinsame Gedanke des Zitats ist dieser: Die als Sympathie fühlbar werdende Zwiesprache der Seelen leidet Not, sobald diese Zwiesprache sich der aus Silben gebildeten Worte bedienen muß; denn damit zerfällt ein Ganzes — eben die Sympathie — in zusammenhangslose Splitter, ein lebendiger Organismus wird zur toten Materie. Die Sprache Elysiums, die Laura am Klavier zum Tönen bringt, ist an artikulierte Laute nicht gebunden. Erst dem reifen Dichter ist es gelungen, diesem Gedanken die vollendete Form in einem Distichon der ‚Votivtafeln' zu geben:

> „Warum kann der lebendige Geist dem Geist nicht erscheinen?
> Spricht die Seele, so spricht, ach! schon die *Seele* nicht mehr".

Aus der über fast anderthalb Jahrzehnte verfolgbaren Wiederkehr desselben Gedankens ist zu ersehen, daß die als „Sympathie" aus der Sturm- und Drangzeit Schillers bekannte Anschauung des Verhältnisses von Geist zu Geist, von Seele zu Seele ein fundamentaler Begriff seines gesamten Denkens und Dichtens geblieben ist.

Also auch was Schiller am 15. April 1786 seinem Freunde zu sagen hat, rechnet auf die „Sympathie" des Briefempfängers. Aber diese Sympathie ist die Voraussetzung, unter der Probleme ganz anderer, neuartiger Bedeutung zwischen den Freunden zur Sprache kommen sollen.

2. Destillationsgefäß Seele

Der erste Gegenstand, über den Schiller dem Freund seine Gedanken mitteilt, ist die Schrift des schwäbischen Philosophen Thomas Abbt ‚Vom Verdienste'. Wichtige Einzelheiten über den geistigen Verkehr zwischen dem Dichter und Körner erfährt bei dieser Gelegenheit der Leser. Dieser geistige Verkehr erfolgte durch gemeinschaftliche Lektüre und daran anschließenden Gedankenaustausch; dabei ergab sich auch die Möglichkeit, sich gegenseitig seine Beobachtungen über die geistig-seelischen Eigentümlichkeiten des Anderen mitzuteilen und auf ihre Berechtigung oder Fragwürdigkeit zu prüfen. Lieblingsmaterien der Unterhaltung waren die „Quellen der Handlungen", die „Menschenschätzung und Prüfung der moralischen Erscheinungen". Schiller weist auf weitere Gegenstände hin: „Untersuchungen über die Klassifikation der Menschen, Abwägen der Größen und Tugenden."

Für die geistige Aufgeschlossenheit, mit welcher die Auseinandersetzung über derartige Gegenstände erfolgte, gebe ein Brief Körners Auskunft, der noch aus der Zeit vor der persönlichen Begegnung mit Schiller stammt, vom

15. Mai 1785: „Fürchten Sie nicht meinen Hang zum Vernünfteln; er wird mich nie abhalten, mich dem lebhaftesten Gefühl ohne Zurückhaltung zu überlassen. Kalte Vernunft soll mir nie meine edelsten Freuden zerstören. Sie soll ihnen *fröhnen* vielmehr, mich gegen die Einwendungen einer schwindsüchtigen Klügelei dabei beruhigen. *Licht* und *Wärme* ist das höchste Ideal der Menschheit. Ich weiß wohl, daß eins das andere oft aufhebt. Aber beide im möglichsten Gleichgewicht zu halten, ist der vollkommenste Zustand, ein würdiges Ziel unserer Bestrebungen."

Hier erscheint zum erstenmal die Gegenüberstellung: Gefühl und Vernunft. Und gleich darauf die Festlegung ihrer wechselseitigen Funktion: Die Vernunft als Dienerin des Gefühls. Bildlich bezeichnet Körner diese seelisch-geistigen Potenzen als Wärme und Licht und fordert als vollkommensten Zustand ihr „möglichstes Gleichgewicht."

In dieser Atmosphäre verliefen also die Gespräche der beiden Freunde. Sie wirkt mit in der Selbstkritik, die Schiller in dem Briefe vom 15. April 1786 im Anschluß an die Lektüre der Schrift Abbts übt: „Eine solche Mischung ohngefähr von Spekulation und Feuer, Phantasie und Ingenium, Kälte und Wärme meine ich zuweilen an mir zu beobachten". Und den Anteil, den Körner selbst an der Klärung der geistig-seelischen Eigenart des jüngeren Freundes nimmt, macht der unmittelbar folgende Satz des Briefes offenbar: „Übrigens auch diese Dunkelheit, diese Anarchie der Ideen, welche, wie ich fast glaube, durch eine Zusammengerinnung der Ideen und des Gefühls, durch eine Überstürzung der Gedanken erzeugt wird und die du selbst schon bei mir gefunden hast . . ."

Versteht man unter „Ideen" Erzeugnisse der Vernunft, unter „Gefühl" den Ursprung sympathetischen Empfindens — das sich, wie der Bauerbacher Brief vom 14. April 1783 lehrte, auf geliebte Menschen wie auf Produkte dichterischer Kraft richten kann —, so handelt es sich bei der von Körner an seinen Freund beobachteten Eigenheit um ein unter dem Einfluß der Sympathie voreilig vollzogenes und daher irregehendes Vernunftdenken, also um Schwärmerei, der das Gleichgewicht von Licht und Wärme fehlt.

Sieht Körner das Ziel des Gedankenaustausches der Freunde in einem Ausgleich von Vernunft und Gefühl, so erblickt Schiller, im Spiegel der Persönlichkeit Thomas Abbts das eigene Wesen erkennend, die für ihn persönlich wesentliche Aufgabe in dem ausgeglichenen Verhältnis zwischen „scharfsinnigem Philosophen" und „sinnlichem Schwärmer" — ein Verhältnis, das bisher auf die Seite des letzteren neigte.

Weitschichtige Vorbereitungen hielt Schiller allerdings zur Erfüllung dieser Aufgabe für erforderlich. „Ich muß ganz andre Anstalten treffen mit Lesen. Ich fühle es schmerzlich, daß ich noch so erstaunlich viel lernen muß, säen muß, um zu ernten. . . . Unsere Seelen sind nur Destillationsgefäße, aber Elemente müssen ihnen Stoff zutragen, um in vollen, saftigen Blättern ihn auszuschwellen." Die Wandlung, die Schillers Denken innerhalb eines kurzen Jahres durchgemacht hat, wird deutlich, wenn man dieser Briefstelle eine Äußerung aus dem an Körner gerichteten Brief vom 7. Mai 1785 gegenüberstellt: „Sehen Sie, bester Freund, — unsre Seele ist für etwas Höheres da, als bloß den uniformen Takt der Maschine zu halten. Tausend Menschen gehen wie Taschenuhren, die die Materie aufzieht . . . der Körper usurpiert sich eine traurige Diktatur über die Seele, aber sie kann ihre Rechte reklamieren, und das sind dann die Momente des Genius und der Begeisterung. Nemo unquam vir magnus fuit sine aliquo afflatu divino". Hier spricht noch ganz der Stürmer und Dränger, der die Seele in sympathetischer Wechselbeziehung mit ihrem Schöpfer sieht. Im April 1786 aber dünkt Schiller die Seele eine Retorte, in welcher flüchtige Körper in Dampf und durch ein weiteres Verfahren in Flüssigkeit verwandelt werden. Um das Bild im Sinne Schillers zu deuten: Aufgabe der Seele ist es, die flüchtigen Eindrücke des gelesenen Stoffes zu „destillieren", das heißt sie in klaren Ideen festzuhalten. Erinnert man sich nun, daß diese selbe Seele für Schiller auch als Organ sympathetischen Fühlens gilt — und sein Appell an die Sympathie zu Anfang des Briefes beweist, daß der Dichter auch im Frühjahr 1786 an diesem Glauben seiner Sturm- und Drangzeit festhielt —, so gelangt der aufmerksame Beobachter zu der Erkenntnis, daß Schiller auch für das Vernunftdenken den Durchgang durch die Seele in Anspruch nimmt. Zehn Jahre später formulierte der Dichter das Verhältnis der beiden geistig-seelischen Prinzipien der ‚Schönen Individualität' in klassischer Schlichtheit in den Worten:

„Wohl dir, wenn die Vernunft immer im Herzen dir wohnt."

3. Fragwürdigkeit der „Vernunft"

Der letzte Absatz des Briefes vom 15. April 1786 spricht von der geplanten „Kontinuation unserer ‚Philosophischen Briefe'."

Die Ausdrucksweise spricht für die Annahme, daß der unter diesem Titel in Schillers Werke aufgenommene Briefwechsel zwischen Julius und Raphael in seiner jetzigen Form seine Entstehung dem Gedankenaustausch Schillers und Körners verdankt — wobei von dem letzten Briefe Raphaels zunächst abgesehen wird. Der Briefwechsel gipfelt dann in der ‚Theosophie des Julius', die, mit Ausnahme ihrer an sie angeschlossenen Rechtfertigung, als Bekenntnis des jungen Schiller zu seinem Sympathieglauben wohl schon vor dessen Bekanntschaft mit Körner geschrieben ist.

Julius, als dichterische Verkörperung des Stürmers und Drängers, stellt sein Bekenntnis ausdrücklich in Gegensatz zu einer Geistesrichtung seiner Zeit, zu welcher er in einem längeren Zusammenhang Stellung nimmt: „Viele unserer denkenden Köpfe haben es sich angelegen sein lassen, diesen himmlischen Trieb (gemeint ist der Liebestrieb im Sinne sympathetischen Empfindens) aus der menschlichen Seele hinwegzuspotten, das Gepräge der Gottheit zu verwischen und diese Energie, diesen edlen Enthusiasmus im kalten, tötenden Hauch einer kleinmütigen Indifferenz aufzulösen. Im Knechtsgefühle ihrer eignen Entwürdigung haben sie mit dem gefährlichen Feinde des Wohlwollens, dem Eigennutz, sich abgefunden, ein Phänomen zu erklären, das ihren begrenzten Herzen zu göttlich war. Aus einem dürftigen Egoismus haben sie ihre trostlose Lehre gesponnen und ihre eigene Beschränkung zum Maßstab des Schöpfers gemacht — entartete Sklaven, die unter dem Klang ihrer Ketten die Freiheit verschreien."

Die „Philosophie unserer Zeiten", wie Schiller diese geistige Richtung nennt, ist Skeptizismus und Freidenkerei, die der Dichter in der „Vorerinnerung" der ‚Philosophischen Briefe' als „die Fieberparoxysmen des menschlichen Geistes" bezeichnet, welche „durch eben die unnatürliche Erschütterung, die sie in gut organisierten Seelen verursachen, zuletzt die Gesundheit befestigen helfen."

Daß dem Dichter schon in der Militärakademie zu Stuttgart diese Geistesrichtung bekannt war, beweist die Bezeichnung der Genossen Karls von Moor als „Libertiner", deren freidenkerische Weltanschauung und daraus erwachsene hemmungslose Moral im Banditentum endet. Manche Gedichte der ‚Anthologie' sind mehr oder weniger erfüllt von einem Skeptizismus, der den Sympathieglauben des jungen Schiller zeitweilig zu überschatten droht. Erst aus der Tatsache, daß der Stürmer und Dränger die Vernunft lediglich in der negativen Rolle kennengelernt hat, welche sie seinem Sympathieglauben gegenüber einnahm, läßt sich der Eindruck ganz nachempfinden, den Körners Stellungnahme auf ihn ausgeübt haben muß, welcher der Vernunft die Aufgabe als Dienerin des Gefühls zuwies.

Im ganzen darf man das Unternehmen der ‚Philosophischen Briefe' als einen Versuch verstehen, für das Problem des Verhältnisses von Sympathie und Vernunft eine Antwort zu finden, die im Gedankenaustausch zwischen Schiller und Körner, wie der zweite Abschnitt dieses Kapitels zeigt, bereits praktisch gegeben war. Die Briefschreiber unterscheiden sich von ihren Urbildern nur darin, daß sie, bestimmt durch die in der „Vorerinnernug" ausgesprochenen Meinung, daß wir „nur selten anders als durch Extreme zur Wahrheit gelangen", die weltanschauliche Einstellung Schillers und Körners eben ins Extrem steigern — so Raphael in seinen Urteilen über die Bedeutung der Vernunft: „Was die Vernunft erkennt, ist die Wahr-

heit"; „die Vernunft ist die einzige Monarchie in der Geisteswelt"; „glaube
niemand als deiner eigenen Vernunft" — so Julius in seinem verzweifelten
Ausruf: „Wehe mir von nun an, wenn ich diesem einzigen Bürgen auf
einem Widerspruche begegne! wenn meine Achtung vor ihren Schlüssen
sinkt! wenn ein zerrissener Faden in meinem Gehirrn ihren Gang ver-
rückt!" und in der schmerzlichen Frage: „Ersetzt mir deine Weisheit, was
sie mir genommen hat?"

Von Wichtigkeit ist lediglich das Nachwort, das Julius seiner ‚Theosophie‘
als Rechtfertigung seines darin ausgebreiteten Sympathieglaubens folgen
läßt. Diese Rechtfertigung befaßt sich mit der Weltidee des „ewigen Schöpfers" als eines Künstlers, „der in tausend Kopien anders entstellt, in allen
tausenden dennoch sich ähnlich bleibt, dem selbst die verwüstende Hand
eines Stümpers die Anbetung nicht entziehen kann." Wen trifft die Schuld
an diesen Entstellungen, Verwüstungen? Wen anders als die menschliche
Vernunft, wie ja Julius sein eigenes „Glaubensbekenntnis", das ihm vielleicht vor Gottes Richterstuhl dereinst „bei Erblickung des wahren Origi-
nals" als „schülerhafte Zeichnung" erscheinen wird, ein Produkt seiner Vernunft nennt? Und doch wird ihm vor dieser Möglichkeit nicht bange: „So
wie die Denkkraft die Verhältnisse der Idiome entwickelt, müssen diese
Verhältnisse in den Sachen auch wirklich vorhanden sein." Die „eigentümliche, notwendige und immer sich selbst gleiche" Kraft der Seele entspricht
dem mit sich selbst nicht in Widerspruch stehenden „Willkürlichen der
Materialien". Die Verse aus dem Jugendgedicht ‚Die Freundschaft‘ klingen
an:

> „Geisterreich und Körperweltgewühle
> wälzet *eines* Rades Schwung zum Ziele."

Man glaubt Schiller sprechen zu hören, wenn Julius schreibt: „Ich habe
keine philosophische Schule gehört und wenig gedruckte Schriften gelesen.
Es mag sein, daß ich dort und da meine Phantasien strengeren Vernunftschlüssen unterschiebe, daß ich Wallungen meines Blutes, Ahnungen und
Bedürfnisse meines Herzens für nüchterne Weisheit verkaufe; auch das,
mein Guter, soll mich dennoch den verlorenen Augenblick nicht bereuen
lassen."

Man darf diese Sätze ruhig als Fortsetzung des Bekenntnisses der ‚Theosophie‘ gelten lassen. Schiller erklärt darin durch den Mund seines Julius,
daß er auch jetzt, nachdem er „die Zusammengerinnung der Ideen und des
Gefühls", oder wie Julius es ausdrückt, „die strengern Vernunftschlüssen
untergeschobenen Phantasien" als Manifestation jugendlicher Schwärmerei
erkannt hat, doch dem Sympathieglauben seiner brausenden Sturm- und
Drangjahre nicht untreu werden will. Und mit dieser Erklärung ist wieder
die Brücke geschlagen zu dem den Brief vom 15. April 1786 einleitenden

Appell an die Sympathie. Mit seinem Julius ist Körners Freund der Überzeugung, daß nach des ewigen Schöpfers Willen „die verirrende Vernunft
auch selbst das chaotische Land der Träume bevölkern und den kahlen
Boden des Widerspruchs urbar machen sollte." Denn „jede Geburt des Ge-
hirns, jedes Gewebe des Witzes hat ein unwidersprechliches Bürgerrecht
in diesem größeren Sinne der Schöpfung" — insofern nämlich die Wirklichkeit „sich nicht auf das absolut Notwendige einschränkt", sondern auch
„das bedingungsweise Notwendige umfaßt" —; „jede Fertigkeit der Vernunft, auch im Irrtum, vermehrt ihre Fertigkeit zur Empfängnis der Wahrheit."

Der von Körner verfaßte letzte Brief Raphaels an Julius ist erst im Jahre
1788 geschrieben worden und wird daher in einem späteren Zusammenhang gewürdigt werden.

4. „Ein ganz anderer Kerl"

In seinem Briefe vom 15. April 1786 äußert sich Schiller über die Fortsetzung der ‚Philosophischen Briefe' folgendermaßen: „In der Kontinuation
unserer ‚Philosophischen Briefe' wollen wir das Thema aufs Tapet bringen,
welche Tätigkeit — bei gleichen Kräften — die vorzüglichere ist, die politische oder idealische, bürgerliche oder gelehrte. Ich weiß keinen schönern
Stoff als diesen und in welchem sich Geschichte, Philosophie und Beredsamkeit mehr vereinigen ließen."

Ein scheinbar ganz neuer geistiger Komplex taucht hier in Schillers Gedankenwelt auf. Über ihn berichtet der Verfasser des Briefes in dem den
soeben wiedergegebenen Sätzen vorausgehenden Abschnitt: „Täglich wird
mir die *Geschichte* teurer. Ich habe diese Woche eine Geschichte des Dreißigjährigen Kriegs gelesen, und mein Kopf ist mir noch ganz warm davon.
Daß dort die Epoche des höchsten Nationalelends auch zugleich die glän-
zendste Epoche menschlicher Kraft ist! Wie viele große Männer gingen aus
dieser Nacht hervor! Ich wollte, daß ich zehen Jahre hintereinander nichts
als Geschichte studiert hätte. Ich glaube, ich würde ein ganz anderer Kerl
sein. Meinst Du, daß ich es noch werde nachholen können?"

Zwei Fragen stellen sich beim Lesen dieser Sätze.

Die erste Frage lautet: Wie kommt Schiller gerade auf die Zeitspanne
von zehn Jahren, die er als für das Studium der Geschichte verloren bezeichnet?

Im Jahre 1775, als nach Übersiedlung der Militärakademie nach Stuttgart
Schiller sich zum Medizinstudium entschloß, beschäftigte ihn auch zum
erstenmal der Gedanke, sich dem Zwang der Erziehungsanstalt durch die

Flucht zu entziehen. Im elften Paragraphen seines ‚Versuchs' handelt der Verfasser von dem Einfluß, den die tierische Natur auch in der „Geschichte des Menschengeschlechts" auf dessen geistige Vervollkommnung gehabt hat: „So mußte das Schlimmste das Größte erreichen helfen, so mußte uns Krankheit und Tod drängen zum γνῶϑι σεαυτόν. Die Pest bildete unsere Hippokrate und Sydenhame, wie der Krieg Generäle gebar ..." Dieser letzte Nebensatz spricht einen Gedanken aus, der Schiller sechs Jahre später durch die Lektüre eines Geschichtswerkes bestätigt wurde. Sollte der Dichter beim Lesen der Darstellung des Dreißigjährigen Krieges jener ersten philosophischen Betrachtung der Geschichte in seiner medizinischen Abhandlung gedacht und sich vergegenwärtigt haben, wie weit er es hätte bringen können, wenn er seinerzeit, statt Medizin zu studieren, in einer freieren Atmosphäre das weite Feld der Geschichte zum Gegenstand seiner geistigen Ausbildung gewählt hätte?

Das Bedauern, das Schiller wie über eine verpaßte Gelegenheit verspürt, wird verständlich, sobald die zweite Frage beantwortet ist: Warum meint der Briefschreiber, er wäre „ein ganz anderer Kerl" geworden, wenn er seit zehn Jahren „nichts als Geschichte" studiert hätte?

Es empfiehlt sich, diese Meinung in Beziehung zu setzen zu der Anregung zu philosophischem „Brüten", die Schiller im Anschluß an die Erwähnung der Schrift Thomas Abbts seinem Freunde gibt. Der Dichter sucht das merkwürdige Bild durch ein anderes zu erklären, indem er sich und Körner Muße wünscht, „unsere Ideen gleichsam zu drogieren", das heißt zu „trocknen", also von allem Unwesentlichen zu befreien. Das Bild hat schließlich denselben Sinn wie das schon besprochene von dem „Destillationsgefäß" der Seele, das die der Seele durch Lektüre zugetragenen Stoffe zu Vernunftideen verdichtet. Allen diesen Äußerungen liegt die Forderung zugrunde: Weg mit aller Schwärmerei! Und nun findet Schiller beim Lesen einer geschichtlichen Darstellung gleich eine solche Vernunftidee, die ihm sechs Jahre früher in einer — medizinphilosophischen Abhandlung als flüchtige Ahnung das Herz berührt hatte! Und es wird ihm bewußt, daß die Ausgeglichenheit der seelischen Haltung, die er sich in den Jahren des Sturms und Drangs in ständigem Ringen mit Melancholie und Skeptizismus durch Festhalten am Sympathieglauben immer wieder neu hatte herstellen müssen, aus der Sicht der Menschheitsgeschichte gewonnen werden kann. Denn wahrlich, die Feststellung, daß im tiefsten Leid sich menschliche Kraft und Größe am herrlichsten bewährt, diese Idee mußte, da sie ja ihren Weg durch seine *Seele* nahm, auch seinen Sympathieglauben irgendwie bereichern. Die Geschichte gab Schiller die Bestätigung seiner Überzeugung, die er einst Edwin in den Mund gelegt: „Wenn sie auch die Insel verfehlt, so ist doch die Fahrt nicht verloren." Die Geschichte lehrte ihn, daß in ihr eine Gesundungskraft steckt, die ihm die Labilität seiner

Seele überwinden zu helfen vermag, so daß er „ein ganz anderer Kerl" wird.

Mehr als ein Jahr trennte den Dichter damals noch von dem Zeitpunkte, da er seine durch ständig erweiterte geschichtliche Lektüre gewonnenen Einsichten in dem großen geschichts-philosophischen Erstlingswerk von der „Niederländischen Rebellion" verwerten konnte. Die Würdigung des ‚Don Carlos' im letzten Abschnitt dieses Kapitels wird zeigen, wie sich schon vor Beginn seiner geschichts-philosophischen Schriftstellerei jene neuen Erkenntnisse in der letzten Fassung des Schauspiels ausgewirkt haben.

5. Sympathie

An die Sympathie der Freundschaft richtet sich der Brief vom 15. April 1786: das Carloszitat spricht es aus. Aber fand Schiller bei Körner sympathetisches Verständnis für alles, was er ihm für die eigene Entwicklung Bedeutsames zu sagen hatte? Der Dresdener Freund konnte damals noch nicht ahnen, wie sich das Erleben der Welt der Geschichte auf Schillers inneres und äußeres Schicksal auswirken sollte. Hätte er es geahnt — —

Zunächst aber leistete er ihm den schönen Freundesdienst, ihm Ruhe und Sammlung für die Vollendung seines ‚Don Carlos' zu bereiten. Im Juni 1787 war das große Werk endlich getan — am 20. Juli verließ Schiller Dresden in der Absicht, nach einem Besuch in Weimar und Hamburg zu seinen Freunden zurückzukehren.

Zweiter Abschnitt

Genie und Fleiß

Aber nie wieder sollte Schiller in Dresden seßhaft werden. Weimar und Jena wurden in Zukunft die Stätten, um die sein Leben kreiste. Und die zwei Jahre seines ersten Weimarer Aufenthalts, bis zum 11. Mai 1789, wurden für ihn Jahre einer Entwicklung, bei der ihm Körner zu einem guten Teil nicht folgen konnte.

Man hat, besonders in dem Briefwechsel aus den Wochen um die Jahreswende von 1787 auf 1788, den Eindruck, als ob die räumliche Entfernung zugleich eine innere Entfernung der Freunde im Gefolge haben sollte. Es ist nicht nur Körners abfälliges Urteil über die Geschichte, gegen das Schiller in zwei Briefen (vom 7. und 18. Januar 1788) ausführlich Stellung nimmt. Ganz allgemein glaubt Körner zu beobachten, daß Schillers dichterischer Genius über anderen, seiner Berufung fremden Interessen verküm-

mere. „Zuerst ein paar Worte über Deine Ideen von schriftstellerischer
Tätigkeit, die zu meinem Erstaunen schrecklich prosaisch geworden sind.
Wenn dies eine Folge der weimarischen Kultur ist, so hat sie an Dir eben
kein Meisterstück gemacht", schreibt Körner am 13. Januar 1788.

Ausgehend von der geistigen Atmosphäre, in welche Schiller in Weimar
geriet, soll im folgenden Aufschluß über deren Wirkung auf des Dichters
Selbsteinschätzung und innere Wandlung gewonnen werden. Von da aus
wird dann auch Licht fallen auf sein Freundschaftsverhältnis zu Körner,
das zwar trotz vorübergehender Mißverständnisse seine Beständigkeit bewährte, aber doch seit Anfang 1788 dem Dichter nicht mehr der letzte
Ankergrund seines gereiften Wesens blieb.

1. Genie

Man weiß, daß Weimar schon damals, gute zehn Jahre nachdem Goethe
daselbst heimisch geworden war, als Sammelpunkt der erlesensten Geister
Deutschlands galt. In ihren Kreis trat nun gegen Ende Juli 1787 der acht-
undzwanzigjährige Schiller.

Schon zwei Monate später heißt es in einem Brief an Körner (10. September): „Anfangs hab' ich mir alles viel zu wichtig, zu schwer vorgestellt.
Ich habe mich selbst für zu klein und die Menschen umher für zu groß
gehalten. Jeden glaubte ich meinen Richter, und jeder hat genug mit sich
selbst zu tun, um mich auszulauern." Wie es selbst unter den geistigen
Größen und in der Hofgesellschaft menschelt, erfährt er an Wieland wie
an Herder, und sein Urteil über die Herzoginmutter Anna Amalia zeigt den
vom Glanz des Fürstenhofes nicht geblendeten Geistesmenschen (An Körner 28. Juli). Wie der junge Goethe durch Frau von Stein, so lernt er bei
Charlotte von Kalb die Elemente der höfischen Etikette — oder richtiger,
er erfährt, daß er ihrer schon Herr ist, was seiner Sicherheit zugute kommt.
„Bis jetzt habe ich, wo ich mich zeigte, nirgends verloren. Charlottes Idee
von mir hat mir Zuversicht gegeben, und die nähere Bekanntschaft mit
diesen weimarischen Riesen — ich gestehe Dirs — hat meine Meinung von
mir selbst — verbessert" (28. Juli). Am 12. August berichtet er Körner:
„Dieser Tage habe ich in großer adeliger Gesellschaft einen höchst lang-
weiligen Spaziergang machen müssen. Das ist ein notwendiges Übel, in
das mich mein Verhältnis mit Charlotten gestürzt hat, — und wieviel flache
Kreaturen kommen einem da vor." „Das Resultat aller meiner hiesigen
Erfahrungen ist, daß ich meine Armut erkenne, aber meinen Geist höher
anschlage als bisher geschehen war. Dem Mangel, den ich in Vergleichung
mit andern in mir fühle, kann ich durch Fleiß und Applikation begegnen,
und dann werde ich das glückliche Selbstgefühl meines Wesens rein und

vollständig haben. Mich selbst zu würdigen, habe ich den Eindruck müssen kennen lernen, den mein Genius auf den Geist mehrerer entschieden großer Menschen macht. Da ich diesen nun kenne und den Vereinigungspunkt ihrer verschiedenen Meinungen von mir ausfindig gemacht habe, so fehlt meinem Urteile von mir selbst nichts mehr. Um nun zu werden, was ich soll und kann, werd' ich besser von mir denken lernen und aufhören, mich in meiner eigenen Vorstellungsart zu erniedrigen." In demselben Sinne heißt es in dem Brief an Huber vom 14. September: „Jetzt bin ich ruhig durch die Versicherung meiner selbst, durch den Glauben an die zureichende Kraft meines Wesens."

Ja, das „Selbstgefühl seines Wesens" empfing er in der Auseinandersetzung seines Genius mit den Männern des Geistes, die ihm in Weimar entgegentraten.

Knebel: „Er hat viel Kenntnisse und einen planen, hellen Verstand... aber es ist so viel Gelebtes, so vieles Sattes und grämlich Hypochondrisches in dieser Vernünftigkeit, daß es einen beinahe mehr reizen könnte, nach der entgegengesetzten Weise ein Tor zu sein" (an Körner 12. August).

Wieland: Körner warnt am 24. Dezember seinen Freund, auf Wielands aesthetisches Urteil zu viel zu geben: „Ich kenne kein Produkt von Wieland, das sich durch Größe auszeichnete, und es sollte mich daher sehr wundern, wenn er für fremde Größe echtes Gefühl hätte." Und er fügt die Frage hinzu: „Hast Du ihn auch geprüft, ob es der Gehalt Deiner Ideen oder Deine Talente in Ansehung der Form sind, was er an Dir schätzt?" Tatsächlich weiß Schiller am 12. Februar von einem ziemlich lebhaften Gespräch zu berichten, das er mit Wieland über den französischen Geschmack führte, worin Schiller dem älteren Gesprächspartner mit der Behauptung, daß es den französischen Tragikern an Wahrheit, an Natur fehle, „in die Seele griff". Der Briefschreiber gesteht: „Ich wundere mich selbst, daß wir noch keine Händel gehabt haben."

Herder: „Er hat mir sehr behagt. Seine Unterhaltung ist voll Geist, voll Stärke und Feuer, aber seine Empfindungen bestehen in Haß oder Liebe." (An Körner 24. Juli.) In Herders Schrift über ‚Gott' findet Schiller „zu viel Metaphysisches" (An Körner 8. August).

Überblickt man des Dichters Urteile über die drei geistigen Koryphäen Weimars — Goethe weilte ja noch in Italien —, so muß man feststellen, daß alles, was er an dem einen oder anderen auszusetzen hat, irgendwie mit demjenigen Teil seines Innenlebens zusammenhängt, der bei dem einstigen Dichter des Sturms und Drangs in dieser Betrachtung als Sympathieglaube bezeichnet wurde. Knebels grämliche Hypochondrie und satte Vernünftigkeit — Wielands für Wahrheit und Natur verständnisloses Geschmäcklertum — Herders metaphysisch-menschenferne Gottesauffassung: Wer denkt nicht bei Schillers Wunsch, angesichts dieser „Vernünftigkeit"

Knebels lieber ein Tor zu sein, an Karls von Moor tragische Torheit — wer
erinnert sich nicht bei dem Streitgespräch mit Wieland, in welchem Schillers
‚Don Carlos' von beiden Seiten als Zeuge für entgegengesetzte Ansichten
herangezogen wird, an die Tatsache, daß in dem damals schon vollendeten
Schauspiel gerade die Partien, in denen die „Natur" am lautesten spricht,
in den Jahren des Sturms und Drangs entstanden sind — wer greift nicht,
wenn er Schillers Urteil über Herders ‚Gott' liest, unwillkürlich nach der
‚Theosophie des Julius', rezitiert jene schönen Verse des Liedes ‚An die
Freude', in denen die Sympathie als der Weg zu dem „Unbekannten" über
den Sternen gepriesen wird!

Aber das sympathetische Empfinden des Weimarer Schiller erschöpft sich
nicht mehr in genialischer Schwärmerei. Und damit wendet sich die Betrachtung der in den zwei Jahren seines ersten Aufenthalts in Weimar erfolgenden Wandlung und Reifung des Dichters zu.

2. Fleiß

Der Brief vom 8. August 1787 an den Dresdener Freund enthält zwei
Sätze, die wie ein Schlußstrich unter einen abgeschlossenen Lebensab-
schnitt wirkt: „Der Anfang und der Umriß unserer Verbindung war
Schwärmerei, und das mußte er sein; aber Schwärmerei, glaube mir's, würde
auch notwendig ihr Grab sein. Jetzt muß ein ernsthafteres Nachdenken und
eine langsame Prüfung ihr *Konsistenz* und *Zuverlässigkeit* geben." Man
halte diese Worte gegen Ausführungen des Briefes vom 7. Mai 1785, in
welchem Schiller die „Verbrüderung der Geister" als den „unfehlbarsten
Schlüssel zur Weisheit" bezeichnet und etwas später fortfährt: „Es würde
mich traurig machen, Bester, wenn Sie in einer einzigen Anwandlung von
Nüchternheit, — in einer einzigen klügelnden Minute Ihres Lebens das,
was ich jetzt gesagt habe, für Schwärmerei nehmen wollten. Es ist keine
Schwärmerei, — oder Schwärmerei ist wenigstens ein vorausgenossener
Paroxysmus unserer künftigen Größe, und ich vertausche einen solchen
Augenblick für den höchsten Triumph der kalten Vernunft nicht" — und
man wird die Forderung nach „Konsistenz" und „Zuverlässigkeit" geradezu als Absage gegenüber jenen „schönen und überspannten Idealen von
Menschen und Freundschaft" (An Körner 6. Oktober 1787), jener jugend-
lich-unreifen Meinung verstehen, daß Weisheit durch bloßes sympathetisches Fühlen der Geister zu erringen sei.

Auf welchem Geistesgebiet aber sah Schiller in jenen Sommer- und
Herbstwochen des Jahres 1787 die Möglichkeit, dem weit umgreifenden
Empfinden der Sympathie durch „ernsthaftes Nachdenken und langsame
Prüfung" Konsistenz und Zuverlässigkeit zu geben?

Die Gedanken des Briefes vom 15. April 1786 begannen Wirklichkeit zu werden. Genau zehn Tage nach jenem „Absage"-brief vom 8. August 1787 berichtet Schiller dem Freunde den Beginn seiner Arbeit an der „Niederländischen Rebellion". Und die Briefe der folgenden Monate sind voll von Ausdrücken der Freude und Zufriedenheit, die ihm diese Arbeit bereitet — eben weil sie jene Forderung des Augustbriefes erfüllt. „Alles macht mir hier seine Glückwünsche", schreibt er am 19. Dezember nach Dresden, „daß ich mich in die Geschichte geworfen, und am Ende bin ich ein solcher Narr, es selbst für vernünftig zu halten. Wenigstens versichere ich Dir, daß es mir ungemein viel Genuß bei der Arbeit gibt und daß auch *die Idee von etwas Solidem* (das heißt etwas, das ohne Erleuchtung des Verstandes dafür gehalten wird) mich dabei sehr unterstützt." Am 7. Januar 1788 rechtfertigt Schiller dem Freunde gegenüber sein Geschichtsstudium unter anderem mit der rhetorischen Frage: „Ist nicht das *Gründliche* der Maßstab, nach welchem Verdienste gemessen werden?" Und unterm 18. Januar bezeichnet er als den Wert der Lektüre „eines historischen Buches" die Tatsache, daß es seine „Ideen erweitert"; derselbe Gedanke wird ausführlicher behandelt am 6. März 1788: „... Du glaubst kaum, wie zufrieden ich mit meinem neuen Fache bin. Ahnung großer unbebauter Felder hat für mich so viel Reizendes. Mit jedem Schritte gewinne ich an Ideen, und meine Seele wird weiter mit ihrer Welt ..."

Aber was, könnte man fragen, haben die Vorzüge, die Schiller der Beschäftigung mit der Geschichte zuschreibt, diese „Idee von etwas Solidem", diese „Gründlichkeit", diese Erweiterung und Bereicherung seiner Ideen mit der Konsistenz und Zuverlässigkeit zu tun, die er für sein weiteres sympathetisches Freundschaftsverhältnis mit Körner fordert? Mit anderen Worten: Welche Rolle hat das Studium der Geschichte für Schillers innere Festigung und Reifung insofern gespielt, als damit notwendig eine Wandlung auch seiner Einstellung zu dem den Mittelpunkt der Weltanschauung des Stürmers und Drängers bildenden Sympathieglauben verbunden war?

Einer Beantwortung dieser Frage kommt man durch die Feststellung näher, daß mit Schillers Wertschätzung der Geschichte eine neue Einstellung zum dichterischen Schaffen Hand in Hand geht.

Man erinnere sich jenes Bauerbacher Briefes vom 14. April 1783, in welchem Schiller Freundschaft und platonische Liebe als „gewissermaßen eine andre Wirkung der Dichtungskraft" bezeichnet. Damals also sah er die Tätigkeit des dichterischen Produzierens bestimmt durch sympathetisches Empfinden, das der Dichter den Gestalten seiner poetischen Schöpfungen entgegenbringt.

Wie anders urteilt der Geschichtsphilosoph zur Zeit des Jahreswechsels von 1787 auf 1788 über die Dichtkunst! Unter den vier zuletzt angeführten Briefen aus jenen Wochen bezeugen drei eine völlig neue Einstellung. Die

„Idee von etwas Solidem", die Schiller in der Geschichte findet, stellt er in Gegensatz zur Dichtkunst, die er als „Libertinage des Geistes" bezeichnet (19. Dezember 1787). Das „Gründliche", das in einer historischen Arbeit steckt, erwirbt nach Ansicht des Briefschreibers vom 7. Januar 1788 mehr Anerkennung als „Die Frivolität einer Tragödie". Geschichtliche Lektüre, heißt es am 18. Januar, erweitert die Ideen; am Ende der Arbeit an einem Schauspiel hat man Ideen verloren.

Wahrlich, das Wort von der „Libertinage des Geistes" wirkt fast schockartig: Die Dichtkunst wird in bedenkliche Nähe zur Freigeisterei gerückt, der, wie die Juliusbriefe zeigen, auch Frivolität und Ideenarmut nach Schillers Ansicht nicht fremd sind.

Auf diesem Wege konnte Körner dem Freunde nicht folgen. „Also keine Spur mehr von jenen Ideen von Dichterwert und Dichterberuf, über die wir längst einverstanden waren?" fragt er am 13. Januar 1788.

Der Wandel seiner Einstellung zur Dichtkunst bedingt auch eine Änderung der Ansichten, die Schiller für seine Zukunft hegt. Schon als er im August bei seinem Besuch in Jena von dem Kantianer Reinhold die Versicherung erhält, daß einer Berufung an die dortige Universität nichts im Wege stehen würde, weist er diesen Gedanken zwar von sich: „Meine Unabhängigkeit und die Vermengung meiner Existenz mit Euch soll das Schicksal meines Lebens bleiben", fügt aber gleich einschränkend hinzu: „vorausgesetzt, daß mir Schriftstellerei ein angenehmes Dasein verschaffen kann." Klingt das nicht, als rechne Schiller, wenn er einmal der Identität von Sympathie und Dichterkraft eine Absage erteilen sollte, mit der Möglichkeit, daß dann auch das sympathetische Verhältnis zu den Dresdener Freunden sich ändern könnte? Und wie skeptisch er Anfang 1788 von seiner Zukunft als Dichter dachte, zeigt die Frage, die er am 18. Januar an Körner richtet: „Ist es wahr oder falsch, daß ich darauf denken muß, wovon ich leben soll, wenn mein dichterischer Frühling verblüht?"

Man sieht: Schiller versteht den Begriff des Konsistenten, Zuverlässigen, Soliden, Gründlichen in weitestem Sinne: Im Sinn eines Maßstabs, nach welchem er seine Weltanschauung ebenso wie seine materielle Zukunft zu regeln gedenkt.

Dieser klare Plan bestimmt nun Schillers Lebenshaltung während der zwei Weimarer Jahre. Er arbeitet und liest viel (An Körner 6. Oktober 1787). „Ich habe viel Arbeit vor mir, um zu meinem Ziele zu gelangen, aber ich scheue sie nicht mehr", meldet er Huber schon am 28. August: „Mich dahin zu führen, soll kein Weg zu außerordentlich, zu seltsam für mich sein." Und einige Zeilen weiter: „Dies ist nicht erst seit heute und gestern in mir entstanden. Jahre schon hab' ich mich mit diesem Gedanken getragen, nur die richtigere Schätzung meiner selbst, wozu ich jetzt erst gelangt bin, hatte noch gefehlt, ihm Sanktion zu geben." Hier wird klar, wie die

Errungenschaften dieser Weimarer Jahre, die Gewinnung einer richtigen
Selbsteinschätzung und die Reifung der Weltanschauung, unlösbar miteinander
verbunden sind. „Glaube mir," versichert er dem Freund in demselben
Brief, „es steht unendlich viel in unserer Gewalt, wir haben unser
Vermögen nicht gekannt, — dieses Vermögen ist die *Zeit*. Eine gewissenhafte,
sorgfältige Anwendung dieser kann erstaunlich viel aus uns machen."
Und wieder ist es Weimar selbst, das ihm dies Vermögen der Zeit schenkt.
Am 10. September 1787 berichtet er Körner: „Ich fange an, mich hier ganz
leidlich zu befinden, und das Mittel, wodurch ich es bewerkstellige, — Du
wirst Dich wundern, daß ich nicht früher darauf gefallen bin — das Mittel
ist, ich frage nach niemand. Das hätt' ich zwar schon in den ersten Wochen
wegkriegen können; denn wohin ich nur sehe, pflegt hier jeder ein Gleiches
zu tun. So viele Familien, ebenso viele abgesonderte Schneckenhäuser,
aus denen der Eigentümer kaum herausgeht, um sich zu sonnen. In diesem
Stücke ist Weimar ein Paradies. Jeder kann nach seiner Weise privatisieren,
ohne damit aufzufallen." Und vier Tage später an Huber: „Hier
habe ich wenig Freuden, die von außen in meine Seele kommen, also auch
wenig Zerstreuungen, die mich in Versuchung führen könnten." Noch am
12. Dezember 1788 erzählt er Körner: „Seit meinem letzten Briefe an Dich
bin ich nicht aus dem Hause gekommen. Du kannst Dir gar nicht einbilden,
was für ein Geist des Fleißes mich besitzt und wieviel besser und behaglicher
mir in diesem Elemente ist als bei meiner vorigen so geteilten Existenz."
Und einige Zeilen weiter: „Aber eine Hauptsache, die gewonnen
wird, ist, daß mein Geist mehr zusammengehalten wird und sich mehr
mit seinen inneren Resourcen zu behelfen suchen muß."

Das wesentliche Ergebnis der Untersuchung dieses zweiten Abschnittes
ist kurz dieses: Die Berührung mit Weimars Geisteswelt und Gesellschaft
hat Schiller über den Wert seines eigenen Genius aufgeklärt, während
ihm die Weimarer Lebenshaltung die Möglichkeit bot, durch Fleiß die
in seiner Genialität ruhenden Fähigkeiten auszubilden.

Die in den soeben abgeschlossenen Ausführungen enthaltenen Bemerkungen
über Sympathie werden in den die Ergebnisse des nächsten
Abschnitts zusammenfassenden Sätzen mit berücksichtigt werden.

Dritter Abschnitt

Der geschichtsphilosophische Zentralbegriff

Das wichtigste Ereignis der ersten Wochen seines Weimarer Aufenthalts
war für Schiller im Hinblick auf seine geistig-seelische Reifung die erste
Berührung mit Kants Philosophie. Am 29. August berichtet er Körner von

seiner Begegnung mit dem Kantianer Reinhold in Jena, der „mich schon
dahin gebracht hat, mit Kants kleinen Aufsätzen in der ‚Berliner Monats-
schrift' anzufangen, unter denen mich die „Idee über eine allgemeine Geschichte" außerordentlich befriedigt hat."

Man erinnere sich der Anregung, die Schiller in seinem Briefe vom
15. April 1786, eine Verbindung von Philosophie und Geschichte betreffend,
für die Fortsetzung der ‚Philosophischen Briefe' gegeben hatte. Es wurde
in jenem Zusammenhang gezeigt, daß Schiller den Wert des Geschichts-
studiums in der Gewinnung von Ideen sah, von Ideen, die als Produkte der
Vernunft — deren Fragwürdigkeit er in der Auseinandersetzung mit der
freidenkerischen Philosophie erfahren hatte, im Destillationsgefäß der
Seele von allem Unwesentlichen befreit werden sollen.

In jenem Kantaufsatz nun findet Schiller eine klare Begriffsbestimmung
der Vernunft als einer die Geschichte durchwaltenden Kraft, die damit
zum Zentralbegriff der geschichtsphilosophischen Lehre wird.

1. Kants geschichtsphilosophischer Vernunftbegriff

In seiner Abhandlung, deren vollständiger Titel lautet: „Idee zu einer
allgemeinen Geschichte in weltbürgerlicher Absicht," will Kant nicht Anregungen geben für die Bearbeitung der „empirisch abgefaßten Historie,"
das heißt für die Methode der sachlichen Geschichtsforschung, sondern
er wendet sich an den „philosophischen Kopf", der aus umfassender Tat-
sachenkenntnis die Geschichte als Manifestation der Natur — „oder besser
der Vorsehung" —, als Ausdruck „der Herrlichkeit und Weisheit der
Schöpfung" erlebt (9. Satz). Der Mensch — so sieht ihn der philosophische
Kopf — ist ein zur Vernunft veranlagtes Tier (1., 2., 6. Satz). Diese Eigenschaft ist die Ursache eines den Menschen beherrschenden „Antagonismus"
(4. Satz), der im Lauf der Menschheitsentwicklung gleichzeitig „ein ganzes
Heer von Mühseligkeiten" und einen Aufstieg zu „Vollkommenheit und
Glückseligkeit" zur Folge hat (3. Satz). Das Tierische läßt den Menschen
„ungebundene Freiheit" suchen (5. Satz), macht ihn ungesellig, ehr- und
habsüchtig (4. Satz); die Anlage zur Vernunft weckt in ihm den Trieb zur
Vergesellschaftung (ebd.). Den Weg der Geschichte sieht der philosophische Kopf nun in der Entwicklung des Menschen vom tierischen Einzelgänger zum vernünftigen Gesellschaftswesen. Diese Entwicklung aber
kann bei der Kürze des menschlichen Einzellebens nur über eine unendliche Reihe von Generationen verwirklicht werden, oder anders ausgedrückt: *„Diejenigen Naturanlagen, die auf den Gebrauch seiner Vernunft
abgezielt sind, sollen sich nur in der Gattung, nicht aber im Individuum*
vollständig entwickeln" (2. Satz). Dieser Vorgang erfolgt über „richtige

Begriffe von der Natur einer möglichen Verfassung, große, *durch viel
Weltläufe geübte Erfahrenheit* und einen zur Annehmung derselben vorbereiteten guten Willen" (6. Satz). Leiterin auf diesem Wege aber ist die
Vernunft, das heißt „*ein Vermögen, die Regeln und Absichten des Gebrauchs aller Kräfte des Menschen weit über den Naturinstinkt zu erweitern*"(2. Satz). Ziel des Weges ist „die Errichtung einer vollkommenen
bürgerlichen Verfassung" innerhalb „eines gesetzmäßigen äußeren Staaten-
verhältnisses", das als „großer Völkerbund" einen weltbürgerlichen Zustand heraufführt, in welchem alles Gute nicht „auf das Sittenähnliche in
der Ehrliebe und der äußeren Anständigkeit hinausläuft", sondern „auf
moralisch-gute Gesinnung gepfropft ist" (7. Satz). Hiermit ist — dies ist
des Philosophen unausgesprochen bleibende Ansicht — die „unbeschränkte
Freiheit" des tierhaften Menschen erhöht zur Freiheit des „guten Willens",
die dem Vernunftmenschen eigentümlich ist.

2. Schillers Ruf nach Sympathie

Vermittelt die Begegnung mit Reinhold dem Dichter endlich eine feste
Begriffsbestimmung der nach Kants Anschauung in der Geschichte waltenden Vernunft — die wesentlichen Sätze sind in den obigen Zitaten hervorgehoben worden —, so trägt die persönliche Berührung mit dem Apostel
des Königsberger Philosophen wunderbarerweise dazu bei, daß Schiller erneut an den Sympathieglauben herangeführt wird, mochte er auch dessen
aus den Jahren seines Sturms und Drangs überkommene Haltung als „über-
spannt", als Schwärmerei erkannt haben.

Mußte Schiller auch in seinem Bericht an Körner vom 29. August zugeben, daß Reinhold über Kant „mit Verstand zu sprechen" wußte, so gesteht er andererseits doch offen: „Reinhold kann nie mein Freund werden,
ich nie der seinige," und begründet dies mit folgenden Sätzen: „Wir sind
sehr entgegengesetzte Wesen. Er hat einen kalten, klar sehenden, tiefen
Verstand, den ich nicht habe und nicht würdigen kann; aber seine Phantasie ist arm und enge und sein Geist begrenzter als der meinige. Die lebhafte Empfindung, die er im Umgange über alle Gegenstände des Schönen
und Sittlichen ergiebig und verschwenderisch verbreitet, ist aus einem fast
vertrockneten, ausgesogenen Kopfe und Herzen unnatürlich hervorgepreßt.
Er ermüdet mit Gefühlen, die er suchen und zusammenscharren muß. Das
Reich der Phantasie ist ihm eine fremde Zone, worin er sich nicht wohl
zu orientieren weiß. Seine Moral ist ängstlicher als die meinige, und seine
Weichheit sieht nicht selten der Schlappheit, der Feigheit ähnlich. Er wird
sich nie zu kühnen Tugenden oder Verbrechen, weder im Ideal noch in der
Wirklichkeit, erheben, und das ist schlimm. Ich kann keines Menschen

Freund sein, der nicht Fähigkeit zu einem dieser beiden oder zu beiden hat."

Welch ein Bekenntnis! Kalter Verstand — arme Phantasie — begrenzter Geist — Empfindungen und Gefühle eines fast vertrockneten, ausgesogenen Kopfes und Herzens — ängstliche Moral — Weichheit aus schlapper, ja feiger Gesinnung — Unfähigkeit zur Begeisterung für kühnes Wagen, sei es im Guten oder im Bösen —: alles Mängel, die dem *Menschen* das Urteil sprechen. Nie wird dieser Mann einen Karl von Moor, einen Ferdinand von Walter, einen Carlos begreifen und jener „allwebenden Sympathie" sich hingeben können, die im Miterleben des Schicksals solcher Helden „Menschen aus allen Kreisen und Zonen und Ständen" ergreift und jeden Einzelnen nur die eine Empfindung erfahren läßt, „ein *Mensch* zu sein."

3. Vorläufige Zusammenfassung

Immer mehr weitet sich der geistig-seelische Komplex, der des reifenden Schiller innere Welt bildet. Der letzte Abschnitt des ersten und die drei bisher behandelten Abschnitte des zweiten Kapitels enthalten je ein Problem, und ihre Zusammenschau wird einen ersten umfassenden Vorausblick auf des Dichters spätere Vollendung gestatten.

Die Einleitung des das erste Kapitel abschließenden Abschnitts behandelte das von Schiller am 14. April 1783 erörterte Verhältnis von Sympathie und Dichtungskraft. Es wird kaum eines ausführlichen Beweises bedürfen, daß Dichtungskraft in Schillers Sinne gleichbedeutend ist mit Genie, mit der Vorstellung des Genius als göttlicher Verkörperung dieser Kraft. Es genüge der Hinweis auf den Brief, den Schiller von Mannheim aus am 7. Dezember 1784 an seine neuen Freunde Körner, Huber, Dora und Minna Stock richtete. Er entschuldigt sich wegen seines langen Schweigens, nachdem ihm die Genannten im Juni Zeichen ihrer Verehrung gesandt hatten: „Ihre schmeichelhafte Meinung von mir war freilich nur eine angenehme Illusion; — aber dennoch war ich schwach genug zu wünschen, daß sie nicht allzu schnell aufhören möchte. Darum, meine Teuersten, behielt ich mir die Antwort auf eine bessere Stunde vor, — auf einen Besuch meines Genius, wenn ich einmal in einer schöneren Laune meines Schicksals schönern Gefühlen würde geöffnet sein." Die rechte Antwort auf einen Laut sympathetischen Fühlens ist bedingt durch die belebende Anwesenheit des Genius: das ist doch wohl der Sinn dieser Sätze.

Der erste Abschnitt des zweiten Kapitels zeigt vermittelst des Briefes vom 15. April 1786, daß Schiller seinen bisherigen Sympathieglauben insofern als Schwärmerei erkannt hat, als in ihm Gefühlswerte und Vernunftideen „zusammengerinnen", statt durch „Nachdenken" und „Lesen" diese

Ideen von allem Unwesentlichen, Unklaren zu befreien. Da nun sympathetisches Empfinden und genialische Kraft als verwandt, ja identisch anerkannt wird, fällt damit dem Genie eine Aufgabe zu, deren Wesen der Dichter vorerst nur bildlich — destillieren, drogieren — ausspricht.

Der zweite Abschnitt veranschaulicht, wie Schiller in Weimar einerseits
im Verkehr mit den dortigen Geistesgrößen, an denen er sympathetische
Werte vermißt, sich seines Genius bewußt wird — womit seine im April
1783 aufgestellte These von der Identität der Freundschaft, platonischer
Liebe und Dichtungskraft erneut bestätigt wird —, andererseits das im
April 1786 als Zukunftsaufgabe aufgestellte Bemühen, dessen Ziel er jetzt
in Solidität und Genauigkeit sieht, ausübt und als „Fleiß" bezeichnet.

Der dritte Abschnitt endlich berichtet, wie Schiller durch die Bekanntschaft mit Kants geschichtsphilosophischem Zentralbegriff der Vernunft
den Mittelpunkt findet, um den sich sein Fleiß während einer Reihe von
Jahren bewegen sollte, während ihm Reinholds Mangel an Genialität und
sympathischem Fühlen die seit April 1786 erkannte Notwendigkeit bewußt macht, daß auch Vernunft im Herzen wohnen müsse — ebenso wie
nur ein fleißiges Genie auf Erfolg rechnen kann.

Ein Eingehen auf die geistreichen Ausführungen über Stoff und Form,
Naturkraft und Vernunftkraft, die Schiller in einer Fußnote der Abhandlung ‚Über Anmut und Würde' gibt und die eine auf das Gebiet der Aesthetik erweiterte Behandlung des soeben knapp formulierten Gedankenkomplexes Sympathie — Vernunft — Genie — Fleiß darstellen, würde über
den Rahmen der bisherigen Untersuchung hinausführen.

Vierter Abschnitt

Letzte Anfechtungen und ihre Heilung

Es wäre ein Irrtum, wollte man aus der systematischen Zusammenfassung der geistigen Entwicklung Schillers in den Jahren 1783 bis 1787 den
Schluß ziehen, daß diese Entwicklung so glatt und stetig vor sich gegangen wäre, wie es jene Skizze vielleicht erscheinen läßt. Die labile
Gemütsverfassung, von der bei der Darstellung der schwärmerischen
Periode des jungen Schiller die Rede war, sie wirkte nach zahlreichen
brieflichen Äußerungen auch noch in dem um Reifung ringenden Dichter.
Und wie in den Jahren des Sturms und Drangs, so sind auch späterhin
derartige Anwandlungen immer unter dem Eindruck einer Armut an sympathetischem Erleben im Sinne von Freundschaft und platonischer Liebe
erfolgt.

Die Untersuchungen der vier für die obige Zusammenfassung herangezogenen Abschnitte haben die eine für Schillers Wesensart entscheidende Tatsache ins Licht gesetzt: Unentwegt läßt der Dichter seinen Appell an die Sympathie hören, und mehr und mehr wird offenbar, daß er diese Sympathie in seiner neuen Umgebung vermißt.

Da sind die Geistesgrößen Weimars und alle die anderen Bekannten, unter denen, wie er am 6. Oktober 1787 Huber mitteilt, „auch recht brave Menschen sind", aber kein „Freund, den ich lieben könnte". Da ist Körner, dessen Erstaunen über Schillers angeblich prosaische Ideen von schriftstellerischer Tätigkeit seinen Mangel an sympathetischem Verständnis für des Freundes ernstes Ringen um innere Vervollkommnung verrät. Und die Arbeit selbst, die das Produkt dieses seines Strebens ist? Ach, auch hier folgen einem hochgemuten Beginn mit dem Fortschreiten des Werkes Stunden des Kleinmuts und der Verzagtheit. Am 7. Januar 1788 spricht er zu Körner von einem „Abarbeiten seiner Seele", das ihn müde mache, von einem „Abattement", das heißt einer Niedergeschlagenheit seines Geistes, deren Ursache „mitunter auch" in seinen jetzigen Arbeiten liege: „Ich ringe mit einem mir heterogenen, fremden und oft undankbaren Stoff, dem ich Leben und Blut geben soll, ohne die nötige Begeisterung von ihm zu erhalten". Wirkt dieser letzte Teil des Satzes nicht wie ein Nachhall aus jenen Frühlingstagen des Jahres 1783, als Schiller von der sympathetischen Wechselwirkung zwischen poetischem Stoff und Dichter sprach? Wie eine Bestätigung hört sich der Satz aus dem an Körner gerichteten Brief vom 20. August 1788 an: „Meine ‚Geschichte' hat viel Dichterkraft in mir verdorben."

Also nicht nur in seinem Verhältnis zu den Menschen, sondern auch zu seiner schriftstellerischen Tätigkeit vermißt Schiller in Weimar je länger je mehr die sympathetische „Magie", die den Dichter des ‚Don Carlos' zumindest in den ersten Jahren beglückt hatte.

Aus diesem Gefühl einer Verarmung des Herzens erwachen nun in Schiller Stimmungen, die ihn zu Klagen veranlassen über seine „elende Existenz, elend durch den inneren Zustand meines Wesens", über ein „inneres Abarbeiten meiner Empfindungen", eine die Seele verzehrende, philosophische Hypochondrie" (An Körner 7. Januar 1788), oder ganz ähnlich am 20. Januar im Briefe an Huber über „die Zerstörung, welche Hypochondrie, Überspannung, Eigensinn der Vorstellung, Schicksal meinetwegen in dem Innern meines Geists und Herzens angerichtet haben", über den „düstern Skeptizismus, der in mir wohnt" — also ein chronisches Leiden! —, und endlich am 20. August, Körner gegenüber, über die ewige Jagd von Herz und Kopf, die ihm keinen Moment des Glücksgefühls, der Lebensfreude läßt. Dies Hin und Her widerstreitender Stimmungen kennzeichnet der schon erwähnte Brief an Huber vom 20. Januar als „eine fatale, fortgesetzte Kette von Spannung und Ermattung, Opiumschlummer und Champagnerrausch". An einer früheren Stelle des Briefes bekennt Schiller: „Du glaubst nicht, wie sehr ich seit vier oder fünf Jahren aus dem natürlichen Geleise *menschlicher* Empfindungen gewichen bin; diese Verrenkung meines Wesens macht mein Unglück, weil Unnatur nie glücklich machen kann." Das Wort von „dem natürlichen Geleise menschlicher Empfindungen", von der „Unnatur", der sich Schiller verfallen meint, weist voraus auf den erhofften Weg der Heilung, den der Dichter gleich darauf dem Freunde mitteilen wird.

Gewiß, Schiller hat genügend Kenntnis seiner labilen Gemütsart, um zu wissen, daß derartige Stimmungen vorübergehender Natur sind: „Ein bißchen mehr ruhiges Blut machte mich zu einem glücklichen Menschen; ich fühle, daß ich in mir selbst die Ressourcen zum Leben reichlich hätte; aber es muß irgendwo bei mir versehen worden sein. Es will nicht gehen. Laß Dich übrigens dieses Klagelied nicht anfechten. Ich bin nicht immer so, und am Ende werd' ich mir doch davonhelfen" (An Körner 20. August 1788).

Aber sollte es kein Mittel geben, das für immer von einem Rückfall in diese „Unnatur" schützen könnte?

„Ich kann sie", heißt es am 20. Januar, „auf keinem Wege verbessern, auf keinem, der mir bekannt ist, durchaus auf keinem vielleicht; aber einen habe ich noch nicht versucht, und ehe ich die Hoffnung ganz sinken lasse, muß ich noch diese Erfahrung machen. Dies ist eine Heirat." Ganz ähnlich schon am 7. Januar an Körner: „... noch einmal, mein Lieber, dabei bleibt es, daß ich heirate. Könntest Du in meiner Seele so lesen wie ich selbst, Du würdest keine Minute darüber unentschieden sein. Alle meine Triebe zu Leben und Tätigkeit sind in mir abgenützt; diesen einzigen habe ich noch nicht versucht."

Warum verspricht sich Schiller gerade von einer Heirat die Heilung der als Unnatur empfundenen „Verrenkung" seines Wesens? Weil er, wie der Brief vom 20. Januar zeigt, diese Verrenkung eben in den widerstreitenden Stimmungen sieht, zwischen denen er hin und her geworfen wird, in dem Mangel eines „wohltätigen Gleichgewichts, das Körner selten verliert". „Und auf welchem andern Weg kann ich diese gleichförmige Zufriedenheit erhalten als durch häusliche Existenz? Eine ununterbrochene, sanfte Übung in geselligen Freuden, die einen so schönen Boden und gleichsam die Grundfarbe des Lebens machen und einem Menschen, bei dem Kopf und Herz stets beschäftigt sein müssen, heilsam und unentbehrlich sind."

„Unsere Freundschaft", heißt es in demselben Zusammenhang weiter, „ersetzt mir diesen Mangel nicht ... denn so gut Ihr beide mich zu kennen glaubt, so ist Euch doch diese Eigenschaft in mir" — gemeint ist der düstre Skeptizismus! — „nie ganz deutlich geworden". Und warum nicht? Der Brief an Körner vom 7. Januar kann die Antwort geben: „Alle Wesen, an die ich mich fesselte, haben etwas gehabt, das ihnen teurer war als ich, und damit kann sich mein Herz nicht behelfen. Ich sehne mich nach einer bürgerlichen und häuslichen Existenz, und das ist das einzige, was ich jetzt noch hoffe." Den tiefsten Einblick in Schillers Vorstellung von einer wahren Ehe wird man wohl dann gewinnen, wenn man sich die Frage vorlegt, wie sich diese Vorstellung in seinen Sympathieglauben einordnet.

> „Wem der große Wurf gelungen,
> eines Freundes Freund zu sein,
> wer ein holdes Weib errungen,
> mische seinen Jubel ein!"

singt das ‚Lied an die Freude'. Aber eheliche Sympathie hat mit Freundschaft nichts gemein: Schiller bestätigt ja selbst, daß ihm die Freundschaft nicht das Heilmittel gegen seine „Unnatur" geben kann, das er von der Ehegemeinschaft erhofft.

Bevor er zur Erkenntnis der genialischen Verschiedenheit zwischen sich und Wieland gelangt, gewinnt dessen Familiensinn sein Herz (An Körner 6. und 14. Oktober, 19. November 1787). Von Wielands Tochter hört er vieles, was seine Teilnahme findet: „Ich kenne weder das Mädchen, noch weniger fühle ich einen Grad von Liebe, weder Sinnlichkeit noch Platonismus, — aber die innigste Gewißheit, daß es ein gutes Wesen ist, daß es tief empfindet und sich innig attachieren kann, mit der Rücksicht zugleich, daß sie zu einer Frau ganz vortrefflich erzogen ist, äußerst wenig Bedürfnisse und unendlich viel Wirtschaftlichkeit hat" (19. November). Und dennoch: „Ich glaube, daß mich ein Geschöpf wie dieses glücklich machen könnte, wenn ich so viel Egoismus hätte, glücklich sein zu können, ohne glücklich zu machen, und an dem letztern zweifle ich sehr." Nein: „Ich muß ein Geschöpf um mich haben, das *mir* gehört, das ich glücklich machen *kann* und *muß*, an dessen Dasein mein eigenes sich erfrischen kann." (An Körner 7. Januar 1788). Darum: „Wenn andre meinesgleichen durch häusliche Fesseln für weitere Plane der Wirksamkeit verloren gehen, so ist Häuslichkeit just das einzige, was mich heilen kann, weil es mich zur Natur, zur sehr prosaischen Alltagsnatur zurückführt, von der ich erstaunlich weit abseits geraten bin" (An Huber 20. Januar). Und er hofft, daß er selbst die nötigen Voraussetzungen zum Erfolg dieser Kur mitbringt. In demselben Brief erklärt Schiller: „Ich zähle auf *einen* Charakterzug, den ich aus der großen Verwüstung meines Wesens noch gerettet habe, auf meine Bonhommie, auf die Weichheit meines Herzens, die mir zustatten kommen wird, Lasten wegzutragen und Arbeiten anzugreifen, die ich jetzt träg und verdrossen übernehme. Kann ich das Wohl und Wehe eines Geschöpfs, das mir ganz ergeben ist, in meine Wirksamkeit verflechten, so habe ich eine große Aufforderung mehr, meine Kräfte zu brauchen."

Vielleicht ermöglichen diese Briefstellen, von Schillers Begriff der ehelichen Sympathie eine Vorstellung zu gewinnen.

„Liebe findet nicht statt unter gleichtönenden Seelen, aber unter harmonischen", hieß es in der ‚Theosophie des Julius'. Julius und Raphael sind „zwei Jünglinge von ungleichen Charakteren", aber „von gleicher Wärme für die Wahrheit und die sittliche Schönheit beseelt". Die Eigenschaft, worin die zwei Freunde sich gleichen, ist ihr Streben nach dem idealen Ziel des Wahren, Guten und Schönen. Die Verschiedenheit der Wege, auf denen sie dieses Ziel erreichen wollen, ist bedingt durch die Ungleichheit ihres Charakters.

Hier hat Schiller eine Manifestation sympathetischen Empfindens eines Freundschaftsverhältnisses dargestellt. Es ist nun zu fragen, wie der Dichter die Harmonie der Seelen im sympathetischen Fühlen zweier Ehepartner sich vorstellt.

Worin sollen nach Schillers Ansicht Mann und Frau gleich sein? Darin, daß beide darin ihr Glück sehen, den anderen glücklich zu machen. Dieses Ziel ist also nicht, wie im Freundschaftsverhältnis, ein weltanschaulich-ethisch-aesthetisches, sondern ein Glückgefühl, das nur derjenige gewinnen kann, der sich im Besitz eines Menschen weiß, der allein ihm gehört und dem er alles schenken darf, was er ist.

Und worin besteht nach Schiller die Verschiedenheit der Wege, auf denen Mann und Frau diesem gleichen Ziele zustreben? Die Frau betreffend, dürfte diese Verschiedenheit in den Vorzügen angedeutet sein, die der Dichter an Wielands Tochter anerkennt: Tiefes Empfinden, innige Hingebungsfähigkeit, Anspruchslosigkeit, Wirtschaftlichkeit. Des Mannes Weg ist in dem Brief vom 20. Januar an Huber vorgezeichnet: „Lasten wegtragen", „Arbeiten angreifen", kraftvoll wirken im Gedanken an „das Wohl und Wehe eines Geschöpfes, das ihm ganz ergeben ist". Auch in der Ehe ist also, wie in der Freundschaft, die Verschiedenheit des Weges durch die Verschiedenheit des Charakters bestimmt; aber diese beruht nicht auf einem Unterschied der Temperamente, sondern des Geschlechts.

Die Kenntnis des Weges, auf welchem nach Schillers Anschauung Mann und Frau im Glück des andern das eigene Glück finden, ermöglicht schließlich auch die Besonderheit dieses Glücks genauer zu formulieren:

Die Frau sieht ihr Glück darin, dem Mann zu seiner Arbeit freudige Tatkraft und seelische Spannkraft zu geben.

Der Mann fühlt sich glücklich, weil die Arbeit insofern seinem Leben einen Sinn gibt, als er in ihr nicht mehr eine verdrossen übernommene Pflicht sieht, sondern eine Kraft, die seine und seines Weibes Existenz unlöslich in eins verbindet.

So sieht Schiller, wie eine im zweiten Teil dieses Bandes versuchte Würdigung seiner Geschichtsphilosophie und Aesthetik zeigen wird, die Ehe inmitten des Anfangs- und Endpunktes der menschlichen Kulturentwicklung. Durch die Verschiedenheit der Geschlechter an die Notwendigkeit der Naturgesetze gebunden, wirken Mann und Frau gemeinsam in der Freiheit der durch Neigung gelenkten Vernunft an der höchsten Aufgabe der Menschheit: inmitten des Lebens der „Wirklichkeit" ein Elysium zu bereiten, das den Sympathieglauben an das „wahre" Leben bestätigt.

Erst auf dieser Ebene wird der Mann — Schiller nennt ihn deshalb in dem Brief an Wilhelm von Humboldt vom 25. Dezember 1795 einen „bloß möglichen Menschen, aber einen Menschen in einem höheren Begriff" — befähigt, frei von Anfechtungen eines düsteren Skeptizismus den Glauben an ein höheres Sein in dem Sinne zu bewähren, wie ihn der Brief vom 7. Januar 1788 an Körner ausspricht: „Freundschaft, Geschmack, Wahrheit und Schönheit werden mehr auf mich wirken, wenn eine ununterbrochene Reihe feiner, wohltätiger häuslicher Empfindungen mich für die Freude stimmt und mein erstarrtes Herz wieder durchwärmt."

Fünfter Abschnitt

Literarische Abrechnung mit den Anfechtungen

Am 22. Februar 1790 führte Schiller seine Braut Charlotte von Lengefeld in der Dorfkirche von Weningenjona zum Altar. Anfang August 1789 hatte sich der Dichter endlich erklärt, nachdem ihm immer wieder Mut zu dem befreienden Wort gefehlt hatte. „Ich glaubte Eigennutz in meinem Wunsche zu entdecken, ich fürchtete, daß ich nur *meine* Glückseligkeit dabei vor Augen hätte, und dieser Gedanke scheuchte mich zurück. Konnte ich *Ihnen* nicht werden, was *Sie* mir waren, so hätte mein Leiden Sie betrübt, und ich hätte die schöne Harmonie unserer Freundschaft durch mein Geständnis zerstört, ich hätte auch das verloren, was ich hatte, Ihre reine und schwesterliche Freundschaft." So schreibt Schiller am 3. August aus Lauchstätt an die Geliebte.

Die Hoffnung, die der Dichter seit der Jahreswende von 1787 auf 1788 an eine Heirat knüpfte: eine dauernde Heilung von seinem düsteren Skeptizismus zu finden und seinen Sympathieglauben als festes Fundament seines Lebens zu gründen, ging in Erfüllung. Sie hat ihre literarische Bestätigung dadurch erfahren, daß der unvollendete Roman ‚Der Geisterseher', dessen zweites Buch 1789 im achten Heft der ‚Thalia' erschien, sein letztes Werk ist, in welchem Schiller sich mit Skeptizismus und Freidenkertum auseinandersetzt. Und es ist gewiß kein Zufall, daß es gerade Charlotte von Lengefeld ist, der er über Entstehung und Gelingen des in diesem zweiten Buch des ‚Geistersehers‘ enthaltenen philosophischen Gespräches Bericht erstattet, dessen Gegenstand eben jene Auseinandersetzung ist.

Bevor aber Schiller an die Ausarbeitung des zweiten Buches ging, wurde er im Lauf des Jahres 1788 noch zweimal an die ‚Philosophischen Briefe‘ erinnert.

1. „Raphael an Julius"

Anfang April sendet Körner völlig überraschend einen Raphaelbrief, der eine Stellungnahme zu der 1786 veröffentlichten ‚Theosophie des Julius´ enthält. Zu den vier Punkten, die Körner seinen Raphael behandeln läßt, nimmt Schiller in einem Brief vom 15. April in derselben Reihenfolge das Wort.

Und da ist gleich die Erwiderung des Dichters zu dem ersten Punkt bedeutsam. Er will es nicht wahr haben, daß, wie Körner meint, eine Anschauung wie diejenige der Theosophie altersbedingt sei, daß, wie Schiller die Ansicht seines Freundes wiedergibt, „eine gewisse Philosophie in einer gewissen Epoche für unsern Julius gut sein und doch nicht die wahre sein soll." Ist es nicht der Sympathieglaube seiner Jugendjahre, den der neunundzwanzigjährige Schiller hier verteidigt?

Den Umstand ferner, daß Schiller-Julius als ersten Gegenstand seiner Philosophie das Universum gewählt hat, sucht Körner — zweiter Punkt — als geistesgeschichtlich bedingt zu erklären. Schiller begründet es hingegen damit, daß er, mit philosophischer Lektüre wenig bekannt, „immer nur das genommen, was sich dichterisch fühlen und behandeln läßt." Man erinnere sich an die Erörterungen des Bauerbacher Briefes vom 14. April 1783 über das Verhältnis der Freundschaft einerseits und zwischen Dichter und dichterischem Stoff andererseits — und es wird offenbar, daß Schiller für die Wahl seines ersten philosophischen Themas eine sympathetische Empfindung verantwortlich macht.

Daß Körners den dritten Punkt behandelnde Bemerkungen über die „Taschenspielerkünste der Vernunft" bei dem Dichter starken Widerhall finden, wird keinen wundernehmen, der die kritische Einstellung Schillers gegenüber dieser eigentümlich-menschlichen Eigenschaft kennengelernt hat.

Was endlich den vierten Punkt betrifft, daß Körner dem Freunde nicht folgen zu können meint, wenn dieser die „Kunstidee auf das Weltall und den Schöpfer" zu übertragen versucht, so stellt der Dichter mit seiner Ansicht, daß, recht betrachtet, „wir hier nicht so weit voneinander sind", der Sympathie ihrer Freundschaft ein liebenswürdiges Zeugnis aus.

Am 14. November schreibt Schiller, eine diesbezügliche Anfrage Körners beantwortend: „Erstlich wegen Julius und Raphael. Ich bin weit davon entfernt, ihn ganz liegen zu lassen, weil ich wirklich oft Augenblicke habe, wo mir diese Gegenstände wichtig sind." Dann beklagt er — wie sein Julius — seine geringe Belesenheit in dieser Materie, versichert aber zuletzt: „Indes will ich mich zusammennehmen und Dir eine Materie anspinnen, nur verlange sie so sehr bald nicht von mir; vor allen Dingen muß ich mich wieder in den ‚Geisterseher' hineingearbeitet haben."

Die Verwirklichung dieser beiden Absichten sah dann so aus, daß Schiller in das zweite Buch des Romans das Gespräch über die sogenannte freidenkerische Weltanschauung des Prinzen hineinarbeitete.

2. Das philosophische Gespräch im ‚Geisterseher'

Es gibt wohl kein zweites Werk, an dem Schiller mit so wenig Lust gearbeitet hat wie den ‚Geisterseher'.

„Dem verfluchten ‚Geisterseher' kann ich bis diese Stunde kein Interesse abgewinnen; welcher Dämon hat ihn mir eingegeben!" heißt es am 6. März 1788 in einem Brief an Körner. Und am 17. an denselben: „Der ‚Geisterseher', den ich eben jetzt fortsetze, wird schlecht — schlecht, ich kann nicht helfen; es gibt wenige Beschäftigungen, ... bei denen ich mir eines sündlichen Zeitaufwandes so bewußt war als bei dieser Schmiererei. Aber bezahlt wird es nun einmal ..." Als ihm Körner an einem in der ‚Thalia' veröffentlichten Abschnitt Weitschweifigkeit vorwirft, antwortet Schiller am 12. Juni: „Was für Ursachen sollte ich gehabt haben, gerade *hier* den *besten* Leser im Auge zu haben und mich um einen Bogen Honorarium zu bringen?" Noch am 20. November schreibt er an Charlotte von Lengefeld und Caroline von Beulwitz: „Mich beschäftigen jetzt Dinge, die mein Herz nur flach rühren, der ‚Geisterseher' und dergleichen". Desto bedeutsamer wirkt die vom 26. Januar 1789 datierte Mitteilung an dieselben Adressatinnen: „Mein ‚Geisterseher' hat mich dieser Tage sehr angenehm beschäftigt ... Der Zufall gab mir Gelegenheit, ein philosophisches Gespräch herbeizuführen, welches ich ohnehin nötig hatte, um die freigeisterische Epoche, die ich den Prinzen durchwandern lasse, dem Leser vor Augen zu stellen. Bei dieser Gelegenheit habe ich nun selbst einige Ideen bei mir entwickelt, die Sie darin wohl erraten werden (denn Gott bewahre mich, daß ich ganz so denken sollte wie der Prinz in der Verfinsterung seines Gemütes) ..."

Es ist nicht das erste Mal, daß Schiller, der bekanntlich unter seiner Neigung zu einem „düsteren Skeptizismus" litt, doch die Fremdheit seines Wesens gegenüber einer weltanschaulichen Grundlegung derartiger Gedanken betont. Die in der ‚Thalia' 1786 veröffentlichten Gedichte ‚Freigeisterei der Leidenschaft' und ‚Resignation' bevorwortet er wie folgt: „Ich

habe umso weniger Anstand genommen, die zwei folgenden Gedichte hier
aufzunehmen, da ich von jedem Leser erwarten kann, er werde so billig
sein, eine Aufwallung der Leidenschaft nicht für ein philosophisches System und die Verzweiflung eines *erdichteten* Liebhabers nicht für das
Glaubensbekenntnis des Dichters anzusehen." Die Gedichte sind eben nur
ein weiteres Dokument für die Ergriffenheit, die den unter der gegenseitigen Jagd von Herz und Kopf leidenden Dichter angesichts des durch
die „umnebelte Vernunft" einer „halben Aufklärung" gefährdeten sympathetischen Empfindens immer aufs neue peinigte.

Auch der Prinz, der „Geisterseher", macht wie Julius eine Entwicklung
durch. Auch er wird, wie Julius, zum Freidenker. Aber die treibenden
Kräfte, welche diese Wandlung herbeiführen, sind nicht Einflüsse eines
aufgeklärten Freundes; sondern — um ein späteres Schillerwort anzuwenden — „des Lebens Drang" führt einen edlen Menschen von glänzender
Höhe in die Tiefen verbrecherischer Umtriebe.

Wichtig ist, was der Leser über Charaktereigenschaften und geistige Entwicklung des Prinzen erfährt. Tiefer Ernst und schwärmerische Melancholie
kennzeichnen sein Gemüt. „Seine Neigungen waren still, aber hartnäckig
bis zum Übermaß, seine Wahl langsam und schüchtern, seine Anhänglichkeit warm und ewig. Mitten in einem geräuschvollen Gewühle von Menschen ging er einsam; in seine eigne Phantasiewelt verschlossen, war er sehr
oft ein Fremdling in der wirklichen." Zahlreiche, aber wahllose Lektüre,
eine vernachlässigte Erziehung, frühe Kriegsdienste lassen seinen Geist
nicht zur Ruhe kommen. Seine Begriffe, auf keinen festen Grund gebaut,
sind verworren. Protestant „durch Geburt, nicht nach Untersuchung", eine
Zeitlang religiöser Schwärmer, erblich zu religiöser Melancholie neigend,
gewinnt er von der Religion Vorstellungen, die etwas Fürchterliches,
Grauenvolles an sich haben. Gott wird ihm zum Schreckbild, und stiller
Groll, gemischt mit blinder Furcht, lassen ihn mit wachsender Reife die
erste Gelegenheit ergreifen, um „einem so strengen Joche zu entfliehen" —
freilich, da es nicht die reifere Vernunft gewesen war, die ihn allmählich
von dem Gefühl seiner Knechtschaft abgelöst hatte, nur mit dem Erfolg,
daß er nun in die Netze gerissener Gaukler gerät, die seinen aus den Einflüssen einer verkehrten religiösen Erziehung geretteten Wunderglauben
zu einem Bubenstück ausnutzen. Es gelingt ihm, das gewissenlose Spiel
aufzudecken — „und der kleine Sieg, den seine Vernunft über diese
schwache Täuschung davongetragen, erhöht merklich die Zuversicht zu
seiner Vernunft überhaupt." „Der Schlag, der seinen Glauben an Wunder
stürzte, brachte das ganze Gebäude seines religiösen Glaubens zugleich
zum Wanken." „Von diesem Zeitpunkte an regte sich eine Zweifelsucht in
ihm, die auch das Ehrwürdigste nicht verschonte." Um sich in die neue
Geisteswelt zu finden, wählt er „die modernste Lektüre ... Aber die

schlimme Hand, die bei der Wahl dieser Schriften im Spiele war, ließ ihn
unglücklicherweise immer auf solche stoßen, bei denen seine Vernunft und
sein Herz wenig gebessert war." Indem ihn sein Hang immer zu allem, was
nicht begriffen werden soll, hinzieht, bleiben seine Vernunft und sein
Herz leer. Blendender Stil reißen seine Einbildungskraft dahin, Spitzfindig-
keiten verstricken seine Vernunft. „Er hatte sich in dieses Labyrinth begeben als ein glaubensreicher Schwärmer, und er verließ es als Zweifler
und zuletzt als ein ausgemachter Freigeist." Unter dem Einfluß der „Libertinage des Geistes und der Sitten" einer geschlossenen Gesellschaft, „die
unter dem äußerlichen Schein einer edlen vernünftigen Geistesfreiheit die
zügelloseste Lizenz der Meinungen wie der Sitten begünstigte, „ging die
reine, schöne Einfalt seines Charakters und die Zartheit seiner moralischen
Gefühle verloren." „Seine Existenz war ein fortdauernder Zustand von
Trunkenheit, von schwebendem Taumel." Er beginnt in Venedig auf größ-
tem Fuße zu leben, eine erweiterte Haushaltung erschöpft seine Mittel, und
trotz allen Aufwandes ist er nicht glücklich. „Er fühlt", schreibt sein Ver-
trauter Baron von F***, „daß er nicht ist, was er sonst war — er sucht
sich selbst — er ist unzufrieden mit sich selbst und stürzt sich in neue
Zerstreuungen, um den Folgen der alten zu entfliehen." Um seine Schulden
zu bezahlen, muß er schließlich, da die lange erwarteten Wechsel aus-
bleiben, seine Zuflucht zu einem Wucherer nehmen.

Das sind die Umstände, unter denen zwischen dem Prinzen und dessen
Freunde, dem Baron von F***, das philosophische Gespräch stattfindet,
von dem Schillers Brief am 26. Januar 1789 meldet. Den Hauptinhalt des
Gesprächs bildet die „Philosophie", die der Prinz vor seinem Vertrauten
ausbreitet. Diese Philosophie aber ist, wie Schiller, das Urteil Körners be-
stätigend (9. März), sagt, „kein Ganzes, es fehlt ihr an Konsequenz". Das
kommt daher, daß sie mit „seinen ehemaligen Lieblingsgefühlen" in Widerspruch steht.

Sehr deutlich formuliert diesen Widerspruch der Baron am Anfang und
am Schluß des Gesprächs. Die Unterhaltung einleitend, bemerkt der Ver-
traute: „Es tat mir wehe, ich gestehe es, daß die Meinung der Welt über
eine Frage, die nur für Ihr eignes Herz gehört, die Frage, *wie* Sie glücklich
sein sollen, zu entscheiden haben sollte." Und am Ende weist der Baron
den Prinzen auf den seine Philosophie beherrschenden Widerspruch hin
mit den Worten: „Ich begreife Sie nicht, gnädigster Prinz, Ihre eigne Philosophie spricht Ihnen das Urteil; wahrlich, Sie sind dem reichen Manne
gleich, der bei allen seinen Schätzen darbet. Sie gestehen, daß der Mensch
alles in sich schließe, um glücklich zu sein, daß er seine Glückseligkeit nur
allein durch das erhalten könne, was er besitzet, und Sie selbst wollen
die Quelle Ihres Unglücks außer Sich suchen."

Das Gespräch gliedert sich in zwei große Hauptteile. Der erste Teil behandelt, um die Meinung des Prinzen zu rechtfertigen, daß die Frage, wie der Mensch glücklich sein solle, eine Angelegenheit der Welt und nicht des Herzens sei, die wesentlichen Punkte seiner freidenkerischen Philosophie. Der zweite Teil erörtert seine Anschauung über Moral.

Am Schluß des ersten Teils, in welchem als beherrschende Triebkraft der Natur die Notwendigkeit hingestellt wird, faßt der Gesprächspartner das Ergebnis der bisherigen Betrachtungen seines fürstlichen Freundes in die Worte zusammen: „O wie arm lassen Sie mich stehn!" Den zweiten Teil, in welchem das Widerspruchsvolle der Weisheit des Prinzen zutage tritt, beendet der Baron mit dem Hinweis, daß die Moral, welche in diesem Abschnitt vertreten wird, dem Begriff der Notwendigkeit als Prinzip der Schöpfung zuwiderläuft, woraus sich dann die Unrichtigkeit der These von der außerhalb des Menschen gelegenen Quelle des Glücks und Unglücks von selbst ergibt.

Kurz zusammengefaßt, ist der Inhalt der freidenkerischen Philosophie des Prinzen dieser:

Es ist Fürstenlos, ein Sklave der Volksmeinung zu sein. Volksmeinung ist, daß ein Fürst glücklich sei. Erziehung und frühe Gewohnheit haben den Wahn in ihm befestigt, daß er, kann er nicht glücklich *sein*, glücklich *scheinen* müsse. So bitter ihm daher der Verzicht auf inneren Frieden werden mag — er muß, im Rückblick auf das traurige Einerlei seiner Vergangenheit, in der Aussicht auf eine hoffnungslose Zukunft, der Gegenwart leben, den Augenblick genießen, eingedenk der Erfahrung, daß der Begriff der Dauer ein Wolkenbild ist, um das es sich nicht lohnt, tugendhaft zu sein. Denn Vergänglichkeit steht über allem, was ist, geschrieben, seien es auch Leistungen im Dienst einer vermeintlichen hohen, ewigen Ordnung. Beweis dafür ist die Weltgeschichte, die in der Verteilung von Nachruhm oder Vergessenheit ungerecht ist. Beweis ist, daß noch niemals erwiesen wurde, ob der Trieb zur ewigen Fortdauer im Menschen „nicht ebenso vollkommen mit dem zeitlichen Zweck seines Daseins aufgehe als seine sinnlichsten Triebe. Dieser Gedanke der ewigen Fortdauer, der unsere Glückseligkeit ausmachen soll, er ist in Wahrheit nichts anderes als die Triebkraft unseres Handelns; er steht zu ihr nicht im Verhältnis von Mittel und Zweck, sondern von Ursache und Wirkung — ebenso wie bei den Pflanzen die bewegenden Kräfte zur Verwirklichung des beständigen Typus ihres Baues dienen, wie die Erde durch ihre Schwerkraft zur Kugel gestaltet wurde. Und das Gefühl der Glückseligkeit, das im moralischen Handeln durch die tätige Verwirklichung des nur innerhalb unserer Seele anwendbaren, das Verhältnis eines Gegenstandes gegen *„ein gewisses Prinzipium"* dieser unserer Seele bezeichnenden Begriffs des Edlen lebendig wird, entspricht der elastischen Kraft einer Gummikugel, die, durch einen Fingerdruck zu einer flachen Form gezwungen, mit einem Gefühle von Wollust zu ihrer schönsten Rundung zurückkehrt. Der Mensch braucht also gar nicht „Mitwisser des Zwecks" zu sein, den die Natur durch ihn ausführt. Denn „alle Teile des großen Ganzen befördern nur dadurch den Zweck der Natur, daß sie ihrem eignen getreu bleiben, daß sie nicht zu der Harmonie beitragen *wollen* dürfen, sondern daß sie es *müssen.*" Diese Naturschau bedarf zu ihrer Gültigkeit nicht eines Schöpfergottes, sondern erklärt alles aus dem Gesetz der Notwendigkeit. Indem diese Philosophie die Naturanschauung von allem befreit, was der Mensch „aus seiner eigenen Brust" in sie hineingetragen hat, vermißt sie sich nicht, als Erzeugnis eines der Natur verhafteten Wesens selbst deren Gesetze bestimmen zu wollen, sondern beschränkt sich auf den resignierenden Verzicht, die Decke heben zu wollen, hinter der die Natur ihre Geheimnisse verbirgt.

Die Weiterführung des Gesprächs wird durch den Baron veranlaßt, der den Prinzen unmerklich auf das Problem des menschlichen Handelns führt, weil ihm eine Bemerkung, die der Prinz bei der Darstellung seiner „Philosophie" hatte fallen lassen — die Erwähnung „eines gewissen Prinzipiums in unserer Seele" als sittlichen Wertmessers unseres Tuns — die Möglichkeit zu geben scheint, des Prinzen Glückseligkeitstheorie, die den Anlaß zu der ganzen Erörterung gegeben hatte, zu widerlegen. Auch hier sei der Kürze und Klarheit halber der Gedankengang der prinzlichen Ausführungen, ohne auf die Zwischenbemerkungen des Gesprächspartners Bezug zu nehmen, in gestraffter Anordnung wiedergegeben.

„Der Mensch hat keinen andern Wert als seine Wirkungen", insofern dieselben tätiger und nicht verwüstender Natur sind. Die Entscheidung darüber trifft der in unserer Seele ruhende „Mittelpunkt" oder das „Prinzipium", dessen „Gefühl des moralischen Unterschiedes eine weit wichtigere Instanz ist als meine Vernunft — und nur alsdann fing ich an, an die Letztere zu glauben, da ich sie mit jenem unvertilgbaren Gefühle übereinstimmend fand." „Dieser Mittelpunkt oder dieses Prinzipium ist ... nichts anderes als der inwohnende Trieb, alle seine Kräfte zum Wirken zu bringen oder, was ebensoviel sagt, zur höchsten Kundmachung seiner Existenz zu gelangen. In diesen Zustand setzen wir die Vollkommenheit des moralischen Wesens." „Da nun jenes Prinzipium kein andres ist als die vollständigste Tätigkeit aller Kräfte im Menschen, so ist eine *gute* Handlung, wobei mehr Kräfte tätig waren, eine *schlimme*, wobei weniger tätig waren." So ist beispielsweise der Trieb der Selbsterhaltung als solcher nicht verabscheuenswert; er wirkt aber unmoralisch, wenn er aus Feigheit, das heißt aus Mangel an Mut betätigt wird. Die List des Räubers als solche kann Bewunderung erwecken; sie wirkt lasterhaft, weil ihr die Eigenschaft der Gerechtigkeit mangelt. Späte Befriedigung der Rachsucht vermag Erstaunen zu erwecken; sie wirkt aber verabscheuungswürdig, „weil sie mir einen Menschen zeigt, der ganze Jahre leben konnte, ohne seinen Mit-

menschen zu lieben." „Ein großer Geist mit einem empfindenden Herzen
steht in der Ordnung der Wesen ebenso hoch über dem geistreichen Bösewicht, als ein Dummkopf mit einem weichen, man sagt besser weichlichen,
Herzen unter diesem stehet." In dieser menschlichen Vortrefflichkeit oder
Vollkommenheit beruht die Glückseligkeit, die also „ein vernünftiggeord-
netes Ganzes, eine unendliche Gerechtigkeit und Güte, eine Fortdauer der
Persönlichkeit, einen ewigen Fortschritt ebenso wenig zum Beweis ihrer
Existenz bedarf wie die physische Welt. „Um vollkommen zu sein, um
glücklich zu sein, bedarf das moralische Wesen keiner neuen Instanz mehr."
Aber mag auch „die moralische Handlung, als *in* der Seele vorhanden,
einer ganz anderen Welt", mag sie auch „einem eigenen Ganzen zugehö-
ren, das seinen Mittelpunkt *in sich selbst hat*", so *kann* doch die höchste
innere Wirksamkeit aller Triebkräfte zugleich die Ursache der weitesten
Wirkung nach *außen* sein, wenn nämlich der moralisch handelnde Mensch
„einen Kreis fühlender Menschen und geistreicher Kenner" findet. Und
dies wird, weil „kein menschliches Wesen in einer Wüste ist", sondern, „wo
es leben und webet, ein umgrenzendes All berührt", wenn auch nicht immer gleich, so doch auf weitere Sicht, vielleicht erst in ferner Zukunft
der Fall sein. „Oft läßt die Natur den Faden einer Tat, einer Begebenheit
plötzlich fallen, den sie drei Jahrtausende nachher ebenso plötzlich wieder
aufnimmt." „Wie oft tut die *Mäßigkeit* eines Vaters, der längst nicht mehr
ist, an einem genievollen Sohne Wunder; wie oft ward ein ganzes Leben
vielleicht nur gelebt, um eine Grabschrift zu verdienen, die in die Seele
eines späten Nachkömmlings einen Feuerstrahl werfen soll!"

Zwei Widersprüche beherrschen die Philosophie des Prinzen: Erstens
äußert er über das Verhältnis zwischen moralischer und physischer Welt
zwei unvereinbare Anschauungen; zweitens widerspricht er sich in seinen
Aussagen über die Bedingungen der menschlichen Glückseligkeit.

Bedeutungsvoll ist, was der Prinz sagt von einer inneren Welt, der Welt
der Seele, gegenüber der äußeren Welt — ein Gedanke, der schon im
ersten Teil des Gespräches mit dem Hinweis auf das „Prinzipium in unserer
Seele" vorbereitet, aber erst im zweiten zur Grundlage der Ethik des fürstlichen Philosophen gemacht wird. In dieser Welt der Seele gelten ganz
andere Gesetze als in der physischen, sagt der Prinz. Es sind eben die Gesetze, die aus dem „Mittelpunkt" als dem „Prinzipium" hervorgehen, und
die als „Gefühl des moralischen Unterschiedes" die Wirksamkeit der großen Geister und empfindsamen Herzen bedingen. Wie verträgt sich aber
diese These von der Verschiedenartigkeit der Gesetze dieses Prinzipiums
und der physischen Gesetze mit der im ersten Teil aufgestellten Behauptung, daß die moralische Wertung eines Gedankens ein Irrtum sei, erwachsen aus der Annahme eines außerhalb befindlichen Mittelpunktes, dem
man die Reihenfolge der Dinge unterordne? Schließt nicht der Prinz seine

Ausführungen über die zeitliche Fernwirkung moralischer Handlungen mit einem Beispiel aus der physischen Welt: „Weil vor Jahrhunderten ein verscheuchter Vogel auf seinem Fluge einige Samenkörner da niederfallen ließ, blüht für ein landendes Volk auf einem wüsten Eiland eine Ernte — und ein moralischer Keim ging in einem so fruchtbaren Erdreich verloren!" Wie liebenswürdig ist der Hinweis, mit welchem der Baron dem Prinzen den Weg zeigen will, um mit einem kühnen Sprung die Kluft, die er noch immer zwischen moralischer und physischer Welt bestehen läßt, zu überwinden: „So viel Vortrefflichkeit können Sie Ihrer fühllosen Notwendigkeit gönnen, und wollen nicht lieber einen Gott damit glücklich machen!" Aber die Erwiderung des Prinzen zeigt, woran es ihm fehlt. Dieselbe „geahndete Vollkommenheit der Dinge", auf die der Baron seine Hoffnungen auf einen Schöpfergott gründet, macht seinem fürstlichen Freunde diese Hoffnung unmöglich, weil er überall nur die Wirksamkeit „dieses *sichtbaren* Mittelpunktes" sieht, dessen „edelste Geistigkeit eine so ganz unentbehrliche Maschine ist, dieses Rad der Vergänglichkeit zu treiben"! So nahe des Prinzen Ethik zuletzt der Weisheit gekommen ist:

> „Geisterreich und Körperweltgewühle
> wälzet *eines* Rades Schwung zum Ziele" —

den letzten Schritt:

> „Was den großen Ring bewohnet,
> huldige der Sympathie!
> Zu den Sternen leitet sie,
> wo der Unbekannte thronet" —

diesen letzten Schritt zu tun hindert ihn die Überheblichkeit seines Freidenkertums.

Und der Schluß des Gesprächs läßt endlich erkennen, daß dieses Fehlen der letzten Bewährung sympathetischen Empfindens auch die Stärke derjenigen Manifestation dieses Gefühls, die sich in der Bereitschaft zu selbstlosem Dienen äußert, zweifelhaft macht — und damit erklärt sich der Widerspruch in des Prinzen Anschauung über die Voraussetzung zur menschlichen Glückseligkeit. Denn diese Glückseligkeit, die er selbst kurz vorher in der moralischen Vortrefflichkeit gefunden hat, er sucht sie schließlich doch außen: „Das ist eben das Schlimme, daß wir nur moralisch vollkommen, nur glücklich sind, um brauchbar zu sein, daß wir unsern Fleiß, aber nicht unsre Werke genießen." Was ist denn der Genuß des Fleißes anderes als die Freude, für ein uns „umgrenzendes All" zu wirken? Und worauf gründet sich diese Freude, wenn nicht auf das Gefühl einer „allwebenden Sympathie"?

Schiller hat in der 1798 bei Göschen in Leipzig erschienenen „dritten verbesserten Auflage" des Romans das philosophische Gespräch stark gekürzt. Was geblieben ist, gibt sozusagen die freidenkerische Weltanschauung des Prinzen in Reinkultur wieder, freilich nicht ohne mehrfachen Ausdruck des Schmerzes, den ihm der Verzicht auf sein früheres Menschentum gekostet hat, das „einer inneren Stimme" gehorchte, das eher an das „Wolkenbild eines bleibenden Gutes" glaubte, als an den Genuß des Augenblicks. Weggefallen sind vor allem zwei große Zusammenhänge: Der Abschnitt, in welchem der Prinz zum erstenmal auf das „gewisse Prinzipium in unsrer Seele" zu sprechen kommt und der Baron ihn zuletzt auf den Widerspruch aufmerksam macht, der zwischen des Prinzen Vorstellung von dem an seinen „Mittelpunkt" gefesselten Menschen und dessen Anmaßung, dennoch den Gang der Natur bestimmen zu wollen, besteht, und der ganze zweite Hauptteil des Gespräches, in welchem sich der Prinz in Widerspruch zu seiner eigenen, anfänglich aufgestellten These setzt, daß die Glückseligkeit des Menschen von äußeren Umständen abhängig sei.

Der Anlaß, der Schiller — abgesehen von der für einen Roman ungewöhnlichen Länge des Gesprächs — zu dieser durchgreifenden Änderung — er nennt sie mit Recht eine „Verbesserung" — geführt hat, liegt in der Dichtung selbst und in der Persönlichkeit des Verfassers.

In den ersten Briefen des zweiten Buchs hat Schiller den Baron von dem schönen menschlichen Verhältnis des Prinzen zu seinem neuen Diener Biondello und von der uneigennützigen Hilfeleistung berichten lassen, die der Prinz dem ihm unbekannten, bei einem nächtlichen Überfall schwer verwundeten Marchese von Civitella zuteil werden ließ. Als nun der Dichter das Werk für eine neue Ausgabe einer Prüfung unterzog, erschien es ihm zwar vom Standpunkt der inneren Wahrscheinlichkeit aus vertretbar, in dem philosophischen Gespräch den Widerspruch zwischen Denken und Handeln des Prinzen ins Licht zu stellen, nicht aber, diesen Widerspruch in das Denken des fürstlichen Philosophen selbst zu verlegen. Und tatsächlich sind die Äußerungen, die dem Prinzen im ersten Teil des ursprünglichen Gesprächs über die Problematik des „Dienens", am Schluß des zweiten Hauptteils über den „Genuß unserer Werke" in den Mund gelegt werden, bei einem Manne überraschend, der kurze Zeit vorher in der Schätzung echter Treue und in der Ausübung eines Samariterdienstes ganz andere Grundsätze betätigt hat. In der Fassung der Ausgabe des Jahres 1798 dagegen erscheint die philosophische Weisheit des Prinzen als blasse Theorie, deren Widerspruch mit seiner wahren Gesinnung ihm selbst nicht zum Bewußtsein kommt.

Daß Schiller diese der inneren Wahrscheinlichkeit Rechnung tragende Fassung des Gesprächs nicht schon zur Zeit des ersten Entwurfs gefunden hat, ist nur so zu erklären: Das philosophische Gespräch in der Ausgabe

von 1789 ist eigentlich eine confessio des Dichters selbst. Hier schreibt er
sich alles von der Seele, was ihn seit neun Jahren zwischen Sympathieglauben und Skeptizismus hin und her geworfen hat; er hält tatsächlich
Abrechnung mit seiner bisherigen geistig-seelischen Existenz — und entwickelt bei dieser Gelegenheit, wie er sagt, „einige Ideen" bei sich, die in
die Zukunft weisen. Denn immer deutlicher zeichnen sich in diesen Ideen
die Grundlinien seines künftigen Idealismus ab, dessen Spuren bereits
früher mehrfach sichtbar geworden sind. Da es sich aber auch hier noch
immer erst um einzelne, verstreut auftretende Gedanken handelt, können
dieselben nur eben vereinzelt, nicht systematisch geordnet wiedergegeben
werden.

1. Bedeutsam ist das Wort, das Schiller dem Prinzen im Zusammenhang
mit der Frage nach der Wirkung einer menschlichen Handlung in den
Mund legt: „Sobald wir eine Handlung als in der Seele vorhanden denken,
so erscheint sie uns als die Bürgerin einer ganz andern Welt, und nach
ganz andern Gesetzen müssen wir sie richten." Hier wird der Unterschied
angedeutet, der im dritten Teil dieses Buches durch die Begriffe „wahres
Leben" und „Leben der Wirklichkeit" gekennzeichnet werden soll. Der
„Mittelpunkt", das „Prinzipium", von dem in jenem Zusammenhang des
philosophischen Gesprächs die Rede ist, es sind „des Herzens heilig stille
Räume", in die er Mensch „aus des Lebens Drang" fliehen muß, um
glücklich zu sein. So zu lesen in dem 1801 entstandenen Gedicht ‚Der Antritt des neuen Jahrhunderts'. Außerdem sei hingewiesen auf das, was
über die erste dichterische Gestaltung des Gegensatzes der zwei Welten
bei Erwähnung der Szene zwischen Bourgognino und Bertha im ‚Fiesco'
gesagt worden ist.

2. Kurz vor der soeben angeführten Stelle der philosophischen Unterhal-
tung läßt Schiller den Prinzen sagen: „Lassen wir also zwischen die äußere
Welt und das denkende Wesen eine Scheidewand fallen, so erscheint uns
die nämliche Handlung außerhalb derselben gleichgültig, innerhalb derselben schlimm oder gut." Das will heißen: Ob eine Handlung, die vor dem
Richterstuhl des „Prinzipiums in unserer Seele" gut ist, in der äußeren Welt
Erfolg hat oder nicht, ist gleichgültig. Das ist eine Wahrheit, die Schillers
Denken von der endgültigen Fassung seines „Don Carlos" bis zum letzten
vollendeten Schauspiel beherrscht, ja eine Wahrheit, deren Nichtbeachtung
schon als tragische Schuld Karls von Moor erwiesen worden ist. Die bei
jener Gelegenheit angeführte Stelle aus dem Aufsatz ‚Über das Erhabene'
sei hier wieder in Erinnerung gebracht.

3. Bei der Erörterung über die beim Handeln des Menschen in Aktion
tretenden Kräfte macht Schiller den Prinzen zum Sprecher für diese seine
Ansicht: „Eine sehr künstliche, sehr fein ersonnene, mit Beharrlichkeit
verfolgte, mit Mut ausgeführte Bosheit hat etwas Glänzendes an sich, das

schwache Seelen oft zur Nachahmung reizt, weil man so viele große und
schöne Kräfte in ihrer ganzen Fülle dabei wirksam findet. Und doch nen-
nen wir diese Handlung schlimmer als eine ähnliche bei einem geringeren
Maß von Geist, und strafen sie strenger, weil sie uns jenen Mangel der
Gerechtigkeit in ihrer größeren Motivenreihe häufiger erkennen läßt."
Wie der vorige, so hat auch dieser Gedanke seine endgültige Fassung in
einem aesthetischen Aufsatz des Jahres 1793 gefunden, und zwar in der
Schrift ‚Über das Pathetische': „Offenbar kündigen Laster, welche von
Willensstärke zeugen, eine größere Anlage zur wahrhaften moralischen
Freiheit an als Tugenden, die eine Stütze von der Neigung entlehnen, weil
es dem konsequenten Bösewicht nur einen einzigen Sieg über sich selbst,
eine einzige Umkehrung der Maximen kostet, um die ganze Konsequenz
und Willensfestigkeit, die er an das Böse verschwendet, dem Guten zuzuwenden." Die erste Spur dieser Idee kündigt sich in der „Vorrede" zu den
‚Räubern' an, wo von dem Charakter Franzens gehandelt wird, und später
in dem Brief an Körner vom 29. August 1787 bei der Charakteristik des
Kantianers Reinhold.

4. Die schon erwähnte These des Prinzen: „Das Gefühl des moralischen
Unterschiedes ist mir eine weit wichtigere Instanz als meine Vernunft —
und nur alsdann fing ich an, an die letztere zu glauben, da ich sie mit jenem
unvertilgbaren Gefühle übereinstimmend fand," enthält die erste bestimmte Aussage über das Verhältnis, in welchem Schiller Sympathie und
Vernunft sieht. Gleichwohl ist auch sie nicht die endgültige. Man erinnere
sich an die Ausführungen über das „Destillationsgefäß Seele", von dem
Schiller in dem Brief vom 15. April 1786 spricht. Im nächsten Abschnitt
dieses Kapitels wird das Verhältnis zwischen Sympathie und Vernunft
erneut eine Rolle spielen, wenn die Auslegung zur Sprache kommt, die
Schiller in den ‚Briefen über Don Carlos' dem Charakter des Marquis Posa
gegeben hat.

5. Das Wahrheitsproblem beschäftigt Schiller, wie schon erwähnt, seitdem der Stürmer und Dränger das großartige Gedicht ‚Die Größe der
Welt' und die beiden Semele-szenen schrieb. Auch das Gespräch im ‚Geisterseher' befaßt sich mit dieser Frage. Als der Baron auf die „Anmaßung"
aufmerksam macht, die darin liege, „den Gang der Natur zu bestimmen",
weist der Prinz diese Absicht zurück und spricht von den „zwei schwarzen,
undurchdringlichen Decken, die an beiden Grenzen des menschlichen
Lebens herunterhängen, und welche noch kein Lebender aufgezogen hat":
„Hinter diese Decke müssen alle, und mit Schaudern fassen sie sie an,
ungewiß, wer wohl dahinter stehe und sie in Empfang nehmen werde;
quid sit id, quod tantum morituri vident." Erschütternd wirkt dies Bekenntnis Schillers, wenn man bedenkt, daß er die letzten fünfzehn Jahre
seines Lebens ganz bewußt unter dem Aspekt des Todes gestanden hat.

Die Worte des „Geistersehers" beweisen, daß der Dichter schon vorher innerlich auf dies letzte Rätsel des Lebens vorbereitet war.

6. Zwar nicht im ‚Geisterseher', aber in Schillers Briefwechsel aus der Zeit, als er mit so geringer Anteilnahme an dem Roman arbeitete, findet sich eine Äußerung, die gleichfalls als Anzeichen der sich vorbereitenden idealistischen Weltanschauung des Dichters gelten kann. Am 27. November 1788 schreibt er an Caroline von Beulwitz: „Der Mensch, wenn er vereinigt wirkt, ist immer ein großes Wesen, so klein auch die Individuen und Detaile ins Auge fallen. Aber eben darauf, dünkt mir, kömmt es an, jedes Detail und jedes einzelne Phänomen mit diesem Rückblick auf das große Ganze, dessen Teil es ist, zu denken oder, was ebensoviel ist, mit philosophischem Geiste zu sehen. Wie holperig und höckerigt mag unsre Erde von dem Gipfel des Gotthards aussehen, aber die Einwohner des Mondes sehen sie gewiß als eine glatte und schöne Kugel. Wer dieses Auge nun entweder nicht hat oder es nicht geübt hat, wird sich an kleinen Gebrechen stoßen, und das schöne große Ganze wird für ihn verloren sein." Was Schiller hier als das Mittel bezeichnet, das Menschenleben richtig zu sehen, das Auge des philosophischen Geistes, ist doch wohl identisch mit dem, was Kant in seinem geschichtsphilosophischen Aufsatz den „philosophischen Kopf" nennt, dessen Vernunft das menschliche Individuum als Glied einer künftigen, umfassenden weltbürgerlichen Gesellschaft sieht. Da aber die Vernunft für Schiller, wie gezeigt, ihren Weg durchs Herz nehmen soll, so ist es selbstverständlich, daß der zu klassischer Reife entwickelte Dichter in seinem 1802 entstandenen kleinen Gedicht ‚Das Spiel des Lebens' sowohl das Bild als auch dessen optischen Eindruck geändert hat. Dem Publikum, das in des Dichters Guckkasten „die Welt im kleinen" beobachten will, gibt er den wohlgemeinten Rat:

„Nur müßt ihr nicht zu nahe stehn,
ihr müßt sie bei der Liebe Kerzen
und nur bei Amors Fackel sehn."

So sollte sich auch hier bei der Auseinandersetzung zwischen Herz und Kopf das Herz und sein Sympathieglaube als überlegen erweisen.

Sechster Abschnitt

Sympathie der Vernunft

Zwischen jenem Bauerbacher Brief vom 14. April 1783 und dem so ganz anders gearteten Bericht aus Weimar vom 8. Dezember 1787, in welchem Schiller von seinem kürzlichen Besuch derselben Gegend spricht, liegt die Entstehung und Vollendung des ‚Don Carlos'.

Der Stoff ist dem Dichter schon Mitte 1782 von Dalberg als zur dramatischen Behandlung geeignet empfohlen worden (An Dalberg 15. Juli 1782).
Am 27. März 1783 urteilt er, nachdem er sich in Bauerbach zur Bearbeitung
des Gegenstandes entschlossen hat: „Der Charakter eines feurigen, großen
und empfindenden Jünglings, der zugleich der Erbe einiger Kronen ist, —
einer Königin, die durch den Zwang ihrer Empfindung bei allen Vorteilen
ihres Schicksals verunglückt, eines eifersüchtigen Vaters und Gemahls,
eines grausamen, heuchlerischen Inquisitors und barbarischen Herzogs von
Alba usf. sollten mir, dächte ich, nicht wohl mißlingen. Dazu kommt, daß
man einen Mangel an solchen deutschen Stücken hat, die große Staats-
personen behandeln . . .“ (An Reinwald). Ende April wird in Bauerbach der
erste Entwurf skizziert, den der Dichter Gotter, dem ihn Schiller vorlegt,
„groß befindet“ (An Dalberg 7. Juni 1784). Nunmehr bittet Schiller den
Mannheimer Intendanten um „einen ernsthaften Rat zu meiner letzten
Entschließung“ und erklärt: „Karlos würde nichts weniger sein als ein
politisches Stück, — sondern eigentlich ein Familiengemälde in einem
fürstlichen Hause . . .“ Am 24. August verständigt er dann den Intendanten,
daß er am „Karlos“ arbeite, und begeistert sich an dem „herrlichen Sujet“
der „hohen Tragödie“, das frei sei von den „Schranken des bürgerlichen
Kothurns“. Als Hauptpersonen nennt er, neben dem Titelhelden, König
Philipp, die Königin und Alba. Anfang 1785 darf er den fertigen ersten Akt
dem am Darmstädter Hofe zu Besuch weilenden Weimarer Herzog Karl
August vorlesen, im „Lenzmonat“ desselben Jahres erscheint dieser erste
Akt in der von Schiller herausgegebenen ‚Rheinischen Thalia‘ mit einem
Vorwort im Druck. In Körners Nähe wird 1785 der zweite Akt in Angriff
genommen; Anfang Oktober ist der Dichter an der Szene zwischen Carlos
und der Prinzessin Eboli (An Huber 5. Oktober); der ganze Akt erscheint
1786 im zweiten und dritten Heft des ersten Bandes der neuen ‚Thalia‘ mit
einem Nachwort, in welchem Schiller erklärt, in Anbetracht des Umfangs
des bisher Vollendeten — es handelte sich bereits um 3184 Verse — sei es
selbstverständlich, „daß der Dom Karlos kein Theaterstück werden kann“.
Das Nachwort schließt mit den Worten des Briefes vom 7. Juni 1784: „Dom
Karlos ist ein Familiengemälde aus einem königlichen Hause.“ Als im Frühjahr 1787 im vierten Heft des gleichen Bandes der ‚Thalia‘ noch neun Auftritte des dritten Aktes dem Publikum vorgelegt wurden, war die gänzliche
Neufassung des ‚Don Carlos‘ schon dicht vor ihrer Vollendung, welche
aus dem „Familiengemälde“ eine politische Tragödie machte und zum
Träger der politischen Idee nicht den Titelhelden, sondern den Marquis
Posa erhob. Im Juni 1787 konnte der Dichter ein Exemplar des fertigen
Schauspiels an Schröder, den Leiter der Hamburger Bühne, senden
(13. Juni).
Schiller hat im Jahre 1788 seine zwölf ‚Briefe über Don Carlos‘ veröf-

fentlicht, in denen er sich mit der Kritik auseinandersetzt, die sein Drama von verschiedenen Seiten erfahren hat. Den Anlaß zu dieser Kritik findet er im wesentlichen darin, daß er selbst sich „zu lange mit dem Stücke getragen" hat (Erster Brief) und die eigene Entwicklung seines Empfindens und Denkens auf die fortschreitende Arbeit an der Tragödie einwirkte.

Man hat beim Lesen des Vorwortes zum ersten Akt in der ‚Rheinischen Thalia' den Eindruck, daß diese Entwicklung seines Innern, die man geradezu einen Umbruch nennen darf, bei Schiller schon im Frühjahr 1785 eingesetzt hat. „Mit den Lieblingswerken unsers Genies," heißt es in dem Vorwort, „ergeht es uns beinahe wie mit unsern Mädchen — endlich werden wir blind für ihre Flecken, und stumpf durch Genuß."

Der Vergleich mit den Mädchen fand sich bereits in dem Bauerbacher Brief vom 14. April 1783 an Reinwald. Aber wie hat sich der Sinn dieses Bildes zwei Jahre später gewandelt! Damals war er glücklich im Besitz seines Mädchens — jetzt fühlt er sich „stumpf durch Genuß". Hatte Schiller damals die Überzeugung ausgesprochen, daß, um Rührung und Erschütterung zu wecken, ein sympathetisches Verhältnis zwischen dem Dichter und seinem Helden vorhanden sein müsse, so sucht er jetzt die „sympathetische Reibung" bei seinen Lesern, um die erlöschende Glut der Begeisterung aufs neue zur Flamme zu entfachen.

Schon hier also, in dem im März 1785 veröffentlichten Vorwort zum ersten Akt, sind Spuren jenes Umbruchs zu finden, der im ersten der ‚Briefe über Don Carlos' so gekennzeichnet wird: „Carlos selbst war in meiner Gunst gefallen, vielleicht aus keinem andern Grunde, als weil ich ihm in Jahren zu weit vorausgesprungen war."

Wie weit der tragische Held hinter seinem Dichter im Laufe der Jahre an innerer Reife zurückblieb, wird aus der Anweisung deutlich, die Schiller am 13. Juni 1787 dem Hamburger Theaterdirektor Schröder für die Besetzung der Rolle des Carlos gibt: Er wünscht einen Schauspieler, „der mehr Genie als Kultur, mehr Leidenschaft als Welt hat". Ein solcher Carlos war im April 1783 des Dichters „Mädchen", sein Busenfreund; Sympathie begegnete sich mit Sympathie, das heißt: Schiller sah sein Verhältnis zu seinem Helden so, wie ihm — damals! — das Verhältnis des „Kammerjunkers" Posa zu seinem fürstlichen Freunde erschien.

Dieses Verhältnis spiegelt ganz rein der erste Akt, der im März 1785 in der ‚Rheinischen Thalia' veröffentlicht wurde. Er ist also bestimmt vor Schillers Umbruch vollendet, von dem der erste Brief über Don Carlos spricht, und dessen erste Spuren das erwähnte Vorwort merken läßt.

Gleich der erste Auftritt zwischen Carlos und Domingo zeigt, wie sich Schiller die Verwirklichung seiner Absicht dachte, die gegen den Schluß jenes Briefes vom 14. April 1783 ausgesprochen ist: „Außerdem will ich es mir in diesem Schauspiel zur Pflicht machen, in Darstellung der Inquisition

die prostituierte Menschheit zu rächen und ihre Schandflecken fürchterlich an den Pranger zu stellen. Ich will — und sollte mein Karlos dadurch
auch für das Theater verloren gehen — einer Menschenart, welche der
Dolch der Tragödie bis jetzt nur gestreift hat, auf die Seele stoßen.‟

Und dann die darauf folgende Szene mit Marquis Posa! Gleich zu Anfang zeigt sich in einer bloß mimischen Bewegung das Verhältnis, in welchem der damalige Stürmer und Dränger die Jünglinge sah. Rodrigo „fällt
dem Prinzen um den Hals‟. Und weiterhin: „Fürchterlich‟ erscheint dem
Marquis die Umarmung des Freundes, heiße Küsse des Prinzen brennen
auf Posas Lippen — alles Äußerungen einer überschwänglichen, schwärmerischen Freundschaft, die in der endgültigen Fassung des Jahres 1787 nicht
mehr zu finden ist.

Entscheidend aber ist die Vorstellung, die in dieser Erstfassung des
ersten Aktes die zwei Freunde von der Verwirklichung des Menschheits-
gedankens hegen.

Der Prinz gesteht dem Marquis, er sei

> „der Karl nicht mehr, der sich beherzt getraut,
> das Paradies dem Schöpfer abzusehn,
> und dermaleinst, als unumschränkter Fürst,
> in Spanien zu pflanzen —‟.

Und an einer späteren Stelle erklärt er:

> „Dies Herz,
> groß wie mein Rang, der Menschheit aufgetan,
> und weit genug, die Schöpfung zu umschließen,
> dies Herz allein — nicht meine Erstgeburt . . .,
> dies Herz allein ist mein Beruf zum Thron.‟

Man denke an Schillers Worte aus dem Bauerbacher Brief vom 27. März
1783 von „Dom Karlos‟ als dem „feurigen, großen und empfindenden
Jüngling‟ und an des Dichters eigenes Bekenntnis vor der mütterlichen
Freundin Henriette von Wolzogen vom 4. Januar 1783: „Ich hatte die
halbe Welt mit der glühendsten Empfindung umfaßt . . .‟ Die Königin ist
es, die den Prinzen wieder an seine angestammte Aufgabe erinnert:

> Die Liebe,
> das Herz, das Sie so schwelgerisch mir opfern,
> gehört den Welten an, die Sie dereinst
> regieren werden . . .
> Die Liebe ist Ihr großes Amt. Bis jetzt
> verirrte sie zur Mutter — bringen Sie,
> o bringen Sie sie Ihren künft'gen Reichen,
> und fühlen Sie, statt Donnern des Gewissens,
> die Wollust, Gott zu sein.‟

In allen diesen Versen weht noch der Geist des vierten Kapitels aus der ‚Theosophie des Julius‘. „Aufopferung“ ist das Kapitel überschrieben: „Egoismus errichtet seinen Mittelpunkt in sich selber; Liebe pflanzt ihn außerhalb ihrer in der Achse des ewigen Ganzen … Denke dir den Mann mit dem hellen, umfassenden Sonnenblicke des Genies, mit dem Flammenrad der Begeisterung, mit der ganzen erhabenen Anlage zu der Liebe. Laß in seiner Seele das vollständige Ideal jener großen Wirkung emporsteigen — — laß in dunkler Ahndung vorübergehen an ihm alle Glückliche, die er schaffen soll — laß die Gegenwart und die Zukunft zugleich in seinem Geist sich zusammendrängen — und nun beantworte dir, bedarf dieser Mensch der Anweisung auf ein anderes Leben?“ Und dieser selbe Geist beseelt wiederum die beiden Jünglinge, die am Schluß des ersten Aktes sich den Schwur leisten, die ersehnte bessere Welt — *aus der Sympathie einer noch nie gewesenen Freundschaft* hervorblühen zu lassen:

> Karlos: O tritt herunter, gute Vorsehung,
> laß dich herab, ein Bündnis einzusegnen,
> das neu und kühn und ohne Beispiel ist,
> seitdem du oben waltest.
>
> (Er faßt Rodriges Hand und hält sie gegen den Himmel)
>
> Hier umarmen,
> hier küssen sich vor deinem Angesicht
> zween Jünglinge, voll schwärmerischen Muts,
> doch edlern, bessern Stoffs als ihre Zeiten,
> getrauen sich den ungeheuren Spalt,
> wodurch Geburt und Schicksal sie geschieden,
> durch ihrer Liebe Reichtum auszufüllen,
> und größer als ihr *Los* zu sein — hier unten
> nennt man sie sonst *Monarch* und *Untertan*,
> doch droben sagt man *Brüder*.
>
> Marquis: Lächle freundlich
> auf dieses schöne Hirngespinst herab,
> erhabne Vorsicht! — die Vernunft der Weisen
> sprach deiner Allmacht *dieses* Wunder ab;
> beschäme sie, und mache wahr und wirklich,
> was nimmer sein wird, nie gewesen war,
> laß dieses Bündnis dauern!“

Die im zweiten Heft des ersten Bandes der ‚Thalia‘ 1786 abgedruckte Szene zwischen Carlos und Philipp bringt den schon im Vorwort zum er-

sten Akt angekündigten „Zusammenstoß zweier höchst verschiedener Jahrhunderte" und zugleich, in einer kurzen Episode, einen Blick in den
Menschen Philipp. Diese Episode, die Verse 1512 bis 1549, zeigt den
Schimmer einer menschlichen Annäherung zwischen Vater und Sohn. Sie
steht, wenn man — und mit Recht — den voraufgehenden Auftritt mit
Alba hinzurechnet, fast genau in der Mitte der ganzen Begegnung des Königs und des Infanten. Voraus gehen 164 Verse, es folgen 175 Verse. Jene
haben zum Inhalt den Kampf des Kronprinzen um das Herz des Vaters,
diese die Bitte an den König um die Entsendung nach Flandern. Jene erste
Bemühung des Infanten scheitert an dem Zweifel des *Vaters* an der Auf-
richtigkeit des Sohnes, diese an dem Argwohn des *Königs*, Carlos sinne auf
eine Gelegenheit zur Gewinnung der Krone. Beide Mißerfolge haben dieselbe Ursache: Von Carlos' auf Sympathieglauben gegründeter Menschheitsidee hat der König keinen Hauch verspürt, weil nicht Herz zum Herzen spricht. Im Hintergrund der ganzen Auseinandersetzung steht ja die
finstere Gestalt Albas, auch nachdem dieser den Saal verlassen. Philipp
achtet in ihm „den geprüften Diener seiner Wahl" und fordert von seinem
Sohn Verehrung für ihn; Carlos lehnt dies Verlangen ab, weil er in des
Königs Dienern nur „gebändigte Vasallen" sieht,

> die geheim
> in ihres Eides spröde Ketten beißen."

Philipp sendet, statt seines Sohnes, Alba nach den Niederlanden, weil er
in erbarmungsloser Härte das einzige Mittel sieht, um des Aufstandes Herr
zu werden; Carlos vermißt in Alba, um einem Volk den Frieden zu bringen, ein „einziges, was Alba nie gewesen": einen Menschen.

Der weitere Verlauf des Aktes, dem, sehr bezeichnend, die Posaszene
im Karthäuserkloster fehlt, zeigt im großen und ganzen die aus der endgültigen Fassung bekannte Führung der Handlung, welche die Charakteristik der bis hierher geführten Dichtung als „Familiengemälde in einem
königlichen Hause" rechtfertigt.

Der im vierten Heft des ersten ‚Thalia'-bandes veröffentlichte Anfang
des dritten Aktes bringt zunächst die später in den zweiten Akt gezogene
Szene im Karthäuserkloster — und hier erscheint Marquis Posa zum erstenmal in einer Haltung, welche seine spätere Vorrangstellung vor Carlos
ahnen läßt: Es ist der Augenblick, als er den Brief des Königs an die
Prinzessin Eboli zerreißt, den der Infant als Mittel zur Unterstützung
seines vermeintlichen Anrechts auf Elisabeth gebrauchen will. Die der
genialischen Leidenschaft des Prinzen überlegene, ruhige Gelassenheit des
Marquis, der nicht zögert, durch rasches Handeln der *Vernunft* den jüngeren Freund zu *überraschen*, erscheint geradezu als Vorbote seines späteren Handelns, wie es die beiden letzten Akte zeigen.

Und doch verrät die Fassung, welche diese Stelle in dem Fragment in der
‚Thalia‘ erfahren hat, daß die ursprüngliche Konzeption, welche die Her-
aufführung des „Paradieses" auf Erden in Carlos' künftigen Reichen auf
einem Freundschaftsbund begründen wollte, hier noch nachwirkt. Rodrigo
erwidert auf des Prinzen „mit gemäßigter Empfindlichkeit" hervorgesto-
ßene Worte:

> „Wirklich — ich gesteh' es —
> an diesem Briefe lag mir viel":
>
> „Verzeih' mir, Karl.
> Es gab kein andres Mittel, unsre Freundschaft
> zu retten."

Carlos fragt erstaunt: „Sie zu retten?", worauf der Marquis:

> „Und ein gleiches
> will ich von dir erwarten, Karl, lauf' *ich*
> Gefahr, mich deiner unwert zu beweisen".

Diese Verse sind in der endgültigen Fassung des vollendeten Schauspiels
entfernt — weil die Grundlage, auf der ein Reich der Gedankenfreiheit
errichtet werden sollte, eine andere geworden war.

Die Auftritte im Schlafzimmer des Königs, wie das Fragment in der
‚Thalia‘ sie bietet, zeigen schon starke Übereinstimmung mit der entsprechenden Szene in dem fertigen ‚Don Carlos‘, und der große Monolog: „Jetzt
gib mir einen Menschen, gute Vorsicht" leitet die schon im Vorwort von
1785 angekündigte scheinbare Gesinnungswandlung König Philipps ein.

Aber nun wird in der Fortsetzung der Arbeit Schillers eigene „Wandlung" offenbar. Der Verfasser der ‚Briefe über Don Carlos‘ kennzeichnet
diese Wandlung im ersten Brief folgendermaßen: „So kam es denn, daß
ich zu dem vierten und fünften Akte ein ganz anderes Herz mitbrachte."
Denn nicht nur mußte der Titelheld hinter dem Marquis Posa zurück-
treten, sondern dieser Marquis Posa ist ein anderer geworden, was sich auch
äußerlich bemerkbar macht: Er ist nicht mehr der „Kammerjunker des
Prinzen" — er ist „Malteserritter" und zählt zu den „Granden von Spanien". Schon Philipps Monolog im dritten Akt des Fragments in der ‚Thalia‘
spricht von dem Marquis in Worten — sie stimmen genau mit denen im
vollendeten Trauerspiel überein —, die auf einen „Kammerjunker" nicht
mehr passen.

Und so erscheint der Marquis in der endgültigen Fassung des ‚Don
Carlos‘ von vornherein mit Eigenschaften ausgestattet, die auf die Rolle
berechnet sind, die ihm der Dichter zugedacht hat.

Am französischen Hofe, wo damals Elisabeth von Valois noch als Prinzessin lebte, hat er im Turnier dreimal ihrer Farbe den Sieg erkämpft.

Auf weiten Reisen hat er „viele Länder, vieler Menschen Sitte gesehen"
und kehrt nun als freier Mensch, als „Philosoph" in seine Heimat zurück.
Philipp selbst hat ihn „zu großen Zwecken bestimmt". So betrit er den
Schauplatz als gereifter, weltkundiger Mann, weit überlegen dem Infanten,
der, seit seinen schwärmenden Zukunftsträumen auf der Hohen Schule von
Alcala, nach dem kurzen Glück seiner Hoffnung auf die Hand der jungen
französischen Prinzessin wieder an den spanischen Hof gefesselt,

> „von meines Vaters Eifersucht bewacht,
> von Etikette ringsum eingeschlossen,"

nicht zu weiterer Reifung und Überwindung seiner Weltfremdheit gelangen konnte.

Carlos ist also der liebenswürdige, an Leiden gewöhnte Charakter „mit
mehr Genie als Kultur, mehr Leidenschaft als Welt" geblieben, wie ihn
der junge Schiller im April 1783 als „sein Mädchen auf seinem Busen
trug". Ein solcher Charakter konnte aber dem Dichter, der im Verkehr
mit Körner „über die Quellen der Handlungen", über „Menschenschätzung
und Prüfung der moralischen Erscheinungen nachdenken" gelernt, der sich
seit April 1786 mit größter Anteilnahme dem Studium der Geschichte gewidmet hatte, ebensowenig als Held einer Tragödie genügen, wie ihm
dessen unklares, auf dem Fundament sympathetischen Freundschafts-
fühlens errichtetes Menschheitsideal wert erscheinen konnte, als Hochziel
einer weitschichtigen dramatischen Handlung hingestellt zu werden.

Vor allem aber: Jene Sympathie der Freundschaft, welche im ersten
Akt des Jahres 1785 die Handlung in Gang gesetzt hatte, sie ist ja not-
wendigerweise zunichte geworden, nachdem sich im Denken der beiden
Freunde eine so weite Kluft aufgetan hat, wie sie die verschiedenartige
Entwicklung der Jünglinge verursachen mußte.

In dem großen Dialog zwischen Philipp und Posa, im zehnten Auftritt
des dritten Akts, fragt der König, nachdem der Malteser begonnen, ihm
seine Ideen zu entwickeln:

> „Bin ich der Erste,
> der Euch von dieser Seite kennt?"

Und der Marquis antwortet: „Von dieser — ja!" Dem oberflächlichen Verständnis könnte diese Antwort als ein Verrat an Posas Freundschaft mit
Carlos erscheinen. Hatten nicht die beiden Jünglinge schon in Alcala von
„einem neuen goldnen Alter in Spanien" geschwärmt? Ja, aber wie weit
entfernt von jenen, der ,Theosophie des Julius' verwandten Träumereien,
über die der Infant kaum hinausgewachsen war, ist die Philosophie, die
der gereifte Marquis Posa vor Philipp ausbreitet!
Und wie deutlich spricht aus des Maltesers Worten die durch philo-

sophische Gespräche und geschichtliche Lektüre erweiterte Weltanschauung des Dichters!

Man lese den Monolog des Marquis, der seiner Audienz bei dem König vorausgeht, und erlebe die Überraschung, bereits auf Gedanken zu stoßen, die sich in der Einleitung der im August 1787 begonnenen ‚Geschichte des Abfalls der vereinigten Niederlande‘ finden.

In dieser Einleitung heißt es: „Der Mensch verarbeitet, glättet und bildet den rohen Stein, den die Zeiten herbeitragen; ihm gehört der Augenblick und der Punkt, aber die Weltgeschichte rollt der Zufall." Im Drama sagt der Marquis:

> „Und was
> ist Zufall anders als der rohe Stein,
> der Leben annimmt unter Bildners Hand?"

Eine zweite überraschende Ideenverwandtschaft zwischen Geschichtswerk und Dichtung: Ein „friedfertiges Fischer- und Hirtenvolk", heißt es in jenem, ein „gutartiges, gesittetes Handelsvolk" empfängt freudig das Licht, das „die neue Wahrheit" über Europa geworfen hat. In seinem Monolog entschließt sich der Malteser:

> „... und wär's
> auch eine Feuerflocke Wahrheit nur,
> in des Despoten Seele kühn geworfen,
> wie fruchtbar in der Vorsicht Hand!"

Daß es sich in beiden Fällen um die gleiche „Wahrheit" handelt, wird in einem späteren Zusammenhang dieses Abschnitts offenbar werden.

Und schließlich eine dritte Parallele: Posa hat von der Möglichkeit gesprochen, daß nicht der Zufall, sondern die Vorsehung ihm diese Gelegenheit gegeben hat:

> „So könnte,
> was erst so grillenhaft mir schien, sehr zweckvoll
> und sehr besonnen sein."

Aber auch wenn es nicht so wäre —:

> „Sein oder nicht —
> gleichviel! In diesem Glauben will ich handeln."

Dieses „sein oder nicht" findet in der Einleitung zu dem Geschichtswerk folgende Fassung: „Das Unternehmen selbst darf uns darum nicht kleiner erscheinen, weil es anders ausschlug, als es gedacht worden war ... Wenn die Leidenschaften, welche sich bei dieser Begebenheit geschäftig erzeigten, des Werks nur nicht unwürdig waren ..., wenn die Kräfte, die sie ausfüh-

ren halfen, und die einzelnen Handlungen, aus deren Verkettungen sie
wunderbar erwuchs, nur an sich edle Kräfte, schöne und große Handlungen waren, so ist die Begebenheit groß, interessant und fruchtbar für
uns, und es steht uns frei, über die kühne Geburt des Zufalls zu erstaunen,
oder einem höhern Verstand unsre Bewunderung zuzutragen." Ein schon
öfter vernommener Lieblingsgedanke unseres Schiller, dessen erste Formulierung aus Edwins Munde noch einmal in Erinnerung gerufen sei:
„Wenn sie auch die Insel verfehlt, so ist doch die Fahrt nicht verloren."

Philipp faßt den ersten Eindruck, den Posas „Philosophie" auf ihn macht,
zusammen in dem Ausruf: „Sonderbarer Schwärmer!"

Die Beantwortung der Frage, inwieweit es wirklich Schwärmerei ist,
was den Marquis bewegt, ist wesentlich für das Verständnis der Wandlung,
die in der dichterischen Gestaltung des Carlosstoffes seit 1783 — und in
dem Dichter selbst vorgegangen ist.

Es sei daher versucht, die „Philosophie" des Maltesers, wie er sie vor
Philipp entwickelt, im Anschluß an den Gang des Gesprächs wiederzugeben.

I (die Verse 3022—3039—3065): „Ich kann nicht Fürstendiener sein."
Denn erstens entspräche es nicht der Meinung des Königs, daß ich in
seiner Schöpfung als selbständiger Schöpfer wirke, sowenig wie ich es ertragen würde, Meißel zu sein, wo ich Künstler sein könnte. Zweitens wäre
das *Glück*, das ich aus reiner Menschenliebe meinen Brüdern bereiten
würde, nämlich die Erlaubnis, zu denken, und die daraus erwachsende
Wahrheit, die ich ihnen geben würde, nicht das sogenannte „Glück",
durch das der Krone Politik die Menschen in ihrer Würde verkürzt, nicht
die sogenannte „Wahrheit", die sie in ihren Münzen schlagen läßt.

II (die Verse 3091—3130—3190): Der Unterschied, der zwischen dem
König und mir besteht, ist dieser: Philipp denkt vom Menschen niedrig,
weil die Bewohner seines Reiches unter seinem Regiment ihren Menschen-
adel aufgegeben haben, ja vor ihrer inneren Größe wie vor einem Gespenst
fliehen und in dieser traurigen Verstümmelung ihre Ketten tragen. Aber
freilich: Nur so konnte der Herrscher seine Göttlichkeit wahren, ohne
indessen zu bedenken, daß er, als Mensch aus Schöpfers Hand, doch
Mensch blieb und Mitgefühl nötig hat. Ich, im Glauben an Kraft, Größe
und Güte der Menschennatur, bin gewiß, daß ein Werk, das Tod statt
Leben säet, seinen Schöpfer nicht überleben wird, ja daß „der Christenheit gezeitigte Verwandlung" die Welt verjüngen wird, in der Bürgerglück
und Fürstengröße versöhnt wandeln werden. Schon jetzt rächt sich Philipps Verirrung: Gastlich empfängt Britannien die um ihres Glaubens willen
aus Philipps Reich Flüchtigen und zieht Nutzen aus ihrer Kunstfertigkeit.

III (die Verse 3195—3252): Darum gibt es für den König, will er nicht
als ein Nero und Busiris in der Nachwelt fortleben, nur *einen* Weg: Er, der

als Beherrscher eines Weltreiches dazu berufen ist, schaffe Menschenglück, indem er die unnatürliche Vergötterung aufgibt und, ein Muster des Ewigen und Wahren, seinen Untertanen Gedankenfreiheit schenkt. Erst damit darf er sich dem göttlichen Schöpfer an die Seite stellen, dessen herrliche Natur auf Freiheit gegründet ist. Freilich beruht auch diese Freiheit auf ewigen Gesetzen, in die sich aber ihr Stifter, der große Künstler, bescheiden hüllt. Hat Philipp einmal sein eignes Königreich zum glücklichsten der Erde gemacht,

> „— dann ist
> es Ihre Pflicht, die Welt zu unterwerfen."

Sucht man in Posas Philosophie nach Spuren schwärmerischer Natur, so wird unwillkürlich der vergleichende Blick wieder auf die ‚Theosophie des Julius' gelenkt, und zwar auf deren drittes Kapitel „Liebe" und auf das fünfte Kapitel „Gott". Hier wie dort wird die Natur als Gottes Kunstwerk gesehen; hier wie dort wird als der Weg zu Gott die Liebe anerkannt: denn die Gabe, die Posa von Philipp als Gabe für die Völker seiner Reiche fordert, die Gabe, die den Spender wirklich zu einem gottähnlichen Schöpfer machen würde, es ist dieselbe, die der Marquis aus Bruderliebe seinen Mitmenschen vermöge seiner Künstlerschaft verleihen möchte. Und wie Julius sich gegen „viele unsrer denkenden Köpfe" wendet, die „es sich angelegen sein lassen, diesen himmlischen Trieb" (die Liebe) „aus der menschlichen Seele hinwegzuspotten, das Gepräge der Gottheit zu verwischen", weil sie „im Knechtsgefühle ihrer eignen Entwürdigung sich mit dem gefährlichsten Feinde des Wohlwollens," (für Julius und für Schiller gleichbedeutend mit Liebe) „dem Eigennutz, abgefunden haben, ein Phänomen zu erklären, das ihren begrenzten Herzen zu göttlich war" — so verurteilt Posa den „Freigeist", der da fragt: „Wozu ein Gott? Die Welt ist sich genug." In beiden Fällen wird als Motiv der Gottesleugnung der Egoismus bezeichnet.

Also „Sympathie" wird in des Maltesers Philosophie als Menschenliebe und Gottesliebe transparent. Aber hat diese Sympathie schwärmerische Merkmale? Anders ausgedrückt: Wurzelt sie lediglich im Fühlen, im Empfinden?

Am 8. August 1787 richtet Schiller die bekannten Worte an Körner: „Der Anfang und der Umriß unserer Verbindung war Schwärmerei, und das mußte er sein; aber Schwärmerei, glaube mir's, würde auch notwendig ihr Grab sein. Jetzt muß ein ernsthafteres Nachdenken und eine langsame Prüfung ihr Konsistenz und Zuverlässigkeit geben." Posas Menschenliebe fragt, als er von der Lage seines „Bruders" in Philipps Reichen spricht: „Weiß ich ihn glücklich, eh' er denken darf?" Des Malteserritters Sympathie sucht also das Glück seiner Mitmenschen nicht in Gefühlen, sondern im Denken. Die Fähigkeit des Denkens ist es, worin er den Adel, die innere Größe des Menschen sieht. Und der Raub, den Philipp an der Menschheit begeht, indem er ihr die Freiheit des Denkens nimmt, ist der Preis, um den er „ein Gott" ist.

Und nun vergleicht Posa diesen königlichen „Schöpfer" und seine „Schöpfung" mit Wesen und Manifestation des göttlichen Schöpfers. Das ist ein Thema, das der junge Schiller nicht nur dieses eine Mal anschlägt. Gottes herrliche Natur ist „auf Freiheit gegründet". Und doch wird diese Freiheit durch ewige Gesetze bestimmt — aber in ihnen verhüllt sich der göttliche Künstler, so daß seine Geschöpfe in Freude nach „eigner Wahl" zu handeln meinen. Dagegen Philipps Schöpfung — „wie eng, wie arm!" Warum? Weil in ihr jederzeit der Gesetzgeber als furchterregende Macht sichtbar wird und der Mensch nur die Fesseln der Gesetze spürt, denen zu gehorchen *Pflicht* ist. Im neunten Brief über Don Carlos nennt Schiller den Despoten „ein Mittelding von Geschöpf und Schöpfer, das gegen Natur und Menschheit ankämpft, zu stolz, ihre Macht zu erkennen, zu ohnmächtig, sich ihr zu entziehen," ein Gegenstand unseres Mitleidens. Schon im ‚Fiesco' klagt Leonore (IV 14): „*Fürsten,* ... diese *mißratenen Projekte* der wollenden und nicht könnenden Natur — *sitzen* so gern zwischen Menschheit und Gottheit *nieder;* — heillose Geschöpfe; Schlechtere Schöpfer!"

Auf diese Mittelstellung zwischen Geschöpf und Schöpfer, die der Fluch der Fürsten ist, weist auch Posa hin, wenn er zu Philipp sagt:

> „Da Sie den Menschen aus des Schöpfers Hand
> in Ihrer Hände Werk verwandelten,
> und dieser neugegoß'nen Kreatur
> zum Gott sich gaben — da versahen Sie's
> in etwas nur: Sie blieben selbst noch Mensch —
> Mensch aus des Schöpfers Hand. *Sie* fuhren fort
> als Sterblicher zu leiden, zu begehren;
> *Sie* brauchen Mitgefühl — und einem Gott
> kann man nur opfern — zittern — zu ihm beten!"

Und so fragt er zuletzt:

> „Da Sie den Menschen
> zu Ihrem Saitenspiel herunterstürzten,
> wer teilt mit Ihnen Harmonie?"

Da wird wieder der Sympathiebegriff transparent — aber gilt in Posas Sinne als dessen Voraussetzung lediglich gleiches Fühlen, gleiches Empfinden? Die Erniedrigung, die den Menschen zu Philipps „Saitenspiel" macht, beruht doch darauf, daß Philipp ihm das Denken verbietet. Darum sieht

der Marquis die einzige Rettung aus dieser Entwürdigung in der Gedankenfreiheit. Und diese — ist Eigenschaft der menschlichen Vernunft.
Damit eröffnet sich ein neuer großer Blick auf folgende Beziehung
zwischen Vernunft und Sympathie:
Gottes Natur — auf Freiheit gegründet:

> „Er — der Freiheit
> entzückende Erscheinung nicht zu stören —
> er läßt des Übels grauenvolles Heer
> in seinem Weltall lieber toben . . .“

Die göttliche Sendung des Herrschers: Begründung der Menschenwürde auf Gedankenfreiheit. So entsteht zwischen den Vorgängen im Weltall und dem Wesen der menschlichen Vernunft ein Gleichlauf:

> „Geisterreich und Körperweltgewühle
> wälzet *eines* Rades Schwung zum Ziele.“

Und der menschliche Schöpfergeist ist mit dem göttlichen Schöpfer in
Sympathie verbunden — durch den Freiheitsgedanken! Es ist eine Sympathie nicht nur des Fühlens, sondern auch des Denkens — *eine Sympathie
der Vernunft!*

Ein späterer Zusammenhang wird zeigen, daß dieser Begriff „Sympathie
der Vernunft“ das Fundament der Geschichtsphilosophie Schillers ist.
Posas Philosophie zeigt, daß der Begriff bereits zu einer Zeit in Schillers
Ideenwelt vorhanden ist, als sich des Dichters Beschäftigung mit der Geschichte auf Lektüre beschränkte.

Es läßt sich sogar vermuten, welche Geschichtsepoche das philosophische
Denken Schillers in diese Richtung geleitet hat: Es ist die Epoche von „der
Christenheit gezeitigter Verwandlung“, das Zeitalter der Reformation. Von
ihm sagt Schiller in dem Aufsatz ‚Über Völkerwanderung, Kreuzzüge und
Mittelalter‘: „Auf welchem andern Strich der Erde hat der *Kopf* die *Her-
zen* in Gut gesetzt, und die Wahrheit den Arm der Tapfern bewaffnet?“

Als Zukunftsbild einer durch jene Bewegung der Geister gewonnene
Gedankenfreiheit — als des Weges zu der Wahrheit, für welche Posa und
die Niederländer kämpfen — sieht der Marquis die Versöhnung von Bürgerglück und Fürstengröße: eine Vorstellung, die bei Schiller noch über
die Gestaltung seiner Geschichtsphilosophie hinaus bis in die prophetischen
Worte des sterbenden Attinghausen fortgewirkt hat:

> „Der Adel steigt von seinen alten Burgen
> und schwört den Städten seinen Bürgereid“ (IV 2).

Posas Hinweis auf die gefährliche Rivalität des freien Britannien sei der
Anlaß, an Schillers im Jahre 1786 entstandenes Gedicht ‚Die unbesiegliche
Flotte‘ zu erinnern.

Das Verständnis der beiden letzten Akte ist, wie schon der erste Brief
über Don Carlos verrät, durch die Rolle bedingt, die der Dichter in denselben den Marquis Posa spielen läßt.

Der Malteser tritt in den vierten Akt mit zwei Aufgaben und einer
Hoffnung.

Die erste Aufgabe hat er dem Infanten zuliebe übernommen. Er will ihm
eine Zwiesprache mit Elisabeth vermitteln, aus deren Mund er Posas Absicht erfahren soll: Ungeachtet der Übertragung der niederländischen Statt-
halterschaft auf Alba soll Carlos nach Brüssel reisen und daselbst den Aufstand gegen die spanische Gewaltherrschaft organisieren.

Die zweite Aufgabe ist ihm von Philipp gestellt: Die Königin und den
Infanten auf ihre Gesinnung zu erforschen.

Die Hoffnung, die er hegt, ist in ihm durch das Gespräch mit dem Herrscher geweckt worden: Vermöge der Macht seiner Persönlichkeit und
schließlich durch den Zwang der Umstände, die sich aus den in den Niederlanden von Carlos erzielten Erfolgen ergeben werden, Philipp zu mensch-
licheren Regierungsgrundsätzen veranlassen zu können.

Posa glaubt beide Aufgaben erfüllen zu können, mit denen aber zwei
sittliche Forderungen verbunden sind: Treue zu halten seinem Freunde und
Rechnung zu tragen der Dankbarkeit, zu der ihn das königliche Vertrauen
verpflichtet.

Das Gefühl dieser Dankbarkeit veranlaßt ihn, dem Kronprinzen wie der
Königin die allmächtige Stellung, in die er durch Philipps Gunst aufgerückt
ist, zu verschweigen. Die Begegnung des Infanten mit der Königin wird
von Posa mit Aussicht auf Erfolg eingeleitet. Dem vom König empfangenen
Auftrag arbeitet er vor, indem er sich von Carlos dessen Brieftasche aus-
händigen läßt, um aus derselben vor der Übergabe an den Herrscher alle
irgendwie verdächtig erscheinenden Papiere zu entfernen.

Bevor es aber zu einer neuen Audienz bei Philipp kommt, ist dieser,
ohne seines neuen Ministers Erkundigungen abzuwarten, wieder ein Opfer
der früheren Einflüsterungen Albas, Domingos und der Eboli geworden
und hat eine Aussöhnung mit seiner Gemahlin unmöglich gemacht. Posa
sieht ein, daß seine Hoffnung vergeblich ist:

> „. . . in diesem starren Boden
> blüht keine meiner Rosen mehr,“

und um Carlos auf jeden Fall vor seines Vaters Rachegefühlen zu sichern,
„wird er sein Feind, ihm kräftiger zu dienen“.

Aber hier begeht er einen verhängnisvollen Fehler. Obgleich er sich
nach dem Vorgefallenen aller Pflicht der Dankbarkeit gegen Philipp als
entbunden ansehen muß, unterläßt er es auch jetzt noch, seinen Freund
von der über ihm schwebenden Gefahr in Kenntnis zu setzen. Carlos aber,

durch Lerma von Posas vermeintlichem Treubruch unterrichtet, glaubt die Königin in Gefahr und will sie warnen. Posa, den Prinzen im Zimmer der Prinzessin Eboli antreffend und dessen Bitte um Audienz bei der Königin hörend, läßt ihn verhaften und entschließt sich, um Carlos vor des Vaters Rache zu retten, Philipps Verdacht auf sich selbst zu lenken. Nachdem dies geschehen, berichtet er der Königin das Mißlingen seiner Bemühungen und bittet sie, sein „letztes kostbares Vermächtnis" dem Freunde zu übermitteln. Während er dem in Haft befindlichen Infanten ein Bekenntnis von seinem Streben und Irren ablegt, trifft ihn die tödliche Kugel.

Ein Vergleich dieser Skizze, welche Marquis Posas Rolle im vierten und fünften Akt zu umreißen sucht, und den entsprechenden Abschnitten in Schillers ‚Briefen über Don Carlos' macht alsbald gewisse Unterschiede sichtbar, die zwischen diesen beiden Darstellungen bestehen. Während die Skizze schlicht und folgerecht die Handlungsweise des Maltesers als gleichermaßen durch die Rücksicht auf seine Freundschaft mit Carlos und das Streben nach Verwirklichung eines großen weltbürgerlichen Planes bestimmt zu erweisen versucht, kämpft der Verfasser der ‚Briefe' ersichtlich mit mancherlei Schwierigkeiten, ein oft zweideutig und widerspruchsvoll erscheinendes Tun seines Helden zu erklären — Schwierigkeiten, die Schiller nach Vollendung der ‚Briefe' zu dem Geständnis an Körner nötigten: „Hier hatte ich eine schlimme Sache zu verfechten, aber ich glaube, mich mit Feinheit darausgezogen zu haben" (20. August 1788).

Die Ursache dieser Unterschiede liegt darin, daß Schiller die in den ‚Briefen über Don Carlos' enthaltenen Ausführungen an Hand der 1787 veröffentlichten Fassung der Tragödie vornahm, während die hier vorliegende Skizze sich an die von Schiller selbst noch bearbeitete Fassung der für die landläufigen Schillerausgaben der späteren Zeit maßgeblichen Göschendrucke anschließt. Die Bedeutung dieser Göschendrucke ist also die, daß sie als die für die Würdigung der unser Volk verpflichtende Geisteswelt des Dichters entscheidende Form des ‚Don Carlos' zu gelten haben.

Die Verse, an denen der Unterschied der Urfassung von 1787 und der heute gelesenen am schärfsten sichtbar wird, finden sich in der zweiten Audienzszene zwischen der Königin und dem Marquis (IV 21). Sie sind so wichtig, daß sie hier in beiden Fassungen nebeneinander gestellt werden sollen.

Fassung von 1787 (7. Brief):	Heute übliche Fassung:
Doch geb' ich den König auf. In diesem starren Boden	Den König geb' ich auf. Was kann ich auch dem König sein? — In diesem starren Boden

blüht keine meiner Rosen mehr.
Das waren
nur Gaukelspiele kindischer Vernunft,
vom reifen Manne schamrot
widerrufen.
Den nahen hoffnungsvollen Lenz
sollt' ich
vertilgen, einen lauen Sonnenblick
im Norden zu erkünsteln? Eines
müden
Tyrannen letzten Rutenstreich zu
mildern,
die große Freiheit des Jahrhunderts wagen?
Elender Ruhm! Ich mag ihn nicht.

Europens
Verhängnis reift in meinem großen
Freunde,
auf ihn verweis' ich Spanien.
Doch wehe!
Weh mir und ihm, wenn ich bereuen sollte!
Wenn ich das Schlimmere gewählt. Wenn ich
den großen Wink der Vorsicht
mißverstanden,
der mich, nicht ihn, auf diesen
Thron gewollt."

blüht keine meiner Rosen mehr —

Europas
Verhängnis reift in meinem großen
Freunde!
Auf ihn verweis' ich Spanien — Es
blute
bis dahin unter Philipps Hand! —
Doch weh!
weh mir und ihm, wenn ich bereuen sollte,
vielleicht das Schlimmere gewählt! — Nein, nein!
Ich kenne meinen Carlos — das
wird nie
geschehn —"

Die Urfassung läßt durchblicken, daß Schiller einmal tatsächlich Posa mit dem Gedanken spielen ließ, unter völliger Ausschaltung seines Freundes, dessen moralische Kraft zu einem Verzicht auf Elisabeth er anzweifelte, selbst — als Philipps allmächtiger Minister oder gar als Inhaber des Thrones — seine menschheitsbeglückende Sendung zu erfüllen.

Der Dichter hat es in den ,Briefen über Don Carlos' nicht leicht gehabt, seinen Lesern dieses „Spiel" seines Helden durch philosophische Erwägungen begreiflich zu machen. Er stellt schließlich den Marquis als einen Schwärmer hin, der „von *einem zu erreichenden Ideale von Vortrefflichkeit*", von einer „gekünstelten Geburt der theoretischen Vernunft" besessen ist. (Elfter Brief). Aber dieser angeblichen Schwärmerei fehlt es an Konsequenz. Die „ausschweifende Idee, sein herrschendes Ideal von Flanderns Glück u.s.w. unmittelbar an die Person des Königs anzuknüpfen", soll nur die Verblendung eines Augenblicks gewesen sein. (Sechster Brief). Und doch heißt es im siebenten Brief, wenn Posa seine Zurückhaltung gegenüber seinem Freunde mit der Dankbarkeit begründe, die er dem König schuldig sei, so suche er sich damit „nur selbst zu hintergehen", „weil er sich die eigentliche Ursache nicht zu gestehen wagt", daß er nämlich „das heilige *Palladium ihrer Freundschaft* . . . veruntreut" habe. Die Handlungsweise des Maltesers wird dann im elften Brief philosophisch auf ein allgemein menschliches „Bedürfnis der beschränkten Vernunft" zurückgeführt, „sich ihren Weg *abzukürzen*, ihr Geschäft zu vereinfachen und Individualitäten, die sie zerstreuen und verwirren, in Allgemeinheiten zu verwandeln" — auf die „allgemeine Hinneigung unsers Gemütes zur Herrschbegierde" oder das „Bestreben, alles wegzudrängen, was das Spiel unsrer Kräfte hindert."

Auch in der endgültigen Fassung des Göschendrucks spricht Posa von einer „Wahl". Aber die Unterdrückung der entscheidenden zwei letzten Zeilen aus der Urfassung beweist, daß Schiller hier an eine andere Wahl denkt: nämlich an die Wahl zwischen Posas in der obigen Skizze angegebenen, ursprünglichen Absicht, seinen kosmopolitischen Plan durch Lenkung des Infanten und des Königs zugleich zu verwirklichen, und dem durch Philipps Versagen veranlaßten Entschluß, den durch seine entsagende Liebe zu Elisabeth gereiften Prinzen allein zum Vollstrecker seiner Idee zu machen.

Nein, von einer Untreue des Marquis, auch einer nur vorübergehend erwogenen, kann in der heute landläufigen Fassung des ‚Don Carlos‘ keine Rede sein.

Und doch ist Schillers, im elften Brief enthaltenes Urteil berechtigt: „Daß er" — Posa — „zu sehr nach seinem Ideal von Tugend in die Höhe und zu wenig auf seinen Freund herunterblickte, wurde beider Verderben."

Der Malteser tut Carlos unrecht, wenn er die Zuversicht, die „Wetterwolke" an des Freundes Haupt ohne dessen Wissen vorüberziehen lassen zu können, deshalb Raserei nennt, weil sie „auf deiner Freundschaft Ewigkeit gegründet" war (V 3). Carlos’ sympathetisches Fühlen hat keinen Augenblick versagt, selbst da nicht, als er glaubte, Posa wolle sein hohes Ziel ohne ihn erreichen. Das ist auch dem Malteser bewußt:

> „. . . zu edel selbst,
> an deines Freundes Redlichkeit zu zweifeln,
> schmückst du mit Größe seinen Abfall aus;
> nun erst wagst du, ihn treulos zu behaupten,
> weil du noch treulos ihn verehren darfst."

Aber gerade diese rührende Bekundung sympathetischen Empfindens beweist seine noch immer schwärmerische Natur — und Posas Sympathie ist auf Vernunft begründet!

Mochte daher des Marquis Verschwiegenheit anfangs berechtigt sein (IV 6), ein „unbegreifliches Verstummen" (V 3) wurde sie, sobald er die Hoffnung auf einen Gesinnungswandel des Königs aufgeben mußte.

Es ist bezeichnend für die Stellung, die Schiller in seiner geistigen Welt der Frau einräumt, daß er den Marquis ein erstes Bekenntnis seines Irrens vor der Königin ablegen läßt. Und welch ein Bekenntnis! Es ist eine Abrechnung mit seiner fehlgeleiteten Vernunft, die es versäumte, sich auf die höchste Sympathie zu besinnen, die alles menschliche Wesen an die Verantwortung vor dem Schöpfer bindet.

> „Wer hieß auf einen zweifelhaften Wurf
> mich alles setzen? Alles? so verwegen,
> so zuversichtlich mit dem Himmel spielen?
> Wer ist der Mensch, der sich vermessen will,
> des Zufalls schweres Steuer zu regieren,
> und doch nicht der Allwissende zu sein?"

Das ist es: Jenes Wort seines Monologs:

> „Und was
> ist Zufall anders, als der rohe Stein,
> der Leben annimmt unter Bildners Hand?",

er hatte es falsch verwirklicht: Die Aufgabe, die dem menschlichen Bildner gestellt ist, war ihm nicht genug gewesen; er vermaß sich, eine Leistung vollbringen zu wollen, die nur der Allwissende vollbringen kann: „Des Zufalls schweres Steuer zu *regieren*". Wie der göttliche Künstler nach Posas eigenen Worten (III 10) sich bescheiden in seine ewigen Gesetze verhüllt, so hüllte sich der Malteser — höchst unbescheiden —seinem Freunde gegenüber in Schweigen, wo Offenheit Rettung gewesen wäre. Indem er der Freundschaft sein gefährliches Geheimnis unterschlägt, läßt er sich, wie er es vor Carlos ausdrückt, „von falscher Zärtlichkeit bestechen", das heißt, mißversteht er die Sympathie, die ihn, wie er sich im Gespräch mit der Königin zu spät erinnert, seit seinen Jünglingstagen mit Carlos verbindet, und handelt nur noch in der Verblendung eines „stolzen Wahns", als ob er Gott selbst sei, dessen Vernunft allein aller Zufälle des Weltgeschehens auf

weiteste Sicht — denn er ist der Allwissende — Herr werden kann. Und
nun sühnt er diese Verblendung, indem er sich für seinen Freund opfert.

Wer denkt bei den Selbstanklagen des Marquis, die in dem Vorwurf einer
Versündigung gegen die göttliche Majestät gipfeln, nicht an Karls von Moor
Worte am Ende seiner irdischen Laufbahn! So verschieden beider Männer
Handlungsweise ist, beide wollen „die Welt verschönern“ und Gott ins
Handwerk pfuschen. Beide glauben sich „berufen“ — aber beide über-
schreiten in diesem Glauben die der menschlichen Wesenheit gesetzte
Grenze: Karl, indem er aus irregeleitetem sympathetischem Empfinden die
Rächerrolle der „Vorsicht“ sich anmaßt, Posa, indem er, dem „Bedürfnis
der beschränkten Vernunft“ nachgebend, den „Eingebungen des Herzens“
gegenüber taub wurde.

Die vergleichende Gegenüberstellung dieser zwei Gestalten aus dem dra-
matischen Schaffen des jungen Schiller ermöglicht es, den Begriff der
Schwärmerei zu bestimmen, wie er seitdem in des Dichters Gedankenwelt
Geltung gehabt hat:

Schwärmerei entsteht da, wo Sympathie gegenüber der Vernunft, oder
Vernunft gegenüber der Sympathie zurückgesetzt wird. Nur ihr gegen-
seitiges Gleichgewicht, die „Sympathie der Vernunft“, vermag den Menschen davor zu bewahren, sich gegen den Schöpfer zu versündigen, in welchem allein umfassende Sympathie in allen ihren Manifestationen und Vernunft auf weiteste Sicht vereinigt sind.

Wie weit der Marquis — ahnungslos! — auf den Abweg geraten ist, als
einseitiger Vernunftmensch zu handeln, das erfährt er erst aus dem Munde
einer liebenden Frau. Wie antwortet die Königin auf Posas Absicht, sich
für seinen Freund zu opfern?

> „Nein! Nein!
> Sie stürzten sich in diese Tat, die Sie
> erhaben nennen. Leugnen Sie nur nicht.
> Ich kenne Sie, Sie haben längst darnach
> gedürstet — Mögen tausend Herzen brechen,
> was kümmert Sie's, wenn sich Ihr Stolz nur weidet.
> O jetzt — jetzt lern' ich Sie verstehn! Sie haben
> nur um Bewunderung gebuhlt.“

Sicher ist die „Betroffenheit“ des Marquis echt, wenn er unter dem Eindruck dieser Worte sagt:

> „Nein! Darauf
> war ich nicht vorbereitet —“

Und doch hat Elisabeths inneres Auge recht gesehen: Ist Posas Ausruf im
letzten Gespräch mit dem Infanten:

> „O Karl, wie süß,
> wie groß ist dieser Augenblick! Ich bin
> mit mir zufrieden."

nicht eine Bestätigung des Urteils der Königin, daß es dem Marquis schmeichelt, eine Tat zu vollbringen, die er „erhaben" nennt? Und erhabene Gesinnung ist, wie spätere aesthetische Betrachtungen Schillers dartun werden, höchste Manifestation der Vernunft.

Aber, wird man fragen, darf ein Mensch, der sich einmal für eine „erhabene" Tat entschieden hat, überhaupt noch den Blick zurückwenden nach den lieblichen Gefilden sympathetischen Fühlens, ohne die zu erhabenem Handeln unentbehrliche kompromißlose Haltung zu gefährden? Wird eine solche Überlegung der Stimmung des zum Tode entschlossenen Mannes nicht eher gerecht als Schillers, bekanntlich auf einer anderen Fassung der Tragödie beruhendes Urteil, mit dem er den letzten der ‚Briefe über Don Carlos' schließt: „Er hüllt sich in die Größe seiner Tat, um keine Reue darüber zu empfinden"?

Und ist es nicht schon ein wundervoller Sieg echt weiblicher, mit Würde vereinter Anmut Elisabeths, wenn der Marquis, als jene, ihr Gesicht verhüllend, zu ihm sagt:

> „Gehen Sie!
> Ich schätze keinen Mann mehr",

„in der heftigsten Bewegung vor ihr niedergeworfen", in die Worte ausbricht:

> „Königin!
> O Gott, das Leben ist doch schön!"?

Da ist der Blick in das Elysium des „wahren Lebens" doch noch gewagt, in welchem Mann und Weib als Verkörperungen gleichgestimmter Vernunft und Sympathie jenes allerhöchste Ideal menschheitlicher Vollendung darstellen, dessen dichterischer Veranschaulichung Schillers sehnendes Bemühen zeitlebens gegolten hat.

ZWEITER TEIL

VERNUNFT

Der letzte Abschnitt des „Sympathie" betitelten ersten Teils dieser Darstellung der Gedankenwelt Schillers zeigt zum erstenmal die unseres Dichters Denken und Schaffen seitdem bestimmenden seelischen und geistigen Kräfte in ihrer wahren Wechselwirkung als „Sympathie der Vernunft". Sie war das Ergebnis einer durch jahrelange Auseinandersetzung mit dem Vernunftbegriff herbeigeführten „Ernüchterung" des schwärmerischen Sympathieglaubens der Sturm- und Drangzeit Schillers.

Wenn nun der zweite Teil dieses Buches einfach den Titel „Vernunft" erhält, obwohl deren nur unter Vorbehalt von Schiller anerkannte Bedeutung für seine Weltanschauung hinreichend erwiesen ist, so hat dies seinen Grund darin, daß des Dichters Schaffen während der Jahre 1787 bis 1795, das im wesentlichen geschichtsphilosophischen und aesthetischen Arbeiten gewidmet war, sich mit Problemen befaßt, die, seit 1791 durch das Studium der kritischen Philosophie Kants richtungweisend geklärt, durchaus vom Vernunftbegriff beherrscht werden. Es sind vor allem die Probleme der Freiheit, der Wahrheit, des Erhabenen und des Schönen. Die Beschäftigung mit diesen Problemen bedeutete aber für Schiller immer wieder auch eine erneute Prüfung auf Bewährung seines vernunftgereiften Sympathieglaubens; und ihr Ergebnis war schließlich nur ein immer vertiefteres Bekenntnis zu der seit der endgültigen Fassung des ‚Don Carlos' erlebten und gestalteten „Sympathie der Vernunft".

INHALTSVERZEICHNIS

118

Erstes Kapitel

Die Wahrheit als das große Anliegen der Freiheit

Gleich das erste große Prosawerk, das Schiller in seinen Briefen an Körner (z. B. 19. Dezember 1787) als die „Niederländische Rebellion" bezeichnet, schlägt das große Thema an, das nach des Dichters an Kant ausgerichteten geschichtsphilosophischer Anschauung das Thema der Menschheitsgeschichte überhaupt ist.

Über dem ganzen Geschehen, dessen Darstellung die ‚Geschichte des Abfalls der vereinigten Niederlande von der spanischen Regierung' gewidmet ist, steht, wie der Verfasser einleitend bemerkt, „die neue Wahrheit", die als „das große Anliegen der Freiheit" die Herzen der Menschen des sechzehnten Jahrhunderts bewegt.

Erster Abschnitt

Universalgeschichte

Aber Schiller sieht in dieser neuen Wahrheit nicht allein das Anliegen der Generation Martin Luthers und der ihr folgenden. In einem an Körner gerichteten Brief vom 28. November 1791 heißt es: „Die Geschichte der Menschheit gehört als unentbehrliche Episode in die Geschichte der Reformation . . ." Auf den Abfall der Niederlande angewandt, kann das doch nur heißen, daß Schiller in dem Kampf der sieben rebellierenden Provinzen gegen die spanische Weltmacht sozusagen ein Musterbeispiel sieht für Sinn und Bedeutung der gesamten Menschheitsgeschichte. Denn in diesem Kampf ging es um die Frage, ob die Vernunftfreiheit, als Ziel der geschichtlichen Entwicklung der Menschheit, eine Wahrheit sein sollte oder nicht.

1. Ihre grundlegenden Begriffe

Was dem besinnlichen Menschen das Nacherleben dieses geschichtlichen Vorgangs wertvoll macht, faßt Schiller in folgende Worte: „Groß und be-

ruhigend ist der Gedanke, daß gegen die trotzigen Anmaßungen der Für-
stengewalt endlich noch eine Hilfe vorhanden ist, daß ihre berechnetsten
Plane an der menschlichen Freiheit zuschanden werden, daß ein herzhafter
Widerstand auch den gestreckten Arm eines Despoten beugen, helden-
mütige Beharrung seine schrecklichen Hilfsquellen endlich erschöpfen kann."
     Wesentlich ist, daß der Geschichtsphilosoph hier nicht etwa von einem
Gesetz spricht, das in jedem Falle gültig ist, wo Menschen um ihre Freiheit
zu kämpfen haben. Als wichtig erscheint vielmehr dem Verfasser vor allem
die Tatsache, daß gerade im Falle der „niederländischen Rebellion" ursprünglich alle Voraussetzungen zu fehlen scheinen, die einen günstigen
Ausgang des ungleichen Kampfes versprechen können.
     Die Erörterung seines Gegenstandes beginnt Schiller daher mit der
Frage: Wie konnte „ein friedfertiges Fischer- und Hirtenvolk in einem
vergessenen Winkel Europens", wie konnte „ein gutartiges, gesittetes Handelsvolk" es wagen, um einer Idee willen mit dem Herrn eines die Erde
umspannenden Reiches seine Kräfte zu messen? Und wie konnte es geschehen, daß „unter den Verwüstungen des Schwertes die Reformation
gedieh" und „aus Bürgerblut eine neue Republik ihre siegende Fahne
erhob"?
     Und weiter: Schiller warnt vor der Meinung, daß die um ihre Freiheit
Kämpfenden „beim Eintritt in dieses ungewisse Meer schon das Ufer gewußt haben, an welchem sie nachher landeten. So reif, so kühn und so
herrlich, als es zuletzt dastand in seiner Vollendung, erschien das Werk
nicht in der Idee seiner Urheber, so wenig als vor Luthers Geiste die ewige
Glaubenstrennung, da er gegen den Ablaßkram aufstand. Welcher Unterschied zwischen dem bescheidenen Aufzug jener Bettler in Brüssel, die um
eine menschlichere Behandlung als um eine Gnade flehen, und der furchtbaren Majestät eines Freistaats, der mit Königen als seinesgleichen unter-
handelt, und in weniger als einem Jahrhundert den Thron seiner vor-
maligen Tyrannen verschenkt!"
     Auch Anlaß zur Begeisterung kann der Historiker seinen Lesern vorerst
nicht versprechen: „Es ist ... gerade der Mangel an heroischer Größe,
was diese Begebenheit eigentümlich und unterrichtend macht, und wenn
sich andere zum Zwecke setzen, die Überlegenheit des Genies über den
Zufall zu zeigen, so stelle ich hier ein Gemälde aus, wo die Not das Genie
erschuf und die Zufälle Helden machten."
     Und doch sieht Schiller keine Veranlassung, den Ausgang dieses Frei-
heitskampfes auf Rechnung irgend eines „Übernatürlichen" zu setzen. Wohl
aber glaubt er, der Begebenheit die Bezeichnung des *„Außerordentlichen"*
nicht verweigern zu dürfen.
     Worauf gründet der Dichter diese Ansicht? Man könnte sie mit einem
einzigen Wort erklären: mit dem Worte „trotzdem".

Anfangs ohne Vorstellung von der Riesenaufgabe, welche sie um einer Vernunftidee willen auf sich genommen, sehen sich die Niederländer je länger je mehr einer unüberwindlich scheinenden Macht gegenüber; *trotzdem* bleiben die Helden und Genies, welche in Zufällen und Nöten erstanden, ihrem immer klarer erkannten Ziele treu. Und so wurden die Kräfte, welche den Helden ihre Taten ausführen halfen, „edle Kräfte", ihre Handlungen wurden „schöne und große Handlungen"; „der erleuchtete, unternehmende Geist" des Genies aber, „den großen politischen Augenblick" ergreifend, erzog „die Geburt des Zufalls zum Plane der Weisheit".

So erfüllte sich, was Schiller über das Verhältnis von Mensch und Weltgeschichte sagt: „Der Mensch verarbeitet, glättet und bildet den rohen Stein, den die Zeiten herbeitragen; ihm gehört der *Augenblick* und der *Punkt,* aber die Weltgeschichte rollt der Zufall."

Auf den Menschen der Nachwelt aber wirkt die außerordentliche Begebenheit je nach seiner weltanschaulichen Einstellung: „. . . es steht uns frei, über die kühne Geburt des Zufalls zu erstaunen oder einem höhern Verstand unsere Bewunderung zuzutragen."

Schiller selbst rechnet sich jedenfalls zu der zweiten Menschenart: „Des Fatums unsichtbare Hand führte den abgedrückten Pfeil in einem höhern Bogen und nach einer ganz andern Richtung fort, als ihm von der Sehne gegeben war", sagt er im Hinblick auf die Tatsache, daß das Unternehmen „anders ausschlug, als es gedacht worden war".

Am Schluß des dritten Buches seiner ‚Geschichte des dreißigjährigen Kriegs' gibt der Verfasser gelegentlich seines Nachrufs auf den Schwedenkönig Gustav Adolf dem Gedanken des Eingreifens einer übermenschlichen Gewalt in menschliche Belange die folgende Fassung: „Die Geschichte, so oft nur auf das freudenlose Geschäft eingeschränkt, das einförmige Spiel der menschlichen Leidenschaft auseinanderzulegen, sieht sich zuweilen durch Erscheinungen belohnt, die gleich einem kühnen Griff aus den Wolken in das berechnete Uhrwerk der menschlichen Unternehmungen fallen und den nachdenkenden Geist auf eine höhere Ordnung der Dinge verweisen."

Zwei grundlegende Begriffe sind es also, die im Hinblick auf die Schillers Geschichtsphilosophie beherrschende Idee von der Wahrheit als dem großen Anliegen der Freiheit im Auge zu behalten sind: Die Begriffe des *Außerordentlichen* und der *höheren Ordnung.*

Als außerordentlich erscheint es, daß die Freiheit *trotz* des Widerstandes der Welt der Wirklichkeit sich immer wieder durchsetzt — eine Erfahrung, die sich nur aus einer höheren Ordnung erklären läßt.

Daß auch in diesem durch eine höhere Ordnung in der Geschichte der Menschheit nach Schillers Philosophie sich manifestierenden Außenordentlichen der Sympathieglaube des Stürmers und Drängers, aber gereift durch die Einbeziehung der bei Kant entwickelten Vernunftidee, transparent wird, zeigt der letzte Absatz der Einleitung zur Geschichte von der „niederländischen Rebellion".

„Die Geschichte der Welt ist sich selbst gleich wie die Gesetze der Natur, und einfach wie die Seele des Menschen. Dieselben Bedingungen bringen dieselben Erscheinungen zurück". Diese zwei Sätze, mit denen der erwähnte Absatz beginnt, lassen Betrachtungen wieder lebendig werden, die zu Anfang des ersten Teils dieses Buches über Schillers sogenannten Sympathiekomplex angestellt wurden.

Die dort als *klimato-anthropologisch* bezeichnete Form jenes Komplexes gewinnt für die soeben angeführten zwei Sätze konkrete Bedeutung, insofern darin auf das über anderthalb Jahrtausende hinweg die Bewohner desselben Bodens zur Seelenverwandtschaft verbindende Freiheitsstreben der Bataver und Niederländer aufmerksam gemacht wird.

Wie ferner die Genossen Karls von Moor im Hinblick auf ihre wenn auch irregeleitete Freiheitsidee ironisch von der *Sympathie* der großen Geister sprechen, so sieht Schiller in Claudius Civilis und Wilhelm von Oranien zwei *genialische* Helden, die dem gleichen „befreundeten Elemente" „ihr wankendes Glück" vertrauen. „Außerordentliches" wird hier wie dort geleistet, indem hier wie dort eine Vernunftidee in ihren Vorkämpfern „edle Kräfte, schöne und große Handlungen" weckt.

Und wie Schiller in den vorhin angeführten Sätzen die Geschichte der Welt mit den „Gesetzen der Natur" in Vergleich stellt, so sieht er kurz vorher eine geheimnisvolle Beziehung zwischen dem „Außerordentlichen" und „des Fatums unsichtbarer Hand", einer „höheren Ordnung" — und bewährt damit den religiösen Sympathieglauben seiner Jugend, der, wenn auch „ernüchtert" durch den in denselben aufgenommenen Vernunftbegriff, doch immer wieder den Menschen zu dem Unbekannten über den Sternen leitet.

Unter diesem Hinweis auf die „Sympathie der Vernunft" gewinnen endlich die Worte Schillers wohl ihre tiefste Bedeutung, in denen von der Wirkung die Rede ist, welche die „Begebenheit" der niederländischen Rebellion auf den besinnlichen Menschen ausübt. „Groß, interessant und fruchtbar für uns" nennt er diese Wirkung, insofern sie unser Erstaunen oder unsere Bewunderung weckt, je nachdem wir in dem geschichtlichen Ereignis das Spiel des Zufalls oder das Walten eines höheren Verstandes zu sehen glauben. Vielleicht darf man diese Alternative in dem Sinne verstehen, daß Schiller die erstere Anschauung bei denjenigen Menschen erwartet, die in dem Freiheitskampf der Niederländer eine Auseinandersetzung über — wie es der elfte Carlosbrief nennt — eine „gekünstelte Geburt der theoretischen Vernunft" sehen, die letztere dagegen bei solchen, deren gereifter Sympathieglaube in dem niederländischen „Anliegen" den Widerhall einer göttlichen Macht zu vernehmen meint, die als Treuhänderin der Freiheit die Wahrheit selbst ist.

2. Ihr Wesen und ihre Wirkung

Schillers Darstellung des Abfalls der Niederlande ist ein fest umgrenzter Ausschnitt aus dem großen Komplex, der in seiner akademischen Antrittsrede vom 26. Mai 1789 als „Universalgeschichte" oder auch als „allgemeine Weltgeschichte" bezeichnet wird. Dieser Begriff ist für Schiller tatsächlich ein Komplex; denn er umfaßt alle Gebiete menschlicher Daseinsoffenbarung. Genau zwei Monate vor seiner eben erwähnten Vorlesung schreibt er an Körner: „Eigentlich sollten Kirchengeschichte, Geschichte der Philosophie, Geschichte der Kunst, der Sitten und Geschichte des Handels mit der politischen in eins zusammengefaßt werden, und dieses erst kann Universalhistorie sein."

Ist aber dieser alles menschliche Wesen umfassende Begriff auch jedem Menschen zugänglich?

Schiller zieht bekanntlich vor der Behandlung der thematischen Frage seiner Ansprache einen scharfen Trennungsstrich zwischen dem „Brotgelehrten" und dem „philosophischen Kopf" und sieht den wesentlichen Unterschied zwischen beiden eben darin, daß jener nur zusammenhangslose Gedächtnisschätze häuft, dieser von einem regen Trieb nach Übereinstimmung, nach Herstellung eines harmonischen Ganzen beseelt ist; daß jener sich in traurige Ichsucht vereinzelt, dieser in allen Gleichstrebenden seine Bundesgenossen sieht; daß jener sein mühsam angelerntes Einzelwissen ängstlich hegt und vor jeder wichtigen Neuerung zurückschreckt, dieser mit allen denkenden Köpfen in inniger Gemeinschaft aller geistigen Güter lebt.

Bekanntlich stammt das Wort vom „philosophischen Kopf" aus dem 9. Satz des schon bei früherer Gelegenheit behandelten Kantaufsatzes über die ‚Idee zu einer allgemeinen Geschichte in weltbürgerlicher Absicht', dessen Lektüre Schiller zu dem für seine geschichtsphilosophischen Gedankengänge entscheidenden Vernunftbegriff führte. Derselbe Begriff ist auch für seine in dem Brief an Körner formulierte Auffassung von Universalgeschichte maßgebend gewesen — wenn anders Schillers Geschichtskomplex als Zustimmung zu der Forderung Kants, ein philosophischer Kopf müsse „übrigens sehr geschichtskundig sein", verstanden werden darf. Daß auch Schiller in der Vernunft — um ein Wort Kants zu gebrauchen — „gewissermaßen einen Leitfaden a priori" für den Geschichtsphilosophen sieht, beweist eine Stelle in der Schilderung des Brotgelehrten, der „mit Sorge die baufällige Schranke bewacht, die ihn nur schwach gegen die siegende Vernunft verteidigt."

Aber der aus Kant gewonnene Vernunftbegriff hat ja nicht nur Schillers geschichtsphilosophische Anschauung bestimmt, sondern das Fundament seines gesamten Denkens und Fühlens endgültig begründet, insofern er dem schwärmerischen Sympathieglauben seiner Sturm- und Drangzeit die unentbehrliche „Ernüchterung" brachte. Und hier ist der Punkt, an welchem Schillers Wort vom philosophischen Kopf über des Königsbergers Philosophie hinausgreift. Wenn der Redner die echten Verehrer der Universalgeschichte als von einem „Trieb nach Übereinstimmung, nach Herstellung eines harmonischen Ganzen" beseelt, als von dem Gefühl der inneren Verbundenheit aller Gleichstehenden erfüllt, als von der Empfindung einer alle denkenden Köpfe beglückenden „innigen Gemeinschaft aller geistigen Güter" beherrscht hinstellt, — wirken diese Ausführungen nicht wie ein gewaltiger Appell an die alle genialischen Geister einende Sympathie — aber nicht einer Sympathie des Schwärmers, sondern einer solchen, bei welcher „der Kopf die Herzen in Glut setzt" Über Völkerwanderung u.s.w.)?

Hier liegt der Unterschied zwischen Kant und Schiller: Kants philosophischen Kopf lenkt die Vernunft — Schillers philosophischer Kopf schöpft das Beste seiner Kraft aus der Sympathie. —

Das große Erlebnis bei Betrachtung der Weltgeschichte ist für Schiller die durch den „Sieg der Vernunft" bewirkte Wandlung des Menschen vom „ungeselligen Höhlenbewohner" zum „geistreichen Denker" und „gebildeten Weltmann".

Diese Gegenüberstellung von Anfang und Ende einer geschichtlichen Entwicklung ist aus der Darstellung des Abfalls der Niederlande schon bekannt, wo der Schriftsteller den Bittgang der „Bettler in Brüssel" in Vergleich setzt mit „der furchtbaren Majestät eines Freistaates", der als Endergebnis jener bescheidenen Bemühung in die Geschichte eingegangen ist. Und wie Schiller jene von der Freiheitsidee inspirierte Rebellion gegen Zwang und Tyrannei als eine dem Naturgesetz vergleichbare Folge von Ursache und Wirkung erklärt, so begreift er die in der Weltgeschichte zu beobachtende „lange Kette von Begebenheiten von dem gegenwärtigen Augenblicke bis zum Anfange des Menschengeschlechts hinauf" als Manifestation desselben Naturgesetzes.

Die Erkenntnis nun, daß, wie es in der Einleitung zur „niederländischen Rebellion" hieß, „dieselben Bedingungen dieselben Erscheinungen zurückbringen", was in der Einfachheit der menschlichen Seele seinen Grund habe, wird für den Verfasser der Antrittsrede zu einem wertvollen Forschungsmittel, das die Lückenhaftigkeit der geschichtlichen Überlieferung ausgleicht. Die Überzeugung, daß die eigentliche Triebkraft der Menschen-

seele, die den Weg von den Anfängen menschlichen Lebens bis in die
Gegenwart bestimmt hat, die Vernunft ist, gibt ihm den Antrieb, die durch
eine lückenhafte Überlieferung dargebotenen Bruchstücke „zu einem ver-
nunftmäßig zusammenhängenden Ganzen zu erheben", wobei er die Gewähr für die Berechtigung seines Unterfangens „in der Gleichförmigkeit
und unveränderlichen Einheit der Naturgesetze und des menschlichen Gemüts" findet, „welche Einheit Ursache ist, daß die Ereignisse des ent-
ferntesten Altertums unter dem Zusammenfluß ähnlicher Umstände von
außen in den neuesten Zeitläuften wiederkehren". Die Methode der Analogie, die Schiller bei der Würdigung der niederländischen Rebellion an
dem Einzelfall des Bataveraufstandes bestätigt fand, wird ihm zum Schlüssel für die Erforschung derjenigen geschichtlichen Vorgänge, für welche
ihm dokumentarische Belege fehlen.

Diese für Schillers geschichtsphilosophisches Denken kennzeichnende
Methode des Schließens aus der Analogie ist aus jener Form des Sympathiekomplexes erwachsen, die sich als Gleichlauf zwischen Naturgesetz und
menschheitsgeschichtlicher Gesetzlichkeit, zwischen „Geisterreich und Körperweltgewühle" kennzeichnet.

Eine andere Form dieses Komplexes tritt in den Ausführungen des letzten Abschnitts der Antrittsrede in Erscheinung.

Bis zum Beginn dieses letzten Abschnitts zeigt die Rede nichts, was über
die aus der Einleitung des großen Geschichtswerks über den Aufstand der
Niederlande gewonnene Erkenntnis hinausführt. Aber die Vorlesung befaßt sich ja nicht mit einem einzelnen geschichtlichen Vorgang, sondern sie
will den Blick über das unendliche Feld der gesamten Geschichte erhöhen.

Und so führt Schiller den Gedanken von dem in der Universalge-
schichte sich manifestierenden Naturgesetz von Ursache und Wirkung einen
Schritt weiter, indem er einen wichtigen Begriff aus Kants Geschichtsphilosophie in sein System einbaut. Am 17. November 1789 äußert sich
Körner über Schillers Antrittsrede: „Daß Du übrigens in einer solchen
Vorlesung Dich nicht schämst zu *kantisieren* und sogar des teleologischen
Prinzips erwähnst, war mir ein großer Triumph." Schiller hat dies „Kantisieren" in folgenden Sätzen ausgeübt: „Je öfter also und mit je glück-
licherm Erfolge er den Versuch erneuert, das Vergangene mit dem Gegenwärtigen zu verknüpfen, desto mehr wird er geneigt, was er als *Ursache*
und *Wirkung* ineinandergreifen sieht, als *Mittel* und *Absicht* zu verbinden."
Der Mensch „nimmt also diese Harmonie" — gemeint ist die dem Menschen eigentümliche Kraft, die von der Notwendigkeit diktierte Abfolge
von Ursache und Wirkung zu einem bewußten Willensakt einer „vernünftigen Natur" zu machen — „aus sich selbst heraus und verpflanzt sie außer
sich in die Ordnung der Dinge, d. i. er bringt einen vernünftigen Zweck
in den Gang der Welt und ein teleologisches Prinzip in die Weltgeschichte."

Wenn Schiller nun den Erfolg dieses Bemühens darin sieht, daß es ihm schließlich gelingen wird, „das Problem der Weltordnung aufzulösen und dem höchsten Geist in seiner schönsten Wirkung zu begegnen", so wird hier offensichtlich die religiöse Form des Sympathiekomplexes, also der Sympathieglaube, gereift als Sympathie der Vernunft, transparent.

Wieder zeigt sich hier der Unterschied zwischen Kants und Schillers geschichtsphilosophischem Denken, insofern Schiller zwar des Königsbergers teleologisches Prinzip sich zu eigen macht, dasselbe aber nicht lediglich vernunftbezogen sieht, sondern, als sympathetischen Widerhall menschlichen Empfindens, einer Art von nüchterner Schwärmerei dienstbar macht.

Schillers Geschichtsphilosophie sieht also die Menschheit gleichsam als eine durch die Kette zahlloser Generationen am Leitfaden der Vernunft in sympathetischem Bestreben einem Hochziele sich annähernde Gemeinschaft.

Als auf religiösem Sympathieglauben begründete Theorie erhebt Schiller für dieselbe selbstverständlich nicht den Anspruch auf wissenschaftliche Geltung. Legt der Geschichtsphilosoph die teleologische Betrachtungsweise „prüfend gegen jede Erscheinung, welche dieser große Schauplatz ihm darbietet", so sieht er dieses Prinzip „durch tausend übereinstimmende Fakta bestätigt und durch ebenso viele andere widerlegt". Solange daher die Lückenhaftigkeit der geschichtlichen Denkmäler einen vollständigen Einblick in den „Gang der Welt" unmöglich macht, wird er — vom geschichtswissenschaftlichen Standpunkt aus — „die Frage für unentschieden erklären".

Schillers auf Sympathie der Vernunft begründetes teleologisches Denken zeigt seinen religiösen Charakter darin, daß es ein *Denken auf weiteste Sicht* ist — wie in Gottes Denken von Angebinn der Welt der gesamte Gang der Menschheitsgeschichte bis zu ihrem beabsichtigten Ziel angelegt war. Diese Kennzeichnung „Denken auf weiteste Sicht" sei aus folgenden Ausführungen der Antrittsrede gerechtfertigt.

Die Universalgeschichte ist nach des Redners Begriffsbestimmung die Summe all der Begegebenheiten, „welche auf die *heutige* Gestalt der Welt und den Zustand der jetzt lebenden Generation einen wesentlichen, unwidersprechlichen und leicht zu verfolgenden Einfluß gehabt haben". Zur Herbeiführung dieses Zustandes aber, den er als „unser menschliches Jahrhundert" bezeichnet, „haben sich — ohne es zu wissen oder zu erzielen — alle vorhergehenden Zeitalter angestrengt". Die in Parenthese gesetzten Worte „ohne es zu wissen oder zu erzielen" sind ihrem Sinne nach aus der Einleitung zur Geschichte des niederländischen Freiheitskampfes bekannt. Etwas abgebogen findet sich derselbe Gedanke in der Antrittsrede kurz vorher, wo Schiller als Offenbarung der Geschichte die Weisheit hinstellt, „daß der selbstsüchtige Mensch niedrige Zwecke zwar verfolgen kann, aber unbewußt vortreffliche befördert". Auch dieser Gedanke ist in dem großen Geschichtswerk, zwar nicht ausgesprochen, aber aus der Darstellung des spanischen Despotismus und der Reaktion auf denselben mit Leichtigkeit abzuleiten.

Daß es sich bei all diesen Urteilen über menschliches Wähnen und Wagen im Gang der Geschichte um Ergebnisse einer geschichtlichen Schau „auf weiteste Sicht", also gleichsam um göttliche Weisheit handelt, hat schon Körner bei der Lektüre der Einleitung zur „niederländischen Rebellion" empfunden, als er dem Freunde schreibt (29. 2. 88): „Der Gesichtspunkt ist ganz nach dem Ideale gewählt, wie ich mir den Geschichtsschreiber denke. Er schwebt über dem Schauplatz der Begebenheiten als ein Wesen höherer Art. Der verborgenste Menschenwert entgeht ihm nicht, aber jede außerordentliche Handlung staunt er nicht, wie der Pöbel, als übermenschliche Größe an."

Schiller aber warnt in seiner Antrittsrede ernsthaft vor einer „vorschnellen Anwendung dieses großen Maßes" — nämlich des auf weiteste Sicht berechneten teleologischen Prinzips —, die „den Geschichtsforscher leicht in Versuchung führen könnte, den Begebenheiten Gewalt anzutun und diese glückliche Epoche" — gemeint ist das beabsichtigte Hochziel — für die Weltgeschichte immer weiter zu entfernen, indem er sie beschleunigen will." Wer denkt hier nicht an den schon so oft erwähnten elften Carlosbrief, wo auf das „Bedürfnis der beschränkten Vernunft" hingewiesen wird, „sich ihren Weg abzukürzen"! Dies Unterfangen erfolgt bekanntlich auf Kosten der Sympathie, indem die Vernunft „Individualitäten, die sie zerstreuen und verwirren, in Allgemeinheiten verwandelt". Auch der Geschichtsforscher, will Schiller mit den angeführten Worten seiner Antrittsrede andeuten, kann dieser Versuchung unterliegen, indem er, das hohe Ziel der Vorsehung nur als „gekünstelte Geburt der theoretischen Vernunft" sehend, den Menschen vergißt, der den rohen Stein verarbeitet, glättet und bildet, den ihm der Zufall der Weltgeschichte zuträgt. Wenn Schiller im Prolog zu ‚Wallensteins Lager' der dramatischen Kunst die Aufgabe stellt, die großen Gestalten der Geschichte unseren Augen und Herzen menschlich näher zu bringen, so appelliert er damit an die dereinst mit der Sympathie in Beziehung gesetzte Dichtungskraft (an Reinwald 14. April 1783) — weil Sympathie allein imstande ist, „in moralischen Dingen" dem Rufe des „natürlichen praktischen Gefühls" zu folgen (11. Carlosbrief) und damit der Vernunft ihre Aufgabe im Dienste der Gottheit anzuweisen.

Dieser sympathiegeleiteten Vernunft, die als Trägerin des auf weiteste Sicht abgestellten teleologischen Prinzips wie ein höheres Wesen die Menschheitsgeschichte überschaut, sind die vier letzten Absätze der Antrittsrede gewidmet.

Mit liebevoller Ausführlichkeit verweilt der Redner bei den sittlichen Wirkungen, die durch eine im richtigen Sinn geübte Beschäftigung mit der

Weltgeschichte bei Menschen „mit hellem Geist und einem empfindenden Herzen" hervorgerufen werden. Schiller spricht von dem „belebenden Sporn" und der „süßen Erholung", die ein unter teleologischem Aspekt erfolgenden Studium dieses Wissensgebietes dem Menschen geben müsse. Licht werde diese Beschäftigung in seinem Verstande, und eine wohltätige Begeisterung in seinem Herzen entzünden. Und dann folgt der inhaltsschwere Satz: „Indem sie den Menschen gewöhnt, sich mit der ganzen Vergangenheit zusammenzufassen und mit seinen Schlüssen in die ferne Zukunft vorauszueilen, so verbirgt sie die Grenzen von Geburt und Tod, die das Leben des Menschen so eng und so drückend umschließen, so breitet sie optisch täuschend sein kurzes Dasein in einen unendlichen Raum aus und führt das Individuum unvermerkt in die Gattung hinüber."

Dieser Satz bietet noch einmal Gelegenheit, die Eigenart der Geschichtsphilosophie Schillers gegenüber derjenigen Kants anschaulich zu machen.

Die in dem soeben angeführten Zusammenhang aus der Antrittsrede erwähnten Begriffe „Individuum" und „Gattung" erinnern an den zweiten Satz des Kantaufsatzes vom Jahre 1784, in dem es heißt: „Am Menschen ... sollten sich diejenigen Naturanlagen, die auf den Gebrauch seiner Vernunft abgezielt sind, nur in der Gattung, nicht aber im Individuum vollständig entwickeln."

Nur einem oberflächlichen Blick erscheinen die Worte der Antrittsrede Schillers als einfache Variante der These des Königsberger Philosophen.

Kant hält das menschliche Individuum für schlechterdings unfähig, zur vollkommenen Vernunft zu gelangen, weil dieselbe zu ihrer Vollendung „Versuche, Übung und Unterricht bedarf, um von einer Stufe der Einsicht zur anderen ällmählich fortzuschreiten". Da nun dem einzelnen Menschen kein so unmäßig langes Leben beschieden ist, „um zu lernen, wie er von allen seinen Naturanlagen einen vollständigen Gebrauch machen sollte", so bedarf die Natur „einer vielleicht unabsehlichen Reihe von Zeugungen, deren eine der anderen ihre Aufklärung überliefert, um endlich ihre Keime in unserer Gattung zu derjenigen Stufe der Entwickelung zu treiben, welche ihrer Absicht vollständig angemessen ist."

Wie ganz anders sieht Schiller das Verhältnis des Individuums zur Gattung! Nicht erst am Ende der Zeiten wird die Vernunft siegreich die Pforte zum Reich des Weltbürgertums öffnen — jedem Menschen steht sie offen, jedes Individuum vermag in sich die Gattung zu verkörpern — es darf nur nicht vergessen, daß die Kräfte, die zur Formung und Bildung der Zufallsgaben der Weltgeschichte durch den Willen einer höheren Ordnung bestimmt sind, menschliche Kräfte sind, die in ihrer Gesamtheit das Ringen um das Hochziel eint — mit anderen Worten: das Streben der Vernunft muß durch sympathetisches Empfinden die Verbindung zwischen Geschöpf und Schöpfer herstellen.

Schon lange bevor Schiller dem Studium der Geschichte sich zugewandt oder eine Zeile von Kant gelesen hatte, schilderte er in der ‚Theosophie des Julius‘ einen Menschen, der aus Liebe das Zukunftsbild einer glücklichen Menschheit in seinem Herzen entstehen läßt, und sieht die Folge dieses Phantasiebildes in der Erweiterung der Einzelpersönlichkeit dieses Menschen zur Manifestation der ganzen Menschheit. In dem Kapitel „Aufopferung" heißt es darüber: „Denke Dir eine Wahrheit, mein Raphael, die dem ganzen Menschengeschlecht auf entfernte Jahrhunderte wohl tut — setze hinzu, diese Wahrheit verdammt ihren Bekenner zum Tode, diese Wahrheit kann nur erwiesen werden, nur geglaubt werden, wenn er stirbt. Denke Dir dann den Mann mit dem hellen, umfassenden Sonnenblicke des Genies, mit dem Flammenrad der Begeisterung, mit der ganzen erhabenen Anlage zu der Liebe. Laß in seiner Seele das vollständige Ideal jener großen Wirkung emporsteigen — — laß in dunkler Ahndung vorübergehen an ihm alle Glückliche, die er schaffen soll — laß die Gegenwart und die Zukunft zugleich in seinem Geist sich zusammendrängen — und nun beantworte Dir, bedarf dieser Mensch der Anweisung auf ein anderes Leben? Die Summe aller dieser Empfindungen wird sich verwirren mit seiner Persönlichkeit, wird mit seinem Ich in eins zusammenfließen. Das Menschengeschlecht, das er jetzt sich denket, ist er selbst. Es ist ein Körper, in welchem sein Leben, vergessen und entbehrlich, wie ein Blutstropfen schwimmt — wie schnell wird er ihn für seine Gesundheit verspritzen!"

Es ließ sich nicht vermeiden, die umfangreiche Stelle unverkürzt wiederzugeben, um die Ideenverwandtschaft ihres Inhalts mit den Schlußworten der Antrittsrede anschaulich zu machen, in denen der durch das Studium der Geschichte und der Philosophie gereifte Dichter seine Hörer aufrüttelt: „Aus der Geschichte erst werden Sie lernen, einen Wert auf die Güter zu legen, denen Gewohnheit und unangefochtener Besitz so gern unsre Dankbarkeit rauben, kostbare teure Güter, an denen das Blut der Besten und Edelsten klebt, die durch die schwere Arbeit so vieler Generationen haben errungen werden müssen! Und welcher unter Ihnen, bei dem sich ein heller Geist mit einem empfindenden Herzen gattet, könnte dieser hohen Verpflichtung eingedenk sein, ohne daß sich ein stiller Wunsch in ihm regte, an das *kommende* Geschlecht die Schuld zu entrichten, die er dem vergangenen nicht mehr abtragen kann? Ein edles Verlangen muß in uns entglühen, zu dem reichen Vermächtnis von Wahrheit, Sittlichkeit und Freiheit, das wir von der Vorwelt überkamen und reich vermehrt an die Folgewelt wieder abgeben müssen, auch aus *unsern* Mitteln einen Beitrag zu legen, und an dieser unvergänglichen Kette, die durch alle Menschengeschlechter sich windet, unser fliehendes Dasein zu befestigen. Wie verschieden auch die Bestimmung sei, die in der bürgerlichen Gesellschaft Sie erwartet — etwas dazu steuern können Sie alle! Jedem Verdienst ist eine

Bahn zur Unsterblichkeit aufgetan, zu der wahren Unsterblichkeit, meine ich, wo die Tat lebt und weiter eilt, wenn auch der Name ihres Urhebers hinter ihr zurückbleiben sollte!"

Zweiter Abschnitt

Ursprung und Ziel der Menschheitsgeschichte

Die grundlegenden Ausführungen der Antrittsrede Schillers lassen die aus den anderthalb Jahren seiner Lehrtätigkeit stammenden geschichtlichen Aufsätze als von einer klaren Tendenz beherrscht verstehen. Diese Tendenz macht auch die Widerstände begreiflich, die von gewisser Seite des Lehrkörpers der Universität Jena gegen Schillers Titel als „Professor der Geschichte" erhoben wurden, und welche in dem jungen Dozenten die ersten Anzeichen der Unzufriedenheit mit seinem Lehramt weckten (An Körner 10. November 1789). Was Schiller seinen Hörern und Lesern bietet, ist tatsächlich nicht Geschichte, sondern eine an geschichtlichem Stoff entwickelte Philosophie: die Tendenz seiner sogenannten historischen Aufsätze ist also eine philosophische Deutung der Geschichte.

Schiller deutet die Weltgeschichte als Menschheitsgeschichte, das heißt als die von der Vorsehung geleitete Entwicklung des Menschen vom Sklaven eines instiktbestimmten Trieblebens zum Gefäß vernunftbestimmter Sympathie mit dem Ziel sittlicher Freiheit als Inbegriff wahrer Glückseligkeit. Maßgeblich für diese Entwicklung ist ihre von „dem Wesen, das das Schicksal der Welt lenkt" (Erste Menschengesellschaft), auf weiteste Sicht berechnete, jeglicher Übereilung fremde, für das von dem Augenblick abhängige Alltagsgeschöpf unmerkliche, dem allmählichen Keimen und Aufblühen in der Natur vergleichbare Langsamkeit als eigentliche Manifestition der göttlichen Vernunft.

1. Naturgeschaffene Gemeinschaft und ihre Entartung

Eine eigentümlich weihevolle Stimmung liegt über der Darstellung der „ersten Menschengesellschaft" — folgt sie doch in ihren Ausführungen „dem Leitfaden der mosaischen Urkunde", die als heiliges Buch ein Gegenstand frommer Ehrfurcht ist.

Die Entwicklungslinie, die Schiller bei Betrachtung dieser „ersten Menschengesellschaft" aufzeigt, ist für den Kenner der leitenden Begriffe seiner Geschichtsphilosophie leicht zu erkennen.

Am Anfang steht der vom Instinkt geleitete Mensch des Paradieses. Äußerungen seines Instinktes sind Hunger und Durst, Geschmack und Geschlechtstrieb.

Der Keim der später sich herausbildenden Vernunft liegt in „ruhiger Anschauung" und „regem Gedächtnis" — man könnte sagen in äußerer und innerer Schau. Die Auffassung Schillers deutet schon voraus auf seine spätere Philosophie der Kunst, nach welcher die Erziehung des Menschen zum Menschen — als Vernunftwesen — durch das Aesthetische stattfindet. Die Worte „ruhige Anschauung" erinnern an den Satz im zweiten Paragraphen des „Versuchs" aus dem Jahre 1780: Vollkommenheit des Menschen liegt in der Übung seiner Kräfte durch Betrachtung des Weltplans"; und dieser Satz wiederum bezeugt eine überraschende, man möchte sagen apriorische Geistesverwandtschaft zwischen Schiller und Kant, der vier Jahre später das Wesen der Vernunft in dem „Vermögen, die Regeln und Absichten des Gebrauchs aller seiner Kräfte weit über den Naturinstinkt zu erweitern", erblickte (Idee zu einer allgemeinen Geschichte u.s.w., 2. Satz).

Den entscheidenden Schritt des Menschen vom Instinktwesen zum Vernunftwesen sieht Schiller in dem Ereignis des „Sündenfalls". Das menschliche Instinktwesen war amoralisch wie das Tier; mit dem „Sündenfall" empfing es das Wissen um Gut und Böse. Hier zum erstenmal offenbart sich nach Schillers Auffassung der Sinn der Geschichte, wie er ihn in der Antrittsrede formuliert: „daß der selbstsüchtige Mensch niedrige Zwecke zwar verfolgen kann, aber unbewußt vortreffliche befördert", oder, wie es, auf den Einzelfall angewandt, in dem hier gewürdigten Aufsatz heißt, daß der Mensch durch seinen Abfall vom Instinkte „das moralische Übel zwar in die Schöpfung brachte, aber nur um das moralisch Gute darin möglich zu machen".

Im Sinne der Schillerschen Geschichtsphilosophie ist also der sogenannte Sündenfall die erste, durch eine „höhere Ordnung" herbeigeführte Manifestation eines „Außerordentlichen". Die teleologische Geschichtsdeutung des Philosophen aber sieht in dem Vorgang ein Walten der auf weiteste Sicht wirkenden göttlichen Vernunft, insofern die „von fern" eingeleitete Entfaltung der menschlichen Vernunft erst „nach Verlauf von vielen Jahrtausenden zur Selbstherrschaft führen" sollte.

Die erste Errungenschaft des über den Instinkt gewonnenen Sieges der Vernunft sieht Schiller in der Bildung der Familie. Sie ist die erste der verschiedenartigen Formen dessen, was der Geschichtsphilosoph als „erste Menschengesellschaft" bezeichnet.

Die Familie wird aber zugleich Heimstätte der anstelle des bisherigen Geschlechtstriebes erwachenden höheren Liebe zwischen Mann und Frau, in fortschreitender Entwicklung zwischen Eltern und Kindern und zwischen Geschwistern. Diese Liebe ist also die ursprüngliche Manifestation der

Sympathie, die als „Bild der Geselligkeit, des Wohlwollens" die Glieder der Familie „ihre eigenen Gefühle" aneinander wiederkennen ließ.

Und so darf man im Sinne Schillers die Familie, als erste Gestaltung einer „Menschengesellschaft", als älteste Wirkungsstätte der „Sympathie der Vernunft" betrachten.

Diese Feststellung wird bestätigt, wenn man von der einzelnen Familie die Blicke rückwärts und vorwärts auf die Folge der Generationen richtet.

Denn mit der „ruhigen Anschauung", welche die Familie der Abfolge der Geschlechter zuwendet, gewinnt auch die Sympathie zwischen Eltern und Kindern eine Erweiterung: Es ist die Ehrfurcht des Enkels vor dem Ahn, des Urenkels vor dem Urahn. Und umgekehrt wendet das Alter seine Liebe der Jugend zu, aus der ihm neues Leben entgegenblüht. So beginnen sich im Bewußtsein der Menschen die Grenzen des Daseins über die beschränkte Dauer des einzelnen Menschenlebens hinaus nach rückwärts und nach vorwärts auszudehnen. Nach rückwärts wirkte diese Erweiterung des Daseins als Tradition, nach vorwärts als Hoffnung — der erste Beginn eines geschichtlichen Bewußtseins, durch welches, wie es in der Antrittsrede heißt, „das Individuum unvermerkt in die Gattung hinübergeführt" wird.

Der mit dem „Sündenfall" gewonnene Sieg der Vernunft macht sich nun aber auch in dem Sinne geltend, daß der Mensch „aus einem Sklaven des Naturtriebes ein frei handelndes Geschöpf" wird. Auch Hunger und Durst, könnte man sagen, lernen sich der Vernunft unterwerfen. „Ruhige Anschauung" und „reges Gedächtnis", geübt am Objekt des Pflanzen- und Tierreichs, lassen den Menschen in Ackerbau und Viehzucht Betätigung seines vernünftigen Willens finden; und die durch dieses Bestreben erzielten Erfolge belohnen die erwachte Vernunft mit einer Freude, die den Menschen den vom Instinkt geleiteten Müßiggang im Paradies nicht zurückwünschen läßt.

Aber gleichzeitig begann sich die Vernunft auch nach der negativen Seite hin auszuwirken.

Besteht das Wesen der Vernunft nach Schiller in der „Übung" der menschlichen Kräfte, oder, mit Kants Worten, in ihrer „Entfaltung", so mußte jeder Widerstand, der sich dieser Betätigung der Kräfte entgegenstellte, das Bestreben nach seiner Überwindung wachrufen. Dies Bestreben äußerst sich in der Weise, daß die menschliche Vernunft der natürlichen Entwicklung der Dinge, oder, im Sinne der teleologischen Geschichtsauffassung gesagt, der auf weiteste Sicht waltenden göttlichen Vernunft vorauseilen wollten. Der elfte Carlosbrief sah in diesem Bestreben eine Wirkung „der allgemeinen Hinneigung unsers Gemütes zur Herrschbegierde". Und da die Gabe der Vernunft, als Schöpferin der „ersten Menschengesellschaft", nämlich der Familie, von Anbeginn mit dem sympathetischen Gefühle des „Wohlwollens", der „Geselligkeit" verbunden war, so mußte sich jede Regung der „beschränkten Vernunft" auf Kosten dieser Manifestationen der Sympathie auswirken.

So trat in die erste Menschengesellschaft, deren Bestehen auf der Sympathie der Vernunft begründet war, eine Macht, die jenem geistig-seelischen Prinzip strikt entgegengesetzt war: die „Collision" des Menschen mit dem Menschen.

Der erste Fall einer solchen durch die beschränkte Vernunft herbeigeführten Collision ist der Mord, den der Ackerbauer Kain an dem Viehzüchter Abel beging. Er ist im Sinne der Geschichtsphilosophie Schillers zu verstehen als ein Vorgriff der menschlichen Vernunft gegenüber einer höheren Ordnung, die das Verhältnis jener beiden Formen der Lebenshaltung einmal durch „Gesetz" zu regeln sich vorbehalten hatte.

Die zweite Manifestation des Abfalls von der Sympathie der Vernunft wurde herbeigeführt, als die menschliche Herrschbegierde sich vermaß, das auf Sympathie gegründete Verhältnis zwischen jüngerer und älterer Generation der Familie in ichsüchtiger Absicht auf das Verhältnis zwischen Arm und Reich, Stark und Schwach anzuwenden. Die Ehrfurcht der jüngeren vor der älteren Generation hatte jener die sittliche Pflicht auferlegt, dem alt gewordenen Vater die Arbeit abzunehmen. Damit beugte sich die „Vernunft" in „Sympathie" einem Naturgesetz. Aber „bald wurde diese Pflicht der Natur von der Kunst nachgeahmt. Manchem mußte der Wunsch aufsteigen. die bequeme Ruhe des Greisen mit den Genüssen des Jünglings zu verbinden und sich künftig jemand zu verschaffen, der für ihn die Dienste eines Sohnes übernähme. Sein Auge fiel auf den Armen und Schwächern, der seinen Schutz aufforderte, oder seinen Überfluß in Anspruch nahm. Der Arme und Schwache bedurfte seines Beistandes, er hingegen brauchte den Fleiß des Armen. Das eine also wurde die Bedingung des andern. Der Arme und Schwache diente und empfing, der Starke und Reiche gab und ging müßig." Die „Abhängigkeit der Menschen von Menschen" gründete sich nicht mehr auf eine mit dem Naturgesetz harmonierende Sympathie der Vernunft, sondern anstelle der vor der göttlichen Vernunft geltenden „Standesgleichheit" aller Menschen trat eine durch „beschränkte" menschliche Vernunft herbeigeführte Vorherrschaft einiger weniger — und der vom Glück Begünstigte „hatte nur einen kleinen Schritt zum Despoten".

Die dritte Form des Abfalls von der Sympathie der Vernunft ist nur eine Folge der zweiten. „Das Glück führte den Reichen zum Müßiggang, der Müßiggang führte ihn zur Lüsternheit und endlich zum Laster." Die Vielweiberei ist eine der vielen Auswirkungen der durch Überfluß und Machtgefühl gesteigerten Ansprüche der Reichen. Die dem illegalen Verhältnis von Herren und Knechtstöchtern entsprossenen „Söhne der Freude". die „den Stolz, aber nicht die Güter des Vaters erbten", wurden, nach dem Tode ihres Erzeugers von den legitimen Kindern ins Elend hinausgestoßen, zu Räubern, zu Abenteurern, zu Helden und waren nun der Schrecken jener Privilegierten, aus deren Gemeinschaft sie ausgewiesen worden waren.

Hier nun macht Schiller eine für seine Geschichtsauffassung höchst kennzeichnende Bemerkung. Die „Unordnung", die durch die Laster der Reichen und die Umtriebe der jeglicher „Menschengesellschaft" verlustig Gegangenen eingerissen ist, nimmt „das Wesen, das das Schicksal der Welt lenkt", zum Anlaß einer „fürchterlichen Naturbegebenheit", der aus der „mosaischen Urkunde" bekannten Sintflut, durch welche plötzlich alle Schritte gehemmt wurden, „welche das Menschengeschlecht zu seiner Verfeinerung zu tun im Begriffe war". Der auf weiteste Sicht planenden göttlichen Vernunft erschien — wohl angesichts der auf Erden herrschenden „Unordnung" — der Augenblick noch nicht gekommen, um die Menschheit auf dem Wege zur sittlichen Freiheit weiterzuführen.

Und jetzt läßt Schiller den Leitfaden, den ihm bisher die „mosaische Urkunde" an die Hand gegeben, fallen und wendet seinen Blick von Asien nach Europa.

Die Naturkatastrophe, die nach dem biblischen Bericht die ganze Erde heimgesucht, hat auch in Griechenland und überall sonst der wilden Natur die Herrschaft über alle menschlichen Kulturleistungen zurückgegeben. Und da sind es nun die Ausgestoßenen, die Abenteurer, welche in die Welt eine neue Ordnung bringen. Oedipus, Perseus, Herkules, Theseus werden zu Wohltätern der Menschen; und hatte sie die Vernichtung wilder Tiere und anderer Ungeheuer zu Helden gemacht, so gewannen sie durch „bessere Einsichten", denen sich die ihrem Schutz anheimgegebenen Menschen unterstellten, bei Streitigkeiten die Würde von Richtern und Weisen. Und ihr wachsender Anhang, der ihre Macht steigerte, machte sie schließlich zu Königen und zu Gründern der ersten Staaten.

„Usurpatoren" waren es also nach Schillers Anschauung, die durch Gewalt und Glück und eine schlagfertige Miliz auf den Thron gesetzt wurden. Aber es lag in der Absicht der göttlichen Vernunft, daß gerade Verkörperer der Ungerechtigkeit es waren, welche die Voraussetzungen zu einer in ferner Zukunft zu erhoffenden Zeit menschlicher Gesittung schufen.

Zum zweitenmal in der Menschheitsgeschichte offenbarte sich die „höhere Ordnung" in einem „Außerordentlichen", das nur bei Anerkennung eines auf weiteste Sicht eingestellten teleologischen Prinzips begreiflich ist.

2. Gemeinschaft als Kunstwerk in Gesetz und Nationalstaat

Die beiden Aufsätze ‚Die Gesetzgebung des Lykurgus und Solon' und ‚Die Sendung Moses' bilden inhaltlich ein Ganzes, insofern sie eine Würdigung der gesetzgeberischen und staatsschöpferischen Wirksamkeit dreier Männer des höchsten Altertums geben wollen. Der die Darstellung aller drei Abhandlungen verbindende Leitgedanke liegt in dem Versuch, das Ergebnis der drei, die Periode der Ungesetzlichkeit abschließenden ältesten Gesetzgebungen als Beginn eines Aufstiegs der menschlichen Gesellschaft von der engherzigen Auffassung vom Selbstzweck des Staates über die Gestaltung eines demokratisch geordneten Nationalstaats zur Keimzelle eines in ferner Zukunft Wirklichkeit werdenden Weltbürgerstaates zu verstehen, womit eine fortschreitende Läuterung der Freiheitsidee verbunden ist. —

Lykurgs Tätigkeit knüpft unmittelbar an die Königszeit an, bis zu welcher die Abhandlung über die „erste Menschengesellschaft" geführt hatte. Seine Absicht ist, in dem durch die Rivalität der jeweils zwei den Staat regierenden Könige zerrissenen, jedem Gemeingeist entfremdeten Volke den Sinn für „Freiheit" zu wecken. Der Gefahr, der das Volk durch die ihre Macht mißbrauchenden Könige aufgesetzt gewesen, wird durch Einsetzung eines Senats und der Ephoren gesteuert. Dann wird durch gleichmäßige Verteilung des Landbesitzes, durch rigorose Münzgesetze, durch Verbot von jeglichem Luxus, durch Speisung in öffentlichen Mahlzeiten eine völlige Gleichstellung aller Bürger und eine Entwöhnung von allen zur Fristung des Daseins nicht unbedingt notwendigen Ansprüchen erreicht.

Jetzt erst setzt die eigentliche staatsbürgerliche Erziehung ein. Ihr Ziel ist einzig die Weckung eines vaterländischen Geistes ausschließlicher Art, hinter dem alle anderen Interessen, die das Leben reich und fruchtbar machen, zu völliger Wesenlosigkeit verurteilt sind. Es gibt in Sparta „keine eheliche Liebe, keine Mutterliebe, keine kindliche Liebe, keine Freundschaft"; aller Kunstfleiß ist aus Sparta verbannt, alle Wissenschaften werden vernachlässigt, aller Handelsverkehr mit fremden Völkern verboten, alles Auswärtige ausgeschlossen. Der Staat ist Selbstzweck, nicht Mittel, durch welches der Zweck der Menschheit erfüllt werden kann, der in nichts anderem besteht als in der Ausbildung aller Kräfte des Menschen, sofern dieselben den Fortschritt der Kultur fördern oder wenigstens nicht hemmen. Von all den mannigfachen, der Möglichkeit nach im Menschen vorhandenen Kräften wird in Sparta nur eine einzige gefördert und ausgebildet: Der Dienst am Staate um des Staates willen.

Diese wenigen Hinweise auf die im Abschnitt über Lykurg enthaltenen Einzelheiten über die staatsbürgerliche Erziehung der Spartaner genügen, um die gesetzgeberische und staatsschöpferische Leistung dieses Mannes im Lichte der Schillerschen Begriffe der Vernunft, der Sympathie und der Freiheit zu würdigen.

Wenn Schiller, wie in der Besprechung seines Aufsatzes über die „erste Menschengesellschaft" gesagt wurde, die Vernunft als Vollkommenheit des Menschen versteht, die auf „der Übung seiner Kräfte durch Betrachtung des Weltplans" beruht, und er im Einklang mit dem zweiten Satz der

Kantischen „Idee zu einer allgemeinen Geschichte u.s.w." diese Übung für alle Kräfte fordert, so ist kein Zweifel, daß die Vernunft, welche Lykurg bei Aufstellung der Richtlinien für staatsbürgerliche Erziehung leitete, eine durchaus „beschränkte" Vernunft gewesen ist.

Demgemäß ist die einer derartigen Vernunft entsprechende Sympathie nur ein kümmerlicher Schatten jener im Sinne Schillers weltumfassenden, Geschöpf und Schöpfer einenden Seelenkraft. Sie beschränkt sich auf die Kameradschaft zwischen den jüngeren und älteren Mitgliedern der in soldatischer Zucht ausgebildeten Kasernengemeinschaften. Wie fremd diesen Geschöpfen der lykurgischen Gesetzgebung die wahre Sympathie war, erweist das Schicksal der unglücklichen Heloten, in denen „die Menschheit auf eine wirklich empörende Art verspottet wurde".

Was aber die „spartanischen freien Bürger" betrifft, so kann man im Hinblick auf sie nur insofern von „Freiheit" sprechen, als denselben alle eigene Verantwortung für sich selbst vom Staate abgenommen war, der sie dafür umso unerbittlicher lediglich als Mittel zu einem eng umgrenzten Staatszweck benutzte.

Trotzdem urteilt Schiller, daß dieser erste Versuch, „dasjenige als Kunstwerk zu behandeln, was bis jetzt dem Zufall und der Leidenschaft überlassen gewesen war", doch „einem philosophischen Forscher der Menschengeschichte immer sehr merkwürdig bleiben muß." Denn es ist der erste Versuch, „einen selbsttätigen, widerstrebenden Stoff, die menschliche Freiheit", mit dem Mittel der Gesetzgebung zu bearbeiten. Und das ist in anbetracht dessen, daß der auf Gesetzen begründete Staat das Mittel zum Zweck der Erziehung des Menschen zum Menschen sein soll, die schwerste und wichtigste von allen Künsten. —

„Fast durchaus das Widerspiel" zur Gesetzgebung Lykurgs nennt Schiller diejenige des Atheners Solon. Dieser Verschiedenheit kam nach des Dichters Ansicht der „schon zu Homers Zeiten" den Athenern eigentümliche „Geist der Demokratie" entgegen. Dank diesem Umstande habe sich in fast fünf Jahrhunderten, von der Abschaffung des Königtums bis zu Solons Auftreten in langsamer Entwicklung — man könnte auch hier wieder, im Sinne der Geschichtsphilosophie Schillers, von einem durch die göttliche Vernunft „auf weiteste Sicht" geleiteten Vorgang sprechen — dieser demokratische Geist mehr und mehr durchgesetzt, bis zu Anfang des sechsten Jahrhunderts Solon diesem Geist seine gesetzgeberische Fixierung gab.

Solons Werk ist also nicht, wie dasjenige Lykurgs, naturfremde Kunst, sondern das Ergebnis einer natürlichen Entwicklung: man könnte von einer Manifestation der kosmisch-genialischen Form des Sympathiekomplexes sprechen — freilich, wie sich erweisen wird, nur mit Einschränkungen.

Schiller zeigt nun, wie sich in Solon alle die Eigenschaften vereinigten, die ihn zu seiner hohen Aufgabe befähigten. Er war Held und Weiser in einer Person: Sanftmut und Milde, Empfänglichkeit für Freude und Liebe, politische und kriegerische Tugenden, Gleichgültigkeit gegen alle Verlockungen der Macht ließen ihn dem von Parteien zerrissenen Volke Athens gleich verehrungswürdig erscheinen.

So ist seine Gesetzgebung im Gegensatz zu Lykurgs Versuch nicht auf eine mechanische Gleichmacherei, sondern auf Gerechtigkeit gegenüber den menschlich zu rechtfertigenden Ansprüchen der verschiedenen Volksklassen gerichtet. Ziel seiner bürgerlichen und politischen Anordnungen ist einzig dies, daß seine Landsleute sich als freie Menschen in einem freien Lande fühlen dürfen. Daher wird die Vaterlandsliebe nicht, wie in Sparta, lediglich „ein politisches Verdienst", neben welchem dem Genie und dem Fleiß keine anderen Bahnen aufgeschlossen waren, sondern eine seelische Potenz, die den Geist des Bürgers zu freier Entfaltung seiner Kräfte nach allen Richtungen bewegte.

Und doch findet Schiller an der Gesetzgebung Solons Mängel, deren Ursache man — im Sinne des Anliegens der vorliegenden Darstellung — in einem noch unreifen Verständnis für das Wesen der „Sympathie der Vernunft" finden darf.

Schiller stellt, um seine Kritik an Solons gesetzgeberischer Leistung zu rechtfertigen, die These auf: „Zur moralischen Schönheit der Handlungen ist Freiheit des Willens die erste Bedingung ... Das edelste Vorrecht der menschlichen Natur ist, sich selbst zu bestimmen und das Gute um des Guten willen zu tun." Es ist die auf „ruhige Anschauung" und „reges Gedächtnis" gegründete Vernunft, welche, in harmonischem Zusammenwirken mit der als Sympathie gekennzeichneten Seelenkraft, den Menschen in langsamem Heraufbilden zur „Freiheit des Willens" befähigen soll.

Solons Irrtum beruht nun nach Schillers Ansicht darauf, daß er diese „Freiheit" durch Androhung gesetzlicher Strafen erzwingen will, daß er also zur Verwirklichung einer an sich weisen Absicht ein falsches Mittel anwendet, insofern er der natürlichen, auf weite Sicht berechneten Entwicklung „zu weit vorauseilt". Und so verleitet ihn eine „beschränkte Vernunft" — wieder bietet der elfte Carlosbrief den treffenden Ausdruck —, edle Manifestationen der Sympathie, die Vaterlandsliebe, „die Treue gegen den Freund, Dankbarkeit gegen Vater und Mutter, Großmut gegen den Feind", zwangsmäßig zu gebieten; „denn sobald dies geschieht, wird eine freie moralische Empfindung in ein Werk der Furcht, in eine sklavische Regung verwandelt".

Wie weit aber trotz alledem Solons Grundsatz, nie den Menschen dem Staat, nie den Zweck dem Mittel aufzuopfern, schon über die gesetzgeberische Leistung eines Lykurg hinweggeschritten war, erblickt Schiller mit Recht darin, daß, während man in Sparta nach „einem Sokrates, einem

Thukydides, einem Sophokles und Plato" vergeblich sucht, in Athen sogar
der Usurpator Pisistratus sich der Autorität der Solonischen Gesetze beugte,
daß unter Pisistratus' Söhnen „Simonides und Anakreon blühten" und im
Fortgang der Zeiten „alles dem herrlichen Zeitalter des Perikles entgegen-
eilte".

Die kosmisch-genialische Form des Sympathiekomplexes, die, wie vorhin
angedeutet, in Solons Gesetzgebung erst beschränkt zur Geltung kam, hat
in Attikas Künstlern, Dichtern und Denkern die Vollendung erfahren, die
schon der Verfasser des „Versuchs" vom Jahre 1780 rühmend hervorhob. —
Schon der Titel ‚Die Sendung Moses' läßt erkennen, daß in diesem Aufsatz der teleologische Gedanke der Schillerschen Geschichtsphilosophie eine
besondere Rolle spielt — noch mehr als in der Abhandlung über ‚Die erste
Menschengesellschaft nach dem Leitfaden der mosaischen Urkunde'. Der
Umstand, daß dieser Gedanke als beherrschende Idee gerade in den beiden
Aufsätzen so stark in Erscheinung tritt, die ihren Stoff aus dem Alten
Testament nehmen, legt die Vermutung nahe, daß die teleologische Ge-
schichtsauffassung unseres Dichters nicht erst auf den Einfluß Kants zu-
rückzuführen ist, sondern in seiner Vertrautheit mit der Gedankenwelt der
Bibel ihren Grund hat. Schon in dem „Versuch" vom Jahre 1780 sind ja
teleologische Spuren vorhanden.

Worin erblickt nun Schiller Moses Sendung? Er soll das jüdische Volk aus
der Knechtschaft des aegyptischen Pharao befreien. Eine Aufgabe, anscheinend so unlösbar wie diejenige, welche sich die niederländischen
Freiheitskämpfer mit ihrem Widerstand gegen die spanische Weltmacht
stellten — ja vielleicht noch unmöglicher als diese. Denn im niederländischen Volk war die Idee der Freiheit eine lebendige Kraft, die ihm den
Mut und den Willen verlieh, das unmöglich Scheinende zu wagen. Das
jüdische Volk dagegen war durch ein vierhundertjähriges Pariatum physisch
und geistig gebrochen, verwahrlost und krank, ohne Eintracht und Zuversicht, Selbstgefühl und Mut, Gemeingeist und Begeisterungsfähigkeit.

Unter solchen Umständen kann—hier setzt der teleologische Gedankengang Schillers ein — nur „die große Hand der Vorsicht" den verworrenen
Knoten lösen; und sie tut es, wie stets, „durch die einfachsten Mittel":
nicht „auf dem gewaltsamen Wege der Wunder", sondern „durch die
Ökonomie der Natur" selbst, welche, außerordentliche Dinge auf dem
ruhigsten Wege zu bewirken" weiß.

„Außerordentliche Dinge": Die Ideenverwandtschaft mit der Einleitung
zur „niederländischen Rebellion" ist einleuchtend.

„Auf dem ruhigsten Wege": Es ist der Weg, den die Vernunft auf weiteste Sicht zu wählen pflegt, ohne durch gewaltsame Eingriffe den natürlichen Gang der Entwicklung zu beschleunigen.

Und so bestimmt „die Vorsicht" zum Werkzeug der befreienden Tat einen Mann, in welchem die Sympathie der Vernunft in fruchtbarer Harmonie wirksam ist: Mose fühlt als Ebräer mit seinem Volk und gewinnt als Zögling der aegyptischen Epopten die geistigen Voraussetzungen, ein Lehrer und Prophet und Führer seiner Landsleute zu werden.

Meisterhaft stellt Schiller dar, wie Mose in diese für die Erfüllung seiner Sendung erforderliche geistige und seelische Verfassung hineinwächst. Denn auch hier ist nicht von Anfang an alles fertig und wirkensbereit: es bedarf eines tiefen Falles in seinem eigenen Lebensschicksal, um Mose die erforderliche Reife für seine Aufgabe zu verleihen, ihn zum „Außerordentlichen" zu erziehen.

Grundlage seines Charakters ist ein stark ausgeprägtes ebräisches Nationalgefühl, das auch durch seine aegyptische Erziehung nicht verdrängt wird. Die Empörung, die ihn ergreift, sooft die Seinigen unter der unwürdigen Behandlung ihrer Peiniger leiden müssen, macht sich endlich Luft, als er einen grausamen aegyptischen Fronvogt erschlägt, der einen Ebräer mißhandelt hat. Er muß fliehen, und als Hüter der Schafe eines arabischen Beduinen, ganz sich selbst überlassen, „wo ihm die Gegenwart nichts darbietet, sucht er Hilfe bei der Vergangenheit und Zukunft, und bespricht sich mit seinen stillen Gedanken". Mose erlebt also dasjenige, was Schiller in seiner Antrittsrede als Erfolg des Studiums der Universalgeschichte erwartet: „Indem sie den Menschen gewöhnt, sich mit der ganzen Vergangenheit zusammenzufassen und mit seinen Schlüssen in die ferne Zukunft vorauszueilen, so verbirgt sie die Grenzen von Geburt und Tod ... und führt das Individuum unvermerkt in die Gattung hinüber."

So sieht der Schüler der Epopten das Weltwesen als Manifestation des göttlichen Wirkens. Und indem er als selbst Unglücklicher das Unglück der Seinen doppelt lebhaft mitfühlt, erlebt er die in seiner Seele sich gestaltende Aufgabe der Befreiung seines Volkes als Auftrag des einen Gottes, den seine bei den Epopten geschulte Vernunft ihn als den einzig wahren erkennen gelehrt hatte: Die Sympathie, die ihn als Ebräer mit seinen leidenden Landsleuten verbindet, erweitert sich zu dem Erlebnis einer Antwort dieses einen Gottes auf sein eigenes Gefühl. Aus diesem Erleben heraus wird ihm der Weg bewußt, den er zur Verwirklichung seiner Aufgabe zu gehen hat: dieser Weg muß Vergangenheit und Zukunft verbinden und dadurch dem seiner Menschenwürde verlustig gegangenen Volke die Kraft geben, um dem Ruf der gegenwärtigen Stunde zu folgen.

Doch nun sehe man einmal ab von allen übersinnlichen und geschichtsphilosophischen Gedankengängen und frage sich, wie sich dem *nüchternen* Blick Moses seine Aufgabe darstellte.

Sie bestand darin, in seinem Volk neue Hoffnung, neuen Mut, neue Begeisterungsfähigkeit zu wecken. Das Instrument zur Erfüllung dieser Aufgabe nun hat Mose schon empfangen; nämlich durch seine Ausbildung in der Priesterschule zu Heliopolis, deren Mitglieder sich Epopten nennen. Es ist „kein anderes als das Vertrauen auf überirdischen Schutz, Glaube an übernatürliche Kräfte". Da Mose „in der sichtbaren Welt, im natürlichen Lauf der Dinge nichts entdeckt, wodurch er seiner unterdrückten Nation Mut machen könnte, da er ihr Vertrauen an nichts Irdisches anknüpfen kann, so knüpft er es an den Himmel. Da er die Hoffnung aufgibt, ihr das Gefühl eigner Kräfte zu geben, so hat er nichts zu tun, als ihr einen Gott zuzuführen, der diese Kräfte besitzt". Aber Mose scheut davor zurück, den Seinigen einfach den durch die Epopten gepredigten, einzig wahren Gott zu verkünden, weil diese Lehre eine Höhe der menschlichen Vernunft erfordert, zu welcher das um seine Menschenwürde betrogene Ebräervolk nicht fähig ist. Und doch ist Wahrheit die einzige Grundlage, auf der Mose einen Erfolg seines Bestrebens erhoffen darf. In dieser Lage beschreitet er einen kühnen Weg, indem er sich entschließt, die Verkündigung des neuen Gottes „der Fassungskraft der Ebräer und ihrem jetzigen Bedürfnis" anzupassen.

Mose knüpft an die Vergangenheit seines eigenen Volkes an. Alte Volksepen der Ebräer berichten von einem „Gott ihrer Väter". Aber dieser Gott war ein Nationalgott, und der Glaube an ihn setzt den Glauben an eine Vielheit von Göttern voraus; er widerspricht der Vernunft und damit der Wahrheit. Und nun erweist sich Mose als der große Erzieher. Er bedient sich des Aberglaubens seines Volkes, indem er ihm ein Objekt darbietet, dessen „Wahrheit" ihm auf weite Sicht den Weg vom Irrtum zur Wahrheit öffnet: Er macht „den Demiurgos in den Mysterien zum Nationalgott der Ebräer", unterwirft ihm aber zugleich „alle andern Völker und alle Kräfte der Natur". Damit verleiht er dem neuen Gott seines Volkes „die zwei wichtigsten Eigenschaften seines wahren Gottes, die Einheit und die Allmacht" — und gründet auf diese Eigenschaften eine neue Zuversicht und eine neue Zukunftshoffnung seiner Landsleute. „Auf einmal ward ihnen verkündigt, daß sie auch einen Beschützer im Sternenkreis haben, und daß dieser Beschützer erwacht sei aus seiner Ruhe, daß er sich umgürte und aufmache, gegen ihre Feinde große Taten zu verrichten." Und auch der Name, den Mose diesem neuen Gott seines Volkes gibt, wendet dessen Herzen einer besseren Zukunft entgegen; es ist derselbe Name, den der wahre Gott der aegyptischen Epopten führt: Jao, ebräisch Jehovah, das bedeutet: „Ich werde sein, der ich sein werde."

Auch Mose handelt, wenn man sein Wirken unter dem Gesichtswinkel der Geschichtsphilosophie Schillers verstehen will, nach Maßgabe des „Augenblicks" und des „Punktes", das heißt ohne Ahnung von der Bedeutung, die sein Handeln auf weiteste Sicht gewinnen werde. Schiller würdigt das geschichtliche Faktum der Prophetie Moses schon im ersten Satz seiner Abhandlung, wenn er sagt, daß die durch Mose eingeleitete

„Gründung des jüdischen Staats" in ihren Folgen „noch bis auf diesen Augenblick" fortdaure.

Der Dichter, der schon in dem Aufsatz über ,Die Schaubühne als eine moralische Anstalt betrachtet' der Überzeugung eines unbekannten Autors beipflichtet, „daß eines Staats festeste Stütze Religion sei", sieht die wesentliche Bedeutung der geschichtlichen Leistung Moses darin, daß durch sie zum erstenmal die Anerkennung des Monotheismus als Staatsreligion verwirklicht worden ist. Der eine wahre Gott herrscht über „alle andern Völker und alle Kräfte der Natur". Damit übertrifft die geschichtliche Größe Moses nach Schillers Auffassung weit diejenige eines Lykurg und Solon; und die Worte, mit denen der Verfasser der Antrittsrede die Wirkung des Studiums der Universalgeschichte kennzeichnet, werden verständlich: „Sie heilt uns von der übertriebenen Bewunderung des Altertums und von der kindischen Sehnsucht nach vergangenen Zeiten."

Denn mit dem Glauben an den einen wahren Gott, dem alle Völker der Erde unterworfen sind, tat Mose nach Schillers menschheitsgeschichtlicher Anschauung den ersten Schritt auf dem Wege vom Nationalstaat zum Weltbürgertum. Und das ist es, was Schiller in seinem Brief an Körner vom 13. Oktober 1789 als Faktor des Fortschritts der Neuzeit gegenüber dem oft so hoch gepriesenen Altertum bezeichnet: „Wir Neueren haben ein Interesse in unserer Gewalt, das kein Grieche und kein Römer gekannt hat und dem das vaterländische Interesse bei weitem nicht beikommt. Das letzte ist überhaupt nur für unreife Nationen wichtig, für die Jugend der Welt. Ein ganz anderes Interesse ist es, jede merkwürdige Begebenheit, die mit Menschen vorging, dem Menschen wichtig darzustellen. Es ist ein armseliges, kleinliches Ideal, für *eine* Nation zu schreiben; einem philosophischen Geiste ist diese Grenze durchaus unerträglich. Dieser kann bei einer so wandelbaren, zufälligen und willkürlichen Form der Menschheit, bei einem Fragmente — und was ist die wichtigste Nation anders? — nicht stille stehen. Er kann sich nicht weiter dafür erwärmen, als soweit ihm diese Nation oder Nationalbegebenheit als Bedingung für den Fortschritt der Gattung wichtig ist."

Auch die einzelne Nation gilt Schiller also als Individuum, das seine Aufgabe vor dem Forum der Weltgeschichte erst damit erfüllt, daß es sich von ihr „unvermerkt in die Gattung" — die Menschheit — „hinüberführen" läßt.

3. Scheinbarer Umweg zum Ziele des Weltbürgertums

Die Titel der drei mittelalterliche Gegenstände behandelnden Aufsätze Schillers lauten: 1. ,Über Völkerwanderung, Kreuzzüge und Mittelalter',

2. ‚Übersicht des Zustands von Europa zur Zeit des ersten Kreuzzugs‘,
3. ‚Universalhistorische Übersicht der merkwürdigsten Staatsbegebenheiten
zu den Zeiten Kaiser Friedrichs I.‘. Der zweite der aufgeführten Artikel
ist Fragment. In den folgenden Ausführungen wird auf die einzelnen Aufsätze durch die Ziffern (1) u.s.w. verwiesen.

Das Mittelalter umfaßt nach Schiller die sieben Jahrhunderte vom Beginn der Völkerwanderung bis zum Abschluß der Kreuzzüge. Anfang und
Ende dieser Zeitspanne stehen nach seiner Auffassung insofern in einer
inneren Beziehung, als Europa in den Kreuzzügen „dem südwestlichen
Asien die Völkerschwärme und Verheerungen heimgab, die es siebenhun-
dert Jahre vorher von dem Norden dieses Weltteils empfangen und er-
litten hatte" (1).

Als Grundzug der zwischen beiden Ereignissen liegenden Zeit, also des
Mittelalters im eigentlichen Sinne, bezeichnet Schiller die „Gesetzlosigkeit" (1). Angesichts der für den Geschichtsphilosophen feststehenden Tatsache nun, daß die Menschheit der Neuzeit gegenüber den Menschen der
Antike einen kulturellen Fortschritt erlebt habe, fragt sich Schiller, ob und
inwiefern die „Gesetzlosigkeit" des Mittelalters für diese Entwicklung von
Bedeutung gewesen ist.

Alle drei genannten Aufsätze befassen sich unmittelbar oder mittelbar
mit der Frage: „War die Völkerwanderung und das Mittelalter, das darauf
folgt, eine notwendige Bedingung unserer besseren Zeiten?" (1)

Zur Beantwortung dieser Frage ist zunächst festzustellen, welchen Begriff Schiller mit dem Worte „Gesetzlosigkeit" als kennzeichnenden Zustand des Mittelalters verbindet.

Der Zustand der das Mittelalter beherrschenden Gesetzlosigkeit ergibt
sich — so lehrt der Geschichtsphilosoph — aus der Eigenart der beiden
geschichtlichen Mächte, die in der Völkerwanderung aufeinanderstießen
und während der Dauer des Mittelalters — also bis zu den Kreuzzügen —
diese ihre Eigenart behaupteten.

Die zwei geschichtlichen Mächte waren die germanischen Völkerstämme
und die von ihnen geschaffenen Staaten, andererseits das Imperium Ro-
manum und dessen im Papsttum verkörperte Nachfolge.

Ein scharf umrissenes Charakterbild entwirft Schiller von den germanischen Einwanderern, zu denen er auch die um Jahrhunderte später auftretenden Normannen zählt (3). „Als die nordischen Nationen Deutschland und das Römische Reich in Besitz nahmen, bestanden sie aus lauter
freien Menschen, die aus freiwilligem Entschluß dem Bund beigetreten
waren, der auf Eroberung ausging, und bei einem gleichen Anteil an den
Arbeiten und Gefahren des Kriegs ein gleiches Recht an die Länder hatten,
welche der Preis dieses Feldzugs waren" (2). Die „Freiheit", der dieser
„rohe germanische Geist" huldigt, beruht also auf einem Gesetz, das er sich

selbst gegeben hat; dieser „Quell der Freiheit springt in lebendigem Strom"; und wenn auch die Gesetze und Sitten dieser Völker „roh und wild" sind, so „ehren sie doch in ihrer rohen Weise die menschliche Natur" (1).

Diese Charakteristik macht es möglich, Schillers Vorstellung von der seelischen Beschaffenheit dieser im vierten Jahrhundert ins Licht der Geschichte tretenden Menschen aus den grundlegenden Begriffen seiner Ideenwelt heraus zu verstehen.

Die Fähigkeit, „die menschliche Natur zu ehren", die der Dichter den nordischen Völkern zuspricht, macht ihre Angehörigen nach der Ansicht des Geschichtsphilosophen zu einer Gemeinschaft, die durch ein sie alle verbindendes Gefühl beherrscht wird — durch das Gefühl, Menschen zu sein. Das schöne Wort des jungen Schiller von der „allwebenden Sympathie", welche die Menschen verbrüdert, wird wieder lebendig. Auf dieser sympathetischen Kraft also beruht nach Schiller der Freiheitsdrang, das Heldentum, die Schwertgemeinschaft der germanischen Menschen.

Aber diese „Sympathie" lag noch „roh und wild" in den Fesseln eines ungestalten Aberglaubens, wie es der Jenenser Professor in seiner Antrittsrede und später in dem Fragment (2) andeutet. Denn ihr fehlte die „immer nach Übereinstimmung strebende Vernunft" (1) und damit die Fähigkeit, „Freiheit mit Ordnung, Ruhe mit Tätigkeit, Mannigfaltigkeit mit Übereinstimmung wohltätig zu verbinden" (1). Und wo keine Ordnung herrscht, da gelten auch keine auf Vernunft begründete Gesetze.

Dem auf einer wilden Freiheit beruhenden Bund der nordischen Völker gegenüber sieht Schiller „das alte Rom" stehen, das sich allen Völkern „zur Herrscherin aufgedrungen" hatte und in einer „weichlichen Sklaverei die tätigsten Kräfte einer zahlreichen Menschenwelt erstickte" (1) — ein Despotismus, der die menschliche Natur „in seinen verfeinerten Sklaven" nicht ehrte (1): also von einer „allwebenden Sympathie" nichts wußte. Dafür herrschte aber in diesem Riesenreich Ordnung, herrschte Ruhe — freilich, um die Worte des Marquis Posa anzuführen, „die Ruhe eines Kirchhofs", weil der harte Wille eines Alleinherrschers das lebendige Wirken der mannigfachen Fähigkeiten der Menschen unmöglich machte. Eine Ordnung dieser Art ruhte allerdings auf dem Prinzip der Vernunft — aber nur deshalb, weil „Vernunft in einer anarchischen Welt nicht aushalten kann" und „lieber Gefahr läuft, die Ordnung unglücklich zu verteidigen als mit Gleichgültigkeit zu entbehren" (1).

So ergibt sich für denjenigen, der den Zustand der Alten Welt des Mittelalters unter dem Gesichtswinkel der Grundbegriffe der Schillerschen Philosophie verstehen will, die Tatsache, daß hier die Vernunft in einer menschlichen Gesellschaft ihren Thron errichtet hat, in welcher die Sympathie unbekannt geworden ist. Man könnte in Anlehnung an den schon so oft in Erinnerung gerufenen elften Carlosbrief sagen, die Gesetzlichkeit dieses „herzumstrickenden Despotismus" (1) sei ein durch „beschränkte Vernunft" vorweggenommenes „Ideal der Vortrefflichkeit". — aber für diese Art Gesetzlichkeit oder Ordnung" gilt nach Schillers Überzeugung der Satz: „Für despotisch beherrschte Staaten ist keine Rettung als in dem Untergang" (1).

Versucht man nunmehr, sich den Zustand der Menschheit des Mittelalters, dem geschichtsphilosophischen Blick Schillers folgend, zusammenfassend zu vergegenwärtigen, so muß man von der bekannten Auffassung des Dichters ausgehen, daß die höchste menschliche Vollkommenheit in der „Sympathie der Vernunft" erreicht wird. In dieser Vollkommenheit sieht Schillers teleologisches Geschichtsdenken das von der göttlichen Weisheit gesetzte Ziel der Universalgeschichte.

Das Mittelalter zeigt nun — nach Schillers geschichtsphilosophischer Anschauung — die Menschheit von diesem Ziele weit entfernt. Zwei Mächtegruppen stehen sich gegenüber: Die eine durch sympathetisches Empfinden verbunden — aber diese Sympathie ist „wild und roh", weil ihr die bändigende Kraft der Vernunft fehlt. Die andere zehrt von dem Erbe der Ordnung, das ihr die menschliche Vernunft vergangener Jahrhunderte hinterließ — aber der Vernunft fehlt die lebenspendende Seele der Sympathie.

Dieser die mittelalterliche Welt kennzeichnende Zustand ist es, den Schiller „Gesetzlosigkeit" nennt.

Nach dieser Klarstellung kann der für die drei geschichtsphilosophischen Aufsätze wesentlichen thematischen Frage nähergetreten werden. Sie sei nach der aus Schillers weltanschaulichen Grundideen gewonnenen Begriffsbestimmung des Wortes „Gesetzlosigkeit" folgendermaßen formuliert:

War das für die das Mittelalter bestimmenden Mächte, die nordischen Völker und die päpstlichen Nachfolger des alten römischen Imperiums, charakteristische Mißverhältnis von Sympathie und Vernunft eine notwendige Voraussetzung für die als Ziel der Menschheitsentwicklung von einer höheren Ordnung vorgesehenen Sympathie der Vernunft?

Zur Beantwortung dieser Frage ist es nötig, in der geschichtsphilosophischen Terminologie der drei Aufsätze nach Ausdrücken zu suchen, welche sich ihrer Bedeutung nach mit dem in des Dichters Schrifttum bekanntlich nur transparent werdenden Begriff der Sympathie decken — auch festzustellen, welche mit dem Vernunftbegriff bedeutungsmäßig verwandten Ausdrücke in diesen Zusammenhängen Anwendung finden.

Drei Begriffspaare sind es, die in den drei das Mittelalter behandelnden Aufsätzen Sympathie und Vernunft gleichsam in Transparenz sichtbar machen: Roheit und Schlaffheit, Heldentum und Weisheit, Freiheit und Kultur. —

„Roh und wild" nennt Schiller bekanntlich die Gesetze und Sitten der germanischen Menschen, fügt aber hinzu: „. . . sie ehren in ihrer rohen Weise die menschliche Natur" (1). Im fünften Brief ‚Über die aesthetische Erziehung des Menschen' findet sich der Satz: „Stolze Selbstgenügsamkeit zieht das Herz des Weltmanns zusammen, das in dem rohen Naturmenschen noch oft sympathetisch schlägt . . ."

Den Römer des Mittelalters bezeichnet Schiller als „verfeinerten Sklaven" (1), kennzeichnet ihn als gegen die Angriffe eines herzumstrickenden Despotismus „zu früh ermattend" und als erstickt in „weichlicher Sklaverei" (1), worin eine „unnatürliche und entnervende Ruhe" schon seit Jahrhunderten „die tätigsten Kräfte einer zahlreichen Menschenwelt" erstickte. Der schon erwähnte Brief über aesthetische Erziehung nennt als Hauptmängel des zu Ende gehenden achtzehnten Jahrhunderts neben „rohen, gesetzlosen Trieben in den niedern und zahlreichern Klassen" „den noch widrigern Anblick der Schlaffheit und einer Depravation des Charakters" bei den civilisierten Klassen. Schon Karl von Moor schilt über die Schlaffheit seines „Kastratenjahrhunderts" (I, 2), dessen „bessere Seite" (An Körner 9. Februar 1789) die Einleitungsverse zu den ‚Künstlern' in seiner Freiheit durch Vernunft sehen. Daß die „Schlaffheit des Charakters" nichts anderes als die Folge des Einflusses einer entarteten Vernunftphilosophie ist, beweisen Stellen des aesthetischen fünften Briefes, wo von der Tyrannei die Rede ist, welche die Natur auf dem moralischen Felde ausüben kann, von der „despotischen Meinung" der Gesellschaft, der sich unser „freies Urteil" unterwirft, und endlich von „unsrer materialistischen Sittenlehre", unter deren Einfluß „die affektierte Dezenz unsrer Sitten" der Natur die verzeihliche erste Stimme verweigert. Es braucht nicht daran erinnert zu werden, welche Kämpfe es Schiller selbst gekostet hat, bis er selbst gegenüber der Freigeisterei einer unechten Vernunft die innere Freiheit eines sympathetisch fühlenden Herzens durchsetzen konnte.

Die Heranziehung von Belegen aus Schillers aesthetischer Philosophie hat erwiesen, daß für den Geschichtsphilosophen der Charakter roher Naturnähe die Fähigkeit zu sympathetischem Empfinden keineswegs ausschließt, während die Schlaffheit eines der Natur entfremdeten Charakters nur noch zu einer „beschränkten" Vernunft, welche „die Ordnung unglücklich verteidigt", imstande ist. —

Die erste Erwähnung des Heldenbegriffs enthält der schon behandelte Aufsatz ‚Über die erste Menschengesellschaft nach dem Leitfaden der mosaischen Urkunde'. Die aus der menschlichen Gemeinschaft ausgeschlossenen „Söhne der Freude" „machte der Hunger zu Räubern, und Räuberglück zu Abenteurern, endlich gar zu Helden". Sie sind es, welche in die erste Menschengesellschaft „Unordnung" bringen — wie die Helden der nordischen Völker des Mittelalters zu einem Element der „Gesetzlosigkeit" ihrer Zeit wurden. Aber während diese von dem „Wesen, das das Schicksal

der Welt lenkt", als Kräfte zur Erreichung des Zieles der Menschheit eingesetzt werden, löscht die Vorsehung die Existenz jener ältesten „Helden"
durch „eine fürchterliche Naturbegebenheit" aus. Welcher Beweggrund
mag — nach Schillers Weltanschauung — die Gottheit zu diesem Eingriff
bestimmt haben? Der Dichter selbst deutet nur an, daß der Vorsehung zu
einer „Verfeinerung des Menschengeschlechts" die Zeit noch nicht gekommen schien.

Vielleicht läßt sich aus dem im nächsten Kapitel des erwähnten Aufsatzes
(„Der erste König") erneut auftretenden Heldenbegriff eine genauere Antwort auf diese Frage ermitteln. „Helden" nennt Schiller da die Männer,
welche die durch die allgemeine Überschwemmung verwüstete Erde von
wilden Tieren befreiten und damit die „größten Wohltäter der Menschen"
wurden. Der Johanniterritter des Gedichtes ‚Der Kampf mit dem Drachen'
erinnert seine Zuhörer an die Taten der Helden aus alter Zeit:

> „Sie reinigten von Ungeheuern
> die Welt in kühnen Abenteuern,
> begegneten im Kampf dem Leu'n
> und rangen mit den Minotauren,
> die armen Opfer zu befrein,
> und ließen sich das Blut nicht dauren."

Wie anders klingt dieser Bericht im Vergleich mit dem, den Schiller von
den „Söhnen der Freude" gibt, die doch gleichfalls als „Helden" bezeichnet
werden: „Bald wurden sie dem friedlichen Feldbauer, dem wehrlosen Hirten fürchterlich und erpreßten von ihm, was sie wollten." Der Unterschied
ist augenscheinlich: Sympathetisches Empfinden treibt die Vorbilder des
Helden von Rhodus; die aus der menschlichen Gemeinschaft ausgestoßenen
Bastarde wissen nichts von Sympathie. Es würde durchaus zu der Weltanschauung Schillers, deren Darstellung die Aufgabe dieses Buches ist,
passen, wenn man den Geschichtsphilosophen die nicht ausgesprochene Ansicht vertreten läßt, daß Gott aus diesem Grunde die „Söhne der Freude"
zur Schöpfung des „ersten Staates", zur Aufrichtung einer wirklichen „Ordnung" nicht für fähig hielt. Geistesverwandte jener ersten „Wohltäter der
Menschheit" aber sieht der Dichter in den Verkörperern eines „Helden-
mutes", deren „deutscher Geist" sich Jahrhunderte lang gegen den herzumstrickenden Despotismus Roms wehrte.

Lehrreich ist zu beobachten, wie Schiller das Verhältnis zwischen Heldentum und Weisheit in Altertum und Mittelalter sieht: „Da Rom noch
Scipionen und Fabier zeugte, fehlten ihm die Weisen, die ihrer Tugend
das Ziel gezeigt hätten; als seine Weisen blühten, hatte der Despotismus
sein Opfer gewürgt, und die Wohltat ihrer Erscheinung war an dem ent-
nervten Jahrhundert verloren. Auch die griechische Tugend erreichte die

hellen Zeiten des Perikles und Alexanders nicht mehr, und als Harun seine Araber denken lehrte, war die Glut ihres Busens erkaltet" (1).

Die Ursache dieser Erscheinung erörtert Schiller in einer längeren Anmerkung desselben Aufsatzes. Daß er hier, statt die Ausdrücke „Heldentum" und „Weisheit" zu gebrauchen, von „Freiheit" und „Kultur" spricht, darf unbedenklich als Beweis für die Bedeutungsverwandtschaft der beiden Begriffspaare angesehen werden.

In der Anmerkung führt der Geschichtsphilosoph aus: „Freiheit und Kultur, so unzertrennlich beide in ihrer höchsten Fülle miteinander vereinigt sind und nur durch diese Vereinigung zu ihrer höchsten Fülle gelangen, so schwer sind sie in ihrem Werden zu verbinden. Ruhe ist die Bedingung der Kultur, aber nichts ist der Freiheit gefährlicher als Ruhe. Alle verfeinerte Nationen des Altertums haben die Blüte ihrer Kultur mit ihrer Freiheit erkauft, weil sie ihre Ruhe von der Unterdrückung erhielten. Und eben darum gereichte ihre Kultur ihnen zum Verderben, weil sie aus dem Verderblichen entstanden war."

Jetzt wird es möglich sein, die Bedeutung der drei Begriffspaare Freiheit - Kultur, Heldentum - Weisheit, Roheit - Schlaffheit in knapper Zusammenfassung auf die beiden für Schillers Gedankenwelt grundlegenden Begriffe der Sympathie und der Vernunft zurückzuführen.

In der Freiheit sieht Schiller eine Errungenschaft des Heldentums, das, als ursprüngliche Eigenschaft des rohen Naturmenschen, doch die Fähigkeit zu sympathetischem Fühlen besitzen kann, ja erst durch sie zum echten Heldentum wird. — Als Musterbild eines solchen, aus reinem Mitgefühl auf die Befreiung der armen Opfer eines Untiers bedachten, nur dem Rufe des Herzens folgenden Helden darf man den Johanniter des Gedichtes ‚Der Kampf mit dem Drachen' ansehen.

Daß die beiden sich gegenseitig bedingenden Kräfte der Kultur und der Weisheit in der den Menschen vor allen Lebewesen auszeichnenden Vernunft ihren Ursprung haben, bedarf keines Beleges aus Schillers Schrifttum. Als eine Art von indirektem Beweis darf des Geschichtsphilosophen Feststellung gelten, daß in der im mittelalterlichen Papsttum vertretenen Nachfolge des römischen Weltreiches die Menschen zu erschlafften Sklaven entarteten, weil sie zu Opfern eines „herzumstrickenden Despotismus" geworden waren, der nach dem Zeugnis des elften Carlosbriefes als Kennzeichen einer „beschränkten" Vernunft zu verstehen ist. — Auch für diese Beziehungen wesensverwandter Begriffe kann der Johanniterritter von Rhodus als Beispiel gelten. Hätte er sich der Leitung einer „beschränkten" Vernunft überlassen, so wäre er im Gehorsam gegen das Verbot des Ordensmeisters dem Kampf mit dem Drachen fern geblieben. Statt dessen folgte er einem Gesetz, das seinen Ursprung von den Helden der Vorzeit herschrieb, einem Gesetz, das der natürlich empfindende Mensch sich selbst gibt, und von dem alle Kultur und alle Weisheit ihren Ursprung genommen hat: dem Gesetz, ein „Wohltäter der Menschen" zu sein — womit er dem höchsten Ziele der Menschheit nahekam: die „Sympathie der Vernunft" zu bewähren.

Ein weiter Umweg mußte genommen werden, um die Beantwortung der Frage zu ermöglichen, die noch einmal in ihrer früheren Formulierung in Erinnerung gerufen werden möge: War das für die das Mittelalter bestimmenden Mächte, die nordischen Völker und die päpstlichen Nachfolger des alten römischen Imperium, charakteristische Mißverhältnis von Sympathie und Vernunft eine notwendige Voraussetzung für die als Ziel der Menschheitsentwicklung von einer höheren Ordnung vorgesehenen Sympathie der Vernunft?

Schiller, der diese Frage bekanntlich in die Worte faßt: „War die Völkerwanderung und das Mittelalter, das darauf folgte, eine notwendige Bedingung unserer bessern Zeiten?", beantwortet dieselbe in der schon teilweise wiedergegebenen Anmerkung. Nachdem er die für die Völker des Altertums verderblichen Wirkungen ihrer Kultur festgestellt und begründet hat, fährt er fort: „Sollte dem neuen Menschengeschlecht dieses Opfer erspart werden, d. i. sollten Freiheit und Kultur bei ihm sich vereinigen, so mußte es seine Ruhe auf einem ganz anderen Weg als dem Despotismus empfangen. Kein andrer Weg war aber möglich als die Gesetze, und diese kann der noch freie Mensch nur sich selber geben. Dazu aber wird er sich nur aus Einsicht und Erfahrung entweder ihres Nutzens oder der schlimmen Folgen ihres Gegenteils entschließen. Jenes setzte schon voraus, was erst geschehen und erhalten werden soll; er kann also nur durch die schlimmen Folgen der Gesetzlosigkeit dazu gezwungen werden. Gesetzlosigkeit aber ist nur von sehr kurzer Dauer und führt mit raschem Übergange zur willkürlichen Gewalt. Ehe die Vernunft die Gesetze gefunden hätte, würde die Anarchie sich längst in Despotismus geendigt haben. Sollte die Vernunft also Zeit finden, die Gesetze sich zu geben, so mußte die Gesetzlosigkeit verlängert werden. welches in dem Mittelalter geschehen ist."

Der wesentliche Gedanke dieser Ausführungen ist: Der freie, naturnahe Mensch gelangt aus dem gesetzlosen in den gesetzlichen Zustand allein durch Gesetze, die er sich selbst gibt, nachdem er die schlimmen Folgen der Gesetzlosigkeit an sich selbst und an anderen erkannt hat. Diese Erkenntnis ist Sache der Vernunft, die aber zu ihrer Reifung Zeit braucht.

Die von Kant übernommene These von der langsamen Entwicklung der menschlichen Vernunft hat bei Schiller durch den seine Gedankenwelt beherrschenden Sympathiekomplex eine wesentliche Bereicherung erfahren. Spätere Zusammenhänge werden zeigen, daß die Briefe ‚Über die aesthetische Erziehung des Menschen' ohne die Annahme von einem bei dem

Aufstieg des Menschen zur Menschheit während der Zeit seiner noch unreifen Vernunft gleichsam Mutterstelle einnehmenden „sympathetisch
schlagenden Herzen" nicht möglich wären, und daß ebenso das Verständnis von der schöpferischen Tätigkeit Schillers als Lyriker erst über die Vorstellung einer der Wirksamkeit der Vernunft vorausgehenden sympathetischen Stimmung erreicht werden kann.

Nicht weniger unentbehrlich ist aber die Berücksichtigung dieser echt
Schillerschen Idee von der die Vernunft gewissermaßen vorbereitenden
und ihren Einfluß wesentlich bestimmenden Sympathie für die Bewältigung der jetzt zur Beantwortung reifen Frage, inwiefern sich in der
Rechtfertigung, die der Geschichtsphilosoph für die Verlängerung des gesetzlosen Zustandes im Mittelalter als Voraussetzung für eine spätere Vereinigung von Freiheit und Kultur, oder, wie er es an einer früheren Stelle
ausdrückt, für die Paarung von „Einsicht und Heldenmut", oder für die
wohltätige Verbindung von „Freiheit mit Ordnung, Ruhe mit Tätigkeit,
Mannigfaltigkeit mit Übereinstimmung" unternimmt, die Transparenz des
Sympathiegedankens geltend macht.

In dieser Transparenz erschien, wie in einem früheren Zusammenhang
dieses Abschnittes gezeigt, als Ursache der das Mittelalter beherrschenden
Gesetzlosigkeit einerseits ein der Vernunft entbehrendes sympathetisches
Empfinden der nordischen Völker, andererseits eine infolge Mangels an
Sympathie „beschränkte" Vernunft des Despotismus der päpstlichen Erben
des einstigen römischen Imperium. Wie wirkte sich nun die so gesehene
Gesetzlosigkeit auf die Dauer aus?

Bei aller Roheit und Wildheit doch „die menschliche Natur ehrend",
gewannen die germanischen Völker aus dieser Eigenschaft sympathischen
Fühlens die Fähigkeit, ihr Verhältnis zueinander nach bestimmten Grundsätzen zu regeln, die, zwar gleichfalls roh und wild wie ihre Urheber, doch
die Voraussetzung zu einer späteren vernunftgemäßen Gesetzlichkeit in
sich trugen. Gleichzeitig erfuhren diese Söhne des Nordens die schlimmen
Folgen einer erstarrten Ordnung in dem Beispiel des römischen Despotismus, gegen den sich ihr Freiheitsdrang Jahrhunderte hindurch zur Wehr
setzen mußte. So wuchsen die Nachkommen der rohen Naturmenschen
aus der Völkerwanderungszeit unter dem dauernden Bemühen, ihre eigene
Lebensform vom sympathetischen Empfinden her zu gestalten, und dem
ebenso dauernden Kampf gegen eine, ihre starre Ordnung unglücklich ver-
teidigende, beschränkte Vernunft, langsam zur Aufnahmebereitschaft der
„selbständigen Vernunft" ('Über das Erhabene') heran, die dann im sechzehnten Jahrhundert in der Reformation ein Geschlecht vorfand, bei dem
„der Kopf das Herz in Glut setzte und die Wahrheit den Arm der Tapfern bewaffnete" (1). —

In dem Fragment ‚Übersicht des Zustands von Europa zur Zeit des

ersten Kreuzzugs' und der Abhandlung ‚Universalhistorische Übersicht der
merkwürdigsten Staatsbegebenheiten zu den Zeiten Kaiser Friedrich I.'
zeigt Schiller an Einzelfällen, wie die germanischen Völker im Lauf der
Jahrhunderte allmählich die moralischen Voraussetzungen zu einer spät
reifenden Vernunft gewannen, ohne ihre ursprüngliche Fähigkeit zu sympathetischem Fühlen zu verlieren.

Das Fragment beginnt mit der bemerkenswerten Feststellung, daß am
Ende des elften Jahrhunderts, also zu der Zeit, als mit dem Anfang der
Kreuzzüge die allererste Voraussetzung zu der ganz neuen, einer höheren
Vervollkommnung der Menschheit entgegenführenden Entwicklung geschaffen werden sollte, unerachtet der nur „unmerklich, langsam und
schwach" wirkenden Kultureinflüsse römischer und arabischer Herkunft,
die germanischen Nationen „noch jetzt, wie in ihrem skythischen Vaterland,
in wilder Unabhängigkeit, gerüstet zum Angriff und zur Verteidigung, in
Europas Distrikten stehen, wie in einem großen Heerlager ausgebreitet;
auch auf diesen weitern politischen Schauplatz haben sie ihr barbarisches
Staatsrecht verpflanzt, bis in das Innre des Christentums ihren nordischen
Aberglauben getragen".

Der Vergleich der Lebensweise und des Charakters dieser germanischen
Völker mit „Heerlagern", der an das Wort von den „nomadischen Gezel-
ten" im Aufsatz ‚Über Völkerwanderung, Kreuzzüge und Mittelalter' erinnert, kennzeichnet den Gesichtspunkt, aus welchem Schiller diese Herren
Nordeuropas sah: Es handelt sich um einen „aus freiwilligem Entschluß"
geschlossenen Bund „lauter freier Menschen" (2); denn die Verbindlichkeit
zur Heerfolge, welche diese Krieger ihrem Feldhauptmann oder Fürsten
gegenüber eingehen, dünkt ihnen „vielmehr angenehm und ehrenvoll als
drückend", weil sie „zu den kriegerischen Neigungen dieser Nationen
stimmte und von wichtigen Vorzügen begleitet war". Diese „Neigungen"
bilden also die Grundlage der „Sympathie", welche diese Menschen sich
gegenseitig als Menschen „ehren" ließ und zu einer gewissen Ordnung
erzog — wild und roh freilich, weil ihr „nordischer Aberglaube" der Vernunft noch keinen Zutritt gewährt hatte.

Und nun zeigt die Darstellung Schillers, wie aus der während der Völkerwanderung gewohnheitsmäßig anerkannten Wechselbeziehung von Freiheit und Grundbesitz die Freigut- und Lehenswirtschaft des Mittelalters
hervorging — eine Form der Gesetzlichkeit, die freilich die „Gesetzlosigkeit" noch nicht ausschaltete, weil sie, allein aus einer noch rohen Form der
„Sympathie" erwachsen, die nur der langsam reifenden Vernunft zugängliche Einsicht in die „schlimmen Folgen der Gesetzlosigkeit" (1) nicht
geben konnte. Daher wurde dieses Produkt einer noch unreifen Gesetzlichkeit wieder zur Triebfeder einer neuen Äußerung des ursprünglichen Frei-
heitsdranges, der darauf gerichtet war, Lehensbesitz in Freigutbesitz umzu-

wandeln. Und diese Entwicklung wurde wieder entscheidend für die Stellung des Kaisers, dieser eigenartigen Form einer aus germanischem Freiheitsdrang und römischer Despotie zusammengewachsenen staatsrechtlichen Stellung, deren Inhaber nach Schillers Worten „sich als ein Opfer betrachten konnte, das man zum Tode schmückte" (3), weil seine auf freier Wahl der deutschen Fürsten beruhende Berufung ihn zum Kampf mit dem älteren Anwärter der römischen Erbschaft, dem Papste, zwang, dessen Anerkennung ihm doch andererseits wieder notwendig war, weil er auf sie seine Autorität gegenüber den freiheitsbeseelten Großen seines Reiches stützen mußte (3).

Man fühlt die Freude, mit der Schiller in dem großen, dem Umfang nach mehr als die Hälfte des ganzen Aufsatzes ‚Universalhistorische Übersicht der merkwürdigsten Staatsbegebenheiten zu den Zeiten Kaiser Friedrichs I.' einnehmenden Mittelstück über die Normannen zu zeigen bestrebt ist, wie ein von allen Bindungen an die Erbschaft der Alten Welt, die das Schicksal der anderen germanischen Stämme bestimmten, freies Volk lediglich durch seinen kriegerischen Freiheitssinn „sich an entgegengesetzten Enden von Europa einen unsterblichen Namen machte und glänzende Reiche stiftete". Es ist freilich ein „barbarischer Eroberer", „der die Nachkommen Karls des Großen ihren Vasallen widerstehen und ihre Völker beglücken lehrte"; in der Wahl ihrer Religion sind sie nicht bedenklich, wenn man bei ihr „nur die Tapferkeit nicht verlernte"; es ist eine „barbarische Redlichkeit", mit der die Eroberer Apuliens den unverhofften Raub teilen. Aber unberührt von der Tradition einer überalterten Welt und frei von Furcht vor der Bannkraft des großen Gregor VII. behaupten Tancreds Söhne den Besitz des eroberten Sizilien, Benevents und Salernos, und Schiller nennt es „eine immer merkwürdige Erscheinung in der Geschichte", wie Tancreds von Hauteville Söhne Robert und Bohemund „in einer Provinz Frankreichs auf gut Glück aus ihrer Heimat auswandern und, durch nichts als ihren Degen unterstützt, ein Königreich zusammenrauben, Kaisern und Päpsten zugleich mit ihrem Arme und ihrem Verstande widerstehn und noch Kraft genug übrig haben, auswärtige Throne zu erschüttern".

Am Beispiel der Normannen veranschaulicht Schiller mit sichtlicher Befriedigung die Richtigkeit seiner in dem Fragment ausgesprochenen Ansicht, daß gerade dieser Zustand einer jahrhundertelangen „Gesetzlosigkeit" — der es aber ein kraftvolles Völkergeschlecht, indem es „ohne Schonung durch den Occident mähte", verdankte, „aus einem tausendjährigen Kriege unüberwunden" zu kommen — doch für die auf weiteste Sicht wertende Vernunft ein „Geist der Ordnung" geworden ist.

Hier hat sich, diesmal über eine weite Zeitspanne hinweg, die Macht der „höheren Ordnung" in einem „Außerordentlichen" manifestiert, insofern

Sympathie und Vernunft, im Altertum zu verschiedenen Zeiten, im Mittelalter in geschiedenen Lagern isoliert wirkend, für eine von der Vorsehung für die Zukunft geplante Wechselwirkung als „Sympathie der Vernunft" vorbereitet und auf einem scheinbaren Umweg die Voraussetzung zur Verwirklichung der Idee der Menschheit und des Weltbürgertums geschaffen wurde.

4. Annäherung an den von der Vorsehung bezweckten „Glücksstand" der Menschheit

Und wie feinsinnig weiß Schiller diese stille Arbeit der auf weiteste Sicht wirkenden höheren Ordnung zu veranschaulichen, deren im Reformationszeitalter manifestierte Wirkung er in der Erringung der „neuen Wahrheit" als „Vernunftfreiheit" erblickt!

Schon in dem Aufsatz ‚Über Völkerwanderung, Kreuzzüge und Mittelalter' deutet er in einer Fußnote an, daß es bei der Leistung der menschlichen Vernunft „nicht auf den Wert der Materie", also auf die Wahrheit als solche ankomme, sondern „auf die unternommene Mühe der Arbeit", auf das, was man für Wahrheit hält.

Der Geschichtsphilosoph sieht, wie die leise wirkende „ewige Ordnung", die göttliche Vernunft, in den Jahrhunderten der „Gesetzlosigkeit", wie eine Mutter, der erliegenden Ohnmacht ihrer Kinder „den Schutz eines verwilderten Christentums" angedeihen läßt, um „sich an diese wankende Krücke zu lehnen, die sie dem stärkern Enkel zerbrechen wird". So leistet die göttliche Ordnung ein „Außerordentliches", indem sie die Aufnahmebereitschaft der Menschen für die echte Wahrheit an einer seinem noch unreifen Geist gemäßen vermeintlichen Wahrheit entwickelt.

Und hierbei wählt sie — ein weiteres „Außerordentliches" — gerade die Macht, deren despotische Gewalt der Vernunftfreiheit eine schier unüberwindliche Schranke entgegensetzte, zum Werkzeug, welches den Weg in eine bessere Zukunft, zu höherer menschlicher Vollkommenheit und Glückseligkeit bahnen hilft. Für den Dichter sind die Kreuzzüge als eine Ausgeburt der Herrschsucht der römischen Hierarchie „Torheit" und „Raserei" und die Jahrhunderte der Kreuzzüge „ein langer, trauriger Stillstand der Kultur", ja, „ein Rückfall Europas in die vorige Wildheit". Und doch war, wie es in der ‚Vorrede zu der Geschichte des Malteserordens nach Vertot' heißt, „die Menschheit offenbar ihrer höchsten Würde nie vorher so nahe gewesen, als sie es damals war — wenn es anders entschieden ist, daß nur die Herrschaft seiner Ideen über seine Gefühle dem Menschen Würde verleiht". Indem die Kreuzfahrer „nur einem Kirchengesetz zu dienen glauben, befolgen sie unwissend die höhern Gebote der Sittlichkeit". Indem „die Heroen des Mittelalters an einen Wahn, den sie mit Weisheit verwechselten, und eben weil er ihnen Weisheit war, Blut, Leben und Eigentum setzten, gehorchten sie, „so schlecht ihre Vernunft belehrt war, ihren höchsten Gesetzen".

Wieder beobachtet Schiller hier den schon öfter festgestellten geschichtlichen Vorgang, daß der Mensch unbewußt höheren Zwecken dienstbar ist, die sein auf „den Augenblick und den Punkt" gerichteter Blick nicht gewahr wird.

Und wie enthüllt sich der Sinn dieser Epoche Schillers universalhistorischem Schauen? Vor ihm wird das, was „Wahn und Leidenschaft" plante, und was daher zum Opfer des „gemeinen Schicksals der Menschheit" wird, indem „Wohlstand und Macht, natürliche Gefährten der Tapferkeit und Enthaltsamkeit, mit beschleunigten Schritten der Verderbnis entgegenführen", zum großartig angelegten Entwurf der „für die Ewigkeit bauenden Vernunft" (‚Vorrede‘).

Geheimnisvoll und feierlich beginnt Schiller gegen Ende des Aufsatzes ‚Über Völkerwanderung, Kreuzzüge und Mittelalter‘ von diesem Entwurf zu reden:

„Im dreizehnten Jahrhundert ist es, wo der Genius der Welt, der schaffend in der Finsternis gesponnen, die Decke hinwegzieht, um einen Teil seines Werkes zu zeigen." Schiller deutet die Kreuzzüge als das von der göttlichen Weisheit gesetzte Mittel, um die beiden bestimmenden Kräfte des Mittelalters, die Lehensverfassung und die Hierarchie, sich selbst ihr Ende bereiten zu lassen und dann dem überlebenden Geschlecht ein neues Menschheitsideal zu zeigen. Der einer beschränkten Vernunft entstammende Despotismus der Papstkirche will die im Lehenswesen sympathetisch verbundene, einer rohen und wilden Freiheit huldigende Ritterschaft Europas einsetzen, um durch Eroberung des Heiligen Grabes seine Macht zu noch größerem Glanze zu erheben — aber die göttliche Vorsicht lenkt die Dinge anders. Das Erleben des reichen Orients, die Wiedereröffnung der seit Jahrhunderten verschlossenen Handelsstraßen von Ost nach West lassen eine neue Wirtschaft und aus dieser neue Menschen entstehen, die ihre Freiheit nicht mehr einer „feindseligen Herrschgewalt, sondern einer freiwillig eingegangenen wechselseitigen Bindung verdanken. Es sind die Menschen, die „aus Sklaven des Ackers zu Menschen gedeihen" und in den reich werdenden Städten zur „Bürgergemeinheit" heranreifen. Und damit sind die Voraussetzungen dafür geschaffen, daß, dank der langen Waffenübung des Mittelalters, dem sechzehnten Jahrhundert ein gesundes, starkes Geschlecht zugeführt wird, das der Vernunft, die jetzt ihr Panier entfaltet, kraftvolle Streiter erzieht.

Und weiter schweift der Blick des universalgeschichtlich schauenden

Philosophen: Dasselbe Jahrhundert, in welchem „der Kopf die Herzen in Glut setzt und die Wahrheit den Arm der Tapfern bewaffnet", bringt es dahin, daß die Vernunft mit der Macht aufräumt, die ein Aberglaube zu einem „Schreckbild des Mittelalters" (1) hatte werden lassen. Aus dem „dritten Stand" geht in Luther der Kämpfer hervor, der, Held und Weiser in einer Person, Europa zur Gewissensfreiheit führt. Während im Altertum die Männer, die sich zu Rettern der Freiheit aufgeworfen hatten, als Diktatoren die Knechtschaft einleiteten, findet sich in der Reformation „ein Arm, der kräftig genug war, Unterdrückung zu hindern, aber zu hinfällig, sie selbst auszuüben" (1).

So gelangt nach Schillers teleologischer Geschichtsauffassung Europa mit dem sechzehnten Jahrhundert zu einer Höhe der Entwicklung, die dem ganzen Altertum fremd geblieben war. Denn „beim Ablauf des Mittelalters allein erblickt man in Europa einen Enthusiasmus, der einem höhern Vernunftidol auch das Vaterland opfert . . . Weil in Europa allein und hier nur am Ausgang des Mittelalters die Energie des Willens mit dem Licht des Verstandes zusammentraf, hier allein ein noch männliches Geschlecht in die Arme der Weisheit geliefert wurde" (1). —

In Schillers geschichtsphilosophischer Vorstellungswelt läßt sich eine klare Entwicklungslinie von den Berichten der mosaischen Urkunde bis auf die Zeit der Reformation verfolgen. Sie stellt in teleologischem Sinne den Plan der göttlichen Vorsehung dar, nach welchem die Menschheit in ihrer Entwicklung durch zwei seelisch-geistige Kräfte bestimmt wird, die man mit verschiedenen, dem Denken Schillers entstammenden Ausdrücken benennen kann: Sympathie und Vernunft, Herz und Kopf, Heldentum und Weisheit, Freiheit und Kultur. Im Altertum entbehren diese beiden Kräfte des zur Wechselwirkung führenden Ausgleichs. Daher gelangt die Menschheit der Antike nur zu einer als Nation sich verwirklichenden Gemeinschaftsvorstellung, die sich in der Vaterlandsliebe bewährt; zugleich ist ihre religiöse Ideenwelt in dem Aberglauben an eine Vielheit göttlicher Wesen gebunden. Jahrhunderte der „Gesetzlosigkeit" werden dann der göttlichen Vorsehung zum Mittel, um mit der Herstellung des Ausgleichs zwischen jenen beiden Kräften die Idee der Vaterlandsliebe durch die höhere Idee des Weltbürgertums zu ersetzen, womit zugleich der durch Moses auf weiteste Sicht vorbereitete Glaube an den über alle Völker der Erde herrschenden einen Gott verbunden ist — ein Glaube, den man im Hinblick auf die beiden für die ganze universalgeschichtliche Entwicklung maßgeblichen geistig-seelischen Kräfte als „Sympathie der Vernunft" oder „Vernunftsympathie" bezeichnen kann.

Es wäre verfehlt, wollte man meinen, daß Schiller mit diesem Ergebnis die Entwicklung der Menschheit als abgeschlossen ansehe. Wohl bezeichnet er den aus der „gesetzlosen, stürmischen Freiheit des Mittelalters" erwachsenen mittleren Zustand von „Freiheit und Ordnung, Ruhe und Tätigkeit, Mannigfaltigkeit und Übereinstimmung", dessen sich auch die eigene Gegenwart noch erfreuen dürfe, als einen „Glücksstand" — aber gleich schränkt er diese Anerkennung wieder durch den Zusatz ein, daß „wir dessen Annäherung wenigstens mit Sicherheit erkennen" (1). Es ist daher verständlich, daß Schiller alle der Reformation folgenden weltgeschichtlichen Begebenheiten unter dem einen Gesichtswinkel betrachtet hat, inwiefern dieselben der „Annäherung" jenes vollkommenen „Glücksstandes" förderlich oder hinderlich gewesen sind. Was in einem früheren Abschnitt über Schillers ‚Geschichte des Abfalls der vereinigten Niederlande' gesagt den ist, kann diese Annahme nur bestätigen und ihre Richtigkeit veranschaulichen.

Die große geschichtliche Entwicklung, die nach Schillers Theorie, mit der Völkerwanderung einsetzend, in der Reformation zu einem vorläufigen Höhepunkt geführt worden ist, der im wechselseitigen Ausgleich von Sympathie und Vernunft oder in der Idee der Freiheit erreicht wurde, wirkt in des Dichters geschichtsphilosophischer Vorstellung während der auf die Reformation folgenden Generationen bis zum Ende des Dreißigjährigen Krieges weiter als Kampf um die Erhaltung dieser Errungenschaft. Daher sieht Schiller, wie die Einleitung zur ‚Geschichte des Abfalls der vereinigten Niederlande' zeigt, die Aufgabe des geschichtsphilosophischen Denkens darin, das Verhältnis zwischen dem „die Weltgeschichte rollenden Zufall" und der das rohe Material dieses Zufalls bildenden Hand des von der Freiheitsidee ergriffenen Menschen zu vergegenwärtigen. Als allumfassendes universalgeschichtliches Thema ergibt sich der Kampf zwischen Weltgeschichte und Menschheitsgeschichte.

5. Weltgeschichte und Menschheitsgeschichte

Läßt sich eine Vorstellung davon gewinnen, wie Schiller den Gang der Menschheitsgeschichte seit dem Westfälischen Frieden bis auf seine Gegenwart gesehen hat?

Die Darstellung der geistigen Entwicklung des Dichters von der Stuttgarter Zeit bis zu seiner Tätigkeit als Professor an der Universität Jena gibt eigentlich schon die Antwort auf diese Frage. Und die Würdigung seiner aesthetischen Philosophie wird diese Antwort nur bestätigen.

Die Absicht der vorliegenden Arbeit, Schillers gesamte Gedankenwelt aus zwei beherrschenden geistig-seelischen Werten abzuleiten, aus den Werten der Sympathie und der Vernunft in ihrer „beschränkten" (Elfter Carlosbrief) und ihrer „selbständigen" (‚Über das Erhabene') Form, gestattet es, die Entwicklung, die des Dichters geschichtsphilosophischer Blick an dem Verhältnis des Menschen zur Idee der Menschheit wahrzunehmen glaubt, auf eine kurze Formel zu bringen.

Den Kernbegriff dieser Formel enthält eine Stelle des Aufsatzes ‚Über das Erhabene‘, wo es heißt: „Die Welt als historischer Gegenstand ist im Grunde nichts anderes als der Konflikt der Naturkräfte untereinander selbst und mit der Freiheit des Menschen, und den Erfolg dieses Kampfes berichtet die Geschichte.“ Als „Naturkräfte“ bezeichnet Schiller hier die menschlichen Leidenschaften; die „Freiheit des Menschen“ hat ihren Ursprung in der menschlichen Vernunft.

In der Weltgeschichte spielt sich also nach Schiller der Kampf ab zwischen den menschlichen Leidenschaften untereinander und der menschlichen Vernunft.

Sehr aufschlußreich für das Verständnis der Bedeutung, die Schiller diesem doppelten Kampf menschlicher Eigenschaften für das welthistorische Geschehen seiner Gegenwart zuschreibt, sind Sätze aus dem zweiten Absatz der schon erwähnten ‚Vorrede zu der Geschichte des Malteserordens nach Vertot‘ aus dem Jahre 1792.

Der Verfasser setzt sich auseinander mit der Einstellung seiner Zeit zu den Leistungen dieser Ritterschaft, deren Heldengröße er bewundert.

„Zwar“, sagt er, „wünschen wir uns nicht mit Unrecht dazu Glück, in einem Zeitalter zu leben, wo kein Verdienst wie jenes mehr zu erwerben, wo ein Kraftaufwand, ein Heroismus, wie er in jenem Orden sich äußert, ebenso überflüssig als unmöglich ist; aber man muß gestehen, daß wir die Überlegenheit unsrer Zeiten nicht immer mit Bescheidenheit, mit Gerechtigkeit gegen die *vergangenen* geltend machen. Der verachtende Blick, den wir gewohnt sind, auf jene Periode des Aberglaubens, des Fanatismus, der Gedankenknechtschaft zu werfen, verrät weniger den rühmlichen Stolz der sich fühlenden *Stärke*, als den kleinlichen Triumph der *Schwäche*, die durch einen ohnmächtigen Spott die Beschämung rächt, die das höhere Verdienst ihr abnötigte. Was wir auch vor jenen finstern Jahrhunderten voraushaben mögen, so ist es doch höchstens nur ein vorteilhafter *Tausch*, auf den wir allenfalls ein Recht haben könnten stolz zu sein. Der Vorzug hellerer Begriffe, besiegter Vorurteile, gemäßigterer Leidenschaften, freierer Gesinnungen — wenn wir ihn wirklich zu erweisen imstande sind — kostet uns das wichtige Opfer *praktischer Tugend*, ohne die wir doch unser besseres Wissen kaum für einen Gewinn rechnen können. Dieselbe Kultur, welche in unserm Gehirn das Feuer eines fanatischen Eifers auslöschte, hat zugleich die Glut der Begeisterung in unseren Herzen erstickt, den Schwung der Gesinnungen gelähmt, die tatenreifende Energie des Charakters vernichtet.“

Der Ausdruck „praktische Tugend“ leitet, um das volle Verständnis dieser wichtigen Ausführungen zu gewinnen, wieder auf den schon so oft

angeführten elften Carlosbrief zurück, wo von „praktischen Gesetzen" die
Rede ist, deren Leitung, anstelle der „gekünstelten Geburten der theoretischen Vernunft", sich der Mensch bei seinem moralischen Handeln anver-
trauen sollte. Der Verfasser warnt, „sich in moralischen Dingen von dem
natürlichen praktischen Gefühle zu entfernen" und „sich zu allgemeinen
Abstraktionen zu erheben", weil „der Mensch weit sicherer den Eingebungen des Herzens oder dem schon gegenwärtigen und individuellen Gefühle
von Recht und Unrecht vertraut als der gefährlichen Leitung universeller
Vernunftideen". Es handelt sich hier um Schillers bekannte Mahnung, über
der Stimme der Vernunft nicht die freilich nur dem naturnah gebliebenen
Menschen vernehmliche Stimme des sympathetischen Empfindens zu überhören — „denn nichts führt zum *Guten*, was nicht *natürlich* ist".

Schiller sieht in dem einseitigen Pochen auf die Errungenschaften der
Vernunft auf Kosten natürlichen menschlichen Fühlens, wie es in der ‚Vorrede' heißt, einen „kleinlichen Triumph der Schwäche", und in Anwendung dieses Urteils auf des Dichters Zeitalter wird Karls von Moor bitteres
Wort von dem „Kastratenjahrhundert" wieder lebendig, ebenso die Anklagen des fünften Briefes ‚Über die aesthetische Erziehung des Menschen'
gegen die „Stolze Selbstgenügsamkeit des Weltmanns", der mit dieser
Eigenschaft die „Schlaffheit und Depravation des Charakters" der zivilisierten Klassen teilt, weil „die affektierte Dezenz unsrer Sitten" der Natur
„die verzeihliche erste Stimme verweigert". Der elfte Carlosbrief erweist,
daß Schiller diese auf Kosten der Sympathie erfolgende moralische Entartung aus einer „beschränkten Vernunft" erklärt, das heißt „aus der allgemeinen Hinneigung unsres Gemütes zur Herrschbegierde oder dem Bestreben, alles wegzudrängen, was das Spiel unsrer Kräfte hindert" — mit
einem Worte, aus der menschlichen Leidenschaft, von der die Geschichte,
wie es in der Abhandlung ‚Über das Erhabene' heißt, bisher „weit größere
Taten zu erzählen weiß als von der selbständigen Vernunft".

Innerhalb dieser Entwicklung der Weltgeschichte erschaut der Dichter
die auf weiteste Sicht von einer höheren Ordnung berechnete Manifestation
der Menschheitsgeschichte, die, zum erstenmal dem „Glücksstand" sich
nähernd, in der Reformation in Erscheinung trat. Ihre Nachwirkungen erkennt er für sein Zeitalter dankbar an — man denke nur an die Einleitungsverse des Gedichts ‚Die Künstler'. Aber gleichzeitig empfindet er doch
deutlich, daß das Ziel der Menschheitsgeschichte durch die unablässige
Wirksamkeit der Weltgeschichte immer wieder in die Ferne gerückt wird
— „das Dorf ist niemals hier!" (Der Pilgrim) —, indem der Despotismus
der menschlichen Leidenschaft die Vernunft verfälscht und die Sympathie
vergewaltigt.

In diesem Lichte gesehen, gewinnt Schillers Dramatik einen neuen, uni-
versalen Sinn: den Sinn des Kampfes zwischen der Wirklichkeit der Welt-

geschichte und der Wahrheit der Menschheitsgeschichte. Und Schillers aesthetische Schriften erscheinen als Kampfschriften im Einsatz für den Sieg der Menschheitsgeschichte über die Weltgeschichte — wobei dann freilich, ebenso wie in seiner dramatischen Dichtung, der realistische Idealismus unseres Dichters sich in seiner ganzen Größe offenbart. Sie besteht darin, daß der realistische Idealist den Kampf im Sinne des in der Geschichte sich manifestierenden „Außerordentlichen" als einen Dennoch-Kampf wagt, in welchem die Vernunft als Dienerin der Sympathie im Bewußtsein einer möglichen Erfolglosigkeit ihres Bestrebens den Sieg des wahren Lebens über das Leben der Wirklichkeit doch als ewige Aufgabe der Menschheit anerkennt und damit der „Wahrheit" der Vernunftfreiheit als einem die Weltgeschichte durchwaltenden „Außerordentlichen" ihren höheren Ursprung bestätigt.

Ein Musterbild:

Geschichte der Menschheit
im Spiegel eines „außerordentlichen Schicksals"

Schillers ,Geschichte des Dreißigjährigen Kriegs' unterscheidet sich von seinen bisher besprochenen geschichtsphilosophischen Darstellungen dadurch, daß die Würdigung einer einzelnen Heldengestalt nach Umfang und Ausführung sich über die Behandlung aller Begebenheiten dieses wechselvollen Krieges weit erhebt.

Schon die Verteilung des Stoffes auf die fünf Bücher des Werkes ist von großer Bedeutung. Bei weitem am umfangreichsten sind das zweite und dritte Buch — letzteres noch um ein weniges stärker. Während aber das zweite Buch die Zeit von der Schlacht bei Prag im Jahre 1620 bis zu Gustav Adolfs Sieg bei Leipzig-Breitenfeld behandelt, umfaßt das dritte Buch nur die kurze Zeitspanne von dieser Schlacht bis zum Tode des Schwedenkönigs bei Lützen, also etwas über ein Jahr. Berücksichtigt man weiter, daß etwas mehr als die zweite Hälfte des zweiten Buches lediglich die Ereignisse vom Erscheinen Gustav Adolfs auf deutschem Boden bis zur Schlacht bei Leipzig darstellt, so daß die Behandlung der vorhergehenden zehn Jahre auf die knappe erste Hälfte zusammengedrängt ist, daß also mehr als anderthalb der fünf Bücher sich einzig mit Gustav Adolf befassen, so läßt diese Verteilung des Stoffes keinen Zweifel, daß die Gestalt des schwedischen Herrschers im geschichtsphilosophischen Denken unseres Dichters eine ausschlaggebende Rolle gespielt haben muß.

Wieder gibt Schillers Briefwechsel mit Körner den erwünschten Aufschluß, ja mehr noch als nur dies.

Man vergesse nicht, daß die Abfassung der ,Geschichte des dreißigjährigen Kriegs' in die Jahre 1790 bis 1792 fällt, als Schiller bereits den Weg vom Geschichtsphilosophen zurück zum Dichter einzuschlagen begann. Bemerkenswert ist nun, mit welcher Klarheit Schiller in dieser Zeit die Grenzen sowohl seiner geschichtsphilosophischen als auch seiner dichterischen Fähigkeit erkennt und darauf bedacht ist, sich innerhalb dieser Grenzen zur größten Vollkommenheit zu entwickeln.

Es ist kennzeichnend für die Innigkeit der Beziehung, in welcher die Beschäftigung mit der Geschichte und die dichterischen Antriebe in Schillers Individualität miteinander stehen, daß in jener Zeitspanne der Entschluß zu einer bestimmten Art geschichtsphilosophischer Darstellung und einem stofflich eigenartig begrenzten epischen Schaffen in ihm geweckt wurde — Entschlüsse, die zwar beide nicht verwirklicht wurden, aber, wie sich zeigen wird, in der Abfassung der ‚Geschichte des Dreißigjährigen Kriegs' in überraschender Weise Gestalt gewannen.

Am 26. November 1790 meldet der Dichter dem Dresdener Freund seine Absicht, „der erste Geschichtschreiber in Deutschland zu werden", und bestimmt diese Absicht dann näher in folgenden Sätzen: „Ich trage mich schon seit anderthalb Jahren mit einem deutschen Plutarch. Es vereinigt sich fast alles in diesem Werke, was das Glück eines Buches machen kann, und was meinen individuellen Kräften entspricht: Kleines, mir nicht schwer zu übersehendes Ganze und Abwechslung, kunstmäßige Darstellung, philosophische und moralische Behandlung."

Kein groß angelegtes Geschichtswerk ist also das Ziel seines Strebens, weil dies seinen „individuellen Kräften" nicht entspreche — Schiller denkt natürlich wieder an das Fehlen einer umfassenden Belesenheit, das er so oft schon beklagt hat. Statt dessen will er — der Name Plutarch deutet es an — die Gestalten einzelner bedeutender Männer Leben gewinnen lassen, und zwar mit all den Mitteln, die seiner eigentümlichen Begabung verliehen sind: „kunstmäßige Darstellung, philosophische und moralische Behandlung". *Menschen* sind es, deren Schilderung ihn lockt, Menschen, die er unserer weltanschaulichen und sittlichen Wesensart nahebringen will — so wie der junge Schiller durch die Gestaltung seiner dramatischen Helden unsere „Sympathie" wecken wollte, so wie der gereifte Schiller später die großen Charaktere der Geschichte im Schauspiel „unserm Herzen menschlich näher bringen" wird.

Am 28. November 1791 — also fast auf den Tag ein Jahr später — trägt sich Schiller, der inzwischen auch an der dichterischen Übersetzung zweier Gesänge aus Vergils ‚Aeneis' gearbeitet hat, mit dem Gedanken, sich als Epiker zu versuchen: „Von den Requisiten, die den epischen Dichter machen, glaube ich alle, eine einzige ausgenommen, zu besitzen: Darstellung, Schwung, Fülle, philosophischen Geist und Anordnung. Nur die Kenntnisse fehlen mir . . ., ein lebendiges Ganze seiner Zeit zu umfassen und darzustellen: der allgemein, über alles sich verbreitende Blick des Beobachters. Der epische Dichter reicht mit der Welt, die er in sich hat, nicht aus; er muß in keinem gemeinen Grade mit der Welt außer ihm bekannt und bewandert sein."

Derselbe Mangel, der ihn hindert, ein Geschichtschreiber großen Formats zu werden, erschwert Schiller also die Arbeit als Epiker. Und nun ist es höchst beachtenswert, auf welchem Wege er diesen Mangel auszugleichen hofft: „Könnte ich es mit dem übrigen vereinigen, so würde ein nationeller Gegenstand doch den Vorzug erhalten. Kein Schriftsteller, so sehr er auch an Gesinnung Weltbürger sein mag, wird in der *Vorstellungsart* seinem Vaterland entfliehen. Wäre es auch nur die Sprache, was ihn stempelt, so wäre diese allein genug, ihn in eine gewisse Form einzuschränken, und seinem Produkt eine nationelle Eigentümlichkeit zu geben. Wählte er aber nun einem auswärtigen Gegenstand, so würde der Stoff mit der Darstellung immer in einem gewissen Widerspruche stehen, da im Gegenteil bei einem vaterländischen Stoffe Inhalt und Form schon in einer natürlichen Verwandtschaft stehen; das Interesse der Nation an einem nationellen Heldengedichte würde dann doch immer auch in Betrachtung kommen, und die Leichtigkeit, dem Gegenstand durch das Lokale mehr Wahrheit und Leben zu geben."

Man sieht ohne weiteres: Die Beschränkung auf einen „nationellen" Stoff, der für den Epiker gefordert wird, ist nicht auf die individuelle Begabung Schillers berechnet, sondern soll für den Dichter als solchen gelten.

Aber bleibt in diesem Fall nicht trotz allem der dichterische Genius hinter dem großen Ziele der göttlichen Weisheit ewig zurück, das eben doch die Verwirklichung eines allumfassenden Weltbürgertums ist? Wo bleibt der stolze Fortschritt unserer Gegenwart gegenüber den Menschen des Altertums, die keine höhere Freiheit kannten als die Freiheit des Vaterlands?

In seiner 1784 verfaßten Abhandlung über ‚Die Schaubühne als eine moralische Anstalt betrachtet' preist Schiller die Bedeutung, welche die dramatische Kunst für die Weckung des Nationalgeistes hat, in welchem er „die Ähnlichkeit und Übereinstimmung der Meinungen und Neigungen eines Volkes bei Gegenständen" sieht, „worüber eine andere Nation anders meint und empfindet". Und er weist hin auf das Beispiel der antiken Dramen: „Was kettete Griechenland so fest aneinander? Was zog das Volk so unwiderstehlich nach seiner Bühne? — Nichts anderes als der vaterländische Inhalt der Stücke, der griechische Geist, das große überwältigende Interesse des Staats, der bessern Menschheit, der in denselbigen atmete." Deutlich wird hier „der griechische Geist" in Beziehung gesetzt zu dem Interesse „der besseren Menschheit", die in diesem Geiste lebendig war; und die Abhandlung schließt mit dem schon so oft angeführten Hinweis auf die „allwebende Sympathie", in der alle Besucher der Schaubühne sich als „Menschen" fühlen lernen.

Damit ist die Antwort auf die Fragen des vorigen Absatzes gegeben: Das griechische Volk gelangte politisch nur auf die gesellschaftliche Stufe der Nation — die griechische Dichtung sprach, indem sie sich an den Griechen wandte, zugleich den Menschen, als den Teil der besseren Menschheit, an. Die Menschen der Gegenwart haben die Möglichkeit gewonnen, gesellschaftlich auf die Höhe des Weltbürgertums zu gelangen — die Dichtung der Gegenwart hat die Aufgabe, nach dem Vorbild der griechischen Meister den Menschen an „nationellen Gegenständen" das Bewußtsein dieser ihrer höchsten Aufgabe immer lebendig zu erhalten.

Jetzt werden die weiteren Ausführungen über Schillers Briefe an Körner, soweit sie sich mit der Wahl eines epischen Stoffes befassen, dem Verständnis keine Schwierigkeiten mehr bereiten.

Da heißt es in dem zuletzt erwähnten Brief: „Unter allen historischen Stoffen, wo sich poetisches Interesse mit nationellem und politischem noch am meisten gattet, und wo ich mich *meiner Lieblingsideen* am leichtesten erledigen kann, steht Gustav Adolf oben an." Und dann folgt, nach einigen Bemerkungen im Hinblick auf eine Äußerung Körners, der schon früher angeführte Satz: „Die Geschichte der Menschheit gehört als unentbehrliche Episode in die Geschichte der Reformation", worauf es weiter heißt: „. . . und diese ist mit dem Dreißigjährigen Krieg unzertrennlich verbunden. Es kommt bloß auf den ordnenden Geist des Dichters an, in einem Heldengedicht, das von der Schlacht von Leipzig bis zur Schlacht bei Lützen geht, die ganze Geschichte der Menschheit ganz und ungezwungen, und zwar mit weit mehr Interesse zu behandeln, als wenn die der Hauptstoff gewesen wäre."

Körner hatte am 2. November den Wunsch nach einem epischen Gedicht „von philosophischem Gehalt mit lebendiger Darstellung und aller Pracht der Sprache" geäußert, wogegen Schiller den Einwand erhebt, daß „ein philosophischer Gegenstand für die Poesie verwerflich" sei, „vollends für die, welche ihren Zweck durch Handlung erreichen will".

Es ist bekannt, daß Schiller das Gustav-Adolf-Epos nicht geschrieben hat. Es läßt sich also nicht feststellen, wie der Dichter der gewaltigen Aufgabe gerecht werden wollte, in den Vorgängen eines Jahresumlaufs „die ganze Geschichte der Menschheit ganz und ungezwungen" sich spiegeln zu lassen. Daß in den „Lieblingsideen", deren Schiller sich bei der Darstellung der Gestalt des Schwedenkönigs „erledigen zu können" gedachte, auch jenes die Achse seiner Weltanschauung bildende Paar von Begriffen transparent werden mußte, die unter verschiedenartigen Bezeichnungen den Hauptgegenstand der Ausführungen dieses Buches bilden, kann keinem Zweifel unterliegen.

Aber statt des fehlenden Epos liegt das dritte Buch der ‚Geschichte des Dreißigjährigen Kriegs' vor, dessen Stoff genau die zeitliche Begrenzung zeigt, die Schiller für sein Heldengedicht vorgesehen hatte: das Jahr von der Schlacht bei Leipzig-Breitenfeld bis zu Gustav Adolfs Tod bei Lützen. Und es müßte verwunderlich sein, wenn es nicht möglich wäre, aus der schriftstellerischen Behandlung dieser Periode einigermaßen eine Vorstellung davon zu gewinnen, wie sich der Dichter die epische Verwirklichung seiner Aufgabe gedacht hat.

Um die Darstellung der Gestalt Gustav Adolfs im dritten Buch seiner ‚Geschichte des Dreißigjährigen Kriegs' zu würdigen, muß zuerst gezeigt werden, wie Schiller den Schwedenkönig in der zweiten Hälfte des vorhergehenden Buches charakterisiert.

Gustav Adolf wird, nach der vergeblichen Bemühung des Dänenkönigs, als „der einzige Fürst in Europa" bezeichnet, „von welchem die unterliegende Freiheit Rettung zu hoffen hatte". Er wird als ein Charakter geschildert, „der sich durch den Ruhm, die Unterdrückten zu beschützen, unendlich geschmeichelt fand, und den Krieg als das eigentliche Element seines Genies mit Leidenschaft liebte". Mochten auch manche äußere günstige Umstände dem König nahelegen, sein Schwert in dem furchtbaren Kampf zweier Bekenntnisse mitsprechen zu lassen, so fand er doch „die sicherste Bürgschaft für den glücklichen Erfolg seiner Unternehmung in sich selbst". Schiller rühmt zwar die Feldherrnfähigkeiten und Feldherrntugenden des Königs; aber wesentlicher als diese sind ihm doch offensichtlich die Eigenschaften des Herzens: „Eine ungekünstelte, lebendige Gottesfurcht erhöhte den Mut, der sein großes Herz beseelte." Auch „in der Trunkenheit seines Glücks" blieb er „noch Mensch und noch Christ, aber auch in seiner Andacht noch Held und noch König". Und weil er ohne Bedenken alle Strapazen und alles Ungemach des Krieges mit dem Geringsten seines Heeres teilte, gab, „stolz auf *diesen* König, der Bauer in Finnland und Gotland freudig seine Armut hin, verspritzte der Soldat freudig sein Blut, und der hohe Schwung, den der Geist dieses einzigen Mannes der Nation gegeben, überlebte noch lange Zeit seinen Schöpfer".

Schiller sieht also in Gustav Adolf in erster Linie den großen *Helden* und Vorkämpfer der *Freiheit,* der als Mensch *sympathetisch* mit Menschen fühlt. Kennzeichnend für sein Wesen sind die Worte, mit denen er vor dem Aufbruch nach Deutschland von seinen Dienern der Kirche Abschied nimmt: „Seid selbst Muster der Tugenden, die ihr predigt, und mißbraucht nie eure Herrschaft über die Herzen meines Volks."

Gefahr droht der Religion und damit der Freiheit der deutschen Stände: Es ist also eine Vernunftidee, in welcher des Königs Sympathie mit den protestantischen Fürsten und Städten Deutschlands begründet ist — nicht Rücksicht auf eigene Interessen und Eroberungssucht. Nicht nur als Held, auch als Weiser erscheint der schwedische Herrscher auf deutschem Boden. Lediglich durch die von Sympathie der Vernunft diktierten Motive wird Gustav Adolfs Verhalten bis zur Schlacht bei Breitenfeld bestimmt. Alle Forderungen, die er an die Herzöge Pommerns und Mecklenburgs, an die Kurfürsten von Brandenburg und Sachsen stellt, sind allein durch die Notwendigkeit bedingt, sich beim Vormarsch in das innere Deutschland den Rücken frei zu halten. Die Worte, mit denen Schiller den ligistischen Oberfeldherrn Tilly veranschaulicht, bei welchem — ganz im Sinne der Abhandlung des jungen Stuttgarter Akademieschülers — Aussehen und Charakter in vollkommener „Sympathie" stehen, dienen nur dazu, durch den Kontrast den „nordischen Helden" noch glänzender erscheinen zu lassen.

Dabei macht die Darstellung der kriegerischen Ereignisse immer wieder augenscheinlich, daß auch das edelste Wollen, das selbstloseste Handeln nicht gesichert ist gegen Eigennutz und Mißtrauen, gegen Unfähigkeit und Eifersucht der Mächte, auf deren Mitwirkung der für ein ideales Ziel sich einsetzende Held rechnen muß. Um „evangelische Religion und deutsche Freiheit" zu verteidigen, muß Gustav Adolf Hilfsgelder von dem katholischen König Frankreichs annehmen, und das Zaudern Kurbrandenburgs und Kursachsens bringt es dahin, daß sich bei den protestantischen Ständen gegen den Schwedenkönig der Verdacht erhebt, die Rettung Magdeburgs vor Tillys furchtbaren Horden versäumt zu haben. Aber weil der Kaiser, durch den Magdeburger Erfolg verblendet, „über die Grenzen der bisherigen Mäßigung" hinweggeführt und „zu einem gewaltsamen, übereilten Verfahren" verleitet wird, sollte sich „die deutsche Freiheit aus Magdeburgs Asche" erheben — in Schillers Augen eine neue Bestätigung seiner geschichtsphilosophischen Überzeugung, daß alle höchsten Lebenswerte nur um den Preis des Lebens zu gewinnen sind, die Manifestation jenes von einer höheren Ordnung bezweckten „Außerordentlichen", das im „Dennnoch" aus dem Tode neues Leben werden läßt.

Denn während Tilly „seit dem Blutbade zu Magdeburg das Glück" flieht, „begleitete es von nun an desto ununterbrochener den König von Schweden". Anders als der nach seinem Erfolg die Unberechenbarkeit des Schicksals außer acht lassende Tilly, zeigt „Gustav Adolf das bescheidene Mißtrauen eines Helden, den das Bewußtsein seiner Stärke gegen die Größe der Gefahr nicht verblendet" — und so treten die beiden Gegner auf der Ebene von Breitenfeld zur entscheidenden Schlacht an, deren Ausgang Tilly um die Früchte all seiner früheren Siege betrügt, den Schwedenkönig aber an das Ziel bringt, „um dessentwillen er das Baltische Meer durchschiffte, auf entlegener Erde der Gefahr nachjagte, Krone und Leben dem untreuen Glück anvertraute". —

Aber unmittelbar nach der gewonnenen Schlacht tritt ein Ereignis ein, das — nach Schillers unausgesprochener Auffassung — für Gustav Adolfs seelische Entwicklung von schicksalhafter Bedeutung werden sollte: Johann Georg, Kurfürst von Sachsen, verspricht dem Sieger in der ersten Freude über den Erfolg, der zunächst seinem eigenen Land zugute kam, die römische Königskrone. Hier tritt plötzlich die Versuchung an den nordischen Helden heran, die seinem reinen, ganz auf ein ideales Ziel gerichteten Streben verhängnisvoll werden konnte.

Unter diesen Voraussetzungen setzt das dritte Buch der ‚Geschichte des Dreißigjährigen Kriegs‘ ein. Es beginnt mit der Feststellung, daß „die glorreiche Schlacht bei Leipzig in dem ganzen nachfolgenden Betragen des Monarchen ... eine große Veränderung" bewirkte. Bis dahin war Gustav Adolf der Held und der Weise, den, wie vorhin angeführt, „das Bewußtsein seiner Stärke gegen die Größe der Gefahr nicht verblendete". Jetzt wird es anders. Der große Sieg wandelt sein Wesen. „Von diesem Augenblick an schöpfte er eine feste Zuversicht zu sich selbst; und Zuversicht ist die Mutter großer Taten. Man bemerkt fortan in allen Kriegsunternehmungen des schwedischen Königs einen kühnern und sicherern Schritt, mehr Entschlossenheit auch in mißlichen Lagen, eine stolzere Sprache gegen seinen Feind, mehr Selbstgefühl gegen seine Bundesgenossen, und in seiner Milde selbst mehr die Herablassung des Gebieters. Seinem natürlichen Mut kam der andächtige Schwung seiner Einbildung zu Hilfe; gern verwechselte er *seine* Sache mit der Sache des Himmels, erblickte in Tillys Niederlage ein entscheidendes Urteil Gottes zum Nachteil seiner Gegner, in sich selbst aber ein Werkzeug der göttlichen Rache." Und so ist das Ergebnis: „Einzig, ohne Nebenbuhler ... stand er jetzt da in der Mitte Deutschlands; nichts konnte seinen Lauf aufhalten, nichts seine Anmaßungen beschränken, wenn die Trunkenheit des Glücks ihn zum Mißbrauch versuchen sollte."

Vielleicht läßt sich diese innere Wandlung des Schwedenherrschers für die Zwecke der vorliegenden Betrachtung so formulieren: Seine bisherige „Schonung des deutschen Stolzes, sein leutseliges Betragen, glänzende Handlungen der Gerechtigkeit, seine Achtung für die Gesetze" sind von nun an weniger Manifestation der durch die Freiheisidee bestimmten Weisheit des naturbedingt wirkenden Genius, als vielmehr wohlüberlegte Handlungen der Staatsklugheit, und sein Heldentum tritt zurück hinter einer, die politischen Verhältnisse in Rechnung stellenden Klugheit des Heerführers und Feldherrn. „In der einen Hand das Schwert, in der andern die Gnade, sieht man ihn jetzt Deutschland von einem Ende zum andern als Eroberer, Gesetzgeber und Richter durchschreiten." Denn während bei seinen Gegnern, den Fürsten der Liga, „der Heerführer von dem Gesetzgeber und Staatsmann getrennt war, so war hingegen in Gustav Adolf beides vereinigt". Und daß der König zu dieser Bewältigung kriegerischer und politischer Aufgaben fähig war, das verdankte er, will es scheinen, doch wieder der bis dahin bei ihm beobachteten Einheit von Heldentum und Weisheit, der Ausgewogenheit von Sympathie und Vernunft.

So übte in des Königs Wesen das ihm ursprünglich eigene Genie auch in den Zeitläuften seine Wirksamkeit aus, als der reine Blick seiner Seele durch irdische Lockungen getrübt, er selbst nicht Genius, sondern nur bedeutender Mensch war — bis gegen Ende seiner Laufbahn wieder alles Irdische von ihm abfallen und sein Genius allein ihn wieder an die Hand nehmen sollte.

Es sei versucht, diese Entwicklung an Hand der Darstellung Schillers im einzelnen zu verfolgen.

Der Feldherr und Staatsmann Gustav Adolf bestimmt nach dem Sieg bei Breitenfeld den Fortgang der strategischen und diplomatischen Unternehmungen, wie er schon am Schluß des zweiten Buches angedeutet wurde: Während dem verbündeten Kurfürsten von Sachsen die Eroberung Böhmens und die Bedrohung Österreichs überlassen wird, rüstet sich der Schwedenkönig zum persönlichen Angriff auf die ligistischen Reichslande, wo er „die Nerven der kaiserlichen Macht zerschneiden" und den „zweideutigen Bundesgenossen" Frankreich „in der Nähe bewachen" konnte.

Aber Schiller deutet leise auf eine weitere Möglichkeit hin, die vielleicht im Bereich der königlichen Berechnungen lag. Hatte etwa das Versprechen des sächsischen Kurfürsten nach der Breitenfelder Schlacht in Gustav Adolf ehrgeizige Hoffnungen geweckt? Dann war es nötig, die Freundschaft der katholischen Kurfürsten am Rhein zu gewinnen und „sich zum Herrn ihres Schicksals" zu machen, „um durch eine großmütige Schonung sich einen Anspruch auf ihre Dankbarkeit zu erwerben".

Es ist ein überaus fesselndes Bild, das Schiller von der Persönlichkeit dieses einzigartigen Menschen zeichnet, in welchem sich reiner Edelsinn und Rechtlichkeit, kluge Berechnung und — noch für den rückschauenden Betrachter in später Nachwelt problematisch—ichbestimmte diplomatische Schlauheit im Hinblick auf ein künftiges, ganz irdisches Ziel mischen.

Sein Verhältnis zu Frankreich zwingt Gustav Adolf, als einen unfreien Freiheitskämpfer, gegen die Katholiken mit Vorsicht zu verfahren, den Protestanten wieder zu ihrem Recht zu verhelfen, „doch ohne den Papisten den Druck zu vergelten, unter welchem sie seine Glaubensbrüder so lange gehalten hatten". „Den Friedfertigen und Wehrlosen widerfuhr eine gnädige Behandlung." Während Tilly die letzte Armee, welche die Liga noch besaß, „auf den Glückswurf eines neuen Treffens zu setzen" nicht wagen durfte, während der unbeständige Herzog von Lothringen im eitlen Wahn, den Schweden schlagen zu können, sein Land den Franzosen wehrlos auslieferte, wird das Gebiet des arglistigen Bischofs von Bamberg von Gustav Adolfs Truppen besetzt, das Maintal durchschritten, durch Hinweis auf das Interesse der Freiheit der protestantischen Kirche und zugleich

durch energisches Fordern die zweideutige Haltung der Abgeordneten
Frankfurts überwunden, durch Spott und die Macht der Persönlichkeit des
nordischen Helden der fragwürdige „Friedensstifter", der Landgraf von
Hessen-Darmstadt, bei seiner Pflicht gehalten. Am Rhein angelangt, wird
der König im Kampf mit den dort stehenden spanischen Truppen Herr von
Mainz und bedroht mit seinen siegreichen Waffen die angrenzenden Kur-
fürstentümer.

Aber schon bevor der Schwedenherrscher in Frankfurt Hof hält und
später in Mainz Winterquartiere bezieht, erhebt sich zum erstenmal ein
Mißtrauen gegen die bisher so laut von ihm verkündete Reinheit seiner
Absichten. Eine eindeutige Stellungnahme erscheint schwer. Warum, fragt
Schiller, wendet Gustav Adolf seine Waffen nicht gegen die Armee Tillys,
gegen das Haupt der Liga, den Herzog von Bayern? Ist es wirklich nur
die Sorge um die Haltung des französischen Bundesgenossen, was ihn
daran hindert? Oder wollte er vorher den Pfalzgrafen Friedrich, den einstigen Winterkönig, „in seinen verlorenen Ländern wiederherstellen"?
Aber das geschieht nicht. Schiller sagt dazu: „Die Untätigkeit und die
widersinnige Politik des englischen Hofes hatte den Eifer Gustav Adolfs
erkältet, und eine Empfindlichkeit, über die er nicht ganz Meister werden
konnte, ließ ihn hier den glorreichen Beruf eines Beschützers der Unterdrückten vergessen, den er bei seiner Erscheinung im deutschen Reiche
so laut angekündigt hatte." Als daher Gesandte des englischen Königs ihn
an sein gegebenes Versprechen erinnern, beantwortet Gustav Adolf diese
Mahnung „mit bittern Klagen über die Untätigkeit des englischen Hofs,
und rüstete sich lebhaft, seine sieghaften Fahnen mit nächstem im Elsaß
und selbst in Lothringen auszubreiten". Von des Königs Verhältnis zur
Stadt Mainz sagt Schiller, er ließ gegen sie „eine größere Neigung blicken,
als sich mit dem Interesse der deutschen Fürsten und mit dem kurzen Be-
suche vertrug, den er dem Reiche hatte abstatten wollen". Sind es Gründe
der Politik und der Strategie, die den Herrscher zu diesem Betragen bestimmen, oder verbergen sich dahinter Absichten, die seit dem Versprechen
des sächsischen Kurfürsten bei ihm rege geworden sind? Jedenfalls tritt
in Gustav Adolfs Verhalten ein bemerkenswerter Wandel ein. Die Zwangs-
lage, in die er sich dadurch versetzt sieht, daß die durch Richelieus Diplo-
matie gesteigerte Erbitterung der katholischen Reichsstände seine Anwesenheit in Bayern, wo Tilly seine bewaffnete Macht vermehrt, notwendig
macht, er aber vorher durch Vertreibung der Spanier aus dem Rheingebiet
seinen Rücken decken muß, weckt in dem Monarchen eine „gereizte
Empfindlichkeit", die nur durch die Erfüllung harter Forderungen durch
die rheinischen Fürsten beschwichtigt werden kann.

Es folgt dann, nach Sicherung der Lage am Rhein, mit der Wendung
des schwedischen Heeres nach Bayern noch einmal eine Zeit glänzender

Triumphe Gustav Adolfs, die ihren Höhepunkt im Sieg am Lech und Tillys Tod finden; und im Gegensatz zu dem unversöhnlichen Religionsfanatismus der bayerischen Katholiken leuchtet der jedem Rachegefühl fremde und gegen Wehrlosigkeit stets zur Nachsicht geneigte Heldencharakter des schwedischen Königs um so heller.

Jetzt nun, wo nach dem Tode Tillys Gustav Adolf, mitten in Bayern stehend, „entschlossen und gerüstet" ist, „den Krieg in das Innerste von Österreich zu wälzen", und durch die Erfolge des sächsischen Kurfürsten auch der größte Teil Böhmens verloren ist, blickt Schiller, wie an einem Höhepunkt der Entwicklung angelangt, zurück auf die Ereignisse, die als unmittelbare Folge der Breitenfelder Schlacht die Sache der Protestanten unter des Schwedenkönigs Führung bis zu diesem Punkte geführt haben. Und er kommt zu dem Ergebnis, daß alle Erfolge des Monarchen auf seine „furchtbare Überlegenheit im Felde" zurückzuführen seien. Daß der Geschichtsphilosoph diese Überlegenheit aber nicht allein auf die feldherrlichen Fähigkeiten Gustav Adolfs zurückführt, sondern auch den Staatsmann an ihnen beteiligt sein läßt, geht aus den Worten hervor, in denen er ihre Ursachen namhaft macht. Er sieht dieselben nämlich „in der unumschränkten Gewalt des Anführers, der alle Kräfte seiner Partei in einem einzigen Punkte vereinigte und, durch keine höhere Autorität in seinen Unternehmungen gefesselt, vollkommner Herr jedes günstigen Augenblicks, alle Mittel zu seinem Zwecke beherrschte und von niemand als sich selbst Gesetze empfing". Ja, hier wird mit den letzten Worten, über die Eigenschaften des Heerführers und Staatsmanns hinaus, auf die genialischen Kräfte des Helden und Weisen hingedeutet, die, wie schon erwähnt, diese seltene Vereinigung so verschiedenartiger Fähigkeiten erklären. Nur dieser genialischen Veranlagung ist es ja auch zu danken, daß das schwache Band der Eintracht, das die protestantischen Glieder des Reiches zusammenhielt, bis zu Gustav Adolfs Tod bestehen blieb — dann aber auch alsbald zerriß, als die starke Persönlichkeit des Königs vom Schauplatz abtrat.

Gegen diesen Mann nun steht nach Tillys Tode in Wallenstein ein Gegner auf, der in gleicher Weise militärische und politische Macht in seiner Hand vereinigt — aber wie verschieden sind bei den beiden Männern die Ursprünge dieser Vereinigung! Bei dem Vorkämpfer der protestantischen Freiheit beruhen sie auf einer, im Gleichgewicht von Sympathie und Vernunft begründeten Genialität, bei dem Herzog von Friedland auf dem zum Verrat an seinem Herrn bereiten Ehrgeiz, dem sich der Kaiser aus Not unterwerfen muß.

Aus dem Nachruf, den Schiller am Ende des vierten Buches Wallenstein widmet, wird der Gegensatz der beiden Männer offenbar. „Die Tugenden des Herrschers und Helden", heißt es dort, „Klugheit, Gerechtigkeit, Festigkeit und Mut, ragen in seinem Charakter kolossalisch hervor; aber ihm fehlen die sanfteren Tugenden des *Menschen*, die den Helden zieren und dem Herrscher Liebe erwerben."

Will man daher den Wesensunterschied der beiden großen Gegner auf die unsere gesamte Darstellung beherrschenden Grundbegriffe zurückführen, so ist zu sagen: Während bei dem Helden und Weisen Gustav Adolf Sympathie und Vernunft im Gleichgewicht stehen, ist Wallensteins Vernunft, da sie nicht durch Sympathie ausgeglichen ist, nur eine „beschränkte".

Daher trägt der schwedische König, dem, wie schon gezeigt, eine gerade das Genie kennzeichnende Vorsicht eignet, Bedenken, „an die schimärischen Entwürfe dieses verwegenen Kopfs seinen Ruhm zu wagen und der Redlichkeit eines Mannes, der sich ihm als Verräter ankündigte, eine zahlreiche Mannschaft anzuvertrauen", als Wallenstein schon bald nach Gustav Adolfs Erscheinen in Deutschland „mit diesem glücklichen Feinde Österreichs gemeine Sache zu machen" sucht. Völlig unmöglich aber wurde eine Verständigung, sobald der Friedländer als Preis für seinen Verrat an dem Kaiser von Gustav Adolf die böhmische Königskrone forderte: „Der stolze Monarch konnte sich herablassen, den Beistand eines rebellischen Untertans gegen den Kaiser anzunehmen, und diesen wichtigen Dienst mit königlicher Großmut belohnen; aber nie konnte er seine eigene und aller Könige Majestät so sehr aus den Augen setzen, um den Preis zu bestätigen, den die ausschweifende Ehrsucht des Herzogs darauf zu setzen wagte." Für den Genius Gustav Adolf gilt die Krone als Sinnbild der in einem Menschen vereinigten Kraft von Heldentum und Weisheit — auf Wallensteins Haupt mußte ihm dieses Sinnbild entweiht erscheinen.

Schillers Darstellung des Kräftemessens dieser zwei größten geschichtlichen Persönlichkeiten des Dreißigjährigen Krieges erweckt den Eindruck, als weiche seit dem Beginn dieses Kampfes von Gustav Adolfs Charakter jede Spur menschlich-irdischer Unvollkommenheit, als verschwänden all die Anwandlungen ichbedingter Strebungen, die seit der Schlacht bei Breitenfeld den blanken Spiegel seines Genius verdunkelten. „Der zweideutige Charakter Wallensteins und der schlimme Ruf der österreichischen Politik" lassen Gustav Adolfs Verdienste bei den protestantischen Ständen in doppelt hellem Lichte erstrahlen.

Nach Schillers Ansicht hat der Genius des Schwedenkönigs das wahre Wesen seines großen Gegners nicht in vollem Umfange begriffen. Scheiterte schon sein Versuch, zu einem späteren Zeitpunkt die Beziehungen zu Wallenstein neu zu knüpfen, an dem „beleidigten Stolz" des Friedländers, den er bei der Beurteilung seines Charakters offenbar nicht in Rechnung gestellt hatte, so scheint er andererseits den Haß, den Wallenstein dem Bayernherzog Maximilian widmete, für zu unüberwindlich gehalten zu haben, als daß er die Vereinigung ihrer beiden Armeen zu Eger mit allen Mitteln zu verhindern sich bemüht hätte. Seinem königlichen Sinn war es unbegreiflich, wie sich zwei Menschen, „indeß ihre Herzen von Haß überflossen, einander gegenseitige Versicherungen der Freundschaft" geben konnten.

So sieht sich Gustav Adolf vor die Notwendigkeit gestellt, „weniger um die Oberherrschaft als um seine Existenz in Deutschland zu fechten, und von der Fruchtbarkeit seines Genies Mittel zur Rettung zu entlehnen".

Aber nun zeigt sich diese Genialität wieder in ihrer ganzen Größe. „Gleichgültig gegen alle Beschwerden und Gefahren, wo die Menschlichkeit sprach und die Ehre gebot, erwählte er ohne Bedenken das erste, fest entschlossen, lieber sich selbst mit seiner ganzen Armee unter den Trümmern Nürnbergs zu begraben, als auf den Untergang dieser bundesverwandten Stadt seine Rettung zu gründen." So kommt es zu dem wochenlangen Stellungskrieg vor Nürnberg, den Gustav Adolf endlich mit Rücksicht auf die schwer leidende Stadt abbricht, „gerührt von dem allgemeinen Jammer und ohne Hoffnung, die Beharrlichkeit des Herzogs von Friedland zu besiegen". Und wieder wird am Kontrast die Größe des nordischen Helden deutlich: Während Wallensteins Armee ihren Abmarschweg durch „die schrecklichste Verheerung bezeichnete", blieb Gustav Adolf unweit Nürnbergs fünf Tage stehen, „um seine Truppen zu erquicken und Nürnberg nahe zu sein, wenn der Feind etwas gegen die Stadt unternehmen sollte".

Und ein zweites Mal tritt der Fall ein, daß der König der Notwendigkeit weichen muß: Der Kurfürst von Sachsen, dem Gustav Adolfs „überwiegender Einfluß auf die protestantischen Stände" von je ein Dorn im Auge war, und das durch „die nicht sehr zweideutigen Beweise der ehrgeizigen Absichten" des schwedischen Königs geweckte Mißtrauen der deutschen Reichsstände zwingen ihn, „der Rettung dieses Bundesgenossen alle seine glänzenden Hoffnungen aufzuopfern", um nicht „aus Gleichgültigkeit gegen einen so wichtigen Bundesgenossen das Vertrauen aller übrigen Alliierten Schwedens zu ihrem Beschützer auf immer darniederzuschlagen".

Verhängnisvoll verschlingen sich hier die Ursachen für die Entwicklung des Schicksals eines genialischen Menschen: Charakterschwäche, Eifersucht, Uneinigkeit bei denjenigen, für deren Freiheit Gustav Adolf das Schwert gezogen hat, und die Folgen des einstigen Abgleitens der Heldengröße des Königs in ein Spielen mit machtpolitischen Möglichkeiten, das der ursprünglichen Reinheit seines Strebens fremd war.

Schillers Darstellung hinterläßt den Eindruck, daß sich Gustav Adolf angesichts seines baldigen Endes von aller „Angst des Irdischen" befreit hat. Die Szene bei seinem Empfang in Naumburg, als das herbeiströmende Volk sich an ihn drängt, Stimmen der Freude ihn umtönen, anbetend sich alles vor ihm auf die Knie stürzt, der „ein Jahr vorher auf eben diesem

Boden als ein rettender Engel erschienen war", ist ein letzter Beweis seiner
Größe und seiner Demut: „Ist es nicht, als ob dieses Volk mich zum Gott
mache?" sagte er zu seinen Begleitern. „Unsere Sachen stehen gut; aber
ich fürchte, die Rache des Himmels wird mich für dieses verwegene Gau-
kelspiel strafen, und diesem törichten Haufen meine schwache sterbliche
Menschheit früh genug offenbaren." Mit Recht bemerkt Schiller: „Wie
liebenswürdig zeigt sich uns Gustav, eh' er auf ewig von uns Abschied
nimmt! Auch in der Fülle seines Glücks die richtende Nemesis ehrend,
verschmäht er eine Huldigung, die nur den Unsterblichen gebührt . . ."

Und dann folgt die Schilderung der Schlacht bei Lützen, in welcher
der König den Tod eines gemeinen Soldaten findet, aber „der Geist Gustav
Adolfs" von neuem seine Scharen zum Siege führt, während Wallenstein,
mitten im Kugelregen unverletzt, von „den Rachegöttern" für eine spätere
Vergeltung aufgespart wird. —

Das dritte Buch der ‚Geschichte des Dreißigjährigen Kriegs' einleitend
und abschließend würdigt Schiller die große Gestalt des schwedischen
Königs als den Genius, der durch seinen frühen Tod mit der seltenen
Gunst des Schicksals begnadet wird, „in der Fülle seines Ruhms und in der
Reinigkeit seines Namens zu sterben". Denn auch ihm drohte „das unver-
meidliche Schicksal der Menschheit, auf der Höhe des Glücks die Bescheidenheit, in der Fülle der Macht die Gerechtigkeit zu verlernen". Noch
einmal werden im letzten Absatz des Buches die Handlungen des Monarchen aufgezählt, durch welche er — Schiller spricht hier eine kategorische
Behauptung aus — unwiderleglich verriet, daß sein Ziel der Kaiserthron
gewesen sei. Und er, der für die Freiheit des Deutschen Reiches in den
Kampf gezogen, sicherte schließlich diese Freiheit nur durch „seinen schnel-
len Abschied von der Welt". Dieses „außerordentliche Schicksal" erscheint
Schiller als „eine Tat der großen Natur" in dem Sinne, daß im Verlauf der
Geschichte, die dem Beobachter so oft als ein Spiel menschlicher Leidenschaften erscheint, doch zuweilen „eine höhere Ordnung der Dinge" zu
walten scheint, die dafür sorgt, daß „das Gleichgewicht der Kräfte" nicht
durch die einseitige Wirksamkeit einer vergänglichen Größe gestört wird. —

Der Begriff „Menschheit", der in einem soeben angeführten Satz aus
der Einleitung des dritten Buches anklingt, erinnert an die Stelle in Schillers Brief an Körner, wo der Dichter von seiner Absicht spricht, „in einem
Heldengedicht, das von der Schlacht bei Breitenfeld bis zur Schlacht bei
Lützen geht, die ganze Geschichte der Menschheit . . . zu behandeln". Diese
Aufgabe konnte nur an dem musterhaften Schicksal eines einzelnen Menschen verwirklicht werden, in welchem sich gleichsam die Menschheit als
ein Ganzes darstellte:

„Von der *Menschheit* — du kannst von ihr nie groß genug denken;
    wie du im Busen sie trägst, prägst du in Taten sie aus."

Nicht alle Menschen rechnet der Dichter zur Menschheit, sondern nur die-
jenigen, die er in einem anderen Epigramm als „schöne Individualitäten"
bezeichnet, und für welche das Wort gilt:
  „Wohl dir, wenn die Vernunft immer im Herzen dir wohnt."
Das sind die, bei welchen die Vernunft durch Sympathie geleitet wird.
  Aber die Worte „wohl dir" weisen auf die Gefahr hin, der auch diese
Ausgezeichneten unter den Menschen ausgesetzt sind: auf die Gefahr, daß
Leidenschaft die Stimme der Sympathie verstummen läßt und die „beschränkte Vernunft" den Genius zum Despoten macht. Für dies „unver-
meidliche Schicksal der Menschheit" gilt Gustav Adolf dem Dichter als
Musterbild deshalb, weil gerade in ihm die genialische Natur — wie ja
auch in der dichterischen Gestalt des Marquis Posa — in so seltener Reinheit in Erscheinung tritt, und es wird die ausführliche Behandlung verständlich, die Schiller dem Schwedenkönig in der ‚Geschichte des Dreißigjährigen Kriegs' widmet, nachdem er die Absicht einer epischen Ausführung des Stoffes aufgegeben hat.
  Und doch ist kein Zweifel: In der Darstellung der Gestalt dieses Helden,
in der zentralen Stellung, die er ihm in jenem Werke zugewiesen, erweist
sich Schiller nicht nur als Geschichtsphilosoph, sondern auch als Dichter.
Hier folgt er dem Vorbild des griechischen Genius, wie er ihn in dem Gedicht ‚Die Götter Griechenlands' sieht:

> „... da der Dichtkunst malerische Hülle
> sich noch lieblich um die Wahrheit wand ...";

hier stellt er die Wissenschaft in den Dienst der Kunst, wie er es im siebenundzwanzigsten Abschnitt seines Kulturgedichtes ‚Die Künstler' fordert:

> „Was in des Wissens Land Entdecker nur ersiegen,
>   entdecken sie, ersiegen sie für euch.
> Der Schätze, die der Denker aufgehäufet,
>   wird er in euren Armen erst sich freun,
> wenn seine Wissenschaft, der Schönheit zugereifet,
>   zum Kunstwerk wird geadelt sein —"

Erst dann wird dem Menschen über dem Erleben des Schönen die Wahrheit aufgehen.
  Doch mit diesem Gedanken hat die Betrachtung schon in die Erörterung
des nächsten Kapitels vorgegriffen.

Zweites Kapitel

Umweg und Richtweg zur Freiheit

Von den in der Einleitung zum zweiten Teil dieses Buches erwähnten
vier Problemen, um die sich in den Jahren 1787 bis 1795 Schillers Denken
bewegt, sind im ersten Kapitel erst zwei, die Probleme der Wahrheit und
der Freiheit, zur Sprache gekommen.

Der Begriff der Vernunftfreiheit, von Schiller als die „neue Wahrheit"
der Reformationsbewegung Luthers verstanden, gilt dem Geschichtsphilosophen zugleich als das Ziel der Menschheitsentwicklung, gesetzt von einer
„höheren Ordnung", die sich als ein „Außerordentliches" im Lauf der Geschichte immer neu manifestiert. In Gustav Adolf gestaltet Schiller endlich
ein Musterbild des „außerordentlichen Schicksals", das die Geschichte
durchwaltet, indem es den einzelnen Menschen erhebt und vernichtet: Der
Vorkämpfer der Freiheit wird zum Sinnbild der Wahrheit, daß menschliche
Vernunft nur soweit der Menschheit dienen darf, als sie dem von der
Allvernunft gesetzten Ziel der Freiheit treu bleibt.

Den Umweg und Richtweg, auf welchem eine höhere Ordnung den
irrenden Menschen diesem Freiheitsziele nach Schillers Weltanschauung
entgegenführt, den Weg über das Schöne zum Erhabenen, soll das zweite
Kapitel vergegenwärtigen.

Erster Abschnitt

Weltgeschichte als „erhabener Gegenstand": Manifestation des Tragischen

In Kants ‚Kritik der Urteilskraft', die, 1790 in erster Auflage erschienen,
von Schiller in den folgenden Jahren mit immer wachsender Anteilnahme
studiert wird, findet der Dichter zunächst in der Analytik des Erhabenen
Anregungen zu eigenen Gedankengängen, die sich, bereichert durch die
Erfahrungen seiner seit 1788 gepflegten Beschäftigung mit Euripides, alsbald zu einer Aesthetik des Tragischen formen. Und indem sich mit diesen
Ergebnissen seines Denkens die Resultate seines noch immer fortgesetzten
geschichtsphilosophischen Schaffens verbinden und gegenseitig durchdrin-

gen, gewinnt Schiller eine neue Auffassung von der Geschichte als einem tragisch-aesthetischen Gegenstande.

Es sind die vier ersten aesthetischen Aufsätze Schillers, die man als vom Komplex des Tragischen beherrscht verstehen darf. Im Jahre 1792 entstanden die Abhandlungen: ‚Über den Grund des Vergnügens an tragischen Gegenständen‘ (1) und ‚Über die tragische Kunst‘ (2). Das folgende Jahr brachte die ursprünglich in *einem* Aufsatz vereinigten Arbeiten: ‚Über das Pathetische‘ (3) und ‚Über das Erhabene‘ (4).

Genauer formuliert, darf als Thema der vier genannten Abhandlungen die Frage nach *Wesen* und *Wirkung* des Tragischen bezeichnet werden.

Hinweise auf Belegstellen werden wieder einfach durch Beifügung der jeweiligen Nummer (1) bis (4) gegeben.

1. Wesen und aesthetischer Eindruck des Tragischen

Das Wesen des Tragischen entwickelt Schiller aus der Kants ‚Kritik der Urteilskraft‘ entnommenen Lehre von den dem Menschen als Sinnen- beziehungsweise Vernunftwesen gesetzten Zwecken.

Dem den Menschen als Sinnenwesen von der Natur gesetzten Zweck der Glückseligkeit steht die Tatsache gegenüber, daß diese Menschen dem Leiden unterworfen sind. Dieses Leiden entstammt Naturkräften, also allem, „was nicht moralisch ist, . . . was nicht unter der höchsten Gesetzgebung der Vernunft stehet", also Empfindungen, Trieben, Affekten, Leidenschaften so gut als der physischen Notwendigkeit und dem Schicksal (1). Schiller nennt diesen Widerspruch zwischen Naturbestimmung und Nichterfüllung ganz schroff „Zweckwidrigkeit": denn „es scheint eine Zweckwidrigkeit in der Natur zu sein, daß der Mensch leidet, der doch nicht zum Leiden bestimmt ist" (1).

Aber diese scheinbare Zweckwidrigkeit als solche ist noch nicht tragisch. Um das Wesen des Tragischen zu würdigen, bedarf es der Berücksichtigung dessen, was Kant den außerhalb ihrer selbst liegenden Endzweck der Natur nennt, der in „der Hervorbringung der Tauglichkeit eines vernünftigen Wesens", nämlich „in seiner Freiheit" besteht (1. Auflage 1790, Seite 387), und was Schiller als den „höchsten Zweck der Menschheit" bezeichnet (1). Dieser höchste Zweck aber ist das „moralisch Gute". Die Durchsetzung dieses moralisch Guten ist — vom vernunftbestimmten menschlichen Standpunkt aus gesehen — eine „Zweckmäßigkeit" (1).

Und nun läßt sich im Einklang mit der Auffassung Schillers von der Wechselbeziehung zwischen sinnbedingter Zweckwidrigkeit und vernunftbedingter Zweckmäßigkeit das Wesen des Tragischen so formulieren:

Tragisch ist ein Vorgang, bei welchem der Sieg des moralisch Guten erst durch den Verzicht auf die sinnliche Glückseligkeit erkämpft werden kann.

Die Wirkung, die nach Schillers Anschauung das Erlebnis des in diesem Sinne Tragischen auf den Menschen ausübt, sieht der Dichter bestimmt durch eine besondere menschliche Eigenschaft, die anlagenhaft in ihm vorhanden ist.

In dem Aufsatz ‚Über die tragische Kunst' (2) stellt Schiller einleitend fest, daß „der Zustand des Affekts" — also eine Form des Leidens — „etwas Ergötzendes für uns hat", daß „die Lust am Affekt" mit seinem Inhalt „gerade in umgekehrtem Verhältnis stehe." In einem weniger bekannten Artikel: ‚Zerstreute Betrachtungen über verschiedene aesthetische Gegenstände' spricht Schiller geradezu von einer als Lust sich äußernden „Macht der sympathetischen Gefühle, die uns in der *Natur* zum Anblick des Leidens, des Schreckens, des Entsetzens hintreibt, die in der *Kunst* so viel Reiz für uns hat, die uns in das Schauspielhaus lockt, die uns an den Schilderungen großer Unglücksfälle so viel Geschmack finden läßt . . ." Dieser „mächtige Zug" „muß also in der ursprünglichen Anlage des menschlichen Gemüts gegründet und durch ein allgemeines psychologisches Gesetz zu erklären sein" (2).

Der hier gekennzeichneten Anlage des Sinnenmenschen gegenüber steht die „in der rationalen Natur" des Menschen wurzelnde „moralische Anlage" (4), welche einen „augenscheinlichen Vorteil gegen die Sinnlichkeit" darstellt (3), „weil schon durch die bloße Möglichkeit, uns vom Zwange der Natur loszusagen, unserm Freiheitsbedürfnis geschmeichelt wird" (3). Auch vom Erlebnis der Naturvorgänge sieht Schiller diese moralische Anlage des Menschen angesprochen: „Der Anblick unbegrenzter Fernen und unabsehbarer Höhen, der weite Ozean zu seinen Füßen und der größere Ozean über ihm entreißen seinen Geist der engen Sphäre des Wirklichen und der drückenden Gefangenschaft des physischen Lebens. Ein größerer Maßstab der Schätzung wird ihm von der simplen Majestät der Natur vorgehalten, und, von ihren großen Gestalten umgeben, erträgt er das Kleine in seiner Denkart nicht mehr. Wer weiß, wie manchen Lichtgedanken oder Heldenentschluß, den kein Studierkerker und kein Gesellschaftssaal zur Welt gebracht haben möchte, nicht schon dieser mutige Streit des Gemüts mit dem großen Naturgeist auf einem Spaziergang gebar" (4).

Da nun dieses Freiheitsbedürfnis auf nichts anderes gerichtet ist als auf die „wahrhafte moralische Freiheit" (3), so erscheint sie jenem zuvor genannten, dem „mächtigen Zug" zum unangenehmen Affekt (2) — das heißt zu Äußerungen unserer sinnlichen Natur — als entgegengesetzt. Dies gegensätzliche Verhältnis wird besonders sichtbar an der Bezeichnung der moralischen Anlage als eines „selbständigen Prinzips" (3), also einer Kraft, die zu jener zum Leiden sich hingezogen fühlenden Anlage im Gegensatz steht.

Das Zusammenwirken dieser dem Anscheine nach gegensätzlichen Anlagen, durch welches die Wirkung des Tragischen im Erleben des Menschen hervorgerufen wird, erklärt nun Schiller aus einer besonders gearteten aesthetischen Einstellungskraft im Menschen.

Diese Kraft bezeichnet der Dichter als eine der „sinnlich-vernünftigen, das heißt menschlichen Natur" eigentümliche „aesthetische Tendenz", welche „durch gewisse sinnliche Gegenstände geweckt und durch Läuterung der Gefühle des Menschen zu einem idealistischen Schwung des Gemüts kultiviert werden kann" (4). Die „aesthetische Tendenz" ist eine „ihrem Begriff und Wesen nach zwar idealistische Anlage, die aber auch der Realist in seinem Leben deutlich genug an den Tag legt, obgleich er sie in seinem System nicht zugibt" (4).

In den vier von Wesen und Wirkung des Tragischen handelnden Aufsätzen wird diese im Menschen vorhandene „aesthetische Tendenz" immer wieder berührt, so daß sich aus den zerstreuten Bemerkungen eine klare Vorstellung von diesem wichtigen Begriff gewinnen läßt.

Die durch die „aesthetische Tendenz" des Menschen bedingte Wirkung des Tragischen veranschaulicht Schiller in den genannten vier Abhandlungen an den „künstlichen" Wirkungen der Tragödie. Denn an dem die Tragödie beherrschenden „Pathetischen" als einem „künstlichen Unglück" (4) glaubt er die Wirkung des Tragischen besser und reiner darstellen zu können als an einem wahren Unglück", weil ein solches „uns oft wehrlos überrascht" und, „was noch schlimmer ist, uns wehrlos *macht.*" „Das künstliche Unglück des Pathetischen hingegen findet uns in voller Rüstung, und weil es bloß eingebildet ist, so gewinnt das selbständige Prinzipium in unserm Gemüte Raum, eine absolute Independenz zu behaupten."

Trotz dieser Unterscheidung, die Schiller zwischen wahrem und künstlichem Unglück macht, ist es aber zweifellos, daß der Dichter die beiden „Gesetze der tragischen Kunst", nämlich die „*Dar*stellung der leidenden Natur" und die „*Dar*stellung des moralischen Widerstandes gegen das Leiden" nicht nur für die Wirkung der Tragödie, sondern — als *Vor*stellung — auch für die Wirkung des Tragischen schlechthin als Voraussetzung ansieht.

In dem Aufsatz ‚Über das Pathetische' (3) heißt es: „Der Affekt als Affekt ist etwas Gleichgültiges, und die Darstellung desselben würde, für sich allein betrachtet, ohne allen aesthetischen Wert sein; denn ... nichts, was bloß die sinnliche Natur angeht, ist der Darstellung würdig." Von der Theorie der tragischen Kunst auf das Tragische als solches übertragen, wäre diese These etwa so zu formulieren: Durch den Affekt als solchen wird die aesthetische Tendenz der menschlichen Natur nicht geweckt. Oder anders ausgedrückt: Das Leiden — als Leiden — übt in meinem „aesthetischen Sinn", der mit der Einbildungskraft identisch ist (3), keine Reaktion aus.

Der Grund für diese Tatsache beruht auf der Wesensverschiedenheit von Affekt und Einbildungskraft. Ein Affekt ist, wie jegliches Leiden, durch die Naturnotwendigkeit bedingt, welcher der Mensch als Sinnenwesen unterworfen ist. Der aesthetische Sinn dagegen ist frei, weil er auf der „Freiheit des Gemüts" beruht (3).

Ein ähnliches Verhältnis wie zwischen Einbildungskraft und Leiden besteht zwischen der aesthetischen Tendenz des Menschen und der Verwirklichung des moralisch-Guten. Der sittlich Handelnde folgt einem Gesetz, nämlich dem Gesetz der Vernunft, in dessen Interesse es liegt, „daß recht gehandelt *werde*" (3). Das aesthetische Empfinden aber ist eine *freie* Kraft, das heißt es richtet sein Interesse lediglich darauf, „daß recht handeln *möglich sei*" (3). Eben darum bezeichnet ja Schiller Begriff und Wesen der aesthetischen Tendenz des Menschen als „idealische Anlage." Das moralisch-Gute als solches, das heißt als Realität, löst also in dem aesthetischen Sinn, das heißt in der Einbildungskraft, keine Reaktion aus.

Aus diesem Verhalten der aesthetischen Tendenz des Menschen zum Leiden einerseits und zum Widerstand gegen das Leiden andererseits ergibt sich, daß eine Wirkung des Tragischen nicht vom Leiden als solchem und nicht von der Verwirklichung des moralisch-Guten als solchem abhängig ist, sondern lediglich von der *Anlage* des Menschen, im Leiden — gleichgültig ob einem nachempfundenen oder selbst erlebten (2) — ein „Vergnügen" und im Widerstand gegen dasselbe „Glückseligkeit" zu finden.

Wo diese „Anlage" vorhanden ist, äußert sich die Wirkung der Tragödie nach Schiller in zwei Empfindungen: in der Empfindung des Rührenden und in der Empfindung des Erhabenen.

Auf die sinnlich-vernünftige Natur des Menschen, soweit sie auf das Erlebnis eines Leidens antwortet, wirkt das Tragische rührend; soweit sie die Möglichkeit des sittlichen Handelns erfährt, erhebend.

Das Rührende wirkt derart, daß der Mensch vermöge seiner vernünftigen Natur ein Leiden nicht als Schmerz empfindet, sondern auch im Schmerz die Freiheit seiner vernünftigen Natur bewahrt, indem er im Leiden, als auf einem Weg zur Bewährung seiner sittlichen Kraft, Lust fühlt (2).

Das Erhabene wirkt derart, daß der Mensch vermöge seiner Fähigkeit, das Leiden als Weg zur Bewährung seiner sittlichen Kraft zu erleben, zur Freiheit gegenüber dem Gesetz der Naturnotwendigkeit gelangt und das kleine Selbst im großen Ganzen vergißt (2).

Die Wirkungen des Rührenden und des Erhabenen stehen also zueinander in genau derselben Beziehung, in welcher sinnliche und vernünftige

Natur des Menschen zueinander stehen. Es ist ja eben dies die menschliche Eigenart, daß sinnliches und sittliches Wesen nicht nur im Gegensatz, sondern auch im Wechselverhältnis befindlich sind. Daher ist nur derjenige Mensch fähig, beim Erleben des Leidens Rührung zu empfinden, der vermöge seiner Anlage auch zur Empfindung des Erhabenen imstande ist; und die Erhabenheit des Widerstandes gegen das Leiden vermag nur der Mensch zu fühlen, der durch das Erlebnis des Leidens nicht vernichtet, sondern vermöge seiner Anlage gerührt wird. Die Wechselwirkung dieser Empfindungen aber gibt dem Menschen als höchsten Preis seiner Bewährung die absolute Freiheit, insofern in ihr sowohl „der Glückseligkeitstrieb befriedigt als auch die Erfüllung moralsicher Gesetze" verwirklicht wird (2).

Die Zurückführung der über die Manifestation des Tragischen bis zu diesem Punkte gelangten Untersuchung auf die beiden, in diesem Buche als Grundlagen der Weltanschauung Schillers erkannten, seelisch-geistigen Werte dürfte diese Formulierung finden: Während das *Wesen* des Tragischen die These des jungen Schiller von der zwischen tierischer und geistiger Natur des Menschen bestehenden Sympathie zweifelhaft erscheinen läßt, beweist die in der Empfindung des Rührenden und des Erhabenen gefundene Voraussetzung für die *Wirkung* des Tragischen die Berechtigung der These, daß diese Wirkung bedingt ist durch die den Menschen in die Mitgliedschaft der Menschheit erhebende „Sympathie der Vernunft".

2. Tragisches und Weltgeschichte: Erhabenes und reiner Dämon

Und nun sei versucht, die zwischen Wesen und Wirkung des Tragischen, wie sie Schillers aesthetische Erörterungen entwickeln, sich ergebenden Beziehungen zu seiner Geschichtsphilosophie herauszustellen.

Das Wesen des Tragischen, das ein Zweckwidriges zur Voraussetzung der Herstellung eines Zweckmäßigen macht, ist der menschlich-beschränkten Vernunft unbegreiflich und wird erst unter dem teleologischen Aspekt eines auf weiteste Sicht eingestellten „höchsten Zweckes der Menschheit" verständlich. In jedem Fall darf man also ein derartiges Verhältnis von Zweckwidrigem und Zweckmäßigem mit dem aus Schillers Geschichtsphilosophie bekannten Begriff als ein „Außerordentliches" bezeichnen; denn auch in diesem Verhältnis gilt jenes Trotzdem, insofern ein scheinbares Unglück der Weltgeschichte — als des Lebens der Wirklichkeit — doch in höherem Sinne der Glückseligkeit im Hinblick auf die Menschheitsgeschichte — als wahres Leben — dient.

Von dieser Feststellung einer für das *Wesen* der als Gattungsbegriff für Welt- und Menschheitsgeschichte verstandenen Universalgeschichte und das *Wesen* des Tragischen geltenden Ideenverwandschaft aus liegt es nahe, auch die auf einer „aesthetischen Tendenz“ des Menschen beruhende *Wirkung* des Tragischen mit der als Ursprung des „Außerordentlichen“ in der Geschichte geglaubten „höheren Ordnung“ in Beziehung zu setzen. Wie im historischen Geschehen das Außerordentliche als von einer höheren Ordnung eingesetzes Mittel verstanden wird, die Menschheit zu der von dieser Ordnung bezweckten Vernunftfreiheit zu führen, so ist die „aesthetische Tendenz“ als eine von einer höheren Vernunft dem Menschen verliehene Fähigkeit aufzufassen, um im Erleben des Rührenden und des Erhabenen das Tragische als Weg zu einer höheren Glückseligkeit zu erkennen.

So werden für Schiller Universalgeschichte und Tragisches in Wesen und Wirkung schließlich verwandte Begriffe: Allem geschichtlichen Geschehen haftet die Eigenschaft des Tragischen an, und alles, was tragisch ist, greift irgendwie im kleineren oder größeren Maße in die Geschichte ein.

Diese innere Beziehung, in der Schiller Geschichte und Tragisches zueinander sieht, wird durch manche weitere Beobachtungen bestätigt.

Unmittelbar gegenwärtig wird sie in der Anwendung zweier Eigenschaftswörter, die, an einer wichtigen, schon angeführten Stelle der Einleitung zur Geschichte des Abfalls der vereinigten Niederlande gebraucht, aus den aesthetischen Schriften sich als auch in den Bereich des Tragischen gehörig erweisen.

Der Geschichtsphilosoph lehnt es ab, die Bedeutung einer geschichtlichen Begebenheit nach ihrem Ausgang zu werten. Nicht dieser ist es, der die Begebenheit „groß, interessant und fruchtbar für uns“ macht, sondern die Beschaffenheit der „Kräfte, die sie ausführen halfen“, der „Handlungen, aus deren Verkettung sie wunderbar erwuchs.“

Die Kräfte sollen „edel“, die Handlungen sollen „schön und groß“ sein.

Für den vorliegenden Zweck bedarf es zunächst nur der Begriffsbestimmung, die Schiller den Wörtern „edel“ und „groß“ gibt.

„Nichts ist edel, als was aus der Vernunft quillt“, heißt es im Aufsatz ‚Über das Pathetische‘; sein Gegensatz „gemein“ ist, wie die ‚Gedanken über den Gebrauch des Gemeinen und Niedrigen in der Kunst‘ lehren, „alles, was nicht zu dem Geiste spricht und kein anderes als ein sinnliches Interesse erregt.“ Derselbe Zusammenhang stellt fest: „Groß aber ist nichts als der Ausdruck der Seele in Handlungen, Gebärden und Stellungen“; es ist „das eigentlich Interessante, welches das Zufällige vom Notwendigen scheidet.“

Dadurch, daß alles, was den Namen „edel“ verdient, nur „aus der Vernunft quillt“, ist seine unmittelbare Verwandtschaft mit dem Erhabenen erwiesen. Das Erhabene aber ist ein wesentliches Merkmal der Wirkung des Tragischen.

Die Feststellung, daß alles Große sein Interesse daher nimmt, daß es das Zufällige neben dem Notwendigen nicht zu Worte kommen läßt, macht auch diesen Begriff zu einer wesentlichen Eigenschaft der Wirkung des Tragischen. Das beweist ein Brief, den Schiller am 7. Januar 1788 an Körner richtet, wo er dessen Geringschätzung der Geschichte durch einen Vergleich mit der Tragödie zurückweist: „Die philosophische innere Notwendigkeit ist bei beiden gleich. Wenn eine Geschichte, wäre sie auch auf die glaubwürdigsten Chroniken gegründet, nicht geschehen sein *kann*, das heißt wenn der Verstand den Zusammenhang nicht einsehen kann, so ist sie ein Unding; wenn eine Tragödie nicht geschehen sein *muß*, sobald ihre Voraussetzungen Realität enthalten, so ist sie wieder ein Unding."

Es ist immerhin beachtenswert, daß der Gedanke der inneren Verwandtschaft der Geschichte und des Tragischen nicht erst durch Schillers Beschäftigung mit Kants kritischen Schriften geweckt wurde, sondern schon seit seiner Beschäftigung mit den griechischen Tragikern in ihm lebendig war.

Was endlich eine geschichtliche Begebenheit „fruchtbar für uns" macht, das gilt nach Schillers Überzeugung — das kann nach den Ausführungen über Wesen und Wirkung der Geschichte und des Tragischen nicht mehr zweifelhaft sein — gleichermaßen für das letztere: Es ist die Annäherung an den „Glücksstand" der Vernunftfreiheit, der in den aesthetischen Aufsätzen als „höhere Glückseligkeit" bezeichnet wird.

Ein weiteres Kennzeichen für die innere Verwandtschaft, welche Schiller zwischen der Wirkung der Geschichte und des Tragischen erblickte, ist die Beziehung, in welcher er beide zur Natur sieht.

Das gesetzlose Chaos, die wilde Ungebundenheit, der Mangel jeglicher Zweckverbindung, die der Verstand in der physischen Schöpfung beobachtet, wird der menschlichen Vernunft zu einem Sinnbild, in welchem sie ihre eigene Unabhängigkeit von Naturbedingungen dargestellt findet (4). Das relativ Große außer ihr wird dem vernunftbegabten Menschen zum Spiegel, worin er das absolut Große in sich selbst erblickt (4). So wird der menschlichen Vernunft das Erleben der Natur zu einer Quelle der Fähigkeit, das Tragische als ein Erhabenes zu erfahren.

Und weil die Welt als geschichtlicher Gegenstand, wie in einem früheren Zusammenhang schon bemerkt, im Grunde nichts anderes ist als „der Konflikt der Naturkräfte untereinander selbst und mit der Freiheit des Menschen", so wirkt auch die Weltgeschichte auf die menschliche Vernunft als erhabenes Objekt (4). Erst dadurch wird der Mensch in den Stand gesetzt, die vernunftbestimmte Harmonie seines Inneren auf die Ordnung der Dinge zu übertragen und aus dem Studium der Geschichte Licht für seinen Verstand, Begeisterung für sein Herz zu gewinnen (Antrittsrede).

So wird der Mensch, indem ihm die Vernunft den Blick für das Große in Natur und Geschichte öffnet, zugleich „der hohen dämonischen Frei-

heit" in seinem Inneren bewußt, die ihn zum Erleben des Erhabenen befähigt (4); denn „das Erhabene macht sich um den reinen Dämon im
Menschen verdient" (4), und was der Mensch dem Objekt seiner schauenden Vernunft vom Eigenen gibt, erhält er von ihm in gesteigertem
Maße zurück.

Erst unter diesem Aspekt wird der schon angeführte Satz verständlich,
daß es oft nichts als der mutige Streit des Gemüts mit dem großen Naturgeist gewesen sein mag, der „so manchen Lichtgedanken oder Heldenentschluß zum Reifen gebracht hat." Helden und Weise sind es, die nach
Schillers geschichtsphilosophischer Anschauung das „Außerordentliche"
der geschichtlichen Begebenheiten durch des Fatums unsichtbare Hand
verwirklichen; sie sind es, weil ihr erhabener Geist edle Kräfte, große
Handlungen gebiert, die, dem Gebot des die Geschichte durchwaltenden
Tragischen folgend, die höhere Glückseligkeit dem sinnlichen Glück vor-
ziehen.

Schließlich bestätigt diese Schau der Geschichte und des Tragischen, wie
sie in Schillers Geschichtsphilosophie und Aesthetik zutage tritt, auch die
Berechtigung des Versuchs, unseres Dichters gesamte Ideenwelt aus den
beiden Kräfte der Seele und des Geistes, der Sympathie und der Vernunft,
abzuleiten.

Die *physio-psychologische* Form des Sympathiekomplexes ist der Ursprung der „sinnlich-vernünftigen" Anlage des individuellen Menschen,
deren „aesthetische Tendenz" ihn im Erleben des die Weltgeschichte
durchwaltenden Tragischen ein Rührendes und ein Erhabenes empfinden
läßt. Da aber diese Empfindungen der Weg sind, auf dem der Mensch zu
dem von einer höheren Ordnung bezweckten „Glückstande" der Vernunftfreiheit gelangt, so manifestiert sich die physio-psychologische Form der
Sympathie als allererste Voraussetzung zu diesem „höchsten Zweck der
Menschheit".

Die zweite Stufe der Entwicklung zu diesem Ziel ist in dem Augenblick
erreicht, in dem der Mensch, über das Individuum zum Gattungswesen
hinauswachsend, sich einer *ethisch-kosmischen* Sympathie bewußt wird.
Das geschieht dann, wenn er in der Ungebundenheit der physischen Schöpfung einen Widerhall der Freiheit seiner Vernunft wahrnimmt — ein ins
Große projiziertes sinnlich-geistiges Zusammenwirken, insofern der Mensch
als Vernunftwesen die Vorgänge der Natur als sympathetische Macht erlebt.

Und dann folgt die dritte und letzte Stufe der Entwicklung. Auf ihr erfährt der Mensch als Gattungswesen das „Außerordentliche" der tragischen
Ausrichtung des Weltgeschehens als zweckbestimmtes Wirken einer höheren Ordnung, wodurch er selbst, als Träger des weltgeschichtlichen Ganzen, in Sympathie mit dem Willen der Vorsicht leidet und — zum Glück-

stand gelangt. Es ist die *theosophisch-religiöse* Form des Sympathiekomplexes, die hiermit erreicht ist.

So zeigt die Gesamtschau der Schillerschen Auffassung von der Geschichte als Manifestation des Tragischen einen großartigen Gleichlauf zwischen Menschheit und Sein. Das menschliche Individuum im Zusammenhang seiner tierischen Natur mit seiner geistigen — das zum Gattungswesen entwickelte Individuum im Zusammenhang mit der physischen Schöpfung — das menschliche Gattungswesen im Zusammenhang mit dem göttlichen Lenker der Welt: eine allumfassende Sympathie, sich steigernd am Leitfaden der Vernunft, die, von der beschränkten Vernunft des Individuums ausgehend, in der Allvernunft des Schöpfers sich endet.

Zweiter Abschnitt

Das Schöne als Weg zum reinen Dämon

Die soeben skizzierte Entwicklung, in welcher Schiller den Menschen vom Individuum zum Gattungswesen an Hand der Sympathie der Vernunft aufsteigen sieht, leitet den Dichter bei der Abfassung der drei aesthetischen Schriften, in denen er die Erziehung des Einzelmenschen zu einem Mitglied der Menschheit sich zur Aufgabe macht. Es handelt sich um die sogenannten Kalliasbriefe und um die beiden Abhandlungen ‚Über Anmut und Würde‘ und ‚Über die aesthetische Erziehung des Menschen‘.

In diesen drei Schriften aber tritt ein bisher von Schiller noch nicht behandelter Begriff in den Mittelpunkt der Erörterung. Es ist der Begriff des Schönen, dem der Verfasser in den grundlegenden Ausführungen der Kalliasbriefe eine von Kants in der ‚Kritik der Urteilskraft‘ enthaltenen Untersuchung abweichende Deutung gibt.

Schillers von Kants Auffassung abweichender Schönheitsbegriff ist erwachsen aus Ideengängen, die den Dichter seit seinen Jugendjahren begleiten, und die durch seine seit dem Verkehr mit Wieland erfolgte Begegnung mit dem Griechentum in seinen Augen eine überraschende Bestätigung fanden.

Es wird also zunächst über die Dokumente seines schriftstellerischen Schaffens zu handeln sein, in welchen Schiller vor seiner Bekanntschaft mit Kants kritischer Schrift das Gebiet des Schönen berührt hat.

Einleitung: Selbstbegegnung Schillers im Griechentum

Schon der Verfasser des Aufsatzes über „Die Schaubühne als eine moralische Anstalt betrachtet‘ sieht bekanntlich in dem „aesthetischen Sinn oder dem Gefühl für das Schöne" die Kraft, durch welche in jedem ein-

zelnen Besucher des Theaters jene „allwebende Sympathie" geweckt wird,
die ihn mit allen Zuschauern in der *einen* Empfindung verbindet, „ein
Mensch zu sein."

In dem 1788 entstandenen Gedicht ‚Die Götter Griechenlands' rückt
Schiller den Schönheitsbegriff zum erstenmal in einen kulturgeschichtlichen
Zusammenhang. Und da erfolgt bei dem Dichter, was man als Selbst-
begegnung im Griechentum bezeichen darf.

Wie oft schon sind jene Verse aus dem Gedicht der ‚Anthologie' von
1781, ‚Die Freundschaft', in Erinnerung gerufen worden:

> „Stünd' im All der Schöpfung ich alleine,
> Seelen träumt' ich in die Felsensteine,
> und umarmend küßt' ich sie —
> meine Klagen stöhnt' ich in die Lüfte,
> freute mich, antworteten die Klüfte,
> Tor genug! der süßen Sympathie."

Das große Erlebnis, das den Dichter bei seiner Berührung mit dem Griechentum sieben Jahre später zu erfahren glaubt, ist dieses: Was du dereinst
sehnsuchtsvoll schwärmend in deiner Einbildungskraft zu vernehmen mein-
test, das war einmal Wirklichkeit —

> „da ihr noch die schöne Welt regiertet,
> an der Freude leichten Gängelband
> glücklichere Menschenalter führtet,
> schöne Wesen aus dem Fabelland!"

Der Sinn dieser Worte ist: Einst lenkte die Schönheit, dichterisch-plastisch
geschaut in göttlichen Wesen, die noch kindliche Menschheit mitfühlend-
liebevoll; denn das Erleben der schönen Welt, in welcher die Menschen
Manifestationen dieser Gottheiten zu sehen glaubten, ließ sie ihres Lebens
froh werden.

In dem ganzen Gedicht werden die zwei in den vier Anfangszeilen an-
gedeuteten Begriffe transparent: Schönheit und Sympathie.

Die Schönheit strahlte dem Menschen aus Berg und Baum, aus Quell
und Schilf und Hain entgegen; aus ihr erscholl ihm Antwort auf eigenes
kindliches Erleben. Die Schönheit erschien ihm als Offenbarung einer
Sympathie zwischen Gott und Mensch.

> „Zwischen Menschen, Göttern und Heroen
> knüpfte Amor einen schönen Bund;"

dem Zauber von Aphrodites Reizgürtel erlagen Sterbliche wie Unsterbliche. In allen Gaben der Natur offenbarte sich eines Gottes Güte, und

diese Offenbarung verlieh den Gaben eine erhöhte Schönheit. Schöpfer und Geschöpf empfanden die gegenseitige Nähe im gemeinsamen Vergnügen von Schenken und Empfangen. In Dichtung und Plastik manifestierte sich durch sterbliche Schöpfer die Schönheit der göttlichen Natur: der Himmel tat sich in dem Werke des Künstlers auf Erden erneut auf.

Diese Sympathie, welche Götter und Menschen einander nahebrachte und anglich —

> „da die Götter menschlicher noch waren,
> waren Menschen göttlicher" —

milderte den Nimbus des Erhabenen, von welchem die Himmlischen umgeben waren. Erhaben, weil der Gottheit geweiht, waren die Spiele „an des Isthmus kronenreichen Festen"; aber

> „ . . . der Freudetaumel seiner Gäste
> lohnte dem erhabnen Wirt."

Der überwältigende Eindruck des unendlichen Ozeans wurde gemildert; denn

> „durch die Fluten leuchtet dem Piloten
> vom Olymp das Zwillingspaar."

Ja selbst der Gedanke an den Tod, diese stärkste Bewährungsprobe erhabener Gesinnung, verlor seine Schrecken vor der Macht der „Lebensfülle", welche die von Sympathie beseelte Schöpfung beglückte:

> „Damals trat kein gräßliches Gerippe
> vor das Bett des Sterbenden. Ein Kuß
> nahm das letzte Leben von der Lippe,
> still und traurig senkt' ein Genius
> seine Fackel. Schöne, lichte Bilder
> scherzten auch um die Notwendigkeit,
> und das ernste Schicksal blickte milder
> durch den Schleier sanfter Menschlichkeit."

Auch aus dem Totenreich war ihre Stimme nicht verbannt:

> „Selbst des Orkus strenge Richterwaage
> hielt der Enkel einer Sterblichen,
> und des Thrakers seelenvolle Klage
> rührte die Erinnyen."

Helden aber, die wie Herakles ihr Leben in mühevollem Ringen der Tugend geweiht hatten, fanden Aufnahme im Kreis der Unsterblichen. Und bewährter Treue öffneten sich Elysiums Haine, wo Gattenliebe und Freundschaft von keinem Trennungsschmerz mehr heimgesucht wurden.

Der Kunst als Künderin des Schönen und damit Erzieherin des Menschen zur Kultur ist das 1789 vollendete Gedicht ‚Die Künstler' gewidmet.

Fast ein Jahr hat Schiller an diesem Gedicht gearbeitet (vgl. An Körner 17. März 1788 und 9. Februar 1789).

Für das Verständnis seines Ideengehaltes ist lehrreich, wie der Dichter selbst über Entstehung und Gelingen seiner Arbeit urteilt.

Am 25. Februar 1789, also kurze Zeit nach ihrer Vollendung, äußert er sich zu Körner über die Frage seiner Fähigkeit für „das lyrische Fach": „Es ist das kleinlichste und undankbarste unter allen. Zuweilen ein Gedicht lasse ich mir gefallen, wiewohl mich die Zeit und Mühe, die mir ‚Die Künstler' gekostet haben, auf viele Jahre davon abschrecken." Tatsächlich ist Schillers lyrische Leyer seit Abfassung dieses kulturphilosophischen Gedichtes bis zum Jahre 1795 verstummt.

Noch wichtiger ist, was Schiller dem Dresdener Freund am 25. Mai 1792 über die Art der Inspiration schreibt, durch die er zum lyrischen Produzieren veranlaßt wird: „Mich kann oft eine einzige und nicht immer eine wichtige Seite des Gegenstandes einladen, ihn zu bearbeiten, und erst unter der Arbeit selbst entwickelt sich Idee aus Idee. Was mich antrieb, die ‚Künstler' zu machen, ist gerade weggestrichen worden, als sie fertig waren ... Wie ist es aber nun möglich, daß bei einem so unpoetischen Verfahren doch etwas Vortreffliches entsteht? Ich glaube, es ist nicht immer die lebhafte Vorstellung seines Stoffes, sondern oft nur ein *Bedürfnis* nach Stoff, ein unbestimmter Drang nach Ergießung strebender Gefühle, was Werke der Begeisterung erzeugt." Und dann folgt ein Satz, der tief in Schillers genialische Eigenart hineinblicken läßt: „Das Musikalische eines Gedichtes schwebt mir weit öfter vor der Seele, wenn ich mich hinsetze, es zu machen, als der klare Begriff von Inhalt, über den ich oft kaum mit mir einig bin."

Die Rolle, welche die Musik in der Weltanschauung des jungen Schiller spielt, wurde an dem Anthologiegedicht ‚Laura am Klavier' veranschaulicht. Die Besprechung der Gedichte des gereiften Dichters wird noch einmal Gelegenheit bieten, auf die hohe Bedeutung hinzuweisen, welche dem Gesang in der Gedankenwelt Schillers eingeräumt ist.

Kurz gesagt, ist die Musik für Schiller die Sprache der Seele. Die Seele aber hat ihre Heimat in Elysium, wo „die Liebe ihre Krone findet", das heißt, wo, wie das Gedicht ‚Die Götter Griechenlands' es ausdrückte, bewährte Freundes- und Gattentreue durch ewige Vereinigung belohnt wird.

Versucht man hiernach Schillers Worte über das Wesen seiner Inspiration unter dem Gesichtswinkel der zwei grundlegenden Begriffe seiner

Weltanschauung zu verstehen, so ist zu sagen: Wenn Schiller an die Abfassung eines Gedichtes ging, stand er durchaus unter dem Eindruck einer seelischen Empfindung, die als sympathetisch bezeichnet werden muß. Die Vernunft als Quelle der Ideen wurde erst im Fortschreiten der Arbeit wirksam. Man erinnere sich an das Wort von der Seele als „Destillationsgefäß der Ideen", das in dem Briefe vom 15. April 1786 für das Verständnis der beginnenden „Ernüchterung" des bisherigen Schwärmers so bedeutsam war.

Erst diese „Ernüchterung" ermöglichte es also dem lyrischen Dichter, daß ihm trotz seines „unpoetischen Verfahrens" schließlich doch „etwas Vortreffliches" gelang.

Und nun sei versucht, das Gedicht ‚Die Künstler' nach Aufbau und Inhalt aus der Transparenz jener beiden seelisch-geistigen Grundkräfte zu verstehen.

Die Dichtung zerfällt in einunddreißig längere und kürzere Abschnitte. Die beiden ersten bilden die Einleitung, der letzte Abschnitt gibt den Schluß.

Die einleitenden Abschnitte wenden sich an den Menschen des ausgehenden achtzehnten Jahrhunderts, unter dessen zahlreichen Kennzeichnungen diejenige des siebenten Verses: „frei durch Vernunft" die wesentlichste ist. An diesen Menschen der Vernunftfreiheit richtet sich des Dichters Mahnung, nicht zu vergessen, daß er die geistige Höhe, zu der er gelangt ist, allein der Kunst verdanke,

> „ . . . die deine Jugend
> in hohen Pflichten spielend unterwies
> und das Geheimnis der erhabnen Tugend
> in leichten Rätseln dich erraten ließ,
> die, reifer nur ihn wieder zu empfangen,
> in fremde Arme ihren Liebling gab . . ."

Der Schlußabschnitt spricht „der freisten Mutter freie Söhne" — also wieder den Menschen als Vernunftwesen — an mit der Aufforderung:

> „schwingt euch mit festem Angesicht
> zum Strahlensitz der höchsten Schöne!
> Um andre Kronen buhlet nicht!"

Dieser Gedanke wird darauf in folgendem Sinne näher ausgeführt: In dankbarer Verehrung der Schönheit, welche durch die Kunst euch vermittelt worden ist . . .,

> „kommt dann umarmend euch entgegen
> am Thron der hohen Einigkeit!"

Das heißt: Die Erkenntnis, daß ihr alles, was euch auf eure Vernunft stolz macht, von der Kunst als einer aesthetischen Wegeleiterin zum Schönen empfangen habt, werde euch zur sympathetischen Kraft, die euch befähigt, in gemeinsamer Liebe zum Schönen das Gute und Wahre zu ehren und damit die ursprüngliche Absicht der Kunst zu erfüllen, als sie, wie es in den vorhin angeführten Versen hieß,

> „ . . . reifer nur ihn wieder zu empfangen,
> in fremde Arme ihren Liebling gab." —

Die Abschnitte 3 bis 30 bilden also den sogenannten Hauptteil des Gedichtes. Als dessen „Hauptidee" bezeichnet Schiller in dem Brief an Körner vom 9. Februar 1789 „die Verhüllung der Wahrheit und Sittlichkeit in die Schönheit." Die „Verhüllung" erfolgt durch sinnbildliche, allegorisch veranschaulichende, als „Schönheit" erlebte Darstellung abstrakter Begriffe des Guten und Wahren. So ist das ganze Gedicht, um in Wielands Sinn zu sprechen, ein Wechsel von Allegorie und Philosophie, von poetisch-wahren und wörtlich-wahren Stellen (An Körner 25. 2. 89) — eine rechte Nutzanwendung auf des jungen Schiller Vorstellung von jener Form seines Sympathiekomplexes, die im ersten Teil unserer Darstellung als physio-psychologisch bezeichnet wurde, insofern eine Allegorie geistige Werte sinnlich-bildhaft anschaulich macht.

In der nun folgenden Besprechung des Gedichtes soll weitgehend dessen allegorische Redeweise durch philosophische Auslegung ersetzt werden — ohne an bedeutsamen Stellen auf die sinnbildliche Diktion zu verzichten.

Den Übergang von der Einleitung zum Thema bilden die sieben Abschnitte 3 bis 9, in denen, wie es in dem Brief vom 9. Februar 1789 heißt, „der Hauptgedanke des Gedichts flüchtig antizipiert und hingeworfen wird": Nur vom Schönen her gelangt der Mensch zur Erkenntnis des Guten und Wahren; am Sinnbild des Schönen und Großen — es könnte auch heißen: des Schönen und Erhabenen — lernte der die Natur nachahmende Verstand, was Jahrhunderte später „die alternde Vernunft" in Philosophie und Wissenschaft erst zu finden meinte. Auf seinem vom Schöpfer dem Menschen bestimmten Pfade vom Sinnen- zum Vernunftwesen leitete ihn die als eigentlich-menschliche Fähigkeit anlagenhaft in ihm vorhandene Kunstfertigkeit. Treuhänder dieser göttlichen Gabe sind die Künstler. Ein „sanfter Bund" vereint sie um ihre Gottheit, die Kunst. Ihre in diesem Bund transparent werdende Sympathie der Geister bildete die erste Stufe auf dem Wege des Triebwesens Mensch zur Menschheit.

Mit dem zehnten Abschnitt beginnt der Dichter das eigentliche Thema zu behandeln, das mit dem dreiundzwanzigsten Abschnitt abgeschlossen wird.

Die Bedeutung, welche dieses Thema für Schiller selbst besaß, liegt darin, daß seine Behandlung durch das Erlebnis veranlaßt wurde, das der Verfasser durch seine im Griechentum erfolgte Begegnung mit sich selbst erfuhr.

Vor dem Leser entrollt sich das große Bild einer Kulturgeschichte des Altertums, deren Entwicklung in dem Aufstieg des Menschen vom Sinnenwesen zur Verkörperung der Menschheit besteht, bewirkt durch das in der Hülle des Schönen vermittelte Erleben des Guten und des Wahren. Der Eindruck, den diese Entwicklung auf den rückschauenden Betrachter ausübt, ist in den Worten des dreizehnten Abschnitts ausgesprochen:

„Seht an, das hat der Mensch getan!"

In fünf großen Etappen vollzieht sich die kulturgeschichtliche Leistung des homo artifex:

1. Abschnitt 10—12, 3: Erste Kunstleistung, hervorgegangen aus der „in harmonischem Bund" erfolgten „geselligen Zusammengattung" des körperlichen Eindrucks einer Naturschöpfung (Ceder) mit dem „Schattenbild" ihrer Spiegelung im Wasser. Das Spiegelbild also eine Mischung von sinnlichem und — als solches noch unbewußtem — geistigen Erleben, das heißt eine Manifestation *physio-psychologischer Sympathie*, in welcher der Mensch dank seiner aesthetischen Anlage einen Widerhall eigener Fähigkeit empfand, die als „schöne Bildkraft" seinen nachahmenden Verstand zur ersten Kunstschöpfung in Sand, in Ton veranlaßte. Andere Schöpfungen folgten: die Pyramide — ein Berg, die Herme — ein Menschenkopf, die Säule — ein Baumstamm, die Stimme der Syrinx — des Waldes Melodie, das Lied — ein Echo sieghafter Taten. Schiller nennt diese verschiedenen künstlerischen Leistungen „die Auswahl einer Blumenflur". Die im dritten Teil dieses Buches erfolgende Besprechung seiner Lyrik wird zeigen, daß die Blumen in des Dichters Gedankenwelt das Sinnbild des „Lebensgipfels" sind, an welchem „sich Neues in der organischen und in der empfindenden Welt" entzündet. Auf die in diesem Abschnitt unseres Gedichts betrachtete „erste Kunst" angewandt, heißt das also: Ihre Schöpfungen dankten ihr Entstehen dem sympathetischen Zusammenwirken der in Mensch und Natur wirksamen beiden Urkräfte, die das Anthologiegedicht ‚Die Freundschaft' mit den schon öfter angeführten Worten „Geisterreich und Körperweltgewühle" bezeichnet.

2. Abschnitt 12,4—13: Zweite, höhere Kunst, die Sträuße zum Kranz gebunden: Die Vergesellschaftung der einzelnen Kunstschöpfungen in Tempel und Epos führt zum ersten Eigenbewußtsein der Menschheit, zum Selbstgenuß der Geister ohne triebhaftes Verlangen. Hier liegt der Ursprung der *aesthetisch-ethischen Sympathie*.

3. Abschnitt 14—19: Die völlige Loslösung von „der Tierheit dumpfen Schranken" führt zur Geburt der Fähigkeit zum Erleben des Erhabenen,

die mit dem Erwachen der Gedanken und Gefühle erfolgte. Und das Bewußtsein des gleichgerichteten Strebens dieser Fähigkeit wurde „der
edle Keim der Geisterliebe", die zum Bunde der Seelen den Grund legte.

> „Der Mensch erbebte vor dem Unbekannten,
> er liebte seinen Widerschein" —

dieser als das „Urbild alles Schönen" wird sein Ideal, dem er sich in
ethisch-genialischer Sympathie verbunden fühlt. So vermag jetzt der
menschliche Geist zur Meisterung immer höherer Aufgaben zu schreiten:

> „Vom Eumenidenchor geschrecket,
> zieht sich der Mord, auch nie entdecket,
> das Los des Todes aus dem Lied.
> Lang eh' die Weisen ihren Ausspruch wagen,
> löst eine Ilias des Schicksals Rätselfragen
> der jugendlichen Vorwelt auf;
> still wandelte von Thespis' Wagen
> die Vorsicht in den Weltenlauf.

Und neben Epos und Tragödie gehen weitere Wirkungen der ethisch-geni-
alischen Sympathie einher: Versöhnung von Leben und Tod im Sinnbild
der Licht und Dunkel verkörpernden, in Liebe vereinten Zwillingsbrüder
Kastor und Pollux; körperlich und geistig Schönes, menschlich und göttlich Vollkommenes zu höherer Schönheit verbunden: Nymphe und Pallas
Athene, Ringer und Gottheit, Zeustempel und Zeusbild.

4. Abschnitt 20—21: Der genialische Mensch überträgt die Harmonie
seines Wesens auf die Naturerkenntnis und öffnet damit dem Wissen
„neue Schönheitswelten": die *genialische* Sympathie empfängt ihre *kosmische* Komponente. Indem der Mensch in der Schöpfung die Harmonie
der eigenen Seele findet,

> „zerrinnt sein Geist im Harmonienmeere,
> das seine Stirne wollustreich umfließt,
> und der hinschmelzende Gedanke schließt
> sich still an die allgegenwärtige Cythere":

Sie, die göttliche Manifestation der in Schönheit die ganze Welt durchwaltenden Liebe, läßt ihn selbst den Tod als etwas aus jener Harmonie
naturnotwendig Gegebenes empfangen.

5. Abschnitt 22—23: Indem der Mensch in seiner genialisch-kosmischen Freiheit

> „die Fessel liebet, die ihn lenkt",

ist er endlich auch in den Stand gesetzt, selbst im Erhabenen Entzücken

zu finden und „dem großen Künstler nachzuahmen", als homo artifex
den deus artifex zu begreifen, die höchste, die *theosophisch-religiöse*
Form des Sympathiekomplexes zu erleben.

Die sieben vom Hauptthema zum Schluß überleitenden Abschnitte 24
bis 30 zeigen in ihrem Gedankengang eine wesentliche Ähnlichkeit mit
Schillers geschichtsphilosophischer Anschauung, daß der in der Reformation gewonnene Sieg der Vernunftfreiheit erst ein Vorbote des als
Ziel der Menschheitsgeschichte von der Vorsehung bezweckten „Glückstandes" sei: Was dort von der lutherischen Glaubensbewegung galt,
gilt in dem Gedicht als Verdienst des in der Renaissance von „des Orients
entheiligten Altären" geretteten „letzten Opferbrandes":

> „Da sah man Millionen Ketten fallen,
> und über Sklaven sprach jetzt Menschenrecht;
> wie Brüder friedlich miteinander wallen,
> so mild erwuchs das jüngere Geschlecht."

Die Wiederkehr des antiken Schönheitsideals milderte die Herzen, befreite
die Geister zum Guten und zum Wahren Aber auch hierin sieht Schiller
nicht das Ziel. Noch glaubt der Forscher „mit niederm Söldnerlohne"
den edlen Führer — den Priester der Kunst — entlassen zu dürfen und
gestattet der Kunst den ersten Sklavenplatz neben seinem geträumten
Throne. Das, was Schillers Geschichtsphilosophie den „Glückstand"
nennt, wird in der kulturellen Entwicklung der Menschheit erst dann erreicht sein, wenn die Worte Anerkennung finden, welche der Dichter an
die augenblicklich „in der Demut Hülle mit schweigendem Verdienst zu-
rückgetretenen" Künstler richtet — sie sind bereits bei der Behandlung
des dritten Buches der ‚Geschichte des dreißigjährigen Kriegs' angeführt worden und lassen jetzt erst erkennen, welch hohes, ja höchstes
Ziel sich der Dichter mit der Darstellung der Gestalt Gustav Adolfs gesetzt hatte. Je weiter sich Denken und Fühlen des Wahrheitsforschers der
Harmonie des Schönen öffnen,

> „je breiter strömt das Meer, mit dem er fließet,
> je schwächer wird des Schicksals blinde Macht,
> je höher streben seine Triebe,
> je kleiner wird er selbst, je größer seine Liebe."

Also: Wie das Studium der Universalgeschichte „das Individuum unvermerkt in die Gattung hinüberführt", so wird die Wirkung der den Menschen auf seinem „schweren Sinnenpfad" treulich begleitenden Kunst
dann vollendet sein, wenn sein Geist, „im Harmonienmeere zerrinnend",
die „späte Wiederkehr zum Lichte" gefunden hat. Erst die auf dem Wege

des Schönen gesuchte Wahrheit ist die himmlische Urania, zu der sich „die sanfte Cypria" entschleiert.

Die Abschnitte 29 und 30 weisen kurz auf „der Dichtung heilige Magie" hin, die „einem weisen Weltenplane dienend," als höchste Manifestation des Schönen der „ernsten Wahrheit" eine Stätte bietet — ein Gedanke, wie er, leise abgewandelt, in den letzten Versen des Prologs zum ‚Wallenstein' wiederholt wird:

„Ernst ist das Leben, heiter ist die Kunst." —

Was über Schillers Idee des Schönen vor seiner Bekanntschaft mit Kants kritischer Philosophie aus dem Gedicht ‚Die Künstler' zu erfahren ist, läßt sich in drei Punkten zusammenfassen:

1. Die in den Dienern der Kunst wirksame Idee des Schönen ist dem Menschen als einzigem Lebewesen ursprünglich-eigen; das heißt, sie war schon anlagenhaft vorhanden, bevor der Mensch aus der Erfahrung zum erstenmal Dinge als „schön" erlebte. Dies „Erleben" darf als ein Empfangen — wie es Schiller nennt — oder, mit Rücksicht auf die dem Empfangen folgende aktive Reaktion des Menschen, auch als „Leiden" im erweiterten Sinne verstanden werden.

2. Gleichzeitig nämlich mit diesem ersten Erleben des Schönen regte sich in dem künstlerisch veranlagten Menschen eine zweite ursprüngliche Anlage, auf die der Dichter im zehnten Abschnitt mit den Worten hinweist:

„Zu edel schon, nicht müßig zu empfangen,
schuft ihr im Sand, im Ton den holden Schatten nach."

Da nach einem schon angeführten Ausspruch Schillers „nichts edel ist, als was aus der Vernunft quillt", äußert sich in diesem Nachschaffen zum erstenmal die menschliche Vernunft. Sie tut es, im Gegensatz zu dem leidenden Empfangen des Schönheitserlebnisses, durch ein Handeln.

3. Diese Vernunft vollzieht damit gleichsam einen Auftrag, den ihr die Kunst gab; oder anders ausgedrückt: Die Vernunft wird wirksam unter dem Eindruck eines Erlebens, das in seiner höchsten Erscheinung als sympathetische Wechselwirkung von Schöpfer und Geschöpf zu verstehen ist.

Setzt man nun diese aus Schillers kulturphilosophischem Gedicht gewonnenen Ergebnisse in Beziehung zu denjenigen, auf welche die Gegenüberstellung seiner geschichtsphilosophischen und seiner ersten aesthetischen Beobachtungen geführt haben, so ist folgendes festzustellen:

1. Die abschließende Zusammenfassung der Resultate des ersten Abschnitts dieses Kapitels und die Auslegung des Gedichtes ‚Die Künst-

ler' führten zu der Erkenntnis, daß sowohl die Geschichte als tragisches Geschehen oder „erhabener Gegenstand" als auch die Kulturgeschichte nach Schillers Anschauung eine Entwicklung zeigt, die durch die „Sympathie der Vernunft" bestimmt ist.

2. Um den Menschen vom Sinnenwesen zur Manifestation seines „reinen Dämons" zu führen, bedarf es zweier Kräfte: der Kunst und des Erlebnisses des in der Geschichte sich offenbarenden Tragischen.

a) Die Kunst weckte über dem „leidenden" Empfangen des Schönen in der Natur das „edle" Bestreben zu „tätiger" Nachbildung und schuf durch die hiermit zum erstenmal in Erscheinung tretende Vernunft die erste Voraussetzung, vom nur „edlen Begehren" dereinst zum „erhabenen Wollen" fortzuschreiten (23. Brief ‚Über die aesthetische Erziehung des Menschen‘).

b) Das Erlebnis der Geschichte als eines tragischen Geschehens steigerte durch das Erlebnis des Erhabenen jene, in dem noch in der Sinnenwelt befangenen Menschen geweckte, Anlage des edlen Begehrens zu der Fähigkeit, im erhabenen Wollen den „reinen Dämon" in sich zu bewähren. Denn „das Schöne macht sich bloß verdient um den *Menschen*, das Erhabene um den *reinen Dämon* in ihm" (‚Über das Erhabene‘).

3. Die Entwicklung zur Menschheit, die gemäß dem an den ‚Künstlern‘ dargelegten Gedankengang vom Schönen zur Vernunft (im Wahren und im Guten) und wieder zurück zum Schönen führt, wird in Schillers Aufsatz, Über das Erhabene so formuliert:

„Das Erhabene wie das Schöne ist durch die ganze Natur verschwenderisch ausgegossen, und die Empfindungsfähigkeit für beides in alle Menschen gelegt; aber der Keim dazu entwickelt sich ungleich, und durch die Kunst muß ihm nachgeholfen werden. Schon der Zweck der Natur bringt es mit sich, daß wir der Schönheit zuerst entgegeneilen, wenn wir noch vor dem Erhabenen fliehen; denn die Schönheit ist unsre Wärterin im kindlichen Alter und soll uns ja aus dem rohen Naturzustand zur Verfeinerung führen. Aber ob sie gleich unsre erste Liebe ist, und unsre Empfindungsfähigkeit für dieselbe zuerst sich entfaltet, so hat die Natur doch dafür gesorgt, daß sie langsamer reif wird und zu ihrer völligen Entwicklung erst die Ausbildung des Verstandes und des Herzens abwartet... Glücklicherweise liegt es schon in der Einrichtung der Natur, daß der Geschmack, obgleich er zuerst blühet, doch zuletzt unter allen Fähigkeiten des Gemüts seine Zeitigung erhält. In dieser Zwischenzeit wird Frist genug gewonnen, ... besonders auch die Empfindungsfähigkeit für das Große und Erhabene aus der Vernunft zu entwickeln."

Dieselbe Entwicklung also, die er in der Kulturgeschichte der Menschheit festgestellt hat, glaubt Schiller auch im Leben jedes einzelnen Menschen zu sehen.— Aus diesem weltanschaulichen Gedankenkomplex, der dem Dichter aus seinen geschichtsphilosophischen Studien, aus den aesthetischen, mit dem Begriff des Tragischen zusammenhängenden Problemen und aus den seit seiner Selbstbegegnung im Griechentum entstandenen kulturphilosophischen Betrachtungen über die Idee des Schönen erwachsen war, ergab sich nun als weitere Aufgabe seines philosophischen Denkens die Aufstellung eines Erziehungsplanes, der, gleichsam der die Geschichte der Welt lenkenden Gottheit abgelauscht, dem „großen Weltenplane" in sympathetischem Mitwirken menschlicher Kraft — als Sympathie der Vernunft verstanden — zur Verwirklichung verhelfen sollte.

Das Ziel des göttlichen Weltenplanes, soweit es den Menschen betrifft, ist aus einem Satze der Schrift ‚Über das Erhabene' zu ersehen, welcher lautet:

„Diejenige Stimmung des Gemüts, welche gleichgültig ist, ob das Schöne und Gute und Vollkommene existiere, aber mit rigoristischer Strenge verlangt, daß das Existierende gut und schön und vollkommen sei, heißt vorzugsweise groß und erhaben, weil sie alle Realitäten des *schönen Charakters* enthält, ohne seine Schranken zu teilen."

Die Fähigkeit, an der Erreichung dieses Zieles mit menschlichen Kräften mitzuwirken, schreibt Schiller einer schon erwähnten anlagenhaften Eigenschaft des Menschen zu, welche in folgendem Satz derselben Abhandlung genannt wird:

„Glücklicherweise ist in seiner (des Menschen) sinnlich-vernünftigen, das heißt menschlichen Natur eine aesthetische Tendenz dazu (nämlich zur Freiheit des sittlichen Willens) vorhanden, welche durch gewisse sinnliche Gegenstände geweckt und durch Läuterung seiner Gefühle zu diesem idealistischen Schwung des Gemüts kultiviert werden kann."

Wollte Schiller den Weg, auf welchem der Mensch, vermöge dieser seiner aesthetischen Tendenz zur Vernunftfreiheit, zur Verwirklichung des Weltenplanes beitragen kann, im einzelnen darlegen, so stellten sich ihm drei Aufgaben:

1. Es mußte nachgewiesen werden, daß die Idee des Schönen, an welcher sich die aesthetische Tendenz wecken lassen sollte, bereits die Voraussetzung enthält, die allein zur Gewinnung des „schönen Charakters" in dem soeben gekennzeichneten Sinne führen kann, das heißt, daß die Idee des Schönen irgendwie der Idee der moralischen Freiheit verwandt ist.

2. Es mußte das Wesen des „schönen Charakters" dargestellt werden.
3. Es mußte der Weg, auf dem der Mensch dank seiner aesthetischen Tendenz durch das Erlebnis des Schönen zum „schönen Charakter" erzogen wird, aufgezeigt werden.

Die Lösung der ersten Aufgabe erfolgt in den sogenannten Kalliasbriefen. Die zweite Aufgabe stellt sich die Abhandlung ‚Über Anmut und Würde'. Der dritten Aufgabe ist die Brieffolge ‚Über die aesthetische Erziehung des Menschen' gewidmet.

1. Schönheit als Freiheit

Bei den „Kalliasbriefen" handelt es sich um fünf Briefe Schillers an Körner, datiert aus Jena vom 25. Januar und 8., 18., 19., 23. Februar 1793. Zur Orientierung des Verständnisses der fünf Briefe sei, dem Ergebnis vorgreifend, bemerkt, daß Schiller den Begriff der Freiheit in seinen Ausführungen nach zwei Seiten hin versteht: nach einer moralischen und einer aesthetischen Seite. In beiden Fällen ist Freiheit als Freiheit von einem fremden Zweck zu verstehen. Wie sich die moralische Freiheit in der Nichtbeachtung von Rücksichten bewährt, die der sittlichen Forderung als solcher fremd sind, so soll sich die aesthetische Freiheit in der Gleichgültigkeit gegen die sogenannte Zweckmäßigkeit oder Vollkommenheit eines Objekts zeigen. Diese aesthetische Freiheit erlebt als Schönheit nur der moralisch freie Mensch, indem er seine eigene Freiheit auf das Objekt projiziert und damit zwischen sich und dem Objekt eine Harmonie herstellt, die, wie sich zeigen wird, die Sympathie der Vernunft transparent macht.

Und nun zum Inhalt der einzelnen Briefe!

Der erste setzt sich mit Definitionen des Schönheitsbegriffs auseinander, wie sie von Schillers Vorgängern, unter ihnen von Kant, versucht worden sind. An ihnen allen findet der Verfasser auszusetzen, daß sie das „logisch Gute" — gemeint ist Zweckmäßigkeit und Vollkommenheit — und das Schöne verwechseln; „. . . denn eben darin zeigt sich die Schönheit in ihrem hellsten Glanze, wenn sie die *logische* Natur ihres Objekts überwindet; und wie kann sie überwinden, wo kein Widerstand ist?" Damit ist Schillers grundsätzliche Einstellung festgelegt: Die Schönheit eines Objekts schließt dessen Zweckmäßigkeit und Vollkommenheit keineswegs aus; im Gegenteil: die *logische* „Form" ist Voraussetzung für die sieghafte Wirkung der *schönen* „Form", über welcher man die erstere vergißt. Das Verhältnis der beiden „Formen" kennzeichnet Schiller dann auch so: die Vollkommenheit ist Form des Stoffes; die Schönheit ist Form der Vollkommenheit.

Der zweite Kalliasbrief bringt dann Schillers eigene Definition des Schönheitsbegriffs. Diese Begriffsbestimmung befaßt sich naturgemäß nur mit der Ursache, welche den „die Eindrücke der Erscheinungen seinen Vernunftformen unterwerfenden" Menschen in den Stand setzt, beim Betrachten eines Objekts die „mittelbaren" Erkenntnisse seiner „theoretischen Vernunft" — Zweckmäßigkeit und Vollkommenheit — zu vergessen. Diese Ursache besteht in der „Freiheit" seiner „praktischen Vernunft", das heißt in ihrer Fähigkeit, die „Durchsetzung des autonomen Willens ohne äußeren Bestimmungsgrund" zu *fordern*. Was aber den Schönheitsbegriff angeht, so ist dessen Freiheit eine „Freiheit in der Erscheinung", das heißt sie äußert sich nicht in einer *Willens*handlung, sondern in einer Naturwirkung, der gegenüber der autonome Wille der praktischen Vernunft ein „Analogum", also gleichfalls eine „Autonomie", nur *wünschen* kann.

Im dritten Brief führt Schiller den Nachweis, daß Schönheit, entgegen der Auffassung Kants, „eine objektive Eigenschaft ist", was aus ihrer „nur aus der Vernunft herausargumentierten" Begriffsbestimmung im zweiten Brief noch nicht zu ersehen war. Die Beweisführung erfolgt durch Bezugnahme auf die — schon im ersten Brief aufgestellte — Unterscheidung zwischen logischer und schöner Form. Die logische Form eines Objekts offenbart sich dem „reflektierenden Verstand" als zweckbestimmt und regelgerecht, das heißt als „heteronom." Wo das Objekt den betrachtenden Menschen nicht zur Reflexion nötigt, sondern „sich ohne Begriff erklärt", da wirkt es als schön, weil frei von aller Bestimmung oder „autonom". So zeigt Schiller, „daß das subjektive Prinzip doch ins objektive hinübergeführt werden kann."

Die geistreiche Erörterung über „moralische Schönheit" an Hand des Beispiels vom barmherzigen Samariter und das daran geknüpfte fabula docet im vierten Brief werden ihre Würdigung in den Anmerkungen zum vierzehnten Brief der Abhandlung ,Über die aesthetische Erziehung des Menschen' finden.

Der fünfte Kalliasbrief soll beweisen, „daß dasjenige Objektive an den Dingen, wodurch sie in den Stand gesetzt werden, frei zu erscheinen, gerade auch dasjenige sei, welches ihnen, wenn es da ist, Schönheit verleiht, und wenn es fehlt, ihre Schönheit vernichtet, selbst wenn sie im ersten Falle gar keinen, im letzten alle anderen Vorzüge" — gemeint sind die Vorzüge der „logischen" Form: Vollkommenheit, Zweckmäßigkeit und Wahrheit —" besäßen.

Schiller erledigt sich seiner Aufgabe durch Beantwortung der Frage: Unter welcher Voraussetzung ist das Verhältnis von Freiheit und Schönheit mit dem Verhältnis von Freiheit und Vollkommenheit, Zweckmäßigkeit, Wahrheit im Einklang?

Das Verhältnis von Freiheit und Schönheit betreffend versteht Schiller das Erlebnis der Freiheit an einem Objekt, das heißt den Eindruck des „Von-innen-bestimmtseins" als eine *Nötigung*, die durch eine objektive Beschaffenheit des Gegenstandes an dem Betrachter vollzogen wird.

Diese objektive Beschaffenheit des Gegenstandes bietet sich dem Betrachter als ein „Bestimmtes", das auf ein „Bestimmendes" leitet. Bestimmtes und Bestimmendes stehen im Verhältnis von Folge und Grund, gehorchen einer Regel, welche festzustellen Sache der theoretischen Vernunft oder des Verstandes ist.

Überläßt sich der Betrachter eines Objekts lediglich dem Erleben seiner Schönheit, so verhält sich sein Verstand passiv, das heißt er *wird* nur auf eine Regel, umbestimmt welche, *geleitet*. In diesem Fall ist sein Interesse ein rein *aesthetisches*.

Denkt aber der Verstand dem Verhältnis von Folge und Grund, von Bestimmtem und Bestimmendem nach, so ist sein Verhältnis ein *logisches*, weil eine „Regel" nur dem logisch schließenden Verstand zugänglich ist.

„Eine Form, welche sich nach einer Regel behandeln läßt, auf eine Regel deutet, heißt kunstmäßig oder technisch." Sie hat die Eigenschaften der Vollkommenheit, der Zweckmäßigkeit und der Wahrheit.

Gelangt die verstandesmäßige Betrachtung der technischen Form eines Objekts zu einer Negation des Von-außen-bestimmtseins desselben, so führt diese Negation „ganz notwendig auf die Vorstellung des Von-innen-bestimmtseins oder der Freiheit." Führt die Betrachtung der technischen Form aber zu dieser Negation *nicht*, so mag das Objekt vollkommen und zweckmäßig sein, wird aber nie als frei und schön wirken. Im ersteren Fall ist die Form des Objekt autonom und heautonom, das heißt selbstbestimmend und selbstbestimmt; im zweiten Fall herrscht zwischen technischer und aesthetischer Form des Objekts Heteronomie, das heißt die Forderung der Freiheit ist der Forderung der Vollkommenheit und Zweckmäßigkeit untergeordnet.

Für das Verhältnis von Freiheit und Technik findet Schiller verschiedene Formulierungen:

1. Freiheit kann nur mit Hilfe der Technik sinnlich dargestellt werden..., sowie die Vorstellung der Naturkausalität nötig ist, um uns auf die Vorstellung der Willensfreiheit zu leiten.

2. Technik ist notwendige Bedingung unserer Vorstellung von der Freiheit.

3. Grund unserer Vorstellung von Schönheit ist Technik in der Freiheit.

4. Schönheit ist Natur in der Kunstmäßigkeit.

Erst aus dieser seiner Theorie, meint Schiller, erhält Kants Satz seine Erklärung: „Natur ist schön, wenn sie aussieht wie Kunst; Kunst ist schön, wenn sie aussieht wie Natur."

Und die ganze Erörterung über das Verhältnis von aesthetischer und technisch-logischer Form gipfelt in dem Satz: „Die Form des Schönen ist nur ein freier Vortrag der Wahrheit, der Zweckmäßigkeit und Vollkommenheit.“—

Wie in den Kalliasbriefen die Sympathie der Vernunft transparent wird, zeigt folgender Gedankengang:

Die Apriorität der Schönheitsidee, die der Dichter bereits Jahre vor seiner Auseinandersetzung mit der abweichenden Ansicht des Königsberger Philosophen nach seiner Selbstbegegnung im Griechentum in den ‚Künstlern‘ mit seiner Auffassung von der Idee des Schönen als einer dem Menschen vor jeder Erfahrung eines schönen Gegenstandes ursprünglich-eigenen Anlage gelehrt hatte, erweist Schiller in den Kalliasbriefen aus einer von der Autonomie der praktischen Vernunft geforderten Autonomie der Erscheinungen. Wie die Vernunftfreiheit nur das als sittlich gut anerkennt, was um seiner selbst, nicht um einer Zweckmäßigkeit oder einer Vollkommenheit willen gut ist, so glaubt sie in solchen Erscheinungen, bei deren Anblick sie alle an ihnen vorhandene Zweckmäßigkeit und Vollkommenheit über den Erscheinungen an sich vergißt, die Idee des Schönen zu sehen. Damit projiziert sie die für sie selbst geltenden Gesetze auf die Erscheinungen, sieht in ihnen Spiegelbilder ihrer eigenen Freiheit — wie der Geschichtsphilosoph die eigene Harmonie „aus sich selbst heraus nimmt“ und in die Ordnung der Dinge verpflanzt — wie der jugendliche Schwärmer in den Klüften einen Widerhall des eigenen sympathetischen Gefühls zu vernehmen meinte. Da aber, anders als bei dem Stürmer und Dränger, beim Erleben des Schönen, ebenso wie in der universalgeschichtlichen Schau, dieses Gefühl in der Autonomie der praktischen Vernunft seinen Ursprung hat, darf man auch dieses als „Sympathie der Vernunft“ bezeichnen.

2. Schöne Seele und erhabene Gesinnung

Das Thema der Abhandlung ‚Über Anmut und Würde‘ läßt sich mit der Frage kennzeichnen: Wie manifestiert sich die als Schönheit erscheinende Freiheit im menschlichen Charakter?

Die Formulierung, welche das Thema von Schiller selbst in der Überschrift erhalten hat, deutet schon die Problematik des Gegenstandes an: Die „Charakterschönheit, die reifste Frucht seiner“ — des Menschen — „Humanität, ist bloß eine Idee, welcher gemäß zu werden er mit anhaltender Wachsamkeit streben, aber die er bei aller Anstrengung nie ganz erreichen kann.“ So heißt es gleich zu Anfang der Ausführungen über die Bedeutung der „Würde“, des zweiten der in der Überschrift herausgestellten Begriffe. Von dieser „Idee“ handelt also der größere, der „Anmut“ gewidmete Teil der Abhandlung.

Läßt man Schillers dieselbe einleitenden Bericht über die griechische Fabel von Venus und Juno — der wieder veranschaulicht, daß auch diese aesthetische Schrift des Dichters aus seiner Selbstbegegnung im Griechentum erwachsen ist — außer acht, so kann man sagen, daß der Abschnitt über die Anmut den Menschen nach drei Seiten hin betrachtet: als Naturwesen, als Gattungswesen und als Person, Individuum, Charakter.

Als Naturwesen steht der Mensch auf gleicher Stufe mit allen anderen Geschöpfen der Natur. Seine Schönheit ist wie bei diesen „ohne die Einwirkung eines empfindenden Geistes durch die plastischen Kräfte erzeugt" worden. Sie heißt deshalb Schönheit des Baues oder „architektonische Schönheit". Zu Vorzügen dieser Schönheit gehören beim Menschen zum Beispiel „ein glückliches Verhältnis der Glieder, fließende Umrisse, ein lieblicher Teint, eine zarte Haut, ein feiner und freier Wuchs, eine wohlklingende Stimme." Sie alle sind nicht bloß durch Naturkräfte *ausgeführt* worden — was von jeder Erscheinung gilt —, sondern auch nur allein durch Naturkräfte *bestimmt*. Diese Bestimmung richtet sich nach der „Notwendigkeit des die Schönheit bestimmenden teleologischen Grundes". Denn der architektonischen Schönheit wurde „gleich in der ersten Anlage die Vollziehung alles dessen, was der Mensch zur Erfüllung seiner Zwecke bedarf, einmal für immer von dem schaffenden Verstand übergeben", so daß sie „in diesem ihrem organischen Geschäfte keine Neuerung zu befürchten hat." Der die architektonische Schönheit bestimmende teleologische Grund ist es also, der dem schönen Objekt — hier also dem Menschen — seinen objektiven Zweck verleiht, der, dem logischen Verstand als „Begriff" faßlich, nötig ist, um „die Beschaffenheit und oft selbst die Möglichkeit des Objekts zu erklären." Zum Unterschied von der architektonischen Schönheit spricht man im Hinblick auf diesen Zweck von der „technischen Vollkommenheit."

Als Gattungswesen ist der Mensch ein vernünftiges Wesen. Als solches nimmt er zu seiner architektonischen Schönheit eine Stellung ein, die nicht durch die Sinnlichkeit bestimmt ist. Für den Menschen als Vernunftwesen ist die architektonische Schönheit „der sinnliche Ausdruck eines Vernunftbegriffs" und empfängt damit eine übersinnliche Bedeutung, insofern die Vernunft in diesem Falle das, was unabhängig von ihrem Begriff in der Erscheinung *gegeben* ist, selbsttätig zu einem Ausdruck desselben *macht*, ihre Idee in die Erscheinung *hineinlegt*. Damit wird, von menschlicher Ebene aus, die Schönheit eine „Bürgerin zweier Welten", „deren einer sie durch Geburt, der anderen durch Adoption angehört; sie *empfängt* ihre *Existenz* in der *sinnlichen* Natur und *erlangt* in der *Vernunftwelt* das *Bürgerrecht*."

Mit der Beschaffenheit als Vernunftwesen gewinnt der Mensch die

Freiheit des Willens und damit die Unabhängigkeit von der Natur in dem Sinne, daß ihre Gesetze wohl Bestand haben, aber über „die *Fälle* der Anwendung" der *Geist* entscheidet.

Freilich: „Das Gebiet des Geistes erstreckt sich so weit, als die Natur lebendig ist, und endigt nicht eher, als wo das organische Leben sich in die formlose Masse verliert und die animalischen Kräfte aufhören. Es ist bekannt, daß alle bewegenden Kräfte im Menschen untereinander zusammenhängen, und so läßt sich einsehen, wie der Geist — auch nur als Prinzip der willkürlichen Bewegung betrachtet — seine Wirkungen durch das ganze System derselben fortpflanzen kann." Geist ist also, in irgend einem Sinne als Korrelat des Lebens, die Kraft, welche die Materie der organischen Lebewesen bewegt. Diese Bewegung erfolgt nach Schillers Anschauung bei den Geschöpfen der Pflanzen- und Tierwelt instinktiv. Der Mensch aber ist bekanntlich „das Wesen, welches will" (‚Über das Erhabene'). Und der Wille des Menschen ist ein freier Wille, eine „Willkür", mit welcher „der Zufall in die Schöpfung eintritt". Sie ist es, die dem Menschen die Möglichkeit oder Anlage zur Person, zur Individualität, zum Charakter gibt.

Damit wird der Mensch zu einem Wesen, „welches selbst Ursache, und zwar absolut letzte Ursache seiner Zustände sein, welches sich nach Gründen, die es aus sich selbst nimmt, verändern kann." Und, da es jetzt auf den Geist ankommt, welchen Gebrauch er von seinen Werkzeugen machen will, so kann die Natur über denjenigen Teil der Schönheit, welcher von diesem Gebrauche abhängt, nichts mehr zu gebieten und also auch nichts mehr zu verantworten haben."

„Die Freiheit regiert also jetzt die Schönheit. Die Natur gab die Schönheit des Baues, die Seele gibt die Schönheit des Spiels." Hieraus nun leitet Schiller die grundsätzliche Begriffsbestimmung der Anmut ab: „Anmut ist die Schönheit der Gestalt unter dem Einfluß der Freiheit, die Schönheit derjenigen Erscheinungen, welche die Person bestimmt. Die architektonische Schönheit macht dem Urheber der Natur, Anmut und Grazie machen ihrem Besitzer Ehre. Jene ist ein Talent, diese ein persönliches Verdienst." Und weil die die Willensfreiheit bestimmende Kraft der durch die Vernunft geleitete Geist, dieser aber im weitesten Sinne „Prinzip der willkürlichen Bewegungen" ist, so kann Anmut, als Äußerung einer durch den freien Willen verursachten „Veränderung im Gemüt", „sich nur als Bewegung in der Sinnenwelt offenbaren." —

Diese Definition der Anmut wird nun im weiteren Verlauf der Abhandlung in drei Stufen enger gefaßt.

Die erste Stufe behandelt das richtige Verständnis der „Bewegung" als Manifestation der Anmut.

Die zweite Stufe bestimmt das Verhältnis von moralischem und aesthetischem Wert der anmutigen Bewegung.

Die dritte Stufe kennzeichnet die „schöne Seele" als Erscheinungsausdruck der Anmut.

Zur ersten Stufe:

Die Betrachtung über die „Bewegung" als Offenbarung einer „Veränderung im Gemüt" stellt zunächst fest: „Aber nicht alle Bewegungen am Menschen sind der Grazie fähig", und engt dann den Begriff der Bewegung für ihre Zwecke zunehmend ein über drei Bestimmungen:

1. „Grazie ist immer nur die Schönheit der durch *Freiheit* bewegten Gestalt. In diesem Zusammenhang wird zum erstenmal der bedeutsame Begriff des „Spiels" als Wirksamkeit des „lebhaften Geistes" bestimmt, der unter Umständen sogar den Körper bildet, „so daß sich die Anmut zuletzt nicht selten in architektonische Schönheit verwandelt".

2. Andererseits aber darf die „Freiheit" nicht „in Freiheit gesetzte Natur" sein, was die Wirkung eines „feindseligen, mit sich uneinigen Geistes" ist, sondern der Geist muß ein *sittlicher* Geist sein, der die plastische Natur „in ihrem Bildungswerk unterstützt".

3. Aber auch eine durch einen sittlichen Geist geleitete Bewegung ist noch nicht anmutig, wenn sie nur „willkürlich und abgezweckt" bleibt. Wesentlich ist, daß eine solche begleitet wird von einer „ohne Willen der Person nach einem Gesetz der Notwendigkeit — also auf Veranlassung einer Empfindung" erfolgenden Bewegung, welche Schiller eine sympathetische nennt. „Unter den sympathetischen Bewegungen" versteht der Dichter „diejenigen, welche der moralischen Empfindung oder der moralischen Gesinnung zur Begleitung dienen". Die willkürliche Bewegung drückt nur die *Materie* des Willens, den Zweck aus, die sympathetische dagegen die *Form* des Willens, die Gesinnung. „Grazie muß jederzeit Natur, d. i. unwillkürlich sein — wenigstens so scheinen —, und das Subjekt selbst darf nie so aussehen, als wenn es um seine Anmut wüßte".

Aus diesen einschränkenden Bestimmungen der Bewegung ergibt sich dann die *erste* engere Definition der Anmut:

> „Wir werden die Anmut in demjenigen, was bei absichtlichen Bewegungen unabsichtlich, zugleich aber einer moralischen Ursache im Gemüt entsprechend ist, aufzusuchen haben."

Zur zweiten Stufe:

Die Erörterung über moralischen und aesthetischen Wert der anmutigen Bewegung fordert einleitend wieder eine Einschränkung der eben gegebenen Definition: „Dadurch wird übrigens bloß die *Gattung* von Bewegungen bezeichnet, unter welcher man die Grazie zu suchen hat; aber eine Bewegung kann alle diese Eigenschaften haben, ohne deswegen anmutig zu sein. Sie ist dadurch bloß *sprechend* (mimisch)". Und „bloß sprechende" Bewegungen hat der Mensch mit allen Naturwesen im Pflanzen- und Tierreich gemein, insofern sie lediglich sinnliche Empfindungen „aussprechen". Dem Menschen aber eignet, im Gegensatz zu allen anderen Geschöpfen, eine „sittliche Bestimmung", die er, kraft seines vernünftigen Willens, durch Handlungen und Taten in einer „moralischen Fertigkeit" bewähren soll. Bleibt der Mensch im Zustand seiner sittlichen Bestimmung stehen, so gehört er zu „jenen zugestutzten Zöglingen der *Regel*, die zwar die Sinnlichkeit zur Ruhe bringen, aber die Menschheit nicht wecken kann"; er kommt über den naturgegebenen Besitz einer architektonischen Schönheit nicht hinaus: „Nie wird der *Bau* durch das Spiel in Gefahr gesetzt, nie die Vegetation durch Freiheit beunruhigt." Ein solcher Mensch gleicht einem Genie, das, gleichfalls ein „Naturerzeugnis", nicht durch „Grundsätze, Geschmack und Wissenschaft" „der Materie Form erteilt" und daher, wie die durch kein Spiel eines lebhaften Geistes gleich neu geformte architektonische Schönheit, „den Perioden der Blüte, der Reife und des Verfalles" unterliegt. „Bloß organische Geschöpfe sind uns ehrwürdig als *Geschöpfe*; der Mensch aber kann es nur als *Schöpfer* — d. i. als Selbsturheber seines Zustandes — sein. Er soll nicht bloß wie die übrigen Sinnenwesen die Strahlen fremder Vernunft zurückwerfen, wenn es gleich die göttliche wäre, sondern er soll gleich einem Sonnenkörper von seinem eigenen Lichte glänzen."

„Der Mensch ist aber als Erscheinung zugleich Gegenstand des Sinnes. Wo das *moralische* Gefühl Befriedigung findet, da will das *aesthetische* nicht verkürzt sein, und die Übereinstimmung mit einer Idee darf in der Erscheinung kein Opfer kosten." „Mit andern Worten: seine sittliche Freiheit muß sich durch Grazie offenbaren." Dies kann, wenn das Zusammenwirken übersinnlicher und sinnlicher Kräfte nicht als unlösbarer Widerspruch gelten soll, nur so geschehen, „daß die moralische Ursache im Gemüte, die der Grazie zum Grunde liegt, in der von ihr abhängigen Sinnlichkeit gerade denjenigen Zustand notwendig hervorbringe, der die Naturbedingungen des Schönen in sich enthält."

Und nun stellt Schiller die Existenz eines Gesetzes fest, „das wir nicht ergründen können": daß nämlich „der Zustand moralischer Fertigkeit", den der Geist der Natur vorschreibt, gerade derjenige ist, durch den die sinnlichen Bedingungen des Schönen erfüllt werden. „Man kann also sagen, daß die Grazie eine *Gunst* sei, die das Sittliche dem Sinnlichen erzeigt."

Daraus ergibt sich die *zweite* einengende Definition der Anmut: „Wenn sich der Geist in der von ihm abhängenden sinnlichen Na-

tur auf eine solche Art äußert, daß sie seinen Willen aufs treueste
ausrichtet und seine Empfindungen auf das Sprechendste ausdrückt, ohne doch gegen die Anforderungen zu verstoßen, welche
der Sinn an sie als an Erscheinungen macht, so wird dasjenige entstehen, was man Anmut nennt."

Zur dritten Stufe:

Beim Übergang zur dritten Stufe der Untersuchung stellt Schiller
gleich im Anschluß an die soeben gegebene Begriffsbestimmung der Anmut die Forderung auf, daß die Verwirklichung einer solchen Anmut von
zwei Bedingungen abhängig ist: Der Geist darf sich in der Sinnlichkeit
nicht durch Zwang offenbaren, und dem freien Effekt der Sinnlichkeit
darf der Ausdruck des Geistes nicht fehlen; erst so entsteht jene „Schönheit des Spiels", die als das Wesen der Anmut zu verstehen ist.

Aus diesen zwei Voraussetzungen ergibt sich das auf dieser dritten
Stufe der Darlegung zu behandelnde Thema. Es ist die Frage, „was dies
wohl für eine persönliche Beschaffenheit sein mag, die den sinnlichen
Werkzeugen des Willens die größere Freiheit verstattet, und was für
moralische Empfindungen sich am besten mit der Schönheit im Ausdruck vertragen?"

Noch einmal wird als eine Selbstverständlichkeit die Forderung gestellt, „daß sich weder der Wille bei der absichtlichen, noch der Affekt
bei der sympathetischen Bewegung gegen die von ihm abhängende Natur als eine *Gewalt* verhalten dürfe, wenn sie ihm mit Schönheit gehorchen soll." Man denke wieder an das vorhin angeführte Wort von der
„Freiheit des Spiels" — man könnte auch im Hinblick auf die im Anschluß an die zweite Definition der Anmut vom Dichter gestellten Bedingungen den in einem Distichon der späteren ‚Votivtafeln' gebrauchten Ausdruck „lebendiger Geist" anwenden, insofern der Geist als
Lebensprinzip das in der willkürlich-sympathetischen Bewegung sich
manifestierende Verhältnis von Sinnlichkeit und Sittlichkeit bestimmt.

Aus diesen beiden Vorstellungen von der „Schönheit des Spiels"
und dem „lebendigen Geist" ergibt sich zwanglos, welches der „drei-
erlei Verhältnisse, in welchen der Mensch zu sich selbst, d. i. sein sinnlicher Teil zu seinem vernünftigen, stehen kann," als dasjenige anzu-
erkennen ist, „welches ihn in der Erscheinung am besten kleidet und
dessen Darstellung Schönheit ist." Weder einseitige Unterdrückung
der Forderungen seiner sinnlichen Natur zugunsten der höheren Forderungen seiner vernünftigen, noch einseitige Unterordnung des vernünftigen Teils seines Wesens unter den sinnlichen vermag dem Anspruch
auf „Schönheit des Spiels" zu genügen. Nur wenn die Triebe der
Sinnlichkeit sich mit den Gesetzen der Vernunft in Harmonie setzen und
der Mensch einig ist mit sich selbst, nur „wenn weder die über die

Sinnlichkeit herrschende Vernunft, noch die über die Vernunft herrschende Sinnlichkeit sich mit Schönheit des Ausdrucks vertragen, so wird derjenige Zustand des Gemüts, wo Vernunft und Sinnlichkeit, Pflicht und Neigung zusammenstimmen, die Bedingung sein, unter der die Schönheit des Spiels erfolgt." Weder darf das Vergnügen der Grund sein, warum der Mensch vernünftig handelt, wie eine Moral der „philosophierenden Vernunft" bis auf Kant lehrte, noch soll der Mensch allein aus Pflicht Sittlichkeit üben, wie Kant will — sondern „er darf und soll seiner Vernunft mit Vergnügen gehorchen", weil Tugend nichts anderes ist „als Neigung zur Pflicht". Erst so quillt die Tugend des Menschen „aus seiner gesamten Menschheit als die vereinigte Wirkung beider Prinzipien"; denn „die menschliche Natur ist ein verbundeneres Ganzes in der Wirklichkeit, als es dem Philosophen, der nur durch Trennen was vermag, erlaubt ist, sie erscheinen zu lassen." Erst die Übereinstimmung des sinnlichen und des sittlichen Prinzips schafft „das Siegel der vollendeten Menschheit und dasjenige, was man unter einer schönen Seele versteht."

Damit gewinnt Schiller endlich die *dritte* und engste Definition der Anmut:

„In einer schönen Seele ist es also, wo Sinnlichkeit und Vernunft, Pflicht und Neigung harmonieren, und Grazie ist ihr Ausdruck in der Erscheinung." —

Auch in der Darstellung des Begriffs der Anmut wird Schillers Sympathie der Vernunft transparent.

Indem der Mensch als Gattungs- oder Vernunftwesen das Sinnliche der architektonischen Schönheit „übersinnlich behandelt", bringt er dieser Schönheit Sympathie entgegen Aber während die menschliche Vernunft auf die schöne Erscheinung der Naturkörper keinen Einfluß irgendwelcher Art ausüben kann, vermag sie als moralischer Wille die seinem sinnlichen Teil eigentümliche architektonische Schönheit „spielen" zu lassen, indem sie dieselbe in Bewegung setzt. Erst dadurch wird die architektonische Schönheit zur Anmut.

Vom Fundament der Gedankenwelt Schillers, der Sympathie der Vernunft, her gesehen ist also Anmut der Ausdruck der Sympathie, welche die sittliche Vernunft des Menschen seiner architektonischen Schönheit mit der Wirkung eines „Spielens" zuwendet.

Diese Definition der Anmut als Manifestation einer an der architektonischen Schönheit als Spiel sich äußernden Sympathie der Vernunft findet in ihren Einschränkungen eine Gestaltung, in welcher je eine Form des vernunftbestimmten Sympathiekomplexes sichtbar wird:

1. In der, eine moralische Empfindung oder Gesinnung *unbewußt* beglei-

tenden, „sympathetischen" Bewegung zeigt sich die *physio-psycho-logische* Form des Sympathiekomplexes.

2. Wo die, eine sittliche Fertigkeit *unbewußt* begleitende, Bewegung Grazie zeigt, also aesthetisch wirkt, liegt die *ethisch-aesthetische* Form des Sympathiekomplexes vor.

3. In der, Pflicht und Neigung in Harmonie zeigenden, „schönen Seele", in welcher moralisches Handeln zur „Schönheit des Spiels", das heißt zur Natur geworden ist, offenbart sich die *genialisch-kosmische* Form des Sympathiekomplexes. —

Der kurze Abschnitt, der von der Würde handelt, zerfällt in drei Teile, deren erster die Begriffsbestimmung der Würde enthält, während der zweite die beiden Fälle behandelt, in welcher der Mensch die „erhabene Gesinnung" einer großen Seele bewähren soll, der dritte die durch Wechselbeziehung von Anmut und Würde „vollendete Menschheit" darstellt.

Der erste Teil erweckt im Leser zunächst ein Gefühl der Ratlosigkeit, wenn der Verfasser erklärt, die in der Anmut sich offenbarende „Charakterschönheit" sei „bloß eine Idee", die der Mensch „bei aller Anstrengung nie erreichen kann". Diese Verlegenheit steigert sich, wenn man hört, daß es Fälle gibt, wo „die Natur zuerst handelt" und „die Sittlichkeit des Charakters sich nicht anders als durch Widerstand bewähren könne", weil der Naturtrieb, als eine „Naturnotwendigkeit durch das Medium der Empfindung", einem derart starken Affekt unterliegt, daß überhaupt „keine Zusammenstimmung zwischen Neigung und Pflicht, zwischen Vernunft und Sinnlichkeit möglich" sei. In derartigen Fällen könne der Mensch nie „moralisch schön", sondern nur „moralisch groß" handeln.

Man fragt sich, ob Schiller unter diesen Umständen sich nicht doch zuletzt zu der „objektiven" Gültigkeit von Kants kategorischem Imperativ bekennen müsse? Aber damit wäre ja Sinn und Zweck der ganzen Abhandlung in Frage gestellt.

Schiller findet eine andere Lösung. Er erklärt, daß nur die *schöne* Seele, wie sie in den Ausführungen über die Anmut geschildert wurde, fähig ist, in Fällen, wo „die Natur zuerst handelt", zur *großen* Seele zu werden, „ins Heroische überzugehen", „sich zur reinen Intelligenz zu erheben". Denn „ist bei einem Menschen die Neigung nur darum auf Seiten der Gerechtigkeit, weil die Gerechtigkeit sich glücklicherweise auf Seiten der Neigung befindet" — der Dichter spricht sehr treffend „von dem guten Herzen oder der Temperamentstugend" — „so wird der Naturtrieb im Affekt eine vollkommene Zwangsgewalt über den Willen ausüben, und wo ein Opfer nötig ist, so wird es die Sittlichkeit und nicht die Sinnlichkeit bringen. War es hingegen die Vernunft selbst, die, wie bei einem schönen Charakter der Fall ist, die Neigungen in Pflicht nahm und der Sinnlichkeit das Steuer *nur anvertraute,* so wird sie es in demselben Moment zurücknehmen, als der Trieb seine Vollmacht mißbrauchen will."

Und dann folgt die Definition: „Beherrschung der Triebe durch die moralische Kraft ist Geistesfreiheit, und Würde heißt ihr Ausdruck in der Erscheinung." —

Der zweite, sehr kurze Teil nennt als den Naturtrieb, der bei den eine erhabene Gesinnung erfordernden Affekten aufgeregt wird, den Erhaltungstrieb. Dieser bestimmt auch die durch jene Affekte ausgelösten körperlichen Bewegungen, weil dieselben nicht, wie bei der Anmut, als Begleitung „moralischer Rührungen des Herzens", sondern im Gefolge des Erhaltungstriebes erscheinen.

Steht der Mensch unter dem Einfluß eines qualvollsten Affekts, dann wird er zwar seine sympathetischen Bewegungen nicht beherrschen können; aber seine willkürlichen sind „sanft, seine Gesichtszüge frei, und es ist heiter um Aug und Stirne."

Droht den Menschen ein „starkes Interesse des Begehrungsvermögens" zu unterwerfen, so wird zwar der *Inhalt* des Affekts seine sympathetischen Bewegungen bestimmen; aber seine *Form* wird den willkürlichen Bewegungen Würde verleihen — „daher es geschehen kann, daß oft dem Inhalt nach lobenswürdige Affekte, wenn der Mensch sich ihnen blindlings überläßt, aus Mangel der Würde ins Gemeine und Niedrige fallen; daß hingegen nicht selten verwerfliche Affekte sich sogar dem Erhabenen nähern, sobald sie nur in ihrer Form Herrschaft des Geistes über seine Empfindungen zeigen." —

Der dritte Teil endlich entwirft in einer Reihe von thesenartigen Feststellungen über die Wechselbeziehung der schönen und der großen Seele das Bild der in einer solchen Person „vollendeten Menschheit":

1. Bei der Würde führt sich der Geist in dem Körper als Herrscher auf; bei der Anmut regiert er mit Liberalität.
2. Anmut liegt in der Freiheit der willkürlichen Bewegungen, Würde in der Beherrschung der unwillkürlichen.
3. Würde wird mehr im Leiden (πάθος), Anmut mehr im Betragen (ἦθος) gefordert und gezeigt.
4. Wie wir Anmut von der Tugend fordern, so fordern wir Würde von der Neigung; denn der Neigung ist Anmut so natürlich wie der Tugend Würde.
5. Man fordert Anmut von dem, der verpflichtet, und Würde von dem, der verpflichtet wird.
6. Man muß einen Fehler mit Anmut rügen und mit Würde bekennen.
7. Dem Starken bringt seine durch Grazie gemilderte Überlegenheit

Liebe, dem Schwachen seine mit Würde getragene Ohnmacht Achtung ein.

8. Nur von der Anmut empfängt die Würde ihre Beglaubigung, nur von der Würde die Anmut ihren Wert.

9. Nur die von einem harmonischen Gemüt und einem empfindenden Herzen zeugende Anmut ist eine Gewähr für die echte Würde als einer moralischen Selbsttätigkeit.

10. Die auf Empfänglichkeit des Gefühlsvermögens und Übereinstimmung der Empfindungen beruhende Anmut wird nur durch die damit verbundene Würde bezeugt.

Die Wirkung der in der Wechselbeziehung von Anmut und Würde erreichten „vollendeten Menschheit" veranschaulichen folgende Sätze:

1. Würde erweckt Achtung, Anmut erweckt Wohlwollen oder Liebe.

2. Die Würde hindert, daß die Liebe nicht zur Begierde wird; die Anmut verhütet, daß die Achtung nicht Furcht wird.

3. Höchster Grad der Anmut ist das Bezaubernde; höchster Grad der Würde ist die Majestät.

4. Das Bezaubernde setzt uns in den höchsten Genuß der Freiheit, der an den völligen Verlust derselben grenzt, insofern wir uns dabei selbst verlieren und in den Gegenstand überfließen. Die Majestät hält uns ein Gesetz vor und läßt uns nichts als die schwere Bürde unseres eigenen Daseins empfinden.

5. Affektierte Anmut wirkt als Ziererei; affektierte Würde als steife Feierlichkeit und Gravität. —

Bei dem Versuch, Schillers Ausführungen über die Würde und über deren Beziehung zur Anmut auf die Möglichkeit ihrer Einordnung unter den Aspekt der Sympathie der Vernunft zu prüfen, scheint zunächst dieselbe Schwierigkeit zu walten wie bei der Frage, wie der Dichter die an seinen Begriff der „erhabenen Gesinnung" gestellten Anforderungen ohne Unterwerfung unter Kants kategorischen Imperativ für erfüllbar halten wollte. Denn da jede Form der Sympathie doch schließlich auf eine Wechselwirkung von sinnlichen und übersinnlichen Potenzen zurückgeht — wie ist eine Sympathie vorstellbar, wo alle sinnlichen Triebe gegenüber dem Gebot der Vernunft zu schweigen haben?

Ein Rückblick auf Resultate früherer Zusammenhänge mag den Weg weisen, der auch in dem von Schiller über Würde und erhabene Gesinnung Gesagten die Transparenz jener seelisch-geistigen Kraft sichtbar macht.

Zunächst haben die Betrachtungen über die Beziehung der drei einschränkenden Bestimmungen des Begriffs der Anmut zum Komplex der vernunftgeleiteten Sympathie gezeigt, daß in der Anmut, je enger und wesentlicher ihre Definition wird, desto umfassendere Formen des

Sympathiekomplexes transparent werden: Von der physio-psychologischen stieg sie aufwärts zur ethisch-aesthetischen und schließlich zur genialisch-kosmischen Manifestation dieses Komplexes.

Einen ähnlichen Aufstieg zeigte die zusammenfassende Rückschau auf die Beziehung zwischen Schillers Geschichtsphilosophie und seiner Aesthetik des Tragischen: Von der physio-psychologischen ging er aufwärts zur ethisch-kosmischen und theosophisch-religiösen Erscheinungsform des Sympathiekomplexes.

In dem kulturphilosophischen Gedicht ‚Die Künstler' ließ sich eine noch längere Reihe von Etappen einer Vergeistigung sympathetischer Beziehungen verfolgen: Mit fortschreitender Kultur wurde die physio-psychologische, die aesthetisch-ethische, die genialisch-kosmische und endlich die theosophisch-religiöse Form des Sympathiekomplexes transparent, in welch letzterer sich die Schönheit als Wahrheit enthüllte.

Dem aufmerksamen Leser wird es auffallen, daß sich die in den Begriffsbestimmungen der Anmut sichtbar werdende Transparenz des Sympathiekomplexes darin von derjenigen der geschichtsphilosophisch-aesthetischen und der kulturphilosophischen Ausführungen Schillers unterscheidet, daß in ihr die höchste Form des Komplexes, die theosophisch-religiöse, nicht erscheint. Die Vermutung liegt nahe, daß diese höchste Form erst in der Wechselbeziehung zwischen Anmut und Würde erreicht wird.

Dies soll im folgenden nachgewiesen werden.

Nach der Prophezeiung jenes kulturellen „Glückstandes", in welchem die Schönheit sich als Wahrheit offenbaren wird, richtet der Dichter an die Künstler die Mahnung:

> „Der Menschheit *Würde* ist in eure Hand gegeben;
> bewahret sie!"

Würde erreicht der Mensch also dann, wenn ihm die Schönheit als Wahrheit erscheint. Oder — unter Verwendung von Dichterworten aus den ‚Künstlern' — anders ausgedrückt: Zur Würde steigt der Mensch auf, wenn er, unter der Leitung der sanften Cypria, der „Menschlichen", eine „späte Wiederkehr zum Lichte" findet, in seiner mit „der Anmut Gürtel" geschmückten Pflegerin Urania zu schauen befähigt wird,

> „die, eine Glorie von Orionen
> ums Angesicht, in hehrer Majestät,
> nur angeschaut von reineren Dämonen,
> verzehrend über Sternen geht."

Die Betrachtungen, die Schiller in seiner Abhandlung über das Verhältnis von Anmut und Würde anstellt, führen zu einem ähnlichen Ergebnis.

Der Ansatzpunkt liegt in der oben erwähnten Aussage, nur die *schöne* Seele sei fähig, zur *großen* Seele zu werden. Denn während bei dem nur „guten Herzen" der Naturtrieb im Affekt eine vollkommene Zwangsgewalt über den Willen ausübe, werde bei der „schönen Seele" die Vernunft in dem Augenblick, wo der Trieb seine Vollmacht mißbrauchen wolle, das Steuer, das sie bisher der Sinnlichkeit nur *anvertraute*, alsbald selbst in die Hand nehmen.

Auf die Frage, welche Stellung Schiller der Sympathie zur Bewährung der erhabenen Gesinnung angewiesen habe, wird man also antworten: Nur wo die Sympathie eine Sympathie der Vernunft ist, wird der Mensch im Affekt zur Würde aufsteigen. Würde ist also höchste Manifestation der Sympathie der Vernunft.

In welcher Form erscheint also diese in der Würde sich manifestierende Sympathie der Vernunft dem Betrachter?

Die Beantwortung dieser Frage geht von der ersten These über die Wechselwirkung von Anmut und Würde aus: „Würde erweckt Achtung, Anmut erweckt Wohlwollen oder Liebe."

Der Eindruck der beiden Eigenschaften der Würde und Anmut in ihrer Vereinigung ist daher ein doppelter. Denn während Anmut, als ein, wie Schiller in einer Anmerkung unter Berufung auf Kant sagt, „Gefühl der Unangemessenheit zur Erreichung einer Idee, die für uns Gesetz ist," das Gemüt „anspannt", „löst" die Liebe es „auf", weil es *„das absolut Große* selbst ist, was in der Anmut und Schönheit sich nachgeahmt und in der Sittlichkeit sich befriedigt fühlt; es ist der Gesetzgeber selbst, der *Gott* in uns, der mit seinem eigenen Bilde in der Sinnenwelt spielt." „Liebe ist ein Herabsteigen, da die Achtung ein Hinaufklimmen ist." So erlebt der Betrachter von Anmut und Würde, wo sie vereint wirken, Göttliches und Menschliches in Einem: „Sind Anmut und Würde ... in derselben Person *vereinigt,* so ist der Ausdruck der Menschheit in ihr vollendet, und sie steht da, gerechtfertigt in der Geisterwelt und freigesprochen in der Erscheinung. Beide Gesetzgebungen berühren einander hier so nahe, daß ihre Grenzen zusammenfließen."

In der Erscheinung von Anmut und Würde in Wechselwirkung manifestiert sich mithin die theosophisch-religiöse Form des Sympathiekomplexes.

Und dieses höchste Ziel der Menschheit ist es, das Schiller in den ‚Künstlern' bei dem Vorgang einer fernen Endzeit vor Augen hat, wenn die sanfte Cypria sich als feuergekrönte Urania „vor ihrem münd'gen Sohne" entschleiert, wenn aus der Schönheit mütterlicher Leitung der Mensch „in der Wahrheit Arme" gleitet.

Den Erziehungsgang des Menschen von der Schönheit zur Wahrheit wird der folgende Zusammenhang darstellen.

3. Erziehung zum freien Menschen

Die Brieffolge ‚Über die aesthetische Erziehung des Menschen', das umfangreichste und schwierigste aesthetische Werk Schillers, bildet nach Gehalt und Gedankenführung den Abschluß der in den Jahren 1792 und 1793 abgefaßten Kulturphilosophischen Schriften. Ihr Thema läßt sich durch die Frage formulieren: Auf welchem Wege ist es möglich, den Menschen dem in dem voraufgegangenen Aufsatz entworfenen Menschheitsideal anzunähern?

Die Abhandlung gliedert sich in einen vorbereitenden Teil (1.—10. Brief), den Hauptteil (11.—25. Brief), der den Gegenstand von seiner theoretischen (11.—16. Brief) und seiner praktischen Seite (17. bzw. 18.—25. Brief) behandelt, und den Schluß (26.—27. Brief).

Der vorbereitende Teil spricht vom Verhältnis des physischen, moralisch-politischen und aesthetischen Menschen.

Im 1.—4. Brief wird die Behauptung aufgestellt, daß zur Erreichung der beim Menschen als endlichem Wesen notwendigen Harmonie zwischen physischem und moralischem Zustand eine aesthetische Erziehung unentbehrlich sei.

Die Briefe 5—7 befassen sich mit den Bedenken, die gegen die Richtigkeit dieser These aus Erfahrungen der Gegenwart und der Geschichte erhoben werden könnten.

Die Briefe 8—10 richten an den menschlichen Willen den Appell zum „sapere aude", um durch richtige Begriffsbestimmung von Schönheit und Menschheit diese Bedenken zu widerlegen.

Es folge nun eine kurze Inhaltsangabe der zehn ersten Briefe.

Schiller bezeichnet als die Grundlage seiner „Untersuchungen über das Schöne und die Kunst" vornehmlich die Erörterungen des praktischen Teils der Philosophie Kants (1). Das Bedenken, ob die Gegenwart nicht, statt aesthetischer, eher moralische und politische Gegenstände zu erörtern erfordere, wird mit der Behauptung widerlegt, daß die Lösung politischer Probleme, wenn sie nicht mit Gewalt, sondern mit Vernunft bewältigt werden sollen, nur über den Weg der Aesthetik möglich ist, „weil es die Schönheit ist, durch welche man zu der Freiheit wandert" (2). Da der physische Mensch zum moralischen, der aus rohen Kräften geschaffene Naturstaat zu dem auf Gesetze begründeten Kulturstaat nur durch eine Entwicklung werden kann, während welcher um der menschlichen Existenz willen „die physische Gesellschaft in der Zeit" keinen Augenblick aufhören darf, während „die moralische Gesellschaft in der Idee" sich bildet, so ist die Schaffung eines „dritten Charakters" nötig, in welchem das Sinnlich-sichtbare, ohne das Sittliche in seiner Entstehung zu hindern, erhalten bleibt, ja geradezu als Pfand der unsichtbaren Sittlichkeit dient (3). Dieser „dritte Charakter" ist das erzieherische Mittel, durch welches der Mensch, der sich „beim Erwachen aus seinem sinnlichen Schlummer in einem Notstaat fand", für den Staat der Freiheit reif und, bei gewahrter Individualität, selbst zu einer Verkörperung dieses Staates wird. Damit ist der „Mensch in der Zeit" zugleich „Mensch in der Idee", der subjektive Mensch zugleich Manifestation der objektiven Menschheit, Vereinigung der von der Natur geforderten Mannigfaltigkeit mit der von der Vernunft verlangten Einheit; in ihm behauptet sich der sittliche Charakter, ohne den sinnlichen zu opfern, und der Mensch, wie der Staat in dem er lebt, wird zum Abbild des absoluten Wesens, in welchem physische und ethische Notwendigkeit zusammenfällt (4).

Die Gegenwart freilich läßt diesen „dritten Charakter" vermissen, indem die Roheit der unteren, die Schlaffheit der oberen Klassen die Notwendigkeit des Naturstaates um der Erhaltung der menschlichen Existenz willen geradezu erfordern, um dem zum System gewordenen Egoismus die Stange zu halten (5). Mag immerhin, im Gegensatz zu der aus der Harmonie der Sinne und des Geistes erwachsenen Totalität des antiken Naturmenschen, die durch gesellschaftliche und wissenschaftliche Scheidung herbeigeführte Unfähigkeit des modernen Verstandesmenschen, im Individuum die Gattung zu repraesentieren, auch Fortschritte für die Gattung auf dem Gebiete der Wahrheitsfindung, wie zum Beispiel die Entwicklung der Astronomie und der kritischen Philosophie, gebracht haben, so ist doch nicht zu leugnen, daß diese aus der getrennten Ausbildung der Kräfte, aus dem auf verschiedene Felder verteilten intuitiven und spekulativen Verstand für das Ganze der Welt gewonnenen Erkenntnisse den großen Verlust nicht ausgleichen, der aus diesem gleichsam in reinen Verstand aufgelösten Geist für den freien Gang etwa der Dichtkunst entstanden ist, und daß es verfehlt wäre zu glauben, die Ausbildung der einzelnen Kräfte sei ohne das Opfer ihrer Totalität nicht zu verwirklichen (6). Soll der Staat einmal dieser Aufgabe genügen können, so muß vorher der Mensch das rechte Verhältnis von Mannigfaltigkeit der Kräfte und Einheit der Idee, von Willkür und Freiheit gefunden haben, muß die Widersprüche seines Betragens entsprechend der Einheit der Maxime aufheben, damit nicht erneut die blinde Stärke des Naturstaates den Kampf entscheide (7).

Nur mutiger Wille und lebendiges Gefühl vermögen die Wahrheit, die von der Vernunft längst gefunden ist, zum Siege zu führen; das „sapere aude", in welchem Weisheit und Heldentum, zu einem neuen Triebe gepaart, im Kampf mit der durch die Not erschlafften Denkkraft den Formelkram, womit Staatsgewalt und Priestertum sich durchsetzen wollen, in seiner Nichtigkeit enthüllen, *den Weg zum Kopf durch das Herz* öffnen und durch Ausbildung des Empfindungsvermögens einen neuen Charakter schaffen (8). Um aber dem in der gegenseitigen Bedingtheit von Charakterbildung und politischer Gestaltung liegenden circulus vitiosus zu entgehen, muß die schöne Kunst und die echte Wissenschaft in einem unter griechischem Himmel zur Mündigkeit gereiften, begnadeten Jünger die dämonische Natur der unwandelbaren Einheit seines Wesens wecken und einen Vorkämpfer ihrer absoluten Immunität gegenüber der Willkür des politischen Gesetzgebers erstehen lassen, der, das Urteil der Zeit verachtend, nur seine Würde und sein Gesetz im Auge hat und aus dem Bund des Möglichen, das heißt der sittlichen Forderung, mit dem Notwendigen, das heißt dem in der Wirklichkeit Gegebenen, das Ideal erzeugt, wobei er sich daran genügen lassen muß, seiner Gegenwart durch das eigene mutige Beispiel die Richtung zu weisen und die Erreichung des Zieles einer künftigen Entwicklung zu überlassen, durch welche in der Schönheit die siegende Wahrheit in Erscheinung treten wird, indem der Schein die Wirklichkeit und die Kunst die Natur überwindet (9). Mag auch der Glaube an die Fähigkeit der Kunst, den Wilden von der Roheit, den Barbaren von der Erschlaffung zurückzuführen, teils aus Verständnislosigkeit, teils aus ernstem Bedenken, ja aus der historischen Erfahrung, daß die Schönheit nur auf dem Untergang heroischer Tugenden ihre Herrschaft gründet, vielfach als Irrglaube angesehen werden, so wird doch eine richtige Begriffsbestimmung der Schönheit, nicht aus der Erfahrung, sondern als Vernunftbegriff, nämlich als der Möglichkeit einer sinnlich-vernünftigen Natur, ihre Unentbehrlichkeit für den „reinen Begriff der Menschheit" erweisen, dessen Bestimmung die folgenden Briefe gewidmet sein sollen (10).

Die der theoretischen Seite des Gegenstandes vorbehaltenen Briefe (11—16) behandeln die Identität des Menschheits- und des Schönheitsideals.

Der 11. und 12. Brief kennzeichnet die Aufgabe des Menschen als ein Zurückfinden zum Begriff der Gottheit durch Ausgleich des sinnlichen und des sittlichen Triebes.

Der 13. und 14. Brief veranschaulicht die Bedeutung des „Spieltriebes" als einer von physischer und moralischer Nötigung befreienden Kraft.

Der 15. und 16. Brief behandelt die „lebende Gestalt" als Objekt des Spieltriebes in ihrem Wert für die rechte Begriffsgewinnung des Schönheitsideals und das Streben nach der vollkommenen Menschheit.

Im einzelnen läßt sich der Gedankengang der sechs Briefe so wiedergeben:

Was sich in der Gottheit, dem absoluten Subjekt, vereinigt findet, das *Bleibende* der *Person* und das *Wechselnde* des *Zustands*, die *Freiheit* des in sich selbst gegründeten *Seins* und das in der *Zeit* erfolgende, als Denken, Wollen, Empfinden sich äußernde *Werden*, *Existenz* und *Verän-*

derung, Form und *Welt*, das ist im Menschen getrennt; aber zur Erfüllung der ihm gestellten Aufgabe, zum Begriff der Gottheit zurückzufinden, muß er den zwei Fundamentalgesetzen seiner sinnlich-vernünftigen Natur gehorchen: dem Gesetz der absoluten *Realität*, das heißt der in der Welt erfolgenden Verwirklichung der in ihm ruhenden Anlage zur Gottheit, und dem Gesetz der absoluten *Formalität*, das heißt der entweltlichenden Vereinheitlichung aller in ihm erfolgenden Veränderungen des Zustandes (11). Hierzu befähigen den Menschen zwei Triebe: der, materielle *Veränderung* fordernde, *sinnliche Trieb,* der auf einen Zweck unseres Handelns dringt und, durch Neigung bestimmt, etwas für das Individuum und das augenblickliche Bedürfnis Zuträgliches erstrebt, womit der Mensch auf eine *Größe*einheit *beschränkt* wird — und der auf Behauptung der *Persönlichkeit* dringende *Formtrieb,* der, auf die Wirklichkeit des Ewigen und Notwendigen hinzielend, auf Wahrheit und Recht um ihrer selbst willen dringt, womit sich der Mensch zu einer, das ganze Reich der Erscheinungen unter sich fassenden *Ideen*einheit *erweitert* und vom Individuum zur Manifestation der Gattung wird (12).

Die Wirkungsgebiete dieser zwei den Begriff der Menschheit erschöpfenden Triebe gegeneinander abzugrenzen und eine Verwirrung ihrer Sphären zu verhindern, ist die Aufgabe der Kultur, welche die Sinnlichkeit gegen die Eingriffe der Freiheit zu bewahren, die Persönlichkeit gegen die Macht der Empfindungen sicherzustellen hat, mit dem Erfolg, daß mit wachsender Empfänglichkeit für die Mannigfaltigkeit der „Welt" die Anlage, diese „Welt" zu *er*-greifen, sich steigert, mit wachsender Kraft und Tiefe der Persönlichkeit und Vernunftfreiheit die Fähigkeit, die „Welt" zu *be*-greifen, zunimmt, weil die naheliegende Gefahr, das Verhältnis von Trieb (sinnlichem und formalem) und Triebobjekt („Welt" und Idee) umzukehren, nur dadurch vermieden wird, daß den Stofftrieb die Persönlichkeit, den Formtrieb die Empfänglichkeit oder die Natur in seinen gehörigen Schranken hält (13). Wo dies gelingt und der Mensch sich zugleich als Materie zu fühlen und als Geist kennen zu lernen vermag, womit er erst eine vollständige Anschauung der Idee seiner Menschheit gewinnt, da erwächst aus dem Zusammenwirken des sinnlichen und des formalen Triebes ein dritter, den man mit Recht den „Spieltrieb" nennt, da er den Menschen sowohl physisch wie moralisch in Freiheit setzt und wir durch ihn, befreit von der Nötigung der Natur wie der Vernunft, unseren Mitmenschen gegenüber zur Liebe befähigt werden, weil wir mit unserer Neigung, die dem sinnlichen, und unserer Achtung, die dem sittlichen Triebe entspringt, gleichsam zu spielen befähigt werden, womit unsere Glückseligkeit mit unserer Vollkommenheit und ebenso diese mit jener übereinstimmen wird (14).

Indem als Objekt des sinnlichen Triebes das *Leben*, als Objekt des for-

malen Triebes die *Gestalt* anzusehen ist, darf als Objekt des Spieltriebes
mithin die „lebende Gestalt", das heißt die Schönheit in ihrer weitesten
Bedeutung, bezeichnet werden, deren Existenz mit der Existenz des Menschen in seiner höchsten Vollkommenheit identisch ist, insofern der
Mensch nur dann ganz Mensch ist, wenn er spielt, das heißt wo Neigung und Wille, Anmut und Würde in einer völlig in sich abgeschlossenen
Schöpfung untergehen, die dem Notwendigen wie dem Zufälligen entrückt ist, da alles Wirkliche, wo es mit der Idee, und alles Notwendige,
wo es mit der Empfindung zusammentrifft, seinen Ernst verliert und klein,
bzw. leicht wird (15). Dieses Gleichgewicht von Realität und Form, das
von der im Spieltrieb erreichten Wechselbeziehung zweier entgegengesetzter Triebe hergestellt werden soll, bleibt aber immer nur eine *Idee*,
die von der Wirklichkeit nie ganz erreicht werden kann. Die Schönheit
in der *Erfahrung* wird ewig eine doppelte sein, je nachdem das eine oder
das andere Prinzip, die Realität oder die Form, überwiegt. Demgemäß
wird auch die Wirkung der Schönheit verschiedenartig sein, nämlich an-
spannend oder auflösend, je nachdem sich — bei überwiegender Realität
— eine „schmelzende", oder — bei überwiegender Form — eine „energische" Eigenschaft des Schönen geltend macht. Daraus erklärt sich die
unterschiedliche Wirkung, welche die aesthetische Kultur bei den Menschen findet. Denn weder vermag die einseitig-energische Schönheit den
Menschen vor einem gewissen Überrest von Wildheit und Härte zu bewahren, noch die einseitig-schmelzende Schönheit vor einem gewissen
Grade der Weichlichkeit und Entnervung zu schützen. Das uneinheitliche
Urteil der Menschen würde erst dann verstummen, wenn einmal, wie jene
zwei entgegengesetzten Prinzipien der Menschheit (das sinnliche und
das formale) in der Einheit des Idealmenschen, so diese zwei entgegengesetzten Erscheinungen der Erfahrungsschönheit in der Einheit des
Ideal-Schönen ausgelöscht würden — eine Forderung, die trotz ihrer Un-
erfüllbarkeit nie verstummen darf (16).

Auf den zweiten Hauptteil wird im letzten Absatz des 16. Briefes mit
folgenden Sätzen vorbereitet: „Ich werde ... im Fortgange meiner Untersuchungen den Weg, den die Natur in aesthetischer Hinsicht mit dem
Menschen einschlägt, auch zu dem meinigen machen und mich von den
Arten der Schönheit zu dem Gattungsbegriff derselben erheben. Ich werde die Wirkungen der schmelzenden Schönheit an dem angespannten
Menschen und die Wirkungen der energischen an dem abgespannten
prüfen, um zuletzt beide entgegengesetzte Arten der Schönheit in der
Einheit des Ideal-Schönen auszulöschen, so wie jene zwei entgegengesetzten Formen der Menschheit in der Einheit des Idealmenschen unter-
gehn." Die hier angedeutete Gliederung hat Schiller aber in der Ausführung fallen gelassen. Nur der 17. Brief rückt die schmelzende Schön-

heit in ihrer Wirkung auf den angespannten Menschen in den Mittelpunkt der Besprechung; in den weiteren Briefen ist nur allgemein von der Schönheit die Rede, ebenso wie die Unterscheidung zwischen angespanntem und abgespanntem Menschen aus der Untersuchung ausscheidet. Schiller hat bei der Redaktion der ‚Aesthetischen Briefe' für die Buchausgabe insofern eine Unausgeglichenheit stehen gelassen, als er zwar die in der ersten Veröffentlichung in den ‚Horen' über die Briefe 17 ff. gesetzte Überschrift: „Die schmelzende Schönheit" strich, weil eine entsprechende Betrachtung über „die energische Schönheit" nie zustande gekommen ist, aber den letzten Absatz des 16. und den ganzen 17. Brief unverändert ließ.

Was den Verfasser zum Aufgeben seiner ursprünglichen Absicht veranlaßt haben mag, läßt sich vielleicht aus einer Stelle des 17. Briefs vermutungsweise sagen.

Die Eigentümlichkeit des angespannten Menschen sieht Schiller dort in einem, seine Vollkommenheit störenden „Mangel an Übereinstimmung". Bei der „Anspannung", heißt es kurz darauf, „stört die einseitige Tätigkeit einzelner Kräfte die Harmonie seines Wesens." Die Erwähnung einer „einseitigen Tätigkeit einzelner Kräfte" nimmt Bezug auf die Charakteristik, die Schiller im 6. Brief von seinem Zeitalter gibt: Dieses sei gekennzeichnet durch eine „Klassifizierung" der Staatsbürger, wobei durch einseitige Inanspruchnahme des Kopfes, wie es beim abstrakten Denker und beim Geschäftsmann der Fall sei, das Herz Not leide. Aber „die Anspannung einzelner Geisteskräfte" könne „zwar außerordentliche, aber nur die gleichmäßige Temperatur derselben glückliche und vollkommene Menschen erzeugen." Und daraus schließt der Verfasser: „Es muß also falsch sein, daß die Ausbildung der einzelnen Kräfte das Opfer ihrer Totalität notwendig macht."

Diese „Anspannung einzelner Geisteskräfte" ist es nun, die Schiller im 5. Brief für die „Schlaffheit der oberen Klassen" verantwortlich macht, eine Eigenschaft, die schon Karl von Moor als Laster seines „tintenklecksenden Saeculums" brandmarkt. Ihr gegenüber stellt der 5. Brief über ‚Die aesthetische Erziehung des Menschen' bekanntlich „die Roheit der niederen Klassen", die, als Eigenschaft eines „abgespannten" Gemütes, nach dem am Ende des 16. Briefes aufgestellten Plane, durch die „energische Schönheit" gemildert werden soll — eine Absicht, die, wie gesagt, in den Briefen des zweiten Hauptteils nicht verwirklicht worden ist.

Berücksichtigt man nun des Dichters am Schluß des 5. Briefes ausgesprochene Ansicht, daß das Herz des „rohen Naturmenschen noch oft sympathetisch schlägt" — welche Eigenschaft er bekanntlich in dem Aufsatz ‚Über Völkerwanderung, Kreuzzüge und Mittelalter' auch den germanischen Völkern des Nordens zuspricht —, so ist es denkbar, daß er von einer Darstellung der Wirkung, welche die sogenannte energische Schönheit auf das abgespannte Gemüt ausübt, deshalb absah, weil er seine aesthetischen Betrachtungen vornehmlich für diejenigen Mitmenschen bestimmte, die durch den Mangel sympathetischen Empfindens ihrer — und seiner — Zeit den Stempel aufdrückten. In diesem Fall kam die Unterscheidung zwischen schmelzender und energischer Schönheit, zwischen angespannten und abgespannten Gemütern nicht mehr in Frage.

Der „mittlere Zustand", von dem der Anfang des 18. Briefes spricht, ist also nicht zu verstehen mit Beziehung auf jene zwei „bestimmten Zustände" des Menschen, die im 17. Brief behandelt werden. Denn während jene dem „Feld der Erfahrung" angehören, sind die im Anfang des 18. Briefes erwähnten Begriffspaare „Empfinden und Denken", „Materie und Form", „Leiden und Tätigkeit", zwischen welchen Schiller einen „mittleren Zustand" postuliert, zum „Gebiet der Spekulation" gehörig, auf welches der Verfasser, wie er am Schluß des 17. Briefes anmeldet, nach einem nur kurzen Verweilen im Reiche des Empirischen den Leser erneut — und zwar bis zum 25. Brief einschließlich — zu führen beabsichtigt. Daher ist in den Briefen 18—25 nicht mehr, wie im 17. Brief, von der empirischen Erscheinung der „schmelzenden Schönheit", sondern nur noch von der Idee der Schönheit die Rede.

Für den Zusammenhang des Ganzen steht also der 17. Brief außer der Reihe, und die Inhaltsangabe des zweiten Hauptteils darf sich auf den 18.—25. Brief beschränken.

Welches ist nun der leitende Gedanke dieses zweiten, des „praktischen" Hauptteils?

Nachdem der erste Hauptteil die Identität der idealen Schönheit mit dem idealen Menschen als Repräsentanten der Menschheit nachgewiesen hat, ist jetzt zu zeigen, wie der erzieherische Einfluß des Schönen das Individuum zur Verkörperung des Gattungsmenschen emporzubilden vermag.

Die Krankheit seines Zeitalters sieht Schiller, wie gezeigt, in der Verweichlichung des Menschen, die in dem Mangel der „übereinstimmenden Energie seiner sinnlichen und geistigen Kräfte", wie es im 17. Briefe heißt, ihren Grund hat. Ein Heilmittel gegen diese Krankheit sieht der Dichter in der Schönheit, die als Spiegelbild der Menschheitsidee „den sinnlichen Menschen zur Form und zum Denken leitet, den geistigen Menschen zur Materie zurückführt und der Sinnenwelt wiedergibt."

Die heilende Wirksamkeit der Schönheit scheint aber einem unüberwindlichen Hindernis gegenüberzustehen: „Die Schönheit verknüpft die zwei entgegengesetzten Zustände des Empfindens und des Denkens, und doch gibt es schlechterdings kein Mittleres zwischen beiden. Jenes ist durch Erfahrung, dieses ist unmittelbar durch Vernunft gewiß" (18. Brief). „Dies", sagt Schiller, „ist der eigentliche Punkt, auf den zuletzt die ganze Frage über die Schönheit hinausläuft; und gelingt es uns, dieses Problem befriedigend aufzulösen, so haben wir zugleich den Faden gefunden, der uns durch das ganze Labyrinth der Aesthetik führt" (ebd.) Mit anderen Worten: Die These von der erzieherischen Kraft der Schönheit für die Emporbildung des menschlichen Individuums zum Repräsentanten der idealen Menschheit wird in dem Augenblick als richtig erwiesen sein, in dem jene Aporie zwischen Erfahrung und Vernunft behoben ist.

Die Briefe 18—20 dienen der eigentlichen Lösung dieses Problems, welche gefunden wird durch die Annahme einer in drei Etappen sich vollziehenden Entwicklung des Individuums von einem ursprünglichen Zustand grenzenloser „Bestimmbarkeit" des Gemüts, die als „leere Unendlichkeit" gekennzeichnet ist, zur „passiv-aktiven Bestimmung" des Empfindens und logisch-moralischen Denkens, vermittelt durch einen von der passiven zur aktiven Bestimmung erfolgenden Zwischenzustand einer neuen, aber durch „größtmöglichen Gehalt" charakterisierten unbegrenzten Bestimmbarkeit des Gemüts, welcher als der „aesthetische" dem Menschen die *Möglichkeit* zum Erleben der Schönheit als Freiheit in der Erscheinung, und damit zur Verkörperung der Menschheit gibt.

Im 21. und 22. Brief wird, rückblickend auf das Ergebnis der vorhergehenden drei Briefe, die Wirkung der Schönheit im Vergleich mit der Wirkung der Natur als einer zweiten Schöpferin gewürdigt, insofern diese wie jene die „Anlage zur Menschheit" bedingt und ihre Verwirklichung ermöglicht.

Die drei Briefe 23—25 geben noch einmal einen Überblick über die Bedeutung der aesthetischen Erziehung für die Entwicklung des Menschen vom Naturwesen zum Vernunftwesen, vom Einzelwesen zum Gattungswesen.

Nun zu einer knappen Wiedergabe des Inhalts der einzelnen Briefe.

An der Aufzeigung der „Klippen", an denen die Bemühungen der bisherigen Vertreter der Aesthetik um den Nachweis der erzieherischen Bedeutung der Schönheit für die Entwicklung des Individuums zur Persönlichkeit gescheitert sind, erhärtet Schiller noch einmal die Notwendigkeit einerseits einer „reinen und strengen" Scheidung der beiden Zustände des sinnlichen und des denkenden Menschen, andererseits einer „reinen und vollkommenen" Verbindung jener zwei entgegengesetzten Zustände (18). Zu diesem Zwecke unterscheidet Schiller beim endlichen menschlichen Geist zwischen einer vor allen Sinneseindrücken vorhandenen grenzenlosen, freien, passiven und aktiven *Bestimmbarkeit* und einer durch sinnliche Berührung hervorgerufenen, in Raum- und Zeitvorstellung sich äußernden passiven und aktiven *Bestimmung*. Während der

Geist die passive Bestimmung durch den Sinneseindruck als Empfindung erfährt, äußert sich die aktive Bestimmung in dem durch die Notwendigkeit der Einordnung des Sinneseindrucks in Raum und Zeit geweckten Denken. Das Denken als „unmittelbare Handlung eines absoluten Vermögens" wird durch den Sinneseindruck der Schönheit *frei*, „sich seinen eigenen Gesetzen gemäß zu äußern", sich aus der Endlichkeit des menschlichen Geistes dem unendlichen Geiste des Absoluten anzunähern, „den Trieb nach Stoff oder nach Schranken" mit dem „Triebe nach Form oder dem Absoluten" zu verbinden. Welchen Gebrauch der Geist von dieser Freiheit macht, unterliegt lediglich seiner Willenswahl, die als Selbstbewußtsein die „ursprüngliche Verkündigung der Persönlichkeit" ist. „Nur von demjenigen, der sich bewußt ist, wird Vernunft, das heißt absolute Consequenz und Universalität des Bewußtseins gefordert;" denn „jetzt verläßt ihn die Hand der Natur, und es ist *seine* Sache, die Menschheit zu behaupten, welche jene in ihm anlegte und eröffnete" (19). Vom Gesichtspunkte dieser Freiheit her wird nun nochmals die Entwicklung des Individuums vom Triebwesen zum Vernunftwesen verfolgt. Diese Entwicklung, die auch als Entwicklung von der physischen zur logisch-moralischen Notwendigkeit, vom Empfinden zum Denken, bezeichnet werden kann, vollzieht sich also nicht als ein unmittelbarer Übergang von einem Zustand in den andern; vielmehr muß der Mensch gleichsam „einen Schritt zurücktun". Um seine passive Bestimmung — Empfindung, physische Notwendigkeit — mit einer aktiven — logischer, moralischer Notwendigkeit — zu vertauschen, muß er zunächst „von aller Bestimmung frei sein", das heißt, er muß wieder in den Zustand der Bestimmbarkeit zurückkehren, die nun aber nicht mehr eine „leere Unendlichkeit" darstellt, sondern „mit größtmöglichem Gehalt" angefüllt ist — den sie „durch Sensation empfangen" hat. Diese mittlere Stimmung, „in welcher Sinnlichkeit und Vernunft *zugleich* tätig sind", ist die eigentlich *freie* Stimmung, und dieser Zustand der „realen und aktiven Bestimmbarkeit" heißt der *aesthetische*. Er macht das Erleben der Schönheit und damit die Emporbildung zur Persönlichkeit *möglich* (20).

Eine eingehendere Betrachtung des passiven und aktiven Zustandes der Bestimmbarkeit und der Bestimmung des Menschen führt zu dem Ergebnis, daß Natur und Schönheit in ihrer Wirkung verwandt sind: Beide sind Schöpferinnen des Menschen, insofern sie ihm die „Möglichkeit zur Menschheit" verleihen: jene in der unendlichen Bestimmbarkeit vor jedem Sinneseindruck, diese, indem sie an die Stelle der leeren Unendlichkeit des ursprünglichen Zustandes eine durch „Sensation" der Bestimmung (vergl. 20. Brief) „erfüllte Unendlichkeit" setzt. Durch diese „aesthetische Bestimmbarkeit" wird dem Menschen die Willenswahl zwischen sinnlicher und sittlicher Bestimmung ermöglicht, das heißt „die

Menschheit möglich gemacht" (21). Ist also die aesthetische Stimmung
des Gemüts in dieser Hinsicht, ebenso wie die anfängliche unbegrenzte
Bestimmbarkeit, als *Null* zu betrachten, so ist sie doch, im Gegensatz zu
der ursprünglichen, zugleich Zustand höchster Realität, insofern sie den
Menschen aus der Gefahr einer einseitig begrenzten Funktion der passiven Empfänglichkeit bzw. einseitig begrenzter Selbsttätigkeit — diese
Gefahr ist es ja, die Schiller für sein Zeitalter fürchtet — zum Unbegrenzten führt. Dazu ist eine Naturschöpfung weniger imstande als ein
Kunstwerk, da dieses allein eine rein aesthetische Wirkung ausüben
kann; und die Vollkommenheit eines Kunstwerks ist desto größer, je all-
gemeiner und uneingeschränkter die Stimmung ist, in die es den Menschen versetzt — gleichgültig ob es sich um ein Werk der Musik, der
Poesie oder der Malerei und Bildhauerei handelt. „Die Musik in ihrer
höchsten Veredlung muß Gestalt werden und mit der ruhigen Macht der
Antike auf uns wirken; die bildende Kunst in ihrer letzten Vollendung
muß Musik werden und uns durch unmittelbar sinnliche Gegenwart rühren; die Poesie in ihrer vollkommensten Ausbildung muß uns wie die
Tonkunst mächtig fassen, zugleich aber wie die Plastik mit ruhiger Klarheit umgeben." Das heißt: In einem vollendeten Kunstwerk soll der Inhalt nichts, die Form alles tun; denn nur von der Form ist eine aesthetische Wirkung zu erwarten. Wo ein Kunstwerk lediglich physisches oder
moralisches Interesse auslöst, ist entweder das Kunstwerk nicht vollkommen, oder der Mensch ist noch nicht zur Menschheit reif (22).

Wenn es heißt, daß man, um den sinnlichen Menschen vernünftig zu
machen, ihn zuerst aesthetisch machen müsse, so bedeutet das nur soviel, daß dieser Zustand dem Menschen die *Möglichkeit* zu logischem
und moralischem Denken und Handeln — das heißt zu Wahrheit und Sittlichkeit — zu geben vermag. Der aesthetische Zustand macht den bis dahin nur einer passiven Bestimmung (der Empfindung) fähigen Menschen
zusätzlich aktiv; und erst diese zugleich leidende und tätige Bestimmt-
heit, eben die aesthetische, eröffnet die Selbsttätigkeit der Vernunft
schon auf dem Felde der Sinnlichkeit und bricht die Macht der Empfindung innerhalb ihrer eigenen Grenzen, so daß der so veredelte physische Mensch nun in die Lage versetzt wird, als geistiger Mensch sich
nach den Gesetzen der Freiheit zu entwickeln — er muß nur *wollen*. Der
Weg von der Natur zur Schönheit ist schwerer als der Weg von der
Schönheit zur Vernunft. Den ersteren erleichtert dem Menschen die Natur durch die Wirkung der Sinneseindrücke; zum letzteren „bedarf es nur
der Aufforderung einer erhabenen Situation", um den Menschen vermöge freier Willenswahl zum Helden und zum Weisen zu machen. Für das
Verhältnis des Menschen zu Inhalt und Form seines Wirkens, für die
Frage nach dem Ausgleich zwischen seiner physischen und moralischen

Bestimmung gilt das Gesetz: „Im Gebiete der Wahrheit und Moralität darf die Empfindung nichts zu bestimmen haben; aber im Bezirke der Glückseligkeit darf Form sein und darf der Spieltrieb gebieten. Die aesthetische Kultur aber lehrt den Menschen, „edler begehren, damit er nicht nötig habe, erhaben zu wollen." Was aber ist edel? Darauf antwortet Schiller unter anderem anmerkungsweise: „Ein edler Geist begnügt sich nicht damit, selbst frei zu sein; er muß alles andere um sich her, auch das Leblose, in Freiheit setzen. Schönheit aber ist der einzig mögliche Ausdruck der Freiheit in der Erscheinung (23). Die Entwicklung des Menschen vom Naturwesen zum menschheitlichen Gattungswesen verläuft also in drei Stufen: „Der Mensch in seinem *physischen* Zustande erleidet bloß die Macht der Natur; er entledigt sich dieser Macht in dem *aesthetischen* Zustand, und er beherrscht sie in dem *moralischen*." Freilich sind die Zustände der rohen Natur und der Vernunftfreiheit nur in der Idee so scharf getrennt: „Auch in den rohesten Subjekten findet man unverkennbare Spuren der Vernunftfreiheit, so wie es in den gebildetsten nicht an Menschen fehlt, die an jenen düstern Naturstand erinnern." Daraus geht hervor, daß „die erste Erscheinung der Vernunft darum noch nicht auch der Anfang seiner Menschheit ist." Solange nicht der aesthetische Zustand die Voraussetzung zu dem rechten Verhältnis von Sinnlichkeit und Vernunft geschaffen hat, „vergreift sich die Vernunft in ihrem Objekt," indem den Menschen „mitten in seiner Tierheit der Trieb zum Absoluten überrascht" und sein Streben darauf zielt, „sein Individuum, anstatt von demselben zu abstrahieren, ins Endlose auszudehnen, anstatt nach Form nach einem unversiegenden Stoff, anstatt nach dem Unveränderlichen nach einer ewig dauernden Veränderung und nach einer absoluten Versicherung seines zeitlichen Daseins zu streben." Damit aber werden die ersten Früchte der Vernunft nicht höhere Glückseligkeit, sondern *Sorge* und *Furcht* sein, weil „die Vernunft ihren Imperativ unmittelbar auf den Stoff anwendet. Wo sich aber die Vernunft in ihrem Objekt nicht irrt, sondern die ihrem Wesen gemäße Frage nach einer absoluten Verknüpfung und einem unbedingten Grunde richtig stellt, aber bevor sie durch den aesthetischen Zustand zum Aufschwung in die Ideenwelt befähigt ist, da tritt an ihre Stelle alsbald der der Sinnlichkeit verhaftete Verstand und führt den Menschen dazu, den letzten Zweck in seinem Vorteil, den letzten Grund im Zufall zu sehen und „jenen zum Bestimmer seiner Handlungen, diesen zum Beherrscher der Welt zu machen." In dieser Periode seiner Entwicklung sieht der Mensch noch seine Selbstliebe als sein wahres Selbst, die Stimme der Vernunft als ein Auswärtiges, statt umgekehrt, und „erkauft eine Religion mit Wegwerfung seiner Menschheit." In allen diesen Vorgängen spielt noch der Trieb des Lebens über den Formtrieb den Meister, ist der Glückselig-

keitsbegriff noch falsch orientiert, insofern er nicht in dem von der Neigung begleiteten Gehorsam gegen die Vernunft, sondern in der Befriedigung sinnlichen Begehrens gesehen wird (24). Sobald aber der Mensch
im aesthetischen Zustande die Welt als Objekt *betrachtet*, verliert diese
Welt ihre Macht und unterliegt ihm, indem er ihr durch Denken Form gibt.
Der Mensch verliert die Furcht und behauptet seine Menschenwürde,
richtet sich „in edler Freiheit" gegen seine Götter auf. Mit der Schönheit tritt er ins Reich der Ideen, ohne die sinnliche Welt zu verlassen.
Die Schönheit „ist also zwar Form, weil wir sie betrachten; zugleich aber
ist sie Leben, weil wir sie fühlen. Mit einem Wort, sie ist zugleich unser
Zustand und unsere Tat." „Die Reflexion zerfließt hier so vollkommen
mit dem Gefühle, daß wir die Form unmittelbar zu empfinden glauben."
Die Schönheit beweist damit, „daß die Materie die Form, daß die Beschränkung die Unendlichkeit keineswegs ausschließe — daß mithin
durch die notwendige physische Abhängigkeit des Menschen seine moralische Freiheit keineswegs aufgehoben werde" (25).

Die beiden den Schluß bildenden Briefe 26 und 27 handeln von den
Voraussetzungen, unter denen die aesthetische Entwicklung des Men-
schen gefördert wird, von der sittlichen Verpflichtung, eine strenge
Scheidung zwischen schönem Schein und Wirklichkeit, oder zwischen
Ideal und Leben, zu beobachten, und von der naturhaften Anlage der zum
aesthetischen Schein befähigenden menschlichen Einbildungskraft.

Im einzelnen ist der Gedankengang der zwei Briefe folgender:

Die aesthetische Stimmung verdankt ihre Entstehung der Gunst der
Zufälle: Dem leichten, die Sinne jeder leisen Berührung eröffnenden
Äther, der den üppigen Stoff beseelenden energischen Wärme, der zwischen Kargheit und Verschwendung die Mitte haltenden Natur, wo Menschen nicht als Höhlenbewohner oder Nomaden, sondern in eigner Hütte
still mit sich selbst und beim Hinaustreten mit dem ganzen Geschlechte
sprechen, wo nur die Tätigkeit zum Genusse und nur der Genuß zur Tätigkeit führt, wo das Leben dem Gesetz der Ordnung gehorcht, wo Phantasie und Wirklichkeit in glücklichem Gleichgewicht zueinander stehen.
Das erste Anzeichen, womit sich die aesthetische Stimmung in der Seele
des Wilden ankündigt, ist die Freude am Schein, die Neigung zum Putz
und zum Spiele. Auge und Ohr sind die Mittel, durch welche die Natur
den Menschen von der Realität zum Scheine emporhebt. — Aber eine
Pflicht erwächst dem Menschen mit dieser Gabe: Nie darf er die Grenzen zwischen Schein und Wirklichkeit vernachlässigen, nie die Markung
außer acht lassen, welche *sein* Gebiet von dem Dasein der Dinge oder
dem Naturgebiete scheidet, nie Gestalt und Wesen verwechseln, nie
vom wesenlosen Schein der Einbildungskraft im Theoretischen Existenz
aussagen, im Praktischen diesem Reich Existenz erteilen. Nur Aufrichtig-

keit und Selbständigkeit garantieren, daß dieser Schein nicht nur „Schein", nicht „logischer" Schein, das heißt Betrug, sondern schöner, sondern aesthetischer Schein ist, der dem Menschen den Weg zur Vernunftfreiheit öffnet. Dann „wird man das Ideal das wirkliche Leben regieren, die Ehre über den Besitz, den Gedanken über den Genuß, den Traum der Unsterblichkeit über die Existenz triumphieren sehen" (26). Auch die menschliche Fähigkeit zum aesthetischen Spiel ist in der ganzen Natur anlagenhaft vorhanden. Bekanntlich ist, auf menschlicher Ebene, diese Fähigkeit die Phantasie, deren Eigenart in einem über die Grenzen des Notwendigen spielend überfließenden geistigen Tun besteht. Dasselbe spielende Wirken überschüssiger Kraft äußert sich im Reich des Stofflichen im gesamten Tier- und Pflanzenreich, wo also die Natur selbst gleichsam ein Vorspiel des Unbegrenzten gibt und zum physischen Ernst das physische Spiel gesellt, das dann im Menschen, über ein noch ganz materielles Spiel der freien Ideenfolge hinweg, als Versuch der freien Form den *Sprung* zum aesthetischen Spiele macht, in welchem ein gesetzgebender Geist die Handlungen des blinden Instinktes sich unterwirft. Und indem sich endlich der freie Spieltrieb ganz von den Fesseln der Notdurft losreißt, wird das Schöne frei und allein ein Objekt seines Strebens. — In immer höhere Kreise schwingt sich dieses Streben auf. Die Form gewinnt Einfluß auf Wohnung, Hausrat, Bekleidung, der Tanz veredelt sich in Maß und Rhythmus, aus gellendem Schreien wird melodischer Gesang, zur Geschlechtsliebe tritt der Anteil des Herzens, „die Seele schaut in die Seele, und aus einem eigennützigen Tausche der Lust wird ein großmütiger Wechsel der Neigung." Wie der Einzelmensch vom physischen über den aesthetischen zum moralischen sich entwickelt, so „baut mitten in dem furchtbaren Reich der Kräfte und mitten in dem heiligen Reich der Gesetze der aesthetische Bildungstrieb unvermerkt an einem dritten fröhlichen Reiche des Spiels und des Scheins", das in den Künsten seine Offenbarung erfährt. Und dieses Reich endlich liefert die Wurzelkräfte für diejenige Staatsform, welche in ihren durch die Schule der aesthetischen Erziehung gegangenen Bürgern die Manifestation der Menschheit darstellt: „Wenn in dem *dynamischen* Staat der *Rechte* der Mensch dem Menschen als Kraft begegnet und sein Wirken beschränkt— wenn er sich ihm in dem *ethischen* Staat der *Pflichten* mit der Majestät des Gesetzes entgegenstellt und sein Wollen fesselt — so darf er ihm im Kreise des schönen Umgangs, in dem *aesthetischen* Staat, nur als *Gestalt* erscheinen, nur als Objekt des freien Spiels gegenüberstehen. *Freiheit* geben durch Freiheit ist der Grundzug dieses Reichs. Mit der begeisterten Schilderung dieses „Staats des schönen Scheins", den man aber „wohl nur, wie die reine Kirche und die reine Republik, in einigen wenigen auserlesenen Zirkeln finden wird", schließt die Abhandlung (27).

Anmerkungen

Die Anmerkungen zu den Aesthetischen Briefen bezwecken letztlich die Erfüllung des Hauptanliegens dieser Darstelllung der Gedankenwelt Schillers: Die Transparenz der „Sympathie der Vernunft" als der wesentlichen Idee in Denken und Schaffen des Dichters sichtbar zu machen.

Gleichzeitig aber dienen die Anmerkungen dem Zweck, durch ständige Bezugnahme und Rückweise auf früher behandelte Dokumente des Schillerschen Schrifttums die eigentliche Bedeutung dieser umfangreichsten aesthetischen Abhandlung ins Licht zu rücken: ihre Bedeutung als abschließende Zusammenfassung seines philosophischen Weltbildes, in welchem dem Menschen seine Stellung im Leben der Wirklichkeit angewiesen wird.

Zum ersten Brief:

Den Hinweis auf die „Kantischen Grundsätze" als Fundament seiner „Behauptungen" schränkt Schiller alsbald ein durch die Versicherung, die er dem Leser seiner Briefe abgibt: „Die Freiheit Ihres Geistes soll mir unverletzlich sein. Ihre eigene Empfindung wird mir die Tatsachen hergeben, auf die ich baue; Ihre eigene freie Denkkraft wird die Gesetze diktieren, nach welchen verfahren werden soll." Und er klagt über die „technische Form", durch welche der Philosoph „die Wahrheit dem Verstande versichtbart": „Um die flüchtige Erscheinung zu haschen, muß er sie in die Fesseln der Regel schlagen, ihren schönen Körper in Begriffe zerfleischen und in einem dürftigen Wortgerippe ihren lebendigen Geist aufbewahren."

In Schillers Brief an Wilhelm von Humboldt vom 1. Februar 1796 finden sich die Verse:

> „O schlimm, daß der Gedanke
> erst in der Sprache tote Elemente
> zerfallen muß, die Seele zum Gerippe
> absterben muß, der Seele zu erscheinen . . ."

Sind nicht schon in einem früheren Zusammenhang diese einst für ‚Don Carlos' bestimmten Verse geradezu als Appell an die Sympathie erkannt worden? Gleich hier im ersten Brief deutet Schiller die Tendenz an, die ihn bei der Abfassung des Werkes leitet, und die vielleicht am treffendsten in Worten aus der Abhandlung ‚Über Anmut und Würde' gekennzeichnet wird: Kants „harte Moralphilosophie mit ihrem Begriff von der Pflicht ist für die *Knechte* im Hause unseres Vaters (Joh. 14,2) bestimmt; das sind die „moralischen Weichlinge" seines Zeitalters, die ja schon Karl von Moor anprangert (I 2), die Schiller in der „weichlichen Sklaverei" des spätrömischen Imperiums findet (‚Über Völkerwanderung,

Kreuzzüge und Mittelalter'), die er schließlich im fünften der ‚Aesthetischen Briefe' als charakteristische Vertreter seines Jahrzehntes erkennt, wenn er von dem widerlichen Anblick der „Schlaffheit und Depravation" bei den „zivilisierten Klassen" spricht. Aber der Dichter bedauert, daß der Königsberger Philosoph über den Knechten „die Kinder des Hauses" vergessen hat, die sich durch „die imperative Form des Moralgesetzes" — um wieder Worte aus dem Aufsatz ‚Über Anmut und Würde' anzuführen — in ihrer „Menschheit angeklagt und erniedriget" fühlen müssen. Was Schiller in Jena an dem Kantianer Reinhold vermißte, jene „schöne Individualität", bei welcher die Vernunft immer im Herzen wohnt — Schiller nennt das in den vorhin wiedergegebenen Worten aus dem ersten aesthetischen Brief den „lebendigen Geist" —, das will er auch in dieser Briefsammlung zum Besten der „Kinder des Hauses" als Ziel der „aesthetischen Erziehung des Menschen" veranschaulichen.

Zum zweiten Brief:

Mit seiner Überzeugung, „daß man, um jenes politische Problem in der Erfahrung zu lösen, durch das aesthetische den Weg nehmen muß, weil es die Schönheit ist, durch welche man zu der Freiheit wandert", schlägt Schiller nicht allein den Bogen vorwärts zum Schluß des siebenundzwanzigsten Briefs, wo er dem dynamischen und dem ethischen Staat den aesthetischen gegenüberstellt, der nicht durch Wirkensbeschränkung und Wollensfesselung, sondern durch Freiheit seine Existenz rechtfertigt, sondern auch rückwärts zum zweiten Kalliasbrief, in welchem er, nachdem der erste Brief im Widerspruch zu Kant das Schöne „sinnlich-objektiv" erklärt hat, die Schönheit als „Freiheit in der Erscheinung" bestimmt.

Zum dritten und vierten Brief:

Der „dritte Charakter", der bei der Emporbildung des Menschen vom Sinnenwesen zum Vernunftwesen die menschliche Existenz im Interesse seiner Bestimmung sichern soll, wird im praktischen Hauptteil als der „aesthetische Zustand" erkannt. Alles, was im dritten Brief als zur Erreichung dieses Zustandes erforderlich bezeichnet wird — das in der Volljährigkeit erfolgende künstliche Nachholen der Kindheit in Form der Bildung eines Naturstandes in der Idee, so daß die Menschheit gleichsam „von vorn anfinge", die mit dieser Rückläufigkeit ermöglichte Wahl zwischen Naturstand und Vernunftbestimmung —, alles dies wird im neunzehnten und zwanzigsten Brief in der praktischen Durchführung dargestellt. Und dieser im dritten Brief angedeutete, „durch seine Vernunftbestimmung" vom Menschen gleichsam rückläufig hergestellte „Naturstand in der Idee" — was ist dieser Vorgang anderes als die Voraussetzung zu einer im Zustand der Vollendung erreichten „Sympathie der Vernunft", die den Menschen schließlich dem im vierten Brief erwähnten „absoluten Wesen" annähert, in welchem „die physische Notwendigkeit mit der moralischen zusammenfällt"? So wird schon in den einleitenden Briefen auf die theosophisch-religiöse Form des um den Vernunftbegriff bereicherten Sympathiekomplexes als tiefsten Sinn der aesthetischen Erziehung des Menschen vorausgedeutet.

Zum fünften Brief:

Das Fehlen der „moralischen Möglichkeit" zum Sieg der in den Eingangsversen der ‚Künstler' verherrlichten „bessern Seite" des Jahrhunderts (An Körner 9. Februar 1789) macht Schiller weniger der Roheit der niederen, als der „Depravation" der zivilisierten Klassen zum Vorwurf: bei ihnen herrscht jene „materialistische Sittenlehre", deren Vertreter schon in den „Libertinern" der ‚Räuber' dargestellt werden, mit der sich Schiller in den ‚Philosophischen Briefen' und im ‚Geisterseher' auseinandersetzt. Und warum sieht Schiller in dieser „Unnatur" eine noch größere Gefahr als in der „bloßen Natur" der „rohen, gesetzlosen Triebe" folgenden niederen Klassen? Weil diesen noch immer der Aufstieg zur Veredelung möglich ist, wenn sie einmal im Erlebnis der Schönheit zu sympathetischem Fühlen erwachen sollten; jene aber haben mit der Anerkennung einer freidenkerischen Scheinvernunft bereits die Grenze überschritten, an der sie durch Vermittlung des „dritten Charakters", des „aesthetischen Zustands", die Voraussetzung zur Sympathie der Vernunft empfangen könnten. Weitere Bemerkungen zu diesem Gegenstand finden sich schon in den zum siebzehnten Brief gemachten Ausführungen.

Zum sechsten Brief:

Wie sich das durch Scheidung der gesellschaftlichen und wissenschaftlichen Stände herbeigeführte Fehlen der „Totalität" des Gattungswesens fühlbar macht, spricht am deutlichsten der folgende Satz aus: „Der abstrakte Denker hat daher gar oft ein *kaltes* Herz, weil er die Eindrücke zergliedert, die doch nur als ein Ganzes die Seele rühren; der Geschäftsmann hat gar oft ein *enges* Herz, weil seine Einbildungskraft, in den einförmigen Kreis seines Berufs eingeschlossen, sich zu fremder Vorstellungsart nicht erweitern kann." Wenn Schiller diesem Zustand einer verhängnisvollen Individualisierung, diesem auf verschiedene Felder feindlich verteilten intuitiven und spekulativen Verstand der Menschen seiner Zeit, deren jeder „ewig nur an ein einzelnes kleines Bruchstück des Ganzen gefesselt" ist, die Form der griechischen Menschheit gegenüberstellt, bei welcher „die Sinne und der Geist noch kein strenge geschiedenes Eigentum" hatten, so fordert er damit keineswegs eine Rückkehr zu jenen Vertretern einer längst versunkenen Epoche. Ja er bezeichnet sogar die bei den Individuen der neueren Zeit fortschreitende „Zerstückelung ihres Wesens" als den einzigen Weg, auf dem die Gattung Fortschritte machen konnte. Was er aber verlangt, das ist eine neue „Totalität" des Wesens, in welcher die Sonderheit der einzelnen Kräfte wieder verschwindet. Es ist eine neue Fassung des Rufes nach einer durch „allwebende Sympathie" verbrüderten Menschheit, in der Vertreter „aller Kreise und Zonen und Stände" vereinigt sind, in welcher „der empfindsame Weichling sich zum Manne härtet, der rohe Unmensch zum erstenmal zu empfinden anfängt." Max Heckers Wort von dem ewig jungen Schiller findet eine neue Bestätigung.

Zum siebenten Brief:

Beim Lesen der im letzten Absatz des Briefes ausgesprochenen Gedanken fragt man sich unwillkürlich, ob Schillers Forderung, die „Aufgabe für mehr als *ein* Jahrhundert" — nämlich die Verwirklichung idealer Ziele — nicht in beschränkter Vernunft (11. Carlosbrief) zu übereilen, weil es an dem rechten Verständnis für die „tiefe Entwürdigung" des Charakters der Zeit fehlt — ob diese Forderung des Dichters gehört worden ist? Wer fühlt sich nicht seltsam berührt von der prophetischen Sicht, die — im Falle daß die Menschheit in ihrem Irrtum verharrt — ihre Erfüllung finden müßte: „Unterdessen, gebe ich gerne zu, kann mancher Versuch im einzelnen gelingen; aber im ganzen wird dadurch nichts gebessert sein, und der Widerspruch des Betragens wird stets gegen die Einheit der Maximen beweisen. Man wird in andern Weltteilen in dem Neger die Menschheit ehren und in Europa sie in dem Denker schänden. Die alten Grundsätze werden bleiben; aber sie werden das Kleid des Jahrhunderts tragen, und zu einer Unterdrückung, welche sonst die Kirche autorisierte, wird die Philosophie ihren Namen leihen. Von der Freiheit erschreckt, die in ihren ersten Versuchen sich immer als Feindin ankündigt, wird man dort einer bequemen Knechtschaft sich in die Arme werfen, und hier, von einer pedantischen *Kuratel* zur Verzweiflung gebracht, in die wilde Ungebundenheit des Naturstands entspringen. Die Usurpation wird sich auf die Schwachheit der menschlichen Natur, die Insurrektion auf die Würde derselben berufen, bis endlich die große Beherrscherin aller menschlichen Dinge, die blinde Stärke, dazwischen tritt und den vorgeblichen Streit der Prinzipien wie einen gemeinen Faustkampf entscheidet." — Es hieße dem Thema des in der ‚Anzeige' (letzte Seite) angekündigten Werkes vorgreifen, wollte man hier auf Albert Schweitzers Lebenswerk und Kulturphilosophie, auf die Lehre des dialektischen Materialismus, auf die Freiheitsbewegung der farbigen Völker in Asien und Afrika, auf die Diktatur des Proletariats, auf den Prinzipienstreit der kapitalistischen und sozialistischen Welt eingehen.

Zum achten Brief:

Ganz deutlich formuliert die zur Gewinnung der „Totalität" des Menschen zu erfüllende Aufgabe der Satz: „Die Vernunft hat geleistet, was sie leisten kann, wenn sie das Gesetz findet und aufstellt; vollstrecken muß es der mutige Wille und das lebendige Gefühl." An diese beiden

Kräfte richtet sich das aufrüttelnde Wort: sapere aude (Horaz epistt.
I 2,40). Held und Weiser, die das „Außerordentliche" zu leisten imstande
sind, in denen angesichts der „simplen Majestät der Natur" „Lichtge-
danke und Heldenentschluß" (‚Über das Erhabene') zugleich wie Pallas
Athene aus Jupiters Haupte springen, sollen den „Kindern des Hauses"
den Weg zur wahren Freiheit weisen; denn „aus dem reinen Aether seiner dämonischen Natur rinnt die Quelle der Schönheit herab" — indessen der „Knecht", „zufrieden, wenn er selbst der sauren Mühe des Denkens entgeht, andere gern über seine Begriffe die Vormundschaft führen
läßt." — Wieder fühlt man sich versucht, auf eine in die Untersuchung
über ‚Schiller im Atomzeitalter' gehörige Behandlung der Freiheitsidee
unserer Landsleute in West und Ost vorzugreifen.

Zum neunten Brief:

Eine großartige Bestimmung der Zukunftsaufgabe des Künstlers, und
ein Gemälde des durch Erfüllung dieser Aufgabe zur Menschheit herauf-
gebildeten Menschen. Des Künstlers Zukunftsaufgabe: „Er strebe, aus
dem Bunde des Möglichen" — offenbart im „aesthetischen Zustand" —
„mit dem Notwendigen" — dem Leben der Wirklichkeit — „das Ideal"
— das wahre Leben — „zu erzeugen. Dies wird ihm gelingen, wenn er
den Staat, der so eifersüchtig darüber wacht, seine Diener allein zu besitzen, weil er sie nicht der „Venus Urania überlassen will, dazu vermag, „seinen Mann mit einer Venus Cytherea ... zu teilen" (6. Brief).
Mit dem Bilde des auf dem Wege der Schönheit zur Freiheit heraufge-
bildeten Menschen aber bewegt sich Schiller wieder in jenen eschatologischen Gefilden, in denen er schon in so manchen Gedichten der ‚Anthologie' so gern weilte, die der Geschichtsphilosoph als „Glücksstand",
der Dichter der ‚Künstler' als „reifes Ziel der Zeiten" vor seinem geistigen Auge sah.

Zum zehnten Brief:

Die Ausführungen über das Verhältnis von Kunstblüte und heroischen
Tugenden erinnern an den Aufsatz ‚Über Völkerwanderung, Kreuzzüge
und Mittelalter.' Aber erst dieser Brief macht deutlich, warum Schiller
in dem Zeitalter der Reformation nur eine *Annäherung* an jenen von der
Zukunft erhofften Glückstand, nicht diesen selbst sieht. Ein für die Idee
des Kopfes aufgeschlossenes Heldenzeitalter vermochte wohl das Herz
für diese Idee zu begeistern; aber dieselbe gewann alsbald die Vorhand
vor den lebendigen Werten des Herzens, weil die Menschen daran gingen,
auf *verschiedenen* Wegen die Wahrheit zu erkunden. Damit förderten sie
zwar die Gattung, aber das Individuum litt Not, indem das Herz eng und
kalt wurde (vgl. 6. Brief). So geben die Eingangsverse der ‚Künstler'
zwar ein treffendes Bild von „der besseren Seite" des Menschen am
Ende des achtzehnten Jahrhunderts — „mit aufgeschloß'nem Sinn, mit

Geistesfülle, . . . frei durch Vernunft" — und dennoch fehlt diesem Menschen das, was die vorliegende Untersuchung über Schillers Gedankenwelt als „Sympathie" im weitesten Sinne bezeichnet: das Gefühl der „Totalität", vom Bewußtsein des „Zusammenhangs der tierischen Natur des Menschen mit seiner geistigen" bis zum seligen Erleben des „Gottes in uns, der mit seinem eigenen Bilde in der Sinnenwelt spielt" ('Über Anmut und Würde'), ein Gefühl, das nur über den „aesthetischen Zustand" erlebt werden kann. Dazu aber ist die Gewinnung des „reinen Vernunftbegriffs der Schönheit" erforderlich, der, „weil er aus keinem wirklichen Fall geschöpft werden kann, vielmehr unser Urteil über jeden wirklichen Fall erst berichtigt und leitet, auf dem Wege der Abstraktion gesucht und schon aus der Möglichkeit der sinnlich-vernünftigen Natur gefolgert werden" müßte. Mit anderen Worten: Schiller muß das Versprechen einlösen, das der Verfasser der Abhandlung ‚Über Anmut und Würde' gab: „Was für eine Idee das nun sei, die die Vernunft in das Schöne hineinträgt" — ein Vorgang sympathetischen Verhaltens — „und durch welche objektive Eigenschaft der schöne Gegenstand fähig sei, dieser Idee zum Symbol zu dienen — dies ist eine viel zu wichtige Frage, um hier bloß im Vorübergehen beantwortet zu werden, und deren Erörterung ich also auf eine Analytik des Schönen verspare." Der zweite Kalliasbrief hat die Beantwortung der hier aufgeworfenen Frage bekanntlich schon in dem Sinne vorbereitet, daß Schiller die Schönheit als Freiheit in der Erscheinung definierte. Daher darf er sich jetzt dem wesentlichen Gegenstand der sechs folgenden Briefe zuwenden, der darin besteht, daß „die Schönheit . . . als eine notwendige Bedingung der Menschheit" aufgezeigt wird.

Zum elften Brief:

Im wesentlichen stellt der Brief die Auswirkung der den Menschen zur Gottheit leitenden Sympathie dar. Diese kennzeichnet Schiller als „eine göttliche Tendenz, die das eigentliche Merkmal der Gottheit, absolute Verkündigung des Vermögens (Wirklichkeit alles Möglichen) und absolute Einheit des Erscheinens (Notwendigkeit alles Wirklichen) zu ihrer unendlichen Aufgabe hat." Die Erfüllung dieser Aufgabe erfolgt dank der im Menschen als bleibende Persönlichkeit vorhandenen „Anlage zur Gottheit" vermittelst der durch seine Sinne bedingten, wechselnden Zustände. Vorausgreifend darf gesagt werden, daß derjenige Zustand, von welchem die göttliche, als „Freiheit" zu kennzeichnende Anlage des Menschen entscheidend — unter Voraussetzung seiner, eben durch diese Anlage ermöglichten Willenswahl — angesprochen wird, der „aesthetische Zustand" ist, der den Menschen die Schönheit als Freiheit in der Erscheinung" erleben läßt.

Zum zwölften Brief:

Ohne vorerst die Idee des Schönen zu berühren, werden diejenigen Vernunftideen behandelt, die nach Schillers Aesthetik erst durch das Erleben der Schönheit als bleibende Werte der Vernunftfreiheit vom Menschen erkannt werden. Der Verfasser gestattet sich diese scheinbare Abschweifung, um die Größe der als Sympathie wirkenden „göttlichen Tendenz" ins Licht zu rücken. Ist der Mensch ein Spielball der durch seine Sinne bedingten, ewig wechselnden „Zustände", so wird ihm nie die Idee des Guten und Wahren als bleibender Wert deutlich werden. Ist er sich aber der aus seiner „göttlichen Tendenz" sich ergebenden „unendlichen Aufgabe" bewußt, „das Notwendige in uns" — die Persönlichkeit — „zur Wirklichkeit zu bringen und das Wirkliche außer uns" — die Zufälle — „der Notwendigkeit zu unterwerfen", so wird er etwas als gut und wahr anerkennen, nicht weil es seinen wechselnden Zuständen, seiner „Neigung", schmeichelt, sondern weil es vom Pflichtbewußtsein der Vernunft als Gesetz von dauernder Gültigkeit bejaht wird.

Zum dreizehnten und vierzehnten Brief:

In diesen beiden Briefen wird der Übergang zu der im fünfzehnten und sechzehnten Brief behandelten Identität von Schönheits- und Menschheitsidee vorbereitet. Aus der an der Idee des Guten und des Wahren ersichtlich gewordenen hohen Bedeutung jener „unendlichen Aufgabe" leitet Schiller die Notwendigkeit her, eine „freie Übertretung der Natur, indem sie" — das heißt jene zwei Triebe — „sich selbst mißverstehen und ihre Sphären verwirren", zu verhindern. Mit anderen Worten: Die beiden Wesensteile des Menschen, sinnlicher und vernünftiger Trieb, empfangendes und bestimmendes Vermögen, Passivität und Aktivität, dürfen nicht als unvereinbare Gegensätze wirksam werden, sondern sie müssen — wie Anmut und Würde, wie die Gefühle für das Rührende und das Erhabene — in Wechselwirkung stehen, oder noch anders ausgedrückt: Wie die erhabene Gesinnung nur einer schönen Seele möglich ist, wie der Sinn für das Erhabene erst aus der Rührung erwächst, wie erst in Zeiten der Not Helden und Weise erstehen, so muß sich die Tatsache durchsetzen: „Der Weg zu der Gottheit, wenn man einen Weg nennen kann, was niemals zum Ziele führt, ist ihm aufgetan in den Sinnen" (11. Brief). Aus dieser Erkenntnis heraus wird dann das sympathetische Empfinden verständlich, welches den Menschen zur Gottheit leitet, in der die im Menschen getrennten Triebe vereint sind. Die Sympathie manifestiert sich beim Menschen im Spieltrieb, der, wie die im zehnten Brief angeführte Stelle aus der Abhandlung ,Über Anmut und Würde' zeigte, „den Gott in uns selbst" sichtbar macht. — Im dritten und vierten Kalliasbrief veranschaulicht Schiller die ,moralische Schönheit" an einem Beispiel, das in seinen Grundzügen dem Gleichnis vom barmherzigen Samariter entspricht. Fünf Verhaltungsweisen von Helfern, die einem unter die Räuber gefallenen und ausgezogen bei strenger Kälte auf der Straße liegen gelassenen Menschen begegnen, werden vergleichend geschildert; aber nur das Verhalten des fünften Helfers wird als „moralisch schön" anerkannt: Unaufgefordert nimmt er den Unglücklichen auf den Rücken, wobei er seine eigene schwere Last zurückläßt, die auf der Straße liegen bleibt. Ohne lange mit sich zu Rate zu gehen, ohne Rücksicht auf das Risiko eigenen Verlustes, sich selbst ganz vergessend, hat er „seine Pflicht mit einer Leichtigkeit erfüllt, als wenn bloß der Instinkt aus ihm gehandelt hätte." So definiert Schiller die moralische Schönheit mit den Sätzen: „Unsere sinnliche Natur muß im Moralischen frei *erscheinen*, obgleich sie es nicht wirklich *ist*; und es muß das Ansehen haben, als wenn die Natur bloß den Auftrag unserer Triebe vollführte, indem sie sich, den Trieben gerade entgegen, unter die Herrschaft des reinen Willens beugt." Pflicht muß also zur Natur werden, um moralisch schön zu erscheinen. In einem solchen Verhalten manifestiert sich das, was der vierzehnte aesthetische Brief den „Spieltrieb" nennt, dessen Auswirkung von Schiller mit Worten beschrieben wird, die den eben aus dem vierten Kalliasbrief angeführten überraschend gleichen: „Der Spieltrieb also, als in welchem beide" — Naturgesetze und Gesetze der Vernunft — „verbunden wirken, wird das Gemüt zugleich moralisch und physisch nötigen; er wird also, weil er alle Zufälligkeit aufhebt, auch alle Nötigung aufheben und den Menschen sowohl physisch als moralisch in Freiheit setzen". Das ist der Zustand, in welchem das Individuum in der Menschheit aufgeht, den der Stürmer und Dränger als eine „allwebende Sympathie" bezeichnete, der gegen Schluß der Abhandlung ‚Über Anmut und Würde' „das absolut Große selbst" genannt wird, „was in der Anmut und Schönheit sich nachgeahmt und in der Sittlichkeit sich befriedigt findet." Und wenn der Dichter diese menschliche Haltung als Manifestation „des Gesetzgebers selbst, des Gottes in uns" bezeichnet, „der mit seinem eigenen Bilde in der Sinnenwelt spielt", so wird offenbar, wie nahe sich die aesthetische Anschauung Schillers mit der christlich-theologischen Lehre von der Agape berührt.

Zum fünfzehnten und sechzehnten Brief:

Die Identität von Schönheits- und Menschheitsidee ergibt sich zwanglos aus dem über sinnlichen, vernünftigen und Spieltrieb und deren Objekte — Leben, Gestalt und lebende Gestalt — Gesagten, wie daraus auch die Versöhnung von Neigung und Wille, von Zufälligem und Notwendigem, von Wirklichkeit und Idee und schließlich von Individuum und Menschheit ersichtlich wird. Geschichtsphilosophie und Kulturphilosophie gelangen zu derselben Schau einer eschatologischen Zukunft. Denn daß jenes Ziel in der *Erfahrung* nie erreicht werden wird, erhellt aus der Art, wie sich die Schönheitsidee in der Erscheinung manifestiert, in welcher eine restlose Verschmelzung von Realität und Form ebenso wenig verwirklicht werden kann, wie jemals die völlige Harmonie sinnlicher und vernünftiger Triebe in einem Menschen Erfüllung findet. Aber nie wird Schiller müde zu fordern, bei aller illusionslosen Einstellung zur *Wirklichkeit* des Lebens doch dem Schattenbild der „Gestalt" (vgl. ‚Das Ideal und das Leben') kraft der im Menschen wirksamen „göttlichen Tendenz" sinnliches Leben zu verleihen, im Zufälligen das Notwendige zu offenbaren. — Über den Inhalt des schon im sechzehnten vorbereiteten siebzehnten Briefes und über seine Stellung in der Briefsammlung überhaupt ist alles Wesentliche bei der Besprechung der Abhandlung selbst gesagt worden.

Zum achtzehnten bis zwanzigsten Brief:

Was Schiller im zwanzigsten Brief als „aesthetischen Zustand" bezeichnet, gehört in dieselbe Linie wie die „aesthetische Tendenz" in der Aesthetik des Tragischen und die „göttliche Tendenz" im elften Brief. Der Nachweis ist unschwer zu führen: Alle drei Begriffe lassen sich als „mittlere Zustände" verstehen. Der *aesthetische Zustand*, der das Ergebnis des im achtzehnten Briefe von Schiller geforderten Suchens nach einem „mittleren Zustand" zwischen Sinnlichkeit und Denken ist, ermöglicht „Leiden mit Selbsttätigkeit, eine passive Bestimmung mit einer aktiven zu vertauschen." Es ist der Zustand, den in den ‚Künstlern' der Mensch zum erstenmal beim Anblick des vom Wasser wiedergespiegelten Schattenbildes der Zeder erlebt, als er, „zu edel schon, nicht müßig zu empfangen", in Sand oder Ton den „holden Schatten" nachschafft. Hier wirkt zum erstenmal der „Spieltrieb", insofern diese Schöpfung als Spiel bezeichnet werden darf, weil durch dieselbe der Stoff in der Form, die Wirklichkeit in der Idee dargestellt wird. — Die *aesthetische Tendenz* kann als Steigerungsstufe, als Komparativ des aesthetischen Zustandes gedeutet werden. Man könnte aber auch sagen, die aesthetische Tendenz ist die Voraussetzung des aesthetischen Zustandes. Sie ist als menschliche Anlage zu verstehen, durch welche der Mensch beim Erleben der Schönheit, also im Zustand der „passiven Bestimmung", zum aesthetischen Zustand befähigt wird. Das Übereinstimmende zwischen aesthetischem Zustand und aesthetischer Tendenz liegt darin, daß auch diese dem Menschen den Übergang von einem passiven zu einem aktiven Zustand vermittelt: Es handelt sich bekanntlich um die Wechselwirkung vom Erlebnis des Rührenden und des Erhabenen. Aber auch zwischen aesthetischem Zustand und aesthetischer Tendenz ist eine Wechselwirkung festzustellen, insofern die letztere erst dann wirksam wird, wenn der erstere verwirklicht worden ist. Dies scheint im Widerspruch zu stehen zu der früheren Bemerkung, daß die aesthetische Tendenz als Anlage den Menschen erst zum Eintritt in den aesthetischen Zustand befähigt. Aber dieser Widerspruch besteht nicht. Die aesthetische Tendenz ermöglicht dem Menschen das Erlebnis des Erhabenen; der aesthetische Zustand leitet ihn zum Erlebnis des Schönen. Nun sieht Schiller bekanntlich in der „schönen Seele" die Voraussetzung zur „erhabenen Gesinnung". In der Heraufbildung des Menschen vom Sinnenwesen zum Vernunftwesen ist das Erlebnis der Schönheit die erste Stufe einer pädagogischen Führung. In diesem Sinne wird durch den aesthetischen Zustand die aesthetische Tendenz geweckt. Aber eine pädagogische Führung hat nur da Erfolg, wo eine Anlage vorhanden ist. In diesem Sinne ist die aesthetische Tendenz — als Anlage — die Voraussetzung der Gewinnung des aesthetischen Zustandes. — Dies erstaunliche Wechselverhältnis wird vollkommen verständlich, sobald man seine Aufmerksamkeit der *göttlichen Tendenz* zuwendet. Diese ist bekanntlich die,, unendliche Aufgabe", „das eigentliche Merkmal der Gottheit," „die Wirklichkeit alles Möglichen", „die Notwendigkeit alles Wirklichen" im Menschen zu manifestieren. Also: Die als göttliche Tendenz dem Menschen gestellte unendliche Aufgabe — die Voraussetzung ihrer Verwirklichung als Anlage in der aesthetischen Tendenz — ist deren Bewußtwerden im aesthetischen Zustand; oder umgekehrt: Der *aesthetische Zustand* als Erlebnis des Schönen ist Voraussetzung, um die *aesthetische Tendenz* als Kraft des Aufstiegs zum Erhabenen zum Zweck der als *göttliche Tendenz* erkannten unendlichen Aufgabe der Annäherung an die Gottheit zu empfangen. — Das sind Manifestationen dreier Formen des vernunftgeleiteten Sympathiekomplexes als physio-psychologische, genialisch-kosmische, theosophisch-religiöse Sympathie.

Zum einundzwanzigsten und zweiundzwanzigsten Brief:

Der Inhalt der beiden Briefe zeigt insofern starke Beziehungen zum fünfzehnten Brief, als er sein Thema, das die Schönheit als zweite Schöpferin des Menschen nachweisen will, in der Weise ausführt, daß er die im fünfzehnten Brief enthaltene Behauptung bestätigt: „Der Mensch ist nur da ganz Mensch, wo er spielt." Im dortigen Zusammenhang wird der Spieltrieb dem Stofftrieb und dem Formtrieb gegenübergestellt. Diesen beiden letzteren sei es mit ihren Forderungen ernst, „weil der eine sich beim Erkennen auf die Wirklichkeit, der andere auf die Notwendigkeit der Dinge bezieht", während beim Spieltrieb, der das Leben mit Ideen in Gemeinschaft setze, „alles Wirkliche seinen Ernst verliert, weil es *klein* wird, das Notwendige den seinigen ablegt, weil es *leicht* wird." Im gleichen Sinne heißt es im zweiundzwanzigsten Brief: „Haben wir uns dem Genuß echter Schönheit hingegeben, so sind wir in einem solchen Augenblick unserer leidenden und tätigen Kräfte in gleichem Grad Meister, und mit gleicher Leichtigkeit werden wir uns zum Ernst und zum Spiele, zur Ruhe und zur Bewegung, zur Nachgiebigkeit und zum Wider-

stand, zum abstrakten Denken und zur Anschauung wenden." Man könnte
also sagen: Sobald der Mensch (im Erleben der Schönheit) der Wirklichkeit und der Notwendigkeit mit gleicher Unbeschwertheit begegnet,
wird ihn zum Wirklichen nicht mehr die Begierde, zum Notwendigen nicht
mehr die Pflicht hinzwingen, sondern beiden wird seine Neigung gehören,
weil er beide in Gemeinschaft mit den Ideen des Schönen, Guten und
Wahren erblickt. Mit anderen Worten: Aus der im Menschen ruhenden
göttlichen Anlage heraus werden wir das Leben der Wirklichkeit und das
wahre Leben mit gleicher Sympathie umfassen, indem „der Gott in uns
mit seinem eigenen Bilde in der Sinnenwelt spielt."

Zum dreiundzwanzigsten bis fünfundzwanzigsten Brief:

In diesen, den praktischen Hauptteil abschließenden Briefen wird, wenn
man sie in das Gesichtsfeld des Hauptanliegens dieses Buches einordnet,
endlich das entscheidende Problem, das Verhältnis der Vernunft zur Sympathie, behandelt. Als unentbehrliche Voraussetzung, daß die Vernunft
ihre Aufgabe, den reinen Dämon im Menschen wirksam werden zu lassen, erfüllen kann, sieht Schiller den Eintritt des Menschen in den
aesthetischen Zustand. An diesem Punkte berühren sich der Vernunftsbe-
griff der Kantischen Geschichtsphilosophie und Schillers Theorie von der
aesthetischen Erziehung des Menschen. Bekanntlich lehrt der Königsberger Philosoph, daß sich diejenigen Naturanlagen des Menschen, „die auf
den Gebrauch der Vernunft abgezielt sind", nur in der Gattung, nicht im
Individuum vollständig entwickeln. Schiller seinerseits, der in der Schönheit die zweite Schöpferin der Menschheit sieht, betrachtet den aesthetischen Zustand, der dem Menschen die erste Möglichkeit des Erlebens
der Schönheit vermittelt, gleichzeitig als den Moment, in dem sich dem
Individuum das Tor zur Menschheit öffnet. Hier wird der tiefste Sinn des
Kernbegriffs der Gedankenwelt Schillers, des Begriffs von der „Sympathie der Vernunft", offenbar. — Welchen Unzulänglichkeiten der Vernunft das menschliche Individuum ausgesetzt ist, das sich noch nicht im
aesthetischen Zustand befindet, veranschaulicht Schiller in den Darlegungen über die auch „in den rohesten Subjekten" vorhandenen „Spuren
der Vernunftfreiheit": Entweder vergreift sich die Vernunft in ihrem Objekt und läßt den Menschen das wahre Leben im Leben der Wirklichkeit
suchen, dessen Lockungen er sich dann widerstandslos hingibt — ein
„vernunftloses Tier" — — oder die Vernunft vergreift sich zwar in ihrem
Objekt nicht, wird aber dann, unter dem Zwange der Sinnlichkeit, ihre
Stelle alsbald dem Verstand räumen, der die Dinge, als der Willkür des
Zufalls unterworfen, seinen ichsüchtigen Zwecken dienstbar macht — ein
„vernünftiges Tier". Bekanntlich hat sich Schiller mit der „beschränkten"
Vernunft bereits im elften Carlosbriefe befaßt, wo er, freilich unter ganz
anderen Voraussetzungen, auf die „gefährliche Leitung universeller Ver-

nunftideen" hinweist, welcher der Ausgleich durch „die Eingebungen des Herzens oder das schon gegenwärtige und individuelle Gefühl von Recht und Unrecht" fehlt. — Da der aesthetische Zustand, wie in den Anmerkungen zum achtzehnten bis zwanzigsten Brief gezeigt, als physio-psychologische Form des Sympathiekomplexes anzusehen ist, macht Schiller also die erste Wirksamkeit der Vernunft von dem Vorhandensein dieser Sympathie abhängig. Aber nun kommt es darauf an, ob der im aesthetischen Zustand angelangte Mensch bereit ist, der Aufforderung einer solchen Situation zu gehorchen, das heißt, seiner als Anlage vorhandenen aesthetischen Tendenz zu folgen. Dies geschieht in der Willenswahl, durch welche die Vernunft ihren Gehorsam gegenüber der ethisch-kosmischen Form des Sympathiekomplexes beweist. Damit ist die letzte Voraussetzung für die Fähigkeit des Menschen, seine aesthetische Tendenz als göttliche Tendenz zu erkennen, gegeben: Indem der Mensch die Welt nicht mehr begehrt, sondern „als Objekt beherrscht", „zerfließt die Reflexion so vollkommen mit dem Gefühle, daß wir die Form unmittelbar zu empfinden glauben." Die These ist verwirklicht, die der junge Karlsschüler im zweiten Paragraphen seines „Versuchs" aufgestellt hatte: „Vollkommenheit des Menschen liegt in der Übung seiner Kräfte durch Betrachtung des Weltplans": die „edle Freiheit", die er von der Welt als Objekt seiner Betrachtung gewonnen hat, läßt ihn die Götter, deren „Gespensterlarven" den Tiermenschen ängstigten, jetzt „in den freundlichen Konturen der Menschheit" erblicken. Der Mensch ist zur höchsten Form des Sympathiekomplexes gelangt, die mit der vollendeten „Sympathie der Vernunft" gleichbedeutend ist.

Zum sechsundzwanzigsten und siebenundzwanzigsten Brief: Mit dem Hinweis auf die „Gunst der Zufälle", durch welche der aesthetische Zustand im Menschen ausgelöst wird, kommt die klimato-anthropologische Form des Sympathiekomplexes endlich auch noch zur Geltung. Im elften Paragraphen des „Versuchs" von 1780 hieß es: „... der Geist verfeinert sich mit dem feinern Klima." Und im neunzehnten Paragraphen: „Der Mensch ... lacht in freundlichen Lüften und fühlt Sympathie in gereinigten Atmosphären." Und vom ersten schweift der Blick voraus zum letzten großen vollendeten Werk des Dichters, wenn man im sechsundzwanzigsten Brief unter den günstigen Zufällen die „eigene Hütte" genannt findet, in der die Menschen „still mit sich selbst und beim Hinaustreten mit dem ganzen Geschlechte sprechen"; man denkt an das stille Hüttenglück Wilhelm Tells — auch er wohnt in „gereinigten Atmosphären":

„Dort unterm freien Himmelsdache, wo
der Sinn noch frisch ist und das Herz gesund ... "

Sehr ernst zu nehmen ist die erneute Mahnung des Dichters, nie den logischen und den schönen, das heißt aesthetischen Schein zu verwechseln — eine Mahnung, die zu der Einsicht führt, *daß nur der illusionslose
Realist der wirkliche Idealist sein kann*, daß nur sympathetisches Empfinden das Leben der Wirklichkeit zum wahren Leben machen kann — wie
ja die Wahrheit „dem *Vermögen* nach" schon in der Schönheit liegt
(25. Brief, Schluß). Der Hinweis auf die anlagenhaft auch in der ganzen
belebten Natur vorhandene menschliche Fähigkeit zum aesthetischen
Spiele greift schließlich die genialisch-kosmische Form des Sympathiekomplexes noch einmal auf, insofern „ein gesetzgebender Geist die Handlungen des blinden Instinktes sich unterwirft." Manifestationen dieses
zu immer höheren Formen sich steigernden Spieltriebes sind der aus der
physio-psychologisch bestimmten Geschlechterliebe sich entfaltende „Aus-
tausch" der Herzensneigung, „der edle Keim der Geisterliebe," wie es
im fünfzehnten Abschnitt der ‚Künstler‘ heißt, und endlich die über der
geistigen Form den materiellen Stoff vergessen lassende Kunst, die vermöge der Schönheit „Freiheit zu geben durch Freiheit" bestimmt ist.

Ein utopisches Kulturgemälde

Der Tendenz der vorliegenden Darstellung der Schillerschen Gedankenwelt entsprechend wird die Würdigung der letzten größeren aesthetischen
Abhandlung des Dichters ‚Über naive und sentimentalische Dichtung‘
diejenigen Fragen nur kurz berühren, deren Erörterung für die Kenntnis
des Anlasses der Abhandlung und für das Verständnis alles dessen, was
über „Dichtung" gesagt wird, wesentlich wäre.

Für Schiller persönlich lag ja die Bedeutung dieser Untersuchung darin,
daß ihr Verfasser endlich ein Problem seiner Lösung zuführte, das ihn
seit 1789 so oft beschäftigt hatte: Das Problem seiner Stellung als schöpferische Persönlichkeit im Vergleich mit Goethe. Es genüge hier, um den
Fortschritt Schillers in der Bewältigung dieser Frage zu veranschaulichen,
die Anführung je einer Stelle aus seinem berühmten Brief an Goethe vom
23. August 1794 und aus seinem Schreiben an Wilhelm von Humboldt
vom 21. März 1796.

Am 23. August 1794 stellt Schiller die „schöne Übereinstimmung"
fest, die zwischen Goethes „philosophischem Instinkt" und „den reinsten Resultaten der spekulierenden Vernunft" bestehe. „Beim ersten Anblick zwar scheint es, als könne es keine größeren Opposita geben als
den spekulativen Geist, der von der Einheit, und den intuitiven, der von
der Mannigfaltigkeit ausgeht. Sucht aber der erste mit keuschem und
treuem Sinn die Erfahrung und sucht der letzte mit selbsttätiger, freier

Denkkraft das Gesetz, so kann es gar nicht fehlen, daß nicht beide einander auf halbem Wege begegnet werden. Zwar hat der intuitive Geist nur mit Individuen und der spekulative nur mit Gattungen zu tun. Ist aber der intuitive genialisch und sucht er in dem Empirischen den Charakter der Notwendigkeit auf, so wird er zwar immer Individuen, aber mit dem Charakter der Gattung erzeugen; und ist der spekulative Charakter genialisch und verliert er, indem er sich darüber erhebt, die Erfahrung nicht, so wird er zwar immer nur Gattungen, aber mit der Möglichkeit des Lebens und mit begründeter Beziehung auf wirkliche Objekte erzeugen".

Wichtig ist in diesen Sätzen die Bedeutung, die der Briefschreiber der Gabe des Genialischen zuweist, damit intuitiver und spekulativer Geist — jener durch Erzeugung von Individuen mit Gattungscharakter, dieser durch Erzeugung von Gattungen mit der Möglichkeit individueller Manifestation — sich „auf halbem Wege begegnen" können.

Auf sich und Goethe angewandt, klingen diese Gedanken in dem Brief an Wilhelm von Humboldt vom 21. März 1796 an, wo Schiller die Wertung ihrer beiderseitigen genialischen Persönlichkeit so formuliert: „Man wird uns ... verschieden spezifizieren, aber unsere Arten einander nicht unterordnen, sondern unter einem höhern idealischen Grundbegriffe einander koordinieren."

An beiden Briefstellen ist also von einer Einordnung zweier ursprünglich verschiedenartiger geistiger Veranlagungen unter einen „höhern idealischen Grundbegriff" die Rede. Voraussetzung für eine solche Einordnung ist die „Genialität" der beiden verschiedenartigen Geister. Vorgreifend auf die im dritten Teil dieses Buches erfolgende Besprechung der Schillerschen Lyrik der Reifezeit sei hier angedeutet, was schon aus der Bezeichnung einer Form des Sympathiekomplexes — des genialisch-kosmischen — ersichtlich ist: Der Genius ist der Natur verwandt. In dem Epigramm ‚Kolumbus' sagt der Dichter:

> „Mit dem Genius steht die Natur in ewigem Bunde;
> was der eine verspricht, leistet die andre gewiß."

Wenn Schiller also zur Voraussetzung der Einordnung jener verschieden gearteten Geister unter ein höheres Prinzip das Vorhandensein des Genialischen macht, so will er damit sagen, daß beide Geister „mit der Natur im Bunde stehen" müssen, welche, als allumfassendes Ganzes, das Individuum in der Gattung aufgehen läßt, ebenso wie in den Leistungen des Genius, wie es im einundzwanzigsten Abschnitt der ‚Künstler' heißt, „der Geist im Harmonieenmeere zerrinnt."

Auf das Verhältnis Goethes und Schillers, wie Schiller es sieht, übertragen, darf nunmehr festgestellt werden, daß das gemeinsame Wirken der beiden Dichterfürsten von 1795 bis 1805 als Manifestation der genialisch-kosmischen Form des Sympathiekomplexes aufzufassen ist. „Liebe findet nicht statt unter gleichtönenden Seelen, aber unter harmonischen", heißt es in der ‚Theosophie des Julius'.

Schon oft ist die Frage aufgeworfen worden, ob man das menschliche Verhältnis Schillers und Goethes als „Freundschaft" bezeichnen dürfe. Hier zeigt es sich, wie arm die Sprache ist, um tiefste Wesenheiten zu kennzeichnen, und wie berechtigt jener schon mehrfach angeführte „Appell" Schillers an die Sympathie ist, wo er beklagt, daß die Seele zum Gerippe absterben müsse, um der Seele zu erscheinen. Es scheint doch, daß das Verhältnis unserer zwei größten deutschen Dichter am treffendsten durch jenen Begriff der genialisch-kosmischen Sympathie bezeichnet wird. —

Schiller hat seine These von der Verschiedenheit und höheren Vereinigung von spekulativem und intuitivem Geist für die Klassifizierung und aesthetische Beurteilung der Dichter und ihrer Schöpfungen nutzbar zu machen gesucht. So entstanden die, wie der Briefwechsel mit Wilhelm von Humboldt verrät, ursprünglich drei Abhandlungen über die naive, die sentimentalische Dichtung und über deren Verhältnis zu einem höheren poetischen Ideale, die dann zu der Schrift ‚Über naive und sentimentalische Dichtung' vereinigt wurden. Das Kernproblem dieser Arbeit trifft Wilhelm von Humboldt in seinem Brief vom 10. Dezember 1795, wo er das größte Verdienst der Untersuchung darin sieht, daß Schiller „die Verschiedenheit der Dichter so unmittelbar aus dem möglichen Umfange des dichterischen Genies, und diesen selbst geradezu aus dem Begriff der Menschheit" ableite.

Für den Gegenstand des vorliegenden Buches ist diese Formulierung Humboldts von großer Wichtigkeit. Denn unter dem Gesichtspunkt der in diesem Zusammenhang zu bewältigenden Aufgabe, Schillers Gedankenwelt und schöpferische Hinterlassenschaft aus den beiden Fundamentalbegriffen „Sympathie" und „Vernunft" verstehen zu lassen, kann es sich bei unserer Betrachtung der Schrift ‚Über naive und sentimentalische Dichtung' nur darum handeln, das Menschheitliche herauszuarbeiten, das in dieser Schrift zum Klingen kommt.

Dabei erscheint Schillers aesthetische Abhandlung als Gemälde einer Kulturgeschichte der Menschheit, deren Darstellung unter Zugrundelegung der Begriffe des Naiven und des Sentimentalischen drei große Perioden unterscheidet: Eine „naive" Einheit des Menschen mit der Natur, ein „sentimentalisches" Getrenntsein von der Natur und eine durch Versöhnung beider Zustände erreichte Rückkehr zur Natur.

In den Begriffen „naiv" und „sentimental" umspannt also Schiller die gesamte Entwicklung der Menschheit von Anbeginn bis in eine ferne Endzeit. Am Anfang steht das Naive, am Ende das Idyll, das Elysium, dazwischen die sentimentalische Gegenwart. Das Naive war Natur, Elysium wird eine wiedergefundene Natur sein, das Sentimentalische ist das Bewußtsein vom Verlust der naiven Natur und das Streben nach ihrer Wiedergewinnung im Elysium. Wahrer der Natur aber sind die Dichter; die Aufgabe ihres Schaffens ist, „der Menschheit ihren möglichst vollständigen Ausdruck zu geben". — —

Aus dieser umrißhaften Wiedergabe des Inhalts der Abhandlung ‚Über naive und sentimentalische Dichtung' ergeben sich Einzelfragen, deren Beantwortung das utopische Kulturgemälde veranschaulichen soll, wie es sich in Schillers Phantasie gestaltet hat.

1. Was ist naiv?

Es ist Natur „als das freiwillige Dasein, das Bestehen der Dinge durch sich selbst, die Existenz nach eignen und unabänderlichen Gesetzen — das stille schaffende Leben, das ruhige Wirken aus sich selbst … die innere Notwendigkeit, die ewige Einheit mit sich selbst." Diese ewige Einheit mit sich selbst entspringt der gegenseitigen Beziehung aller die unendliche Größe im Ganzen der Natur bildenden individuellen Erscheinungen — einer Beziehung, die durch ein wechselseitiges Bedürfnis aller Naturwesen bedingt ist.

2. Wie äußert sich die Naivität im ursprünglichen Menschen?

Naiv war der Mensch, solange er noch reine Natur war und „als ungeteilte sinnliche Einheit und als ein harmonisches Ganzes wirkte. „Sinne und Vernunft, empfangendes und selbsttätiges Vermögen haben sich in ihrem Geschäfte noch nicht getrennt, viel weniger stehen sie im Widerspruch miteinander. Seine Empfindungen sind nicht das formlose Spiel des Zufalls, seine Gedanken nicht das gehaltlose Spiel der Vorstellungskraft; aus dem Gesetz der Notwendigkeit gehen jene, aus der Wirklichkeit gehen diese hervor." Verkörpert wird die naive Natur im Menschen noch heute in der grenzenlosen Bestimmbarkeit und reinen Unschuld des Kindes, sowie in den edlen Vertreterinnen des weiblichen Geschlechts, deren echte Naivität ihrer Sitten eine große Macht ausübt. Es darf hier einmal zur Ergänzung wieder vorgegriffen werden auf ein Gedicht, in welchem Schiller die „große Natur" als „halb Kind und halb Mutter" bezeichnet, die „jetzt empfänget, jetzt gibt, nur durch Bedürfnis besteht" (‚Der philosophische Egoist'). In diesen Worten ist alles zusammengefaßt, was über das Wesen der naiven Natur von dem Dichter je gesagt worden ist, und leitet die Betrachtung auf kürzestem Wege jenem Zentralbegriff zu, dessen Transparenz in allen bisher besprochenen Werken des Schillerschen Schrifttums festgestellt werden konnte. Denn was ist dieses wechselseitige Bedürfnis von Geben und Nehmen, das sich am sinnfälligsten in dem Verhältnis von Mutter und Kind offenbart, anderes als eine Manifestation der Sympathie, in welcher Sinne und Vernunft noch in dem gleichen, unbewußt-harmonischen Wechselverhältnis stehen, wie es die Abhandlung des Karlsschülers an der tierischen und geistigen Natur des Menschen nachweist, bei welchem eine „wunderbare und merkwürdige Sympathie die heterogenen Prinzipien des Menschen gleichsam zu *einem* Wesen macht"? Dieselbe Sympathie, die man wohl am treffendsten eine Sympathie der Natur nennen könnte, war auch in der griechischen Göttervorstellung wirksam, die Schiller als „die Eingebung eines naiven Gefühls, die Geburt einer fröhlichen Einbildungskraft, nicht der grübelnden Vernunft" bezeichnet. Ihre Gestalten waren also Verkörperungen jener vorhin erwähnten, die unendliche Größe im Ganzen der Natur bildenden individuellen Erscheinungen, in welchen das innige Einssein von Natur und Mensch seine Manifestation findet.

3. Wie verlor der Mensch die Naivität seiner Natur?

In verschiedenen Formulierungen gibt Schiller diesem Verlust und dem daraus erwachsenen Zustand Ausdruck. Durch Abstraktion, sagt er, ist die Einheit zwischen Natur und Mensch verloren gegangen. Die Natur ist aus der Menschheit geschwunden, heißt es in dem Zusammenhang, wo von der griechischen Götterwelt die Rede ist. Im Übermut unserer Freiheit — gemeint ist die Freiheit, die wir durch „das Prärogativ unserer Vernunft" empfingen — stürmten wir aus der Natur heraus in die Fremde. Hier wird die verhängnisvolle Rolle derjenigen „Vernunft" greifbar, die der Verfasser der ‚Briefe über Don Carlos' als „beschränkte Vernunft" gekennzeichnet hat. Durch die Freiheit seiner Phantasie und seines Verstandes — wieder werden in solchen Worten Zusammenhänge des elften Carlosbriefes lebendig — hat sich der Mensch von der Einfalt, Wahrheit und Notwendigkeit der Natur entfernt. Die Natur als Erfahrung und als handelndes und empfindendes Subjekt verschwand aus dem menschlichen Leben und erschien der isolierten Vernunft als Objekt und Idee. Aus dem frohen Götterglauben der Griechen wurde der grübelnde Kirchenglaube der neueren Nationen.

4. Wie wurde dem Menschen der Verlust seiner naiven Natur bewußt?

Dies Bewußtwerden war die unmittelbare Folge der mit der Entfremdung von der naiven Natur stattfindenden Trennung von Sinnen und Vernunft, wodurch die Natur aus einer Erfahrung zur Idee wurde. Da aber eine Idee auf das für Ideen zugängliche Gemüt, als Erzeugnis der Vernunft, eine moralische Wirkung ausübt, trat anstelle des für den naiven Menschen charakteristische sinnliche Verhältnis zur Natur ein moralisches Wohlgefallen an der Natur. Auch auf den Gefühllosesten, sagt Schiller, wird die Natur etwas von dieser Wirkung äußern, „weil schon die allen Menschen gemeine Anlage zum Sittlichen dazu hinreichend ist, und wir alle ohne Unterschied bei noch so großer Entfernung unserer *Taten* von der Einfalt und Wahrheit der Natur *in der Idee* dazu hingetrieben werden."

Der Mensch blickt jetzt auf die naive Natur wie auf ein verlorenes Kinderland, auf eine vergangene Jugend, auf ein versunkenes Glück, wie es in dem Gedicht ‚Die Götter Griechenlands‘ so eindrucksvoll dargestellt wird. Ja es kommt sogar dahin, daß der Mensch, unzufrieden „über unsere eigene schlecht gebrauchte moralische Freiheit und über die in unserm Handeln vermißte sittliche Harmonie ... das Vernunftlose wie eine Person anredet", daß er „dem Willenlosen in seinen Gedanken einen Willen leiht." Und wenn auch dieser „Wille des Willenlosen" der „strengen Richtung nach dem Gesetz der Notwendigkeit" folgt, so ist es doch der freie Wille des Vernunftmenschen, der diese Vermenschlichung der Natur vornimmt — eine ganz andere Vermenschlichung, als sie das naive Spiel der Phantasie den Griechen mit der Gestaltung seiner heiteren Götterwelt an der Natur hatte vornehmen lassen. Es ist die Sehnsucht nach der verlorenen Sympathie zwischen Mensch und Natur, das Gefühl der Vereinsamung des Menschen inmitten einer entseelten Schöpfung, das ihn dazu führt, seine isolierte Vernunft auf die Natur zu projizieren. Die aus wechselseitigem Bedürfnis erwachsene „Sympathie der Natur" im naiven Menschen hat der sentimentalische Mensch ersetzt durch die „Sympathie der Vernunft".

5. Wie findet der Mensch Elysium?

Zur Beantwortung dieser Frage müßte eigentlich alles, was die Erörterung über Schillers geschichtsphilosophische und aesthetische Schriften an Ergebnissen gezeitigt hat, zu einem großen Gesamtbilde zusammengefaßt werden.

Zunächst ist festzustellen, daß Schiller zwar die Rückkehr zu einem naiven Naturmenschentum, das er in den Griechen von Homer bis Aeschylus verkörpert sieht, für unmöglich hält, daß er aber dem Menschen vermöge seiner sittlichen Anlage die Fähigkeit zum Erleben der Natur als Idee nicht abspricht.

In dem ursprünglich dritten Aufsatz, der mit den zwei vorhergehenden dann zu der Abhandlung ‚Über naive und sentimentalische Dichtung‘ vereinigt wurde, unterscheidet Schiller zwei aus den gegensätzlichen Geisteshaltungen des Naiven und des Sentimentalischen hervorgegangene Menschencharaktere des alltäglichen Lebens, die er in ihrer normalen Verfassung als Realisten und Idealisten, in ihrer karikaturhaften Verzerrung als Empiristen und Phantasten bezeichnet. Es wäre ein lehrreiches, aber mühevolles Unternehmen, wollte man in den Empiristen und den Phantasten dieselben Gegensätze aufweisen, die in den aesthetischen Briefen zwischen angespannten und abgespannten Gemütern, zwischen Roheit und Schlaffheit festgestellt wurden — Gegensätze, über die in früheren Zusammenhängen ausführlich gehandelt worden ist. Allen diesen gegensätzlichen Menschentypen ist die eine Eigenschaft gemeinsam:

Es fehlt ihnen die Fähigkeit, die Idee der Menschheit in sich zum Ausdruck zu bringen. Den Weg zu diesem Ziele zu weisen, ist nun nach Schillers Ansicht Aufgabe des Dichters, der, als der berufene „Bewahrer der Natur", als ihr Zeuge oder ihr Rächer aufstehen soll.

Aber der Dichter könnte dieser seiner Aufgabe nimmer gerecht werden, wenn nicht der Gegensatz, der zwischen Realisten und Idealisten, und noch unüberbrückbarer zwischen Empiristen und Phantasten aufgerichtet ist, zwischen naivem und sentimentalischem Dichtergeist durch das sie verbindende „Poetische" aufgehoben wäre. Dieser wie jener will nämlich „aus dem Menschen ein Ganzes machen, wenn gleich auf sehr verschiedene Weise" (An Wilhelm von Humboldt 9. Januar 1796). Dichtergeist aber ist „Genie". Und „naiv muß jedes wahre Genie sein, oder es ist keines." Nur durch diese Teilnahme am Naiven ist der Dichter imstande, Bewahrer, Zeuge, Rächer der Natur zu sein. Durch sein Genie steht der Dichter unter den Eingebungen eines Gottes; denn „alles, was die gesunde Natur tut, ist göttlich." Mit „naiver Anmut drückt das Genie seine erhabensten und tiefsten Gedanken aus; es sind Göttersprüche aus dem Mund eines Kindes." Mit „innerer Notwendigkeit springt die Sprache aus dem Gedanken hervor und ist so sehr eins mit demselben, daß selbst unter der körperlichen Hülle der Geist wie entblößet erscheint:" Sympathie von Sprache und Gedanken, von stofflicher und geistiger Potenz, in inniger Harmonie von Sinnlichkeit und Vernunft, wie sie für den naiven Menschen charakteristisch ist. Insoweit hat Wilhelm von Humboldt seinen Freund richtig verstanden, wenn er ihm den Gedanken beilegt, „daß der sentimentalische Dichter in gewissem Sinn auch naiv ist" (Brief vom 18. Dezember 1795). Da aber der sentimentalische Dichter, wie vorhin gesagt, den Menschen „auf dem Wege der Vernunft und der Freiheit" zur Natur zurückleiten soll, bedarf er zur Erfüllung dieser Aufgabe noch anderer Mittel. Hier nun setzt der Teil seiner Wirksamkeit ein, für welchen die aesthetischen Aufsätze Schillers den Weg gewiesen haben. Freiheit im Sinne des vernunftgeleiteten Willens erscheint, so lehren die Kalliasbriefe, als Schönheit; die Existenz der Schönheit in diesem Sinne ist, wie der fünfzehnte der aesthetischen Briefe sagt, als „Spiel" von Sinnlichkeit und Vernunft, mit der Existenz des Menschen in seiner höchsten Vollkommenheit, also des Menschen der wiedergewonnenen Natur, identisch. Diese Schönheit spiegelt sich in den zwei Arten sentimentalischer Dichtung, die Schiller als satirische und elegische bezeichnet, je nachdem das Schwergewicht auf die Wirklichkeit als Grenze oder auf das Ideal als Unendliches gelegt wird. Zur satirischen Dichtung rechnet Schiller die Tragödie, als pathetische Satire, die der Ausdruck eines erhabenen Gemüts ist, und die Komödie, als die scherzhafte Satire, in der eine schöne Seele spricht. Elegisch nennt Schiller alle dichterischen Produkte, in denen „die

Trauer aus einer durch das Ideal erweckten Begeisterung" fließt. In dem dieser Dichtungsart gewidmeten Abschnitt verliert sich die theoretische Erörterung fast hinter der scharfsinnigen Kritik, mit der Schiller alle bedeutenden Lyriker und Epiker seines Zeitalters auf ihren Wert prüft.

6. Wie sieht Schiller Elysium?

Elysium ist für unseren Dichter der Zustand der wiedergewonnenen Natur — jetzt aber nicht einer dem Gesetz der Notwendigkeit unterworfenen Natur, sondern einer solchen, in welcher das Notwendige als neigungsbestimmtes Spiel der Kräfte in Freiheit gewirkt wird.

Dreimal findet sich in Schillers Gedichten die Idee einer Endzeit ewiger Jugend und ewigen Glücks behandelt: In ‚Elysium' der Anthologie von 1781, in ‚Das Ideal und das Leben' vom Jahre 1795 und in der 1796 entstandenen ‚Dithyrambe'. Eine vierte Behandlung des Gegenstandes, von der ein Brief an Wilhelm von Humboldt vom 25. Dezember 1795 spricht, hat Schiller nicht ausgeführt.

Das Gedicht ‚Elysium' ist Ausdruck einer Gefühlsreaktion gegenüber der den Stürmer und Dränger peinigenden Trauer über die Vergänglichkeit des Hochgefühls, das den Jüngling beherrscht, solange der Sympathieglaube ihn die Spannung zwischen Herz und Kopf vergessen läßt. Nur wenn die Seele „aus ihrer Hülle schwebt und mit freierem Fluge durch ihre Heimat Elysium wandert" (An die Leipziger Freunde 10. Febr. 1785), fühlt sich der Dichter dem Konflikt zwischen irdischem und himmlischem Anteil seines Wesens enthoben. Freilich, angesichts der bitteren Wirklichkeit vergißt der Poet nicht, daß dieses Elysium eben nur eine Heimat der Seele ist; und so kehren in dem Gedicht mehrmals Begriffe wieder, die den Gegensatz zu jener Wirklichkeit, in der die Materie herrscht, zum Bewußtsein bringen:

> „Die Stunden entfliehen in goldenen Träumen" ...
> „Seine Sichel entfällt hier dem Schnitter;
> eingesungen von Harfengezitter
> träumt er, geschnittene Halme zu sehn."

Der wilde Krieger

> „schläft hier linde bei des Baches Rieseln,
> der wie Silber spielet über Kieseln;
> ihm verhallet wilder Speere Klang."

Erst die letzte Strophe bringt einen Gedanken, der anderthalb Jahrzehnte später in der Ideenwelt des reifen Schiller zum Kerngehalt seines Bildes von Elysium werden sollte:

„Hier umarmen sich getreue Gatten,
küssen sich auf grünen samtnen Matten,
liebgekost vom Balsamwest;
ihre Krone findet hier die Liebe;
sicher vor des Todes strengem Hiebe,
feiert sie ein ewig Hochzeitfest."

Eine Annäherung an dieses Ziel bedeutet das Gedicht ‚Das Ideal und das Leben'. Etwa zur selben Zeit entstanden, als Schiller die Arbeit an der Abhandlung ‚Über naive und sentimentalische Dichtung' begann, ist dieses Gedicht geradezu die poetische Ausgestaltung des jene Abhandlung beherrschenden Leitgedankens, wie er in den einführenden Worten zu der Würdigung derselben formuliert wurde. Vom Urstand des Naiven über den Zustand der verlorenen Harmonie zum Endstand der Idylle — oder, wie das Gedicht die Entwicklung darstellt, vom Olymp der griechischen Götterwelt, über die Problematik von Sinnenglück und Seelenfrieden, auf dem Weg der als Schönheit sich manifestierenden Freiheit zurück zu einem in siegreichem Kampf mit dem „Leben" neu gewonnenen Olymp, wo dem Verklärten die Göttin der Jugend den Pokal reicht. Aber hiermit ist das Letzte noch nicht ausgesprochen, das den Schlußversen des Gedichtes der Anthologie ihre Bedeutung gibt. ‚Das Ideal und das Leben' oder, wie der Dichter es ursprünglich nannte, ‚Das Reich der Schatten' ist, laut einem Briefe an Wilhelm von Humboldt vom 29. November 1795, „bloß ein Lehrgedicht." Poetisch ausgeführt, „wäre es in gewissem Sinne ein Maximum gewesen"; denn dann wäre es eine Idylle im Sinne Schillers geworden, die das Ziel hat, „das Ideal der Schönheit objektiv zu individualisieren." Es ist nötig, den Dichter selbst hier ausführlich sprechen zu lassen:

„In der sentimentalischen Dichtkunst ... ist die Idylle das höchste, aber auch das schwierigste Problem. Es wird nämlich aufgegeben, ohne Beihilfe des Pathos einen hohen, ja den höchsten Effekt hervorzubringen. Mein ‚Reich der Schatten' enthält dazu nur die Regeln; ihre Befolgung in einem einzelnen Falle würde die Idylle, von der ich rede, erzeugen. Ich habe ernstlich im Sinn, da fortzufahren, wo ‚Das Reich der Schatten' aufhört, aber darstellend und nicht lehrend. Hercules ist in den Olymp eingetreten; hier endigt letzteres Gedicht. Die Vermählung des Hercules mit der Hebe würde der Inhalt meiner Idylle sein. Über diesen Stoff hinaus gibt es keinen mehr für den Poeten; denn dieser darf die menschliche Natur nicht verlassen, und eben von diesem Übertritt des Menschen in den Gott würde die Idylle handeln. Die Hauptfiguren wären zwar schon Götter, aber durch Hercules kann ich sie noch an die Menschheit anknüpfen und eine Bewegung in das Gemälde bringen. Gelänge mir dieses Unternehmen, so hoffte ich dadurch mit der sentimentalischen Poesie über die naive selbst triumphiert zu haben." Und weiter: „Denken Sie sich aber den Genuß, lieber Freund, in einer poetischen Darstellung alles Sterbliche ausgelöscht, lauter Licht, lauter Freiheit, lauter Vermögen — keine Schatten, keine Schranke, nichts von dem allem mehr zu sehen. Mir schwindelt ordentlich, wenn ich an diese Aufgabe, wenn ich an die Möglichkeit ihrer Auflösung denke. Eine Szene im Olymp darzustellen, welcher höchste aller Genüsse! Ich verzweifle nicht ganz daran, wenn mein Gemüt nur erst ganz frei und von allem Unrat der Wirklichkeit recht rein gewaschen ist; ich nehme dann meine ganze Kraft und den ganzen aetherischen Teil meiner Natur noch einmal zusammen, wenn er auch bei dieser Gelegenheit rein sollte aufgebraucht werden."

Schiller hat seine Absicht, in einer olympischen Idylle den idealen Zustand einer vollkommenen Menschheit zu schildern, einen Zustand, „den die Kultur, wenn sie überall nur eine bestimmte Tendenz haben soll, als ihr letztes Ziel beabsichtigt," nicht ausgeführt. Die ‚Dithyrambe‘, in der er, der Sterbliche, die in seine irdische Halle herabgestiegenen Himmlischen bittet, ihn in ihren Olymp emporzuheben, ihm durch Hebe die Nektarschale zu kredenzen, ihm die Augen mit Himmelstau netzen zu lassen, wirkt wie ein Gebet um Kraft, die ihn zur Erfüllung seiner letzten Aufgabe befähigen solle.

Aber *ein* Gedanke, der gewiß eine wesentliche Bedeutung in der beabsichtigten Idylle gefunden hätte, läßt sich doch noch aus dem Briefwechsel mit Wilhelm von Humboldt gewinnen.

Der eigentliche Gegenstand des geplanten Gedichtes, sagt Schiller, solte die Hochzeit des Hercules mit Hebe werden. Der tiefere Sinn der Dichtung aber sollte der Ausdruck vollkommener Menschheit sein, der in der Idealisierung des Individuellen — oder, wie es Schillers Geschichtsphilosophie ausdrückt, in der Hinüberführung des Individuums in die Gattung — besteht.

In seinem Brief vom 25. Dezember 1795 an Wilhelm von Humboldt erinnert Schiller den Freund „an Ihren eigenen Begriff von den Geschlechtern und dessen Verhältnis zur geschlechtslosen Menschheit": „Gegen die Frau betrachtet, ist der Mann mehr ein bloß *möglicher* Mensch, aber ein Mensch in einem höheren Begriff; gegen den Mann gehalten, ist die Frau zwar ein *wirklicher,* aber ein weniger gehaltreicher Mensch. Weil aber beide doch in concreto Menschen sind, so sind sie, jedes in seinem vollkommensten Zustand betrachtet, zugleich formaliter und materialiter sich gleicher. Gibt man aber ihre spezifischen Unterschiede an, wie ich bei beiden Dichtungsarten tun wollte, so wird man den Mann immer durch einen höhern Gehalt und eine unvollkommene Form, die Frau durch einen niedrigern Gehalt, aber eine vollkommenere Form unterscheiden." Das Weibliche, Sinnbild des Naiven, in welchem die Anlage zur „Gestalt" naturhaft schlummert — das Männliche, Symbol des Sentimentalischen, in welchem das „Irdische" der Wirklichkeit des Lebens noch wirksam ist: man prüfe diese Deutungen an den Verkörperungen der Hebe und des Hercules, und man wird begreifen, was Schiller unter „Individualisierung des Ideals" verstand. Das Ideal ist die Wiedergewinnung der Natur in einer Versöhnung von Notwendigkeit und Freiheit, von Wirklichkeit und Möglichkeit; dies Ideal wird dargestellt in der Hochzeitsfeier der Urbilder des Naiven und des Sentimentalischen, deren Gegensatz sich in einer höchsten, allumfassenden Sympathie zwischen Gott und Mensch auflöst. — —

Vereinigt man die beiden Komplexe der Geschichtsphilosophie und der Aesthetik Schillers in dem Gesamtkomplex der Kulturphilosophie, so bietet sich ein Ausblick von überwältigender Größe. Anfang und Ende der menschlichen Kulturentwicklung sind in der Anschauung des großen Denkers gekennzeichnet durch je ein Menschenpaar voll symbolischen Tiefsinns. Am Anfang der Kultur stehen als Sinnbild der naiven Natur Mutter und Kind; an ihrem Ende stehen als Symbol der auf dem Weg der als Schönheit erscheinenden Freiheit wiedergewonnenen Natur Mann und Weib. Dort der instinkthafte, auf wechselseitigem Bedürfnis beruhende Trieb — hier die aus neigungsbestimmter Vernunft erwachsene höhere Liebe — individuelle Verkörperungen der beiden ursprünglichen Äußerungen der Sympathie, die in ihrer Versöhnung Ausdruck der vollkommenen Menschheit sind.

DRITTER TEIL

LEBENDIGER GEIST

Hatte sich der *erste* Teil dieses Buches die Aufgabe gestellt, das für die Entwicklung der Gedankenwelt Schillers entscheidende Problem in der Auseinandersetzung zwischen dem im Gemüt wurzelnden Sympathieglauben und der für dessen „Ernüchterung" wesentlichen „freien Vernunft" aufzuweisen, hatte der *zweite* Teil aus geschichtsphilosophischer und aesthetischer Spekulation heraus die für die Kulturgeschichte — als eigentlich-menschliche Leistung — bedeutsame Wechselwirkung dieser beiden seelisch-geistigen Kräfte in der „Sympathie der Vernunft" theoretisch zu veranschaulichen versucht, so soll der *dritte* Teil an dem dichterischen Werk des gereiften Schiller die praktische Auswirkung dieser für sein Denken und Schaffen einzig maßgeblichen charakterlich-weltanschaulichen Werte dartun.

Der als Titel dieses dritten Teils gewählte Ausdruck „lebendiger Geist" findet sich in dem gesamten Schrifttum der letzten zehn Lebensjahre Schillers nur an zwei Stellen seiner Lyrik. Er ist aber schon im ersten Brief ‚Über die aesthetische Erziehung des Menschen' enthalten und durch den Zusammenhang unmißverständlich bestimmt. Wie in den Anmerkungen zu diesem Briefe gezeigt, erweist dieser Zusammenhang den Ausdruck nicht allein als kennzeichnend für den Gegensatz, der darin zwischen Schillers und Kants Ethik ausgesprochen wird, sondern als neue Formulierung eines Gedankens, der in den Jahren jener „Ernüchterung" das Verhältnis zwischen Sympathie und Vernunft endgültig festzulegen begonnen hatte.

Wenn Schiller von der „Freiheit des Geistes" spricht, will das nichts anderes sagen, als daß der Dichter für die Gebote der Vernunft ihre freie, das heißt neigungsbestimmte Erfüllung fordert, daß er zwischen Anmut und Würde, zwischen Sinnlichkeit und Sittlichkeit, zwischen Fühlen und Denken jenes in der gesamten Schöpfung lebendige Spiel der Kräfte wirksam sehen will. Ohne sich darüber zu täuschen, daß die Erfüllung dieser Forderung angesichts des Lebens der Wirklichkeit immer nur ein Ideal bleiben wird, will Schiller die Herrschaft des „lebendigen Geistes" als „unendliche Aufgabe" doch im Interesse der Menschheit anerkannt wissen.

Die für den dritten Teil gewählte Aufteilung seines Stoffes in zwei Kapitel, deren erstes die Lyrik, deren zweites die Dramen zum Gegenstand hat, läßt äußerlich eine gewisse Verwandtschaft mit den beiden Kapiteln des vorhergehenden Teils vermuten — wenn auch in umgekehrter Reihenfolge. Die Tatsache, daß die dramatischen Werke — auch der Stoff zur ,Braut von Messina' ist ja, wenn auch frei erfunden, doch auf geschichtlichem Hintergrund entworfen — ausschließlich geschichtliche Gegenstände behandeln, nähert dieselben in gewissem Sinne der im ersten Kapitel des zweiten Teils dargestellten Geschichtsphilosophie Schillers. Die Würdigung der Lyrik aber könnte, dem die Aesthetik des Dichters behandelnden zweiten Kapitel jenes Teils entsprechend, das lyrische Schaffen als eine Art poetischer Spiegelung des den Schluß jenes Kapitels bildenden Kulturgemäldes erscheinen lassen. In Wahrheit hofft die Behandlung der Gedichte und Dramen aus Schillers letztem Lebensjahrzehnt zu zeigen, wie des Dichters reifste Schöpfungen, auf der Grundlage der für das Verständnis seiner Weltanschauung in den zwei vorhergehenden Teilen gewonnenen Ergebnissen betrachtet, gerade die Menschen unserer Gegenwart anzusprechen vermögen.

Erstes Kapitel

Lebensbeichte

Dieses Kapitel wird nur in besonders gelagerten Fällen durchgehende Interpretation einzelner Gedichte bringen. Im allgemeinen soll versucht werden, die über Schillers Lyrik weithin verstreuten weltanschaulichen Ideen, zu einem systematisch geschlossenen Komplex geordnet, als Manifestation eines auf Wechselwirkung von Sympathie und Vernunft beruhenden „lebendigen Geistes" und zugleich als Lebensbekenntnis ihres Verkünders zu veranschaulichen.

1. *Die Natur*

Ihren Ausgang nimmt die Betrachtung von den Äußerungen, die der Dichter der Natur widmet.

Die zahlreichen Beiwörter, die er ihr gibt, lassen sich in einer Reihenfolge ordnen: groß, unendlich, erhaben, fromm, heilig, unsterblich, frei, gewaltig. Eine eigentümliche Wechselbeziehung zwischen Ungebundenheit und Gebundensein in quantitativer und ethischer Hinsicht offenbart sich in diesen Beiwörtern.

‚Menschliches Wissen' vermag die große Natur nicht zu erfassen, weil es an räumliche Grenzen gebunden, die unendliche Natur[1] aber über alles Räumliche erhaben[2] ist. Worin aber besteht ihre Größe? Sie beruht, wie es in dem Gedicht ‚Der Genius' heißt, auf dem

> „ . . . großen Gesetz, das oben im Sonnenlauf waltet,
> und verborgen im Ei regt den hüpfenden Punkt",

in „der Notwendigkeit stillem, stetigem, gleichem Gesetz."

In mannigfachen Manifestationen wird dies Gesetz sichtbar. Es offenbart sich in der das Wesen der Natur bestimmenden Wechselbeziehung von Empfangen und Geben, in ihrer allein auf Bedürfnis und Bedürfnisbe-

---

[1] Shakespeares Schatten. — [2] An die Astronomen.

friedigung beruhenden Existenz, die das Unendliche durch „der Kräfte Tausch"[3] oder, um den Schlußvers der ‚Weltweisen' heranzuziehen, „durch Hunger und durch Liebe" bedingt sein läßt; es zeigt sich in dem ewig gleichen Rhythmus des Kreislaufs der „leuchtenden Sonnen," in den „Harmonien des Weltalls", aus denen ein „erhabener Gesang" zu tönen scheint.[4]

Dies Gesetz ist es, von dessen Beachtung die sämtlichen weiteren Eigenschaften der Natur abhängen.

Die Natur ist fromm;[5] denn sie „ehrt züchtig das alte Gesetz".[6] Sie ist aber zugleich heilig;[6] denn das Gesetz selbst ist heilig.[7] Und da das Gesetz, dem die Natur folgt, wie schon gesagt, stetig und gleich ist, gibt es ihr noch eine weitere Eigenschaft: Ihr Bild trägt „unsterbliche Züge".[8] Daher schreibt Schiller ‚Einem Freunde ins Stammbuch':

> „Unerschöpflich an Reiz, an immer erneuerter Schönheit,
> ist die Natur!"

Natur und Gesetz sind also ein und dasselbe, Wirksamkeit des Gesetzes und Existenz der Natur sind identisch. Ja, das Gesetz, das in der Natur tätig ist, es ist zugleich ein Sinnbild seiner Freiheit;[9] daher gilt für sie das Wort, das der Dichter auf den ‚Spielenden Knaben' anwendet:

> „ . . . die freie Natur folgt nur dem fröhlichen Trieb;"

und es ist kein Widerspruch, wenn Ceres beim ‚Eleusischen Fest' sagt:

> „Freiheit liebt das Tier der Wüste,
> frei im Aether herrscht der Gott;
> ihrer Brust gewalt'ge Lüste
> zähmet das Naturgebot."

Das Gesetz aber, das schließlich die Natur selbst ist, erhebt dieselbe zu der Macht, die ihr eigenes Werk beschützt, indem sie „vereint, was ewig sich sucht",[10] die „den Bau der Welt zusammenhält".[11] Sie wird zu der „gewaltigen Natur," die alles „an das All knüpft",[12] zugleich aber zu der Mutter, in deren „getreuen Armen",[13] an deren „Herzen"[6] alles Geschaffene ruht — mit einem Wort: Sie bindet durch das Gesetz, das sie selbst ist, alles Lebendige zu einem Ganzen zusammen.

Die Schlußworte des Gedichtes ‚Die Weltweisen' zeigen wieder die Transparenz des einen Kernbegriffes der Gedankenwelt Schillers. Hunger, eine Reaktion der tierischen Natur, Liebe, im weitesten Sinne der geistige

---

[3] Der philosophische Egoist. — [4] Der Tanz. — [5] Würde der Frauen. — [6] Der Spaziergang. — [7] Der Genius. — [8] Ilias. — [9] vgl. ‚Das Tor'. — [10] Die Geschlechter. —[11] Die Weltweisen. — [12] Der Vater. — [13] Die Macht des Gesanges.

Parallelvorgang: Das die Welt zusammenhaltende Band ist die den ungeheuren Organismus der Natur als solchen sichernde physisch-psychische Sympathie von „Geisterreich und Körperweltgewühle."

2. Der Mensch

Dasselbe Gedicht veranschaulicht die Problematik der Stellung, die in Schillers Augen der Mensch gegenüber dieser in Sympathie vereinten Natur einnimmt. Es ist eine für die „Krone der Schöpfung" nicht empfehlende Stellung.

Was dem Menschen seine Sinne sagen, glaubt er erst durch die Weisheit der Metaphysik beweisen zu müssen. Was die Helden aller Zeiten im Kampf mit Gefahren jeglicher Art geleistet, was der brave Mann als selbstverständliche Pflicht erfüllte, meint die Philosophie überhaupt erst als möglich dartun zu müssen. Der Tatsache, daß im Leben allein „der Stärke Recht gilt", wollen die Moralisten die Möglichkeit einer anderen Welt gegenüberstellen, in der das Sittliche nicht nur gefordert, sondern Wirklichkeit werden könne. Kurz gesagt: Der Mensch unterfängt sich, anstelle der den Bau der Welt zusammenhaltenden Kräfte der Sympathie ein Produkt seiner Vernunft, eine sogenannte Philosophie zu setzen.

Nichts kennzeichnet die fragwürdige Stellung des Menschen zur Natur treffender als dieses Gedicht.

Die Natur gehorcht einem Muß, dem Gesetz der Notwendigkeit, das sie selbst darstellt und das sie in diesem Sinne frei macht. Der Mensch ist das Geschöpf, welches will und in der Ausübung seines Willens frei zu sein glaubt. Er vergißt aber, daß er bei aller Vernunft doch auch ein Naturgeschöpf ist und daher die beiden Arten der Freiheit, die naturhafte Muß-Freiheit und die menschliche Will-Freiheit, in einen verhängnisvollen Konflikt bringt:

> „Freiheit! ruft die Vernunft, Freiheit! die wilde Begierde,
> von der heil'gen Natur ringen sie lüstern sich los."

Hatte das „Naturgebot", wie Ceres sagte, die „gewaltgen Lüste" durch das Muß gebändigt, so werden diese bisher gefesselten Lüste in dem Wesen, welches will, zu „wilder Begierde." Die soeben angeführten Verse aus dem ‚Spaziergang' zeigen die Folgen dieses Konfliktes: Im Hochgefühl seiner Vernunft meint der Mensch gerade da „vernünftig" zu handeln, wo in Wirklichkeit die Leidenschaft seinen Willen beherrscht. Der Bankerott der Vernunft wird offenbar, wie es der Dichter in dem so oft

in Erinnerung gerufenen elften Carlosbrief zum erstenmal ausgeführt hat:
„ . . . denn nichts führt zum Guten, was nicht natürlich ist."
Ist es immer so gewesen? Das Gedicht ‚Der Genius' gibt Antwort:

> „Freund, du kennst doch die goldene Zeit? Es haben dieDichter
> manche Sage von ihr rührend und kindlich erzählt —"

Und dann folgt die Schilderung jener goldenen Zeit der Sage:

> „Jene Zeit, da das Heilige noch im Leben gewandelt,
>   da jungfräulich und keusch noch das Gefühl sich bewahrt . . .
> noch der Notwendigkeit stilles Gesetz, das stetige, gleiche,
>   auch der menschlichen Brust freiere Wellen bewegt . . .
> Aber die glückliche Zeit ist dahin! Vermessene Willkür
>   hat der getreuen Natur göttlichen Frieden gestört."

Da klingen wieder die vorhin wiedergegebenen Worte aus dem ‚Spaziergang' an. Es ist die Klage über den Verlust der Sympathie zwischen Mensch und Natur, für welchen die sogenannte Vernunft einen fragwürdigen Ersatz bietet.

3. Mensch und Natur

Und doch findet sich diese Sympathie auch im Leben der Gegenwart noch allenthalben, wenn sie auch nur in einzelnen Menschengattungen, und nur in einzelnen Stadien ihres Erlebens zutage tritt.

Am ursprünglichsten offenbart sich die Sympathie der Natur auf menschlichem Gebiet in dem Verhältnis von Mutter und Kind. Hier ist das Wesen der „großen Natur, die, bald Kind und bald Mutter, jetzt empfänget, jetzt gibt" und „durch der Kräfte Tausch"[3] ihre Existenz erhält, gleichsam in ihre beiden polaren Kräfte zerlegt: Der „Hunger" des Säuglings, die „Liebe" der Mutter stehen in sympathetischer Wechselbeziehung.

Eine zweite Manifestation der natürlichen Sympathie ereignet sich, wenn der Mann zum Vater wird und „an das All die Natur ihn, die gewaltige, knüpft."[12] Sinnliches Verlangen und geistige Liebe gehen einander parallel, wenn der Mann sich mit dem Weib im Zeugungsakt vereinigt.

Dem Verhältnis der ‚Geschlechter' widmet Schiller eine besondere Behandlung. Solange Stolz und Scham die Jungfrau im Jüngling einen Feind erblicken lassen, solange den Jüngling der lockende Ruhm und der brausende Mut in den Speerkampf und auf die stäubende Rennbahn rufen, ist das Werk der alle Gegensätze in Sympathie ausgleichenden Natur bedroht. Aber die Zauber der im Dämmer des Sommerabends träumenden Welt —

ein Wirklichkeitsbild des idealen „Reiches der Schatten", von dem später die Rede sein wird — wecken in Jüngling und Jungfrau das liebende Sehnen; und

> „siehe, da finden sie sich, es führet sie Amor zusammen,
> und dem geflügelten Gott folgt der geflügelte Sieg".

„Göttliche Liebe" nennt der Dichter hier die Kraft, welche den Bau der Welt als ein Ganzes sichert.

Eine besondere Form sympathetischen Verwachsenseins von Mensch und Natur sieht Schiller im Bauernstande. ‚Der Spaziergang' weilt länger bei der Betrachtung des Landlebens.

> „Glückliches Volk der Gefilde! noch nicht zur Freiheit erwachet,
> teilst du mit deiner Flur fröhlich das enge Gesetz."

Auch in diesem Verhältnis bedingen sich wechselseitiges Bedürfnis von Hunger und von Liebe:

> „Nachbarlich wohnet der Mensch noch mit dem Acker zusammen,
> seine Felder umruhn friedlich sein ländliches Dach."

Da hat sich noch nicht die lüsterne Begierde losgerungen von der heiligen Natur; denn

> „deine Wünsche beschränkt der Ernten ruhiger Kreislauf,
> wie dein Tagewerk, gleich, windet dein Leben sich ab!"

Das will besagen: Das Naturgesetz, nach welchem „der Ernten ruhiger Kreislauf" erfolgt, ist gleichzeitig das Gesetz der Wünsche und Bedürfnisse des Menschen. Und die Verse:

> „Traulich rankt sich die Reb' empor an dem niedrigen Fenster,
> einen umarmenden Zweig schlingt um die Hütte der Baum"

veranschaulichen naturhaft-sinnbildlich die Liebe, mit welcher der Mensch, dem Beispiel der Rebe, des Baumes folgend, an seinem engen, friedlichen Heime hängt. So lebt der Mensch, zwar noch nicht zur Freiheit der Vernunft erwacht, aber eben darum dem Naturgesetz sich unterordnend und doch frei wie das Tier und der im Aether herrschende Gott.

Ganz laut endlich ertönt die Stimme der Natur im Menschen, wo „der Menschheit Leiden ihn umfangen"; denn da erlebt er, daß auch er widerstandslos in das Naturgesetz eingespannt, daß seine vielgerühmte Vernunft wertlos ist, wo namenloser Schmerz Leib und Seele zerreißt. Da mag es gelten, was der Dichter in ‚Das Ideal und das Leben' sagt:

> „Der Natur furchtbare Stimme siege,
> und der Freude Wange werde bleich,
> und der heilgen Sympathie erliege
> das Unsterbliche in euch!"

Aber trotz dieser mannigfachen Erscheinungen sympathetischer Beziehungen zwischen Mensch und Natur ist doch Schillers sentimentalische Klage über den Dahingang der „goldenen Zeit" berechtigt, als — der Sage nach — alle Menschen ohne Unterschied des Alters, des Geschlechts, der Beschäftigung in enger Berührung mit der Natur lebten — solange nicht die Vernunft, indem sie ihn über die Natur hinaushob, den Menschen der Natur entfremdet hatte.

4. *Der Genius*

Indessen nennt uns der Dichter eine Macht, die, ein Abkömmling jener sagenhaften Zeit, den Menschen wie ein Schutzgeist begleitet, die ihn immer wieder den Ruf der Natur vernehmen läßt. Sie hat das bunte Menschenleben seit jener grauen Vorzeit bis in unsere Gegenwart begleitet und verleiht ihm erst den echten Wert. Es ist ‚Der Genius', dem Schiller ein ganzes Gedicht gewidmet hat.

„Stimmen der Götter" nennt Schiller dieses „Orakel der getreuen Natur," das „in dem stilleren Selbst der horchende Geist vernimmt":

> „Hier beschwört es der Forscher, der reines Herzens hinabsteigt,
> und die verlorne Natur gibt ihm die Weisheit zurück."

Und mit begeisterten Worten apostrophiert Schiller den „Glücklichen", der den Genius in sich trägt:

> „Hast du, Glücklicher, nie den schützenden Engel verloren . . .
> einfach gehst du und still durch die eroberte Welt."

Ein besonderes Gedicht handelt von diesem „Glück", das, eine Gabe der Götter, „der Einfalt kindliche Seele" aufsucht.

> „Vor Unwürdigem kann dich der Wille, der ernste, bewahren,
> alles Höchste, es kommt frei von den Göttern herab."

Diese zwei Verse enthalten Wesentliches, was Schiller über die beiden Kernbegriffe seiner Gedankenwelt zu sagen hat.

Ausfluß des Willens ist die menschliche Vernunft; sie kann, wenn der Wille ernst ist, den Menschen vor einem Tun bewahren, das seiner Menschheit unwürdig ist. In dem Glauben, den der zweite Vers ausspricht, lebt der Gedanke, daß alles Höchste, und dies ist das Genialische, aus dem Gefühl der Sympathie stammt, welche, um an Ideengänge des jungen Schiller zu erinnern, aus der seelischen Kraft erwächst, die alle Naturwesen als Manifestationen göttlicher Mächte zu erleben und die Empfindungen der eigenen Seele als Antwort der Natur auf den sehnenden Ruf des menschlichen Herzens zu verstehen vermag.

Eine solche Sympathie ist nicht, wie die Vernunft, Sache des Willens, sondern die Gabe einer glücklichen Sekunde, die das fromme Gemüt als ein Geschenk des Himmels entgegennimmt, wie es das Gedicht ‚Die Gunst des Augenblicks‘ ausspricht:

> „Aus den Wolken muß es fallen,
>   aus der Götter Schoß das Glück,
> und der mächtigste von allen
>   Herrschern ist der Augenblick.
> Von dem allerersten Werden
>   der unendlichen Natur
> alles Göttliche auf Erden
>   ist ein Lichtgedanke nur.“

Daher ziemt es sich nicht, dem Glücklichen ob seines Glückes zu zürnen; ist es doch die Offenbarung eines Wunders, wie der Genius selbst: Seine Existenz ist es, welcher die Menschheit ihre Daseinsfreude verdankt; denn — so heißt es in dem Gedicht ‚Das Glück‘:

> „. . . die Freude ruft nur ein Gott auf sterbliche Wangen,
>   wo kein Wunder geschieht, ist kein Beglückter zu sehn.“

Deshalb wirkt der Genius dem Schöpfer gleich:

> „Wodurch gibt sich der Genius kund? Wodurch sich der Schöpfer
>   kundgibt in der Natur, in dem unendlichen All.“[14]

Das schöne, von Goethe geprägte Wort „Gottnatur“ gilt auch für Schillers Geniusbegriff; denn, so sagt das in die ‚Votivtafeln‘ aufgenommene Epigramm ‚Der Genius‘:

> „du nur, Genius, mehrst in der Natur die Natur“;

und im Hinblick auf ‚Kolumbus‘ erklärt der Dichter:

> „Mit dem Genius steht die Natur in ewigem Bunde;
>   was der eine verspricht, leistet der andre gewiß.“

Im erhabensten Sinne aber beweist der Genius seine schöpferische Kraft durch das, was er an den Menschen leistet. Sorgt der himmlische Schöpfer durch „Regen und Tau“ für das Wohl der „Menschengeschlechter“,[15] so hat er den Genius dazu bestimmt, aus wenigen Auserlesenen dieser Menschengeschlechter die „Menschheit“ zu schaffen; denn

---

14) Genialität. — 15)An einen Weltverbesserer.

„... entfaltet sich auch nur einer, einer allein streut
eine lebendige Welt ewiger Bildungen aus."[16]

Damit erhält die Sympathie, welche Genius und Natur verbindet, ihre
höchste, die theosophisch-religiöse Form.

Dieser höchsten Sympathie dankt der Genius die Erkenntnisse, die er
über die für Natur wie Mensch gleicherweise gültige „ewige Regel"
empfangen hat, und die ihn befähigen, den Menschen die verlorene Natur
wiederfinden zu lassen.

Gleichlauf erkennt der Genius zwischen dem ‚Sämann' und seiner
eigenen, vom himmlischen Schöpfer ihm bestimmten Tätigkeit:

„Liebe, voll Hoffnung vertraust du der Erde den goldenen Samen
und erwartest im Lenz fröhlich die keimende Saat.
Nur in die Furche der Zeit bedenkst du dich Taten zu streuen,
die, von der Weisheit gesät, still für die Ewigkeit blühn?"

Einen ‚Naturkreis' erkennt der Genius im Lebensgang des Menschen:

„Alles, du Ruhige, schließt sich in deinem Reiche; so kehret
auch zum Kinde der Greis kindisch und kindlich zurück."

Meisterhaft ziehen die zwei ‚Sprüche des Konfucius' Parallelen zwischen dem Dreischritt der Zeit in Zukunft, Gegenwart und Vergangenheit,
dem Dreimaß des Raumes nach Länge, Breite und Tiefe und der weisen
Lebenshaltung des zur Menschheit reifen Menschen. Jeweils folgen der
ersten Strophe, welche Zeit und Raum in ihrer Wesensart veranschaulicht, je zweifach formulierte Anweisungen für das menschliche Handeln,
indem in derselben Anordnung der für Zeit und Raum gesetzten Dreiteilung die auf Vernunft begründete Sympathie zwischen der Ordnung der
Natur und den menschheitlichen Lebensgrundsätzen aufgewiesen wird.

Eine besondere Spiegelung des Gleichlaufs zwischen Universum und
menschlich-weisem Sein und Handeln weist ‚Zenith und Nadiv' auf:

„Wo du auch wandelst im Raum, es knüpft dein Zenith und Nadir
an den Himmel dich an, dich an die Achse der Welt.
Wie du auch handelst in dir, es berühre den Himmel der Wille,
durch die Achse der Welt gehe die Richtung der Tat!"

Ganz großartig ist die Beziehung, die der Genius zwischen der Bewegung des Weltalls und dem ‚Tanz' erkennt:

„Ewig zerstört, es erzeugt sich ewig die drehende Schöpfung,
und ein stilles Gesetz lenkt der Verwandlungen Spiel."

Hier wie dort herrschen Schwung, schwereloses Schweben, leichtes,

---

[16] Die verschiedene Bestimmung.

wiegendes Schaukeln, Ruhe und Bewegung in einem; hier wie dort gehorchen diese Erscheinungen einem Rhythmus der Harmonie, einem maß-
voll geregelten Wohllaut, einem erhabenen Gesang. —

Dies Gedicht leitet unmittelbar weiter zur Beantwortung der Frage,
welche Macht es denn ist, durch welche nach Schillers Anschauung der
Genius der Natur am allernächsten steht.

Die Kraft, welche den Tanz und die Schöpfung in allumfassender Sympathie verbindet, es ist

> „ . . . des Wohllauts mächtige Gottheit,
> die zum geselligen Tanz ordnet den tobenden Sprung,
> die, der Nemesis gleich, an des Rhythmus goldenem Zügel
> lenkt die brausende Lust und die verwilderte zähmt.

Verwundert fragt der Dichter den für diese Sympathie unempfänglichen
Menschen:

> „Und dir rauschen umsonst die Harmonien des Weltalls?
> Dich ergreift nicht der Strom dieses erhabnen Gesangs?
> Nicht der begeisternde Takt, den alle Wesen dir schlagen?
> Nicht der wirbelnde Tanz, der durch den ewigen Raum
> leuchtende Sonnen schwingt in kühn gewundenen Bahnen?“

Denn Schiller mißt die stärkste Wirkung, durch welche das menschliche
Gemüt zum Gefühl der Verbundenheit mit der Allschöpfung und dem in
ihr waltenden Gesetze geführt wird, der ,Macht des Gesanges‘ zu.

Schicksalhaft, weil an ein strenges, unergründliches Gesetz gebunden,
wirkt der Gesang auf das Menschenherz. Wie in Natur und Tanz jedes
Geschöpf,

> „jeder ein Herrscher, frei, nur dem eigenen Herzen gehorchet“

und doch, „einem stillen Gesetz“ folgend, dem „erhab'nen Gesang“ sich
hingibt — hingeben muß —, so wiegt der Gesang das „bewegte Herz“

> „ . . . zwischen Ernst und Spiele
> auf schwanker Leiter der Gefühle“.

Und die Wirkung? Es ist dieselbe, zu welcher jeder Genius den Menschen
führen will:

> „In der Natur getreuen Armen
> von kalten Regeln zu erwarmen.“

Durch diese Rückführung zur Natur wird „der dunkeln Gefühle Gewalt“
wieder geweckt, „die im Herzen wunderbar schliefen“.[17] Denn

> „ . . . die Seele spricht nur Polyhymnia aus.“[18]

---

[17]) Der Graf von Habsburg. — [18]) Tonkunst.

Daher sieht Schiller das Urbild des Genius im Sänger verkörpert. Voll schmerzlicher Sehnsucht gedenkt er der ‚Sänger der Vorzeit‘,

„die vom Himmel den Gott, zum Himmel den Menschen gesungen“,

das heißt die umfassende kosmisch-genialische Sympathie zwischen Mensch und Schöpfung in ihrer erhabensten theosophisch-religiösen Form erlebten und erleben ließen. Es klingt wie ein Appell an die Sänger der Gegenwart, wenn das Gedicht mit den Worten schließt:

„Der Glückliche, dem in des Volkes
Stimme noch hell zurück tönte die Seele des Lieds,
dem noch von außen erschien, im Leben, die himmlische Gottheit,
die der Neuere kaum, kaum noch im Herzen vernimmt.“

Da klagt der Dichter über die verloren gegangene Fähigkeit der Menschenseele, in der Natur das Göttliche manifestiert zu erleben, weil — das bleibt unausgesprochen — die beschränkte Vernunft über das Herz die Oberhand gewonnen hat.

Noch einmal wird die Rolle des Sängers veranschaulicht in den ‚Vier Weltaltern.‘ Als Genius hat der Sänger das Weltgesehen von Anbeginn begleitet; er macht die Erde zum Wohnsitz der Götter und gibt dem Augenblick unendlich-ewige Bedeutung.

„Er kommt aus dem kindlichen Alter der Welt,
wo die Völker sich jugendlich freuten;
er hat sich, ein fröhlicher Wandrer, gesellt
zu allen Geschlechtern und Zeiten.
Vier Menschenalter hat er gesehn
und läßt sie am fünften vorübergehn.“

Die naive Natursympathie des ersten, die göttliche Herrschaft der Schönheit im zweiten, die Musenwelt des dritten Zeitalters gleiten an dem rückschauenden Auge vorüber — wie ein Abschluß der genialischen Epoche klingen die Schlußworte der achten Strophe:

„Das Alter der göttlichen Phantasie,
es ist verschwunden, es kehret nie.“

Denn das vierte Weltalter ist durch die Geburt des Sohnes der Jungfrau gekennzeichnet, die eine innere Umkehr des Menschen einzuleiten scheint:

„Verbannt ward der Sinne flüchtige Lust,
und der Mensch griff *denkend* in seine Brust.“

Kein Zweifel, daß der Dichter zwischen dem, was menschliche Weisheit aus der Lehre des Heilands gemacht hat, und der Mechanisierung, der

Entgöttlichung der Welt einen inneren Zusammenhang zu finden glaubt, wie es bitter und herb in der ersten, nur wenig gemildert in der zweiten Bearbeitung der ‚Götter Griechenlands' ausgesprochen ist. —

Aber anstelle der resignierten Haltung, welche jenes Gedicht in seiner Bearbeitung vom Jahr 1800 abschließt, tritt in den letzten Strophen der ‚Vier Weltalter' der Hinweis auf die ungebrochen dauernde Macht der Liebe, an welcher die Flamme des Liedes neu entbrannte, und an die Seite des Sängers als Verkörperung des Genius treten nun die Frauen, die Hand in Hand mit jenem „den Gürtel des Schönen und Rechten" wirken und weben; und

> „Gesang und Liebe in schönem Verein,
> sie erhalten dem Leben den Jugendschein."

Die Frauen als naturnahe Verkörperung der Liebe verherrlicht der Dichter in dem bekannten Gedicht ‚Würde der Frauen', das durch die ständige Gegenüberstellung des männlichen Wesens die weibliche Eigenart noch kräftiger hervortreten läßt. Der Mann, seiner Leidenschaft folgend, schweift „aus der Wahrheit Schranken"; das heißt, die Leidenschaft beschränkt seine Vernunft, weil seine „wilde Kraft" triebbestimmend ist. Die Frauen als „treue Töchter der frommen Natur" rufen den Mann durch ihrer Blicke Zauber zurück in die Gegenwart. Während der Mann seine Freiheit im wilden Streben nach Erfüllung zielloser Wünsche sieht, sind die Frauen „freier in ihrem gebundenen Wirken" — weil sie sich an die Gesetze der Natur halten —, „reicher als er in des Wissens Bezirken" — weil ihr Wissen nicht durch die beschränkte Vernunft der Leidenschaft, sondern durch die Weisheit sympathetischen Fühlens bestimmt ist. Dem Manne ist „der Tausch der Seelen" fremd, während die empfindende Seele der Frau der Liebe geöffnet ist. Der Mann herrscht vermöge des trotzigen Rechtes der Stärke: die rauhe Stimme der Eris waltet, während die Charis flieht. Wie anders die Frauen! Sie

> „lehren die Kräfte, die feindlich sich hassen,
> sich in der lieblichen Form zu umfassen,
> und vereinen, was ewig sich flieht —"

Stifterinnen der Sympathie, deren großartigste Manifestation gleich in den ersten Worten des Gedichtes ausgesprochen wird:

> „Ehret die Frauen! sie flechten und weben
> himmlische Rosen ins irdische Leben."

Gedichte geringeren Umfangs heben nur einzelne Merkmale an dem fraulichen Gesamtwesen hervor, gleichfalls dieselben durch den männlichen Kontrast veranschaulichend; so das Distichon ‚Weibliches Urteil':

"Männer richten nach Gründen, des Weibes Urteil ist seine
    Liebe; wo es nicht liebt, hat schon gerichtet das Weib;"

so die ‚Tugend des Weibes':

"Tugenden brauchet der Mann, er stürzet sich wagend ins Leben,
    tritt mit dem stärkeren Glück in den bedenklichen Kampf.
Eine Tugend genüget dem Weib; sie ist da, sie erscheinet
    lieblich dem Herzen, dem Aug lieblich erscheine sie stets!"

In dem Gedicht ‚Das weibliche Ideal' heißt es:

"Dünke der Mann sich frei! Du *bist* es; denn ewig notwendig
    weißt du von keiner Wahl, keiner Notwendigkeit mehr;"

und von der ‚Macht des Weibes' sagt der Dichter:

"Kraft erwart' ich vom Mann, des Gesetzes Würde behaupt' er;
    aber durch Anmut allein herrschet und herrsche das Weib."

Der Anmut Gürtel ist ja bekanntlich der Schmuck der Liebesgöttin. Sehr
fein ist daher des Dichters Weisung in dem Distichon ‚Forum des Weibes':

"Frauen, richtet mir nie des Mannes einzelne Taten;
    aber über den Mann sprechet das richtende Wort!"

Denn wie die Natur ein umfassendes Ganzes ist, in welchem das Einzelne
verschwindet, so gilt von der Verkörperung des ‚Weiblichen Ideals':

"Was du auch gibst, stets gibst du dich ganz; du bist ewig nur Eines,
    auch dein zartester Laut ist dein harmonisches Selbst."

Eben darum besitzt ja die Frau die vorhin erwähnte Kunst, "zu vereinen,
was ewig sich flieht", das heißt, die Sympathie herzustellen, der alles
huldigen soll, "was den großen Ring bewohnet."[19]
    Versucht man die Aussprüche, die Schiller in den angeführten Gedich-
ten der Verschiedenartigkeit des männlichen und des weiblichen Wesens
widmet, unter einen gemeinsamen Gedanken zu ordnen, so könnte dieser
so lauten: Die oftmals leidenschaftlich beschränkte Vernunft des sich frei
dünkenden Mannes wird erst frei, wenn die sympathetische Kraft der
Frau sie in ihren Dienst stellt. —
    Wie viele überraschende Beziehungen lassen sich aus unseres Dich-
ters lyrischem Schaffen zwischen dem Wirken des Sängers und der
Frau, zwischen Lied und Liebe auffinden!
    ‚Die Macht des Gesanges' schließt mit den Versen:

---

[19] An die Freude. —

> „... so *führt* zu seiner Jugend Hütten
> zu seiner Unschuld reinem Glück,
> vom fernen Ausland fremder Sitten
> den *Flüchtling* der Gesang *zurück,*
> in der *Natur getreuen* Armen
> von kalten Regeln zu erwarmen."

Die Wirkung der Frauen auf den „rastlos durch entlegne Sterne seines Traumes Bild jagenden Mann" wird in der ‚Würde der Frauen' so gekennzeichnet:

> „Aber mit zauberisch fesselndem Blicke
> *winken* die Frauen den *Flüchtling zurücke,*
> warnend zurück in der Gegenwart Spur ...
> *treue* Töchter der frommen *Natur."*

Im Gegensatz zu dem „ohne Rast und Aufenthalt" durch das Leben stürmenden Mann heißt es in demselben Gedicht von den Vertreterinnen des anderen Geschlechts:

> „Aber zufrieden mit stillerem Ruhme,
> brechen die Frauen des *Augenblicks* Blume,
> nähren sie sorgsam mit liebendem Fleiß ..."

Der Sänger aber, das bescheidene Wirken der Frau gleichsam ins Große projizierend,

> „.. drückt .. ein Bild des unendlichen All
> in des *Augenblicks* flüchtig verrauschenden Schall."[20]

Mittler zwischen Himmel und Erde waren nicht nur ‚Die Sänger der Vorzeit,' die

> „... vom Himmel den *Gott,* zum Himmel den *Menschen* gesungen,"

sondern sind heute noch die Frauen, indem sie, wie schon gesagt, „*himmlische* Rosen ins *irdische* Leben" flechten.

In dem Distichon ‚Die Tonkunst' hieß es:

> „... die *Seele* spricht nur Polyhymnia aus;"

die ‚Würde der Frauen' aber kennt, im Gegensatz zu „des Mannes kalter Brust", den „Tausch der *Seelen*", wenn Herz sich an Herz schmiegt.

Dem ‚Grafen von Habsburg' verkündet „der Bringer der Lust:"

> „Der Sänger singt von der Minne Sold,
> er preiset das Höchste, das Beste,
> was das *Herz* sich wünscht, was der *Sinn* begehrt ..."

die ‚Tugend des Weibes' ist eine:

---

[20] Die vier Weltalter. —

„... sie erscheinet
lieblich dem *Herzen*, dem *Aug'* lieblich erscheine sie stets!"

Wie die ‚Macht des Gesanges' dem Schicksal vergleichbar ist, unter dessen Einfluß

„vor der *Wahrheit* mächt'gem Siege
verschwindet jedes Werk der Lüge" —

so weist des Weibes Augenzauber den Mann in „der *Wahrheit* Schranken" zurück, aus denen „seine wilde Kraft ewig schweift".[21]

Wie der Sänger — das Gedicht ‚Der Tanz' spricht es aus — durch seinen Gesang mit der *Harmonie* des Weltalls verbunden ist, sein Ohr an des Himmels *Harmonie* hängt,[22] so gibt sich die Frau, wenn sie das ‚weibliche Ideal' verkörpert, ganz wie sie ist, und auch ihr zartester Laut ist ihr *harmonisches Selbst*.

Und schließlich besteht zwischen Sänger und Frau noch eine weitere wesentliche Beziehung, durch welche das Verständnis des geistigen Gehaltes der Lyrik Schillers um einen entscheidenden Schritt weitergeführt wird.

In den ‚Vier Weltaltern' wird bekanntlich der Sänger als der fröhliche Wandrer bezeichnet, der sich zu allen Geschlechtern und Zeiten gesellt hat. Aber als Mitglied des urältesten Götterrates ist er auch Träger tiefster Weisheit, wie sie nur die Sympathie mit Gottnatur vermitteln kann; darum eben vermag er, wie schon bemerkt, „ein Bild des unendlichen All in des Augenblicks flüchtig verrauschenden Schall" zu drücken. Auch die Frauen übertreffen den Mann an Reichtum

„in des Wissens Bezirken
und in der Dichtung unendlichem Kreis:"

auch ihnen hat die Liebe die rechte Weisheit verliehen. Und wie der Sänger ein sympathetisch fühlender und weiser Beobachter aller Geschlechter und Zeiten gewesen ist, so sind die Frauen die rechten Zuschauerinnen im ‚Spiel des Lebens', der Welt im kleinen.

Wieso „die rechten"? Weil sie eine Forderung erfüllen, die der Dichter an alle Beschauer dieser Welt richtet:

„Nur müßt ihr nicht zu nahe stehn,
ihr müßt sie bei der Liebe Kerzen
und nur bei Amors Fackel sehn."

Warum dies Verlangen? Man muß wissen, wie Schiller über das „Spiel des Lebens" urteilt, um es zu begreifen.

---

[21]) Würde der Frauen. — [22]) Die Teilung der Erde. —

5. Widersprüche des Lebens

Harmlos ist noch, was der Guckkasten seinen Zuschauern zeigt: Ein unaufhörliches Wettrennen um das „Glück", um den Erfolg, in welchem der Kluge — also nicht der sittlich Strebende! — Sieger bleibt. In einem Distichon, ‚Naturgesetz‘, erwähnt der Dichter noch ein anderes Mittel, das den Sieg verbürgt:

> „So war's immer, mein Freund, und so wird's bleiben: die Ohnmacht
> hat die Regel für sich, aber die Kraft den Erfolg."

Wahrhaft düster aber ist das Bild, das Schiller in anderen Gedichten vom Leben entwirft.

Schier trostlos erscheint das menschliche Leben in den ‚Worten des Wahns‘:

> „Das Rechte, das Gute führt ewig Streit,
> nie wird der Feind ihm erliegen . . .;"

das Glück ist dem Schlechten hold, und der freie Geist der Wahrheit bleibt in ein tönendes Wort gekerkert, ohne je dem irdischen Verstand offenbar zu werden.

Die Widersprüche, an denen das Leben so reich ist, zeigt ‚Das Siegesfest‘ auf. In die frohen Lieder der siegreich in die Heimat zurückkehrenden Griechen mischt sich der Wehgesang der gefangenen Trojanerinnen. Die Siegesfreude wird gedämpft durch den Gedanken an die Opfer, die das zehnjährige Ringen gekostet hat. Dem Helden, der als Oberbefehlshaber des Griechenheeres den größten Ruhm, die höchsten Ehren auf sich vereinigt, droht zu Hause ein furchtbares Ende durch die Arglist des treulosen Weibes. Menelaus scheint sein Glück den gerecht in Himmelshöhen waltenden Göttern zu verdanken — und doch gilt das Wort:

> „Ohne Wahl verteilt die Gaben,
> ohne Billigkeit das Glück;
> denn Patroklus liegt begraben,
> und Thersites kommt zurück!"

Und der heldenhafte Aiax, „der ein Turm war in der Schlacht," wurde er nicht ein Opfer der eigenen, zornmütigen Leidenschaft? Achill und Hektor — beide von keinem übertroffene Kämpfer — aber nur jener lebt im Liede fort, während von dem überwundenen Mann der Sänger schweigt!

Wehe dem Menschen, dem wie ‚Kassandra‘ der „aufgeschloßne Sinn" gegeben ist, mit dem er den „ewig Blinden"[23] vergeblich die düstere Zukunft verkündet! Wie glücklich diejenigen, die sich ahnungslos dem Genuß des Augenblicks hingeben können! Denn

---

[23]) Das Lied von der Glocke. —

> „nur der Irrtum ist das Leben,
> und das Wissen ist der Tod."

Alles Lebendige steht ja im Zeichen der Vernichtung; darum:

> „Wer erfreute sich des Lebens,
> der in seine Tiefen blickt!"

Wie irreführend wirkt auf den unerfahrenen Betrachter ‚Der Genius mit der umgekehrten Fackel':

> „Lieblich sieht er zwar aus mit seiner erloschenen Fackel;
> aber, ihr Herren, der Tod ist so aesthetisch doch nicht."

„Die Welt . . . ein Grab" — das ist die Erkenntnis dessen, der das Leben aus der Nähe erfahren hat und nun „verwerfend hinblickt auf alles, was nur scheint," auf die ‚Poesie des Lebens.'

Aber wie wirkt diese auf der „Erfahrung" erwachsene Haltung auf das menschliche Innenleben?

In dem soeben genannten Gedicht entwirft Schiller ein Bild von dem Menschen, der über dem aus der Nähe besehenen „Spiel des Lebens" die „Poesie des Lebens" vergißt:

> „Erschreckt von deinem ernsten Worte
> entflieht der Liebesgötter Schar . . .;"

die Musen verstummen, die Tänze der Horen ruhen, Apoll zerbricht seine goldene Leier, Hermes seinen Wunderstab, mit dem er „des Lebens bleiches Antlitz" durch den rosenfarbenen Schleier des Traums, der Phantasie verhüllte, „Cytherens Sohn" entfernt von seinen Augen die Binde, deren Zauber den Sterblichen als Götterkind erscheinen ließ . . .,

> „der Schönheit Jugendbild veraltet,
> auf deinen Lippen selbst erkaltet
> der Liebe Kuß, und in der Freude Schwung
> ergreift dich die Versteinerung."

An Anfang und am Schluß der erschütternden Darstellung findet sich das Wort, dessen Bedeutung die Antwort auf die vorhin gestellte Frage enthält:

Die Verwerfung der Poesie des Lebens bedeutet den Tod der Liebe — oder umgekehrt: Wer nicht sympathetisch empfinden kann, raubt dem Leben alle Schönheit, die als Traum der Phantasie das Leben erst lebenswert, ja lebensfähig macht.

Ob man sich zu dieser oder jener Fassung entschließt, aus beiden ergibt sich die Weisheit: Leben und Lieben sind ein und dasselbe. Greift man aber auf die aus früheren Zusammenhängen bekannte Unterscheidung

zwischen „Leben der Wirklichkeit" und „wahrem Leben" zurück — die
ja bei Schiller in der Fassung „Spiel des Lebens" und „Poesie des Lebens" wiederkehrt —, so formuliert sich die Problematik des Lebens
folgendermaßen: Nur wo Sympathie herrscht, ist wahres Leben; das Leben der Wirklichkeit ist liebeleer.

6. Liebe und Leben

Die Betrachtung nähert sich dem eigentlichen Gegenstand dieses Kapitels, das an Schillers Lyrik dessen Heranreifung zur idealistischen
Weltanschauung vergegenwärtigen will.

Wie die bisherigen Ausführungen zeigten, ist diese Entwicklung wieder
bedingt durch den Zentralbegriff der ganzen Gedankenwelt des Dichters:
durch die Sympathie bzw. die Sympathie der Vernunft. In der Lyrik wird
diese seelisch-geistige Kraft als Identität von Liebe und Leben begriffen.

Welche Schilderungen gewaltigsten Liebeserlebens bringen so manche
Gedichte des vollendeten Schiller! An der Spitze stehen ‚Hero und Leander' und die Geschichte vom ‚Ritter Toggenburg'. Ein Beispiel rühren-
der Mutterliebe gibt das Gedicht ‚Klage der Ceres'. Zwei Dichtungen
sprechen durch Mädchenmund in merkwürdig verwandter und doch wieder verschiedener Haltung von Erinnerungen an vergangenes Liebesglück:
‚Des Mädchens Klage' und ‚Thekla'. In des Dichters eigenen Worten
behandelt denselben Gegenstand die ‚Nenie'. Und das kurze Gedicht
‚An Emma' bringt dasselbe Thema wieder in anderer Ausführung.

Ein gemeinsames Merkmal kennzeichnet alle diese von der Liebe handelnden Dichtungen: das unverkennbare Überwiegen des Leidgedankens.

Symbolhaft ist dies angedeutet in den Worten:

> „Heros und Leanders Herzen
> rührte mit dem Pfeil der Schmerzen
> Amors heil'ge Göttermacht."

Alle Gedichte sprechen aus einer Situation heraus, in welcher das Liebesglück als solches der Vergangenheit angehört — so in ‚Des Mädchens
Klage', in ‚Thekla', ‚An Emma' und in anderem Sinne in der ‚Klage der
Ceres' — oder nur von kurzer Dauer ist — in ‚Hero und Leander' —
oder, wie im ‚Ritter Toggenburg' niemals Erfüllung fand. Aber alle Gedichte bezeugen doch die unüberwindliche Macht des Liebesgefühls, die
den Tod selbst überdauert.

Dem Hellespont widmet der Dichter in ‚Hero und Leander' die Worte:

> „Hört ihr jene Brandung stürmen,
> die sich an den Felsen bricht?
> Asien riß sie von Europen;
> doch die Liebe schreckt sie nicht."

Und von dem Geliebten sagt die auf Leanders Wiederkehr harrende Hero:

>„Er gelobte mir's beim Scheiden
>mit der Liebe heil'gen Eiden;
>ihn entbindet nur der Tod."

Musterhaft als Verkörperung einer Liebe, die stärker ist als der Tod, ist der Ritter Toggenburg, der inmitten kriegerischer Heldentaten im Kampf mit den Ungläubigen von seiner unerwiderten Liebe nicht läßt und sein weiteres Leben der entsagungsvollen Sehnsucht nach dem Anblick der unerreichbaren Geliebten widmet:

>„Und so saß er, eine Leiche,
>eines Morgens da;
>nach dem Fenster noch das bleiche
>stille Antlitz sah."

Dieser gewaltigen Liebesmacht gegenüber steht die Wirklichkeit des Lebens, die über das Glück der Liebenden erbarmungslos hinwegschreitet.

Als ein Wahn erweist sich Heros liebender Glaube an sympathetisches Fühlen der Elemente:

>„Schöner Gott, du solltest trügen!
>Nein, den Frevler straf' ich Lügen,
>der dich falsch und treulos nennt.
>Falsch ist das Geschlecht der Menschen,
>grausam ist des Vaters Herz;
>aber du bist mild und gütig,
>und dich rührt der Liebe Schmerz."

Verzweifelt klagt sie das stürmende Meer an, mit dessen Wogen sie den Geliebten kämpfend weiß:

>„Falscher Pontus, deine Stille
>war nur des Verrates Hülle,
>einem Spiegel warst du gleich;
>tückisch ruhten deine Wogen,
>bis du ihn heraus betrogen
>in dein falsches Lügenreich."

Den Toten macht die heißeste Liebesklage der Zurückbleibenden nicht wieder lebendig:

>„Es rinnet der Tränen vergeblicher Lauf,
>die Klage, sie wecket die Toten nicht auf,"

versichert der Dichter in ‚Des Mädchens Klage'. Und in der ‚Nenie'
heißt es:

„Auch das Schöne muß sterben! Das Menschen und Götter bezwinget,
  nicht die eherne Brust rührt es des stygischen Zeus.
Einmal nur erweichte die Liebe den Schattenbeherrscher,
  und an der Schwelle noch, streng, rief er zurück sein Geschenk.
Nicht stillt Aphrodite dem schönen Knaben die Wunde,
  die in den zierlichen Leib grausam der Eber geritzt.
Nicht errettet den göttlichen Held die unsterbliche Mutter,
  wann er, am skäischen Tor fallend, sein Schicksal erfüllt."

Ja zuweilen könnte es scheinen, als ob die Liebe selbst ein vergängliches
Gefühl sei, so daß der Dichter ‚An Emma' die Frage richtet:

„Ihrer Flamme Himmelsglut —
stirbt sie wie ein irdisch Gut?"

Denn wie könnte es sonst möglich sein, daß ein noch im Leben weilender
Mensch für den anderen tot ist, während der Tote ihm lebt? Von diesem
scheinbaren Widerspruch handelt die zweite Strophe dieses Gedichtes:

„Deckte dir der lange Schlummer,
  dir der Tod die Augen zu,
dich besäße doch mein Kummer,
  meinem Herzen lebtest du.
Aber ach! du lebst im Licht,
meiner Liebe lebst du nicht."

Hier wird dem unbarmherzigen Leben der Wirklichkeit die unlösbare
Identität von Liebe und wahrem Leben gegenübergestellt.
An Leanders Leiche stehend, ruft Hero:

„Ich erkenn' euch, ernste Mächte!
Strenge treibt ihr eure Rechte,
furchtbar, unerbittlich ein.
Früh schon ist mein Lauf beschlossen;
doch das Glück hab' ich genossen,
und das schönste Los war mein."

Für Ritter Toggenburg ist aller kriegerische Ruhm nicht der Gehalt des
Daseins; sein Leben beginnt erst einen Sinn zu bekommen, seitdem er es
dem stummen Augendienst an der unerreichbaren Herrin widmet. Das
Mädchen, das dem toten Geliebten nachtrauert, weiß:

„Das Herz ist gestorben, die Welt ist leer,
und weiter gibt es dem Wunsche nichts mehr.
Du Heilige, rufe dein Kind zurück,
ich habe genossen das irdische Glück,
ich habe gelebt und geliebet!"

Und der Dichter bestätigt der Klagenden:

> „Das süßeste Glück für die trauernde Brust
> nach der schönen Liebe verschwundener Lust
> sind der Liebe Schmerzen und Klagen."

Ganz in demselben Sinne fragt Theklas Geisterstimme:

> „Wo ich sei und wo mich hingewendet,
> als mein flücht'ger Schatten dir entschwebt?
> Hab' ich nicht beschlossen und geendet,
> hab' ich nicht geliebet und gelebt?"

Aber dann fragt eine Strophe, auf den großen sympathetischen Zusammenhang hinweisend, der für „jedes schöne gläubige Gefühl" zwischen Menschenwesen und Natur besteht:

> „Willst du nach den Nachtigallen fragen,
> die mit seelenvoller Melodie
> dich entzückten in des Lenzes Tagen?
> Nur solang sie liebten, waren sie."

Das Gesetz, daß wahres Leben nur dort ist, wo Liebe ist, gilt demjenigen, der wie Thekla liebt, es gilt für die ganze Schöpfung, soll gelten für jeden, der nach dem Wort des jungen Schiller „den großen Ring bewohnet." In diesem Sinne wird das Schicksal der Ceres, deren ‚Klage‘ das danach benannte Gedicht enthält, zu einem erhabenen Sinnbild der nach des Dichters Glauben die Schöpfung durchwaltenden Sympathie.

Die göttliche Mutter sucht über die ganze Erde hin ihr verlorenes Kind. Den Kreis der Unsterblichen hat sie verlassen, weil sie nicht leben will, wenn sie nicht mehr lieben darf. Und doch:

> „Knüpfet sich kein Liebesknoten
> zwischen Kind und Mutter an?
> Zwischen Lebenden und Toten
> ist kein Bündnis aufgetan?
> Nein, nicht ganz ist sie entflohen!
> Nein, wir sind nicht ganz getrennt!
> Haben uns die ewig Hohen
> eine Sprache doch vergönnt!

Das Wunder, das sich dem Auge jedes Jahr aufs neue bietet, wenn aus dem im Herbst in die Erde gesenkten Samen mit dem neuen Lenz die Saat sprießt, ist dem liebend-gläubigen Herzen Symbol der Sympathie zwischen Tod und Leben. Nicht ohne tiefen Grund hat Schiller diese Erkenntnis an dem Mutter-Kind-Verhältnis entwickelt, das ja, wie gezeigt, die Sympathie der Natur auf menschlichem Gebiet am ursprünglichsten offenbart. Und so erfährt Ceres aus dem Lebenswunder der Natur beglückt, daß die verlorene Tochter für sie nicht tot ist:

> „Aus des Frühlings jungen Sprossen
> redet mir der holde Mund,
> daß auch fern vom goldnen Tage,
> wo die Schatten traurig ziehn,
> liebend noch der Busen schlage,
> zärtlich noch die Herzen glühn."

Aber es bleibt dabei: Echte Liebe gibt es nicht ohne Leid, weil sie erst um den Preis der Schmerzen das Leben der Wirklichkeit zum wahren Leben macht. So ist die Liebe, die der Weg zum wahren Leben ist, doch zugleich höchstes Sinnbild der Widersprüche des Leben der Wirklichkeit. Aber des Herbstes welker Kranz und des Lenzes heiterer Glanz gemeinsam sind für „jede zarte Brust" Symbole des wahren Lebens, das den Tod nicht kennt.

7. Das wahre Leben

Die Würdigung der Lyrik des vollendeten Schiller ist an den Punkt gelangt, wo der eigentlich-idealistische Komplex seiner Gedankenwelt herauszustellen ist. Und damit ist gleichzeitig der Augenblick gekommen, da sein lyrisches Schaffen als nicht lediglich Gedankendichtung, als poetisch geformte Philosophie, sondern, um einen bekannten Ausdruck Goethes auf unseren Dichter anzuwenden, als „Bruchstück einer großen Konfession" erkannt wird.

Schillers Weg vom Konflikt des jungen Dichters mit dem Leben der Wirklichkeit zur Erkenntnis des gereiften Mannes vom wahren Leben läßt sich an zwei Paaren symbolhafter Begriffe seines lyrischen Schrifttums ablesen. Es sind die Begriffspaare Blume und Frucht, Jugend und Lebensreife. Als charakterliche Werte, deren Bewährung zum Erreichen des Zieles des wahren Lebens erforderlich sind, nennt Schiller Glauben und Wagemut.

Es gilt also, die große Linie zu verfolgen, die sich für die Einstellung des Dichters zum „Leben" in einem Zeitraum von fünfundzwanzig Jahren aus seiner Lyrik anhand der beiden Symbolpaare und der zwei Charaktereigenschaften gewinnen läßt.

Was sagt nun Schillers lyrisches Schaffen dem Leser zunächst für das Verständnis der Begriffe „Blume" und „Frucht" als Symbol des wahren Lebens?

Zwei Gedichte aus der Anthologie von 1781 bieten zu diesem Zwecke den Anknüpfungspunkt: ,Die Blumen' und ,An den Frühling'.

Das erste der beiden Gedichte enthält schon wesentliche Gedanken der Ideenwelt des reifen Schiller im Keime. Lieblinge der Natur sind die Blumen, „Kinder der verjüngten Sonne"; ihre Schönheit danken sie dem Licht, Lust und Wonne schenkt ihr Anblick, Nachtigallen und Lerchen singen ihnen das selige Los der Liebe, in ihren Kelchen feiern Käfer und Insekten ihre Liebesvereinigung — aber was will das alles besagen, wo die Natur ihnen das Beste versagt hat: Seele und Liebesgefühl? Ein düsterer Klang von der Wirklichkeit des Lebens tönt hier in die heiteren Worte der Verherrlichung dieser „holden, zarten Frühlingskinder." Doch der liebende Mensch, indem er die Blumen zum Liebespfand für sein Mädchen pflückt, verleiht diesen Geschöpfen „Leben, Sprache, Seelen, Herzen", macht sie zu „stummen Boten süßer Schmerzen",

> „und der mächtigste der Götter
> schließt in eure stillen Blätter
> seine hohe Gottheit ein."

So antworten die Blumen dem sympathetischen Empfinden ihres Spenders. Und was sagt der vollendete Schiller von der „Welt im kleinen"?

> „Ihr müßt sie bei der Liebe Kerzen,
> und nur bei Amors Fackel sehn."

Das Gedicht ‚An den Frühling‘ bringt gleichsam die Nutzanwendung der theoretischen Betrachtung des vorigen. Frühling — als Gabe der „verjüngten Sonne" — und Blumen, Blumen und Liebe, der Frühling als Spender der Liebesboten, als Mittler zwischen dem Liebenden und der Geliebten — dieser Dreiklang beherrscht das schlichte, warm empfundene Liedchen.

Das ist es, was der junge Schiller über die Blumen zu sagen weiß. Wo aber findet sich in der Anthologie ein Wort über die Frucht? Man sucht vergeblich. Es muß hier genügen, die Tatsache festzustellen; ihre Bedeutung wird erst im weiteren Gang der Untersuchung sichtbar werden.

Auch in den Gedichten aus Schillers letztem Lebensjahrzehnt spielen die Blumen eine bedeutsame Rolle. Doch was die beiden Jugendgedichte erst keimhaft ahnen lassen, ist hier zu klar geschauter Vollendung gediehen.

Die Blume wird zum Sinnbild der Identität von Leben und Liebe.

> „Nur Liebe darf der Liebe Blume brechen.
> Der schönste Schatz gehört dem Herzen an,
> das ihn erwiedern und empfinden kann."

Mit diesen Versen schließt ‚Die Begegnung‘. Sympathie als ursprüngliche Lebenskraft verkörpert sich in der Blume. Daher sagt das Distichon ‚Das Belebende‘:

„Nur an des Lebens Gipfel, der Blume, zündet sich Neues
in der organischen Welt, in der empfindenden an."

Der Gleichlauf von „Geisterreich und Körperweltgewühle" geht gleichsam von der Blume als „des Lebens Gipfel" aus. Darum sagt sie dem
Menschen:

„Suchst du das Höchste, das Größte? Die Pflanze kann es dich lehren.
Was sie willenlos ist, sei du es wollend — das ist's!"[24]

Dies Höchste, Größte ist die belebende Kraft in weitestem Sinn, die der
Materie ebenso wie der geistigen Welt ihre Existenz sichert. Darin ist die
Blume das Vorbild; denn, so lautet des Dichters Wort ‚An die Freunde:‘

„Leben duftet nur die frische Pflanze,
die die grüne Stunde streut."

Weil sie Priesterinnen der Liebe sind, die Liebe aber Leben bedeutet, so
entspricht es der ‚Würde der Frauen‘, „des Augenblicks Blume zu brechen."

Die Höhe des menschlichen Lebens ist der Augenblick, in welchem die
allwaltende Sympathie ‚Die Geschlechter‘ sich finden läßt:

„Göttliche Liebe, du bist's die der Menschheit Blumen vereinigt!
Ewig getrennt, sind sie doch ewig verbunden durch dich."

Daher hat die Blume für das Fest der Hochzeit symbolische Bedeutung.
Wohl ist es eine „ernste Fessel", durch welche Hymen das junge Paar
verbindet; doch, heißt es in dem Hochzeitsgedicht ‚An Demoiselle Slevoigt‘:

„. . für ein Herz, das schön empfindet,
ist sie aus Blumen nur geknüpft."

Daher darf der Dichter von „Hymens Blumenwegen" sprechen, ohne die
ernste Bedeutung der Eheschließung herabzusetzen; denn

„. . willst du das Geheimnis wissen,
das immer grün und unzerrissen
den hochzeitlichen Kranz bewahrt?
Es ist des Herzens reine Güte,
der Anmut unverwelkte Blüte,
die mit der holden Scham sich paart."

Ein Schimmer des „wahren Lebens", das den Tod nicht kennt, liegt über
dem Bild von dem grün und unzerrissen bewahrten Kranz, auf der Vorstellung von der „unverwelkten Blüte der Anmut" — man denkt an das
Land der ‚Sehnsucht‘:

„. . die Blumen, die dort blühen,
werden keines Winters Raub."

[24]) Das Höchste. —

Daß Schiller wirklich in der rechten Ehe den Abglanz einer höheren Welt, das „wahre" Leben zu sehen glaubte, beweist das Gedicht vom ‚Mädchen aus der Fremde', das den naturverbundenen Hirten des Tals, „dem Früchte, jenem Blumen" darbietet,

> „gereift auf einer andern Flur,
> in einem andern Sonnenlichte,
> in einer glücklichern Natur,"

wo es in der letzten Strophe heißt:

> „Willkommen waren alle Gäste;
> doch nahte sich ein liebend Paar,
> dem reichte sie der Gaben beste,
> der Blumen allerschönste dar."

Sehr lehrreich für das Verständnis der Bedeutung, die Schiller Blume und Frucht im Leben der Wirklichkeit und im wahren Leben einräumt, ist die Gegenüberstellung einiger Verse aus dem ‚Lied von der Glocke' und des vorhin erwähnten Hochzeitsgedichtes ‚An Mademoiselle Slevoigt'. In jenem wohl berühmtesten Gedichte Schillers finden sich die Verse:

> „Ach! des Lebens schönste Feier
> endigt auch den Lebensmai,
> mit dem Gürtel, mit dem Schleier
> reißt der schöne Wahn entzwei."

Die beiden ersten Verse, an die erste Hälfte der zweiten Strophe des Hochzeitsgedichtes erinnernd, sprechen vom Leben der Wirklichkeit. Die folgenden zwei Verse scheinen dem Inhalt der dritten Strophe jenes Gedichtes, oberflächlich gesehen, geradezu zu widersprechen: dort ist von dem „unzerrissen" bewahrten hochzeitlichen Kranz die Rede, während hier von dem „Zerreißen" eines schönen Wahns gesprochen wird, für welches das Zerreißen von Gürtel und Schleier sinnbildliche Bedeutung hat. Aber in den Versen des ‚Liedes von der Glocke' hat der Dichter wieder das Leben der Wirklichkeit im Auge; in dem Hochzeitsgedicht wird, wie schon bemerkt, leise auf das „wahre Leben" hingedeutet.

Entscheidend für die Verschiedenheit der dichterischen Einstellung sind die folgenden vier Verse des Glockenliedes:

> „Die Leidenschaft flieht,
> die Liebe muß bleiben;
> die Blume verblüht,
> die Frucht muß treiben."

Der Gegensatz, den der Dichter zwischen Leidenschaft und Liebe macht, kann doch nur den Sinn haben: Das Leben der Wirklichkeit ist freilich oft in dem Wahn befangen, als ob eine aus dem Impuls der Leidenschaft geschlossene Ehe von Bestand sein könne. Aber gerade die Tatsache, daß eine Leidenschaft nie von Dauer ist, liefert den Beweis, daß ein solcher Wahn eben für das Leben der Wirklichkeit bezeichnend ist. Von Dauer ist nur die Liebe, die eine Manifestation der die Schöpfung durchwaltenden Sympathie ist. So gilt auch der Inhalt der beiden letzten Verse für das Leben der Wirklichkeit: Die Entwicklung der Furcht folgt zeitlich auf das Verwelken der Blume. Anders ist es, wie das Hochzeitsgedicht erkennen läßt, wo die auf Sympathie gegründete Ehe Dauer besitzt und das wahre Leben sich bewährt. Da ist zwar von keiner Frucht die Rede; aber die Bemerkung von „der Anmut unverwelkten Blüte" fordert die Gleichzeitigkeit der reifenden Frucht geradezu heraus. Und nun höre man, was der Dichter von dem ‚Weiblichen Ideal' sagt:

„ . . . mit der Blume zugleich brichst du die goldene Frucht",

und es wird deutlich, daß Schiller die Existenz einer auf Liebe gegründeten Ehe von dem Wirken des „weiblichen Ideals" abhängig glaubte — weil dieses wie jene Offenbarungen des „wahren" Lebens sind. So gelten für eine solche Ehe wieder die Verse der ‚Sehnsucht':

> „Goldne Früchte seh' ich glühen,
> winkend zwischen dunkelm Laub,
> und die Blumen, die dort blühen,
> werden keines Winters Raub."

Während also im Leben der Wirklichkeit die Blüte zeitlich der Frucht voraufgeht, erfreuen im wahren Leben Blume und Frucht zugleich die Menschenseele.

Die Betrachtung wendet sich nunmehr dem Begriffspaar Jugend und Mannesreife zu.

Der „Das Leid" betitelte vierte Abschnitt im ersten Kapitel des ersten Teils handelte von Gedichten der Anthologie, in denen Schiller über die Vergänglichkeit der Jugend und ihres Sympathieglaubens klagt, deren kurze Freude durch den Gedanken an das unerbittlich nahende Alter getrübt wird. Die weiteren Ausführungen des Kapitels haben erwiesen, daß diese Klagen, die mit so manchen, die Wonnen der Jugend preisenden Gedichten in Widerspruch stehen, Stimmungsäußerungen einer labilen Seele sind, die bei näherem Zusehen sogar jene elegischen Gedichte selbst nicht durchaus beherrschen, insofern die Gedichte gerade in ihren Klagen das sympathetische Fühlen ihres Verfassers beweisen. Immerhin aber hat das zweite Kapitel des ersten Teils erkennen lassen, daß der junge Schiller noch jahrelang unter dem Bewußtsein litt, im Gedanken an die Zukunft nirgend und nie ganz glücklich sein zu können (An Körner 29. August 1787).

Auf diese Labilität des Jünglingsgemüts, das unter dem Einfluß des Lebens der Wirklichkeit das Wesen des wahren Lebens noch nicht in seinem unvergänglichen Werte erkannt hatte, dürfte die Tatsache zurückzuführen sein, daß in den Gedichten der Anthologie der Begriff der Mannesreife nicht vorkommt.

Und ist es nicht beachtenswert, daß in denselben Gedichten, wie schon gesagt, dem Begriff „Blume" seine Komponente „Frucht" mangelt?

In der Lyrik des vollendeten Schiller verkörpert sich der Begriff Jugend, wie schon in den Gedichten des Sturms und Drangs, immer wieder in der Person des Jünglings. Was aber an dieser Jünglingsgestalt neu ist, das sind zwei Eigenschaften: Sehnendes Verlangen und Glaube an ein erträumtes Ziel.

Welches Ziel ist es, auf das sich des Jünglings Verlangen richtet?

Das ‚Lied von der Glocke' schildert, wie der von der Wanderschaft ins Vaterhaus heimkehrende Jüngling der Jungfrau begegnet:

> „Da faßt ein namenloses Sehnen
> des Jünglings Herz, er irrt allein,
> aus seinen Augen brechen Tränen,
> er flieht der Brüder wilden Reihn."

In den zur Reife gelangten ‚Geschlechtern' weckt die Natur, ihr Werk zu schützen, die wechselseitige Sehnsucht:

> „Was erreget zu Seufzern der Jungfrau steigenden Busen?
> Jüngling, was füllet den Blick schwellend mit Tränen dir an?
> Ach, sie suchet umsonst, was sie sanft anschmiegend umfasse,
> und die schwellende Frucht beuget zur Erde die Last.
> Ruhelos strebend verzehrt sich in eigenen Flammen der Jüngling,
> ach, der brennenden Glut wehet kein lindernder Hauch."

Verkörpert sich das erträumte Ziel des Verlangens in diesen Gedichten in einer künftigen Lebensgefährtin, so sei an die Ausführungen über den von Schiller gläubig geahnten Zusammenhang zwischen echter Ehe und weiblichem Ideal erinnert. So gesehen, gewinnt nämlich das in den beiden Gedichten geschilderte Liebessehnen einen höheren, einen „idealen" Sinn: Das Ziel des jugendlichen Verlangens ist das „wahre" Leben.

Dies wird deutlich, wenn man sich dem Gedichte ‚Der Jüngling am Bache' zuwendet. Das „Leben der Wirklichkeit" sieht er versinnbildlicht in den im Tanz der Wellen fortgerissenen Blumenkränzen; und das Verblühen der Kränze ist ihm nur eine Mahnung, daß auch seine Jugend vergänglich ist — Gedanken, die aus Gedichten der Anthologie hinlänglich bekannt sind. Neu aber und für die Anschauungswelt des reifen Dichters kennzeichnend sind die nun folgenden Worte des Jünglings:

„Was soll mir die Freude frommen,
 die der schöne Lenz mir beut?
Eine nur ist's, die ich suche,
 sie ist nah' und ewig weit.
Sehnend breit' ich meine Arme
 nach dem teuren Schattenbild;
ach, ich kann es nicht erreichen,
 und das Herz bleibt ungestillt!"

Daß es sich bei dem Sehnsuchtsziel des Jünglings nicht um eine künftige
Gattin im Leben der Wirklichkeit handelt, ist schon aus dem Wort „Schattenbild" ersichtlich, dessen Bedeutung ein späterer Zusammenhang klä-
ren wird. Nein, das Leben, nach dem der Knabe verlangt, ist das
„wahre" Leben, dessen Verkörperung als die „schöne Holde" hoch auf
einem „stolzen Schloß" zu wohnen scheint. Aber das wahre Leben fordert
Bescheidung, Entsagung; es findet seine Freude an „Blumen, die der Lenz
geboren", an Hainen voll Vogelsang, an der klar rieselnden Quelle: dann
öffnet sich dem Sehnenden das Glück des wahren Lebens; denn

„Raum ist in der kleinsten Hütte
 für ein glücklich liebend Paar."

Freilich: Wie mancher sucht sein ganzes Leben vergeblich nach diesem
Ziel seiner Sehnsucht — weil er es in einem „stolzen Schloß" finden will
und nicht ahnt, daß es ein Hüttenglück ist. Ein solcher Mensch bleibt zeitlebens ein ‚Pilgrim':

„Noch in meines Lebens Lenze
 war ich, und ich wandert' aus,
und der Jugend frohe Tänze
 ließ ich in des Vaters Haus."

Das Ziel, das der jugendliche Pilgrim erwandern will, glaubt er fern im
„Aufgang" liegend, von dem ihm gesagt ist:

„ . . . das Irdische wird dorten
 himmlisch, unvergänglich sein."

Aber er mag wandern, so weit er will; dem Ziel kommt er nie näher:

„Ach, kein Steg will dahin führen,
 ach, der Himmel über mir
will die Erde nie berühren,
 und das Dort ist niemals hier!"

Im Schicksal des ‚Odysseus' sieht der Dichter ein Musterbeispiel eines
solchen Menschen, der das „Dort" nicht im „Hier" finden kann:

„Alle Gewässer durchkreuzt, die Heimat zu finden, Odysseus;
    durch der Scylla Gebell, durch der Charybde Gefahr,
durch die Schrecken des feindlichen Meers, durch die Schrecken
                                                des Landes,
    selber in Aides' Reich führt ihn die irrende Fahrt.
Endlich trägt das Geschick ihn schlafend an Ithakas Küste;
    er erwacht und erkennt jammernd das Vaterland nicht."

Woran fehlt es dem Menschen, der aus dem Leben der Wirklichkeit
den Weg zum wahren Leben nicht finden kann?

Die Sehnsucht des Jünglings allein reicht nicht aus; aber — der Pilgrim beweist es — auch die andere jugendliche Eigenschaft kann versagen. Denn was nützte jenem die schöne Seelenkraft des Glaubens:

„All mein Erbteil, meine Habe
    warf ich fröhlich glaubend hin,
und am leichten Pilgerstabe
    zog ich fort mit Kindersinn.
Denn mich trieb ein mächtig Hoffen
    und ein dunkles Glaubenswort;
wandle, rief's, der Weg ist offen,
    immer nach dem Aufgang fort."

Zuletzt geht es ihm doch wie dem Dichter des Sturms und Drangs, wenn
dieser sein seelisches Gleichgewicht verlor und über der Vergänglichkeit
des Sympathieglaubens verzweifeln zu müssen meinte.

Erst wenn die Jugend reif wird, erst wenn der gläubige Jüngling zugleich
den Wagemut des Mannes übt, findet er den Nachen, der seine ‚Sehnsucht' zu jenen Hügeln trägt, wo Blumen und Früchte unvergänglich pran-
gen.

Wagemut ist die eigentliche Mannestugend, die im Daseinskampf der
Gatte zum besten seiner Lieben bewährt:[25]

„Der Mann muß hinaus
ins feindliche Leben,
muß wirken und streben
und pflanzen und schaffen,
erlisten, erraffen,
muß wetten und wagen,
das Glück zu erjagen."

In demselben Sinn heißt es im ‚Spiel des Lebens':

„Es kämpft der Mann, und alles will er wagen."

_____

[25]) Das Lied von der Glocke. —

Die klassische Stelle aber, wo der Dichter auf die vereinten Vorzüge des jungen und des gereiften Menschen als Voraussetzung für die Gewinnung des wahren Lebens hinweist, sind jene bekannten Verse aus der ‚Sehnsucht':

> „Du mußt glauben, du mußt wagen,
>   denn die Götter leihn kein Pfand;
> nur ein Wunder kann dich tragen
> in das schöne Wunderland."

Das Wunder besteht eben darin, daß dies in unerreichbarer Ferne gewähnte Ziel im Menschen selbst liegt:

> „Es ist nicht draußen, da sucht es der Tor;
>   es ist *in* dir, du bringst es ewig hervor,"

lehren die ‚Worte des Wahns'; und ebenso die ‚Worte des Glaubens':

> „Euer Innres gibt davon Kunde."

Daß die beiden, zum Eintritt in das „wahre" Leben befähigenden Eigenschaften, Glaube und Wagemut, mit den zwei geistig-seelischen Kräften, welche die ganze Gedankenwelt Schillers bestimmt haben, innig verwandt sind, bedarf kaum vieler Worte. Der Glaube als Sympathieglaube ist den Lesern der Anthologie geläufig und aus den Bemerkungen zu Stellen aus dem ‚Lied von der Glocke' und zu dem Gedicht ‚Der Jüngling am Bache' vertraut. Für die Wesensverwandtschaft des Wagemuts und der Vernunft aber zeugt das im achten Aestetischen Briefe angeführte Horazwort „sapere aude", dem Schiller die deutsche Fassung gibt: „Erkühne dich, weise zu sein."

Wie sich Sympathie und Vernunft gegenseitig das Gleichgewicht halten, so auch Glauben und Wagen. Verliert sich der allein auf sich angewiesene Sympathieglaube allzu leicht in ein nie gestilltes unklares Sehnen nach einem höheren Dasein, so wirkt sich im Kampf mit dem Leben der Wirklichkeit der Wagemut der Vernunft, wenn ihm der Ausgleich durch den Sympathieglauben fehlt, alsbald in der Weise aus, daß er den Menschen über abstrakten Ideen die Stimme des Herzens überhören läßt. Erst wo beide Kräfte vereint die Stellung des Menschen im Leben bestimmen, darf ‚Theklas' Wort gelten:

> „Wort gehalten wird in jenen Räumen
> jedem schönen gläubigen Gefühl;
> wage du, zu irren und zu träumen,
> hoher Sinn liegt oft in kind'schem Spiel."

Gibt der vorletzte Vers des Theklagedichtes vielleicht am treffendsten den Sinn wieder, den Schiller dem Ausspruch des Horaz gibt? Ist nicht

das „sapere aude" der Kerngehalt dessen, was man Konfession, Lebensbeichte, Bekenntnis unseres Dichters nennen mag? Dieses Mannes, der
vierzehn Jahre vor seinem Ende, nach dem ersten schweren Anfall seiner
Todeskrankheit, dem Dresdener Freunde schreibt: „Ich mag es hier niemand sagen, was ich von diesem Umstand denke, aber mir ist, als ob ich
diese Beschwerden behalten müßte." Und weiter: „Mein Gemüt ist übrigens heiter, und es soll mir nicht an Mut fehlen, wenn auch das Schlimmste über mich kommen wird . . ." (10. April 1791).
    Sapere aude! Der Ton ruht weniger auf dem „sapere", als vielmehr
auf dem „aude". „Die Vernunft", heißt es im achten Aesthetischen Brief,
„hat geleistet, was sie leisten kann, wenn sie das Gesetz findet und aufstellt; vollstrecken muß es der mutige Wille und das lebendige Gefühl."
Daß die Vernunft ihrer Aufgabe als dienende Kraft des „lebendigen Gefühls" — des Sympathieglaubens — gerecht wird, ist Sache des „mutigen Willens": Der Idealismus ist schließlich Leistung dieser wertvollsten
Eigenschaft des menschlichen Charakters; denn „der Mensch ist das
Wesen, welches will" (‚Über das Erhabene').

8. Schöne Individualität — Lebendiger Geist

Zwei Bezeichnungen finden sich in Schillers Lyrik für diese höchste
Bewährung des menschlichen Willens.
    Die Votivtafel ‚Schöne Individualität' sagt:

„Einig sollst du zwar sein, doch Eines nicht mit dem Ganzen.
    Durch die Vernunft bist du Eins, einig mit ihm durch das Herz.
Stimme des Ganzen ist deine Vernunft, dein Herz bist du selber:
    wohl dir, wenn die Vernunft immer im Herzen dir wohnt."

Die Vernunft macht den Menschen zur Individualität, die Sympathie—das
Herz —, wenn die Vernunft ihr dient, zur schönen Individualität, insofern
sie, wie es gegen Schluß der Antrittsrede heißt, „das Individuum unvermerkt in die Gattung hinüberführt." Mag die Sympathie als ‚Worte des
Glaubens' Freiheit, Tugend und Gott anerkennen, sie werden im Herzen
lebendige Kraft entwickeln, sobald die Vernunft das Schöne, das Gute,
das Wahre im Leben der Wirklichkeit als ‚Worte des Wahns' erkannt hat.
    Schon in den Anmerkungen zum ersten Aesthetischen Brief ist gezeigt
worden, daß der Ausdruck „lebendiger Geist" die Wechselwirkung von
Sympathie und Vernunft bedeutet.
    In dem ‚An Goethe' gerichteten Gedicht heißt es von der dramatischen
Dichtung der Franzosen oder „des Franken":

„Aus seiner Kunst spricht kein lebend'ger Geist."

Warum dies? Weil sie — einer „beschränkten" Vernunft folgend —nur „des falschen Anstands prunkende Gebärden" herausstellt, nicht aber das Herz sprechen läßt:

> „Der allein besitzt die Musen,
> der sie trägt im warmen Busen,
> dem Vandalen sind sie Stein,"

schließt das kurze Gedicht ‚Die Antiken zu Paris'.

Die zweite Stelle, welche die erwähnte Wortverbindung enthält, findet sich in einem Distichon der Votivtafeln, ‚Sprache' überschrieben:

> „Warum kann der lebendige Geist dem Geist nicht erscheinen?
> *Spricht* die Seele, so spricht, ach! schon die *Seele* nicht mehr."

Hier wird dem „lebendigen Geist" der „Geist" gegenübergestellt. Worin Schiller die Kraft des „Geistes" sieht, sagt eine andere Votivtafel mit dem Titel ‚Moralische Kraft':

> „Kannst du nicht schön empfinden, dir bleibt doch, vernünftig zu wollen
> und als ein Geist zu tun, was du als Mensch nicht vermagst."

Wo also der Mensch nur der Vernunft als Leiterin seines Wollens gehorcht, da folgt er der „Sprache" des Geistes. Nun erinnere man sich der des öfteren angeführten, ursprünglich für ‚Don Carlos' bestimmten Verse des jungen Schiller, die über die Unfähigkeit des Wortes klagen, die Seele sprechen zu lassen, und die als „Appell an die Sympathie" gedeutet wurden; und es wird deutlich, daß die beiden Distichen von der „Schönen Individualität" und vom „Lebendigen Geist" nur Formulierungen des Lebensgrundsatzes unseres Dichters darstellen, der in dem „sapere aude" seine knappste Fassung gefunden hat.

9. *Die idealische Freiheit*

Die Willensfreiheit, die nach Schillers Lebensanschauung der Mensch durch die Wechselwirkung von Sympathie und Vernunft empfängt, nennt der Dichter ‚Die idealische Freiheit', von welcher er sagt:

> „Aus dem Leben heraus sind der Wege zwei dir geöffnet:
> zum Ideale führt einer, der andre zum Tod.
> Siehe, daß du bei Zeit noch frei auf dem ersten entspringest,
> ehe die Parze mit Zwang dich auf dem andern entführt."

Daß es sich bei den zwei Wegen um das Leben der Wirklichkeit, das in der „Versteinerung" endet, und um das wahre Leben handelt, das den Tod nicht kennt, bedarf noch den bisherigen Ergebnissen dieses Kapitels keines Beweises mehr. Ebenso unterliegt es keinem Zweifel, daß Schiller die „idealische Freiheit" in dem „weiblichen Ideal" verkörpert sieht. Noch einmal seien die diesbezüglichen Verse ins Gedächtnis gerufen:

> „Dünke der Mann sich frei! Du *bist* es; denn ewig notwendig
> weißt du von keiner Wahl, keiner Notwendigkeit mehr.
> Was du auch gibst, stets gibst du dich ganz; du bist ewig nur Eines,
> auch dein zartester Laut ist dein harmonisches Selbst.
> Hier ist ewige Jugend bei niemals versiegender Fülle,
> und mit der Blume zugleich brichst du die goldene Frucht."

Die idealische Freiheit ist es, die den Menschen ins Reich der Ideale führt, in das Leben, das den Tod nicht kennt. Als Weggeleiter in dieses Leben stellt Goethe im ‚Epilog zu Schillers Glocke' den toten Freund vor die Nachwelt:

> „Indessen schritt sein Geist gewaltig fort
> ins Ewige des Wahren, Guten, Schönen,
> und hinter ihm in wesenlosem Scheine
> lag, was uns alle bändigt, das Gemeine."

Drei höchste Werte sind es, die Schillers Lyrik als Werte des wahren Lebens anerkennt, und im Hinblick auf sie darf man sagen, daß der Dichter drei Manifestationen idealischer Freiheit unterscheidet:

Erstens die Freiheit vom *Stoff*; sie ist bestimmend für die Welt der Erscheinungen und führt zur Erkenntnis des *Schönen*. Die Summe der Gesetze des Schönen heißt Aesthetik; sie gelten auf allen Gebieten der Kunst.

Zweitens die Freiheit vom *Bedingtsein*; sie ist bestimmend für das menschheitliche Handeln und führt zur Erkenntnis des *Guten*. Die Summe der Gesetze des Guten heißt Ethik oder Moral; sie gelten auf dem Gebiete des praktischen Lebens.

Drittens die Freiheit von der *Regel*; sie ist bestimmend für die Welt des Seins und führt zur Erkenntnis des *Wahren*. Die Summe der Gesetze des Wahren bieten — in aufsteigender Linie — Naturwissenschaft, Philosophie und Religion; sie gelten auf allen geistig-theoretischen Gebieten.

Die Darstellung des Idealismus Schillers, wie er aus den Gedichten der Jahre seiner Vollendung zu erfassen ist, wird sich an diese Dreiteilung halten.

10. *Das Reich der Ideale*

Zum ‚Antritt des neuen Jahrhunderts' stellt der Dichter die besorgte Frage:

> „Edler Freund! Wo öffnet sich dem Frieden,
>   wo der Freiheit sich ein Zufluchtsort?
> Das Jahrhundert ist im Sturm geschieden,
>   und das neue öffnet sich mit Mord."

Man glaubt ein Bild der Gegenwart zu sehen, wenn es in der dritten Strophe heißt:

> „Zwo gewalt'ge Nationen ringen
>   um der Welt alleinigen Besitz;
> aller Länder Freiheit zu verschlingen,
>   schwingen sie den Dreizack und den Blitz."

Aussichtslos scheint die Weltlage:

> „Ach, umsonst auf allen Länderkarten
>   spähst du nach dem seligen Gebiet,
> wo der Freiheit ewig grüner Garten,
>   wo der Menschheit schöne Jugend blüht."

Da weist der Dichter den einzig gangbaren Weg:

> „In des Herzens heilig stille Räume
>   mußt du fliehen aus des Lebens Drang!
> Freiheit ist nur in dem Reich der Träume,
>   und das Schöne blüht nur im Gesang."

Den Eingang ins Reich der Ideale, das heißt das Erlebnis des Schönen, öffnet allein das Menschenherz.

Ein jedes? Das freilich nicht; denn die Menschen haben ‚Verschiedene Bestimmung‘:

> „Millionen beschäftigen sich, daß die Gattung bestehe;
>   aber durch wenige nur pflanzet die Menschheit sich fort.
> Tausend Keime zerstreuet der Herbst, doch bringet kaum einer
>   Früchte; zum Element kehren die meisten zurück.
> Aber entfaltet sich auch nur einer, einer allein streut
>   eine lebendige Welt ewiger Bildungen aus — "

weil dieser Vertreter der Menschheit seine „Gesetze von der Freiheit" empfängt (‚Über das Pathetische‘, Anm.). —

Darum gilt Schillers ‚An einen Weltverbesserer‘ gerichtetes Wort:

> „Von der Menschheit — du kannst von ihr nie groß genug denken;
>   wie du im Busen sie trägst, prägst du in Taten sie aus":

Auch das Gute, das der Mensch wirkt, hat also seinen Ursprung im Herzen, das sich dem Schönen erschlossen hat. —

Und ebenso dient der forschende ‚Genius‘ der Menschheit nur dann,

wenn er „reines Herzens hinabsteigt" — denn, sagt der Spruch des Konfucius, „im Abgrund wohnt die Wahrheit" — und „die verlorne Natur"
zurückgewinnt.

Immer wieder erinnert der Dichter daran, daß die Auffindung des Schönen, des Guten, des Wahren — die Gewinnung des „wahren" Lebens —
der Eintritt in das Reich der Ideale — Aufgabe des im „mutigen Willen
und lebendigem Gefühl" sich bewährenden menschheitlichen Charakters
ist.

a) *Das Schöne*

Die Eingangspforte in das „Paradies"[26] öffnet das Ideal des Schönen oder, wie das Distichon über ‚Die moralische Kraft' sagte, die Fähigkeit, „schön zu empfinden."

Dem Erlebnis des Schönen hat Schiller die Gedichte ‚Die Begegnung',
‚Das Geheimnis' und ‚Die Erwartung' gewidmet. In gewissem Sinne gehört in diesen Zusammenhang auch das „nach einem Gemälde" geschaffene Gedicht ‚Der Abend'.

Wer ist die von ihren Frauen umringte „herrlichste von allen", bei deren ‚Begegnung' der Dichter unwillkürlich von dem Drang ergriffen wird,
„die Saiten anzuschlagen"?

Nicht Worte sind es, in denen er seine Ergriffenheit aussprechen könnte:

> „Die Seele war's, die, jahrelang gebunden
> durch alle Fesseln jetzt auf einmal brach
> und Töne fand in ihren tiefsten Tiefen,
> die ungeahnt und göttlich in ihr schliefen."

Das Gedicht zum ‚Antritt des neuen Jahrhunderts' schließt mit den Worten:

> „und das Schöne lebt nur im Gesang."

Niemand anderes als die im Kreise der Musen erscheinende Göttin der
Schönheit selbst kann es sein, bei deren Anblick der Dichter „mit wollust-
vollem Grauen" gefaßt wird. Und dieses Gefühl findet bei der Göttin eine
Erwiderung, die mit einer anderen Empfindung gepaart ist:

> „da sah ich in den engelgleichen Zügen
> die Liebe ringen mit der holden Scham . . . "

Das Distichon ‚Der Gürtel' sagt von der Göttin der Schönheit und der
Liebe:

> „In dem Gürtel bewahrt Aphrodite der Reize Geheimnis:
> Was ihr den Zauber verleiht, ist, was sie bindet, die Scham."

---

[26]) Der Antritt des neuen Jahrhunderts. —

Das Ideal des Schönen ist Reiz und Scham zugleich: Vor dem Anblick seiner Reize verstummt jede sinnliche Regung. Jetzt wird der Sinn der früher angeführten Verse aus dem Hochzeitsgedicht ‚An Demoiselle Slevoigt‘ verständlich, wo die Unverwelklichkeit des Brautkranzes abhängig gemacht wird von

> „ . . . des Herzens reiner Güte,
> der Anmut unverwelkter Blüte,
> die mit der holden Scham sich paart.“

Erst wenn „das Edle“, unbekannt mit seinem ihm selbst verborgenen Wert, in Treue dem höheren Glück des Ideals gedient hat, vermag die Macht der Sympathie die Scham zu überwinden. Dann offenbart sich die Schönheit dem „treuen Herzen“ in unverhüllter Vollkommenheit, und die Göttin verkündet:

> „Nur Liebe darf der Liebe Blume brechen.
> Der schönste Schatz gehört dem Herzen an,
> das ihn erwiedern und empfinden kann.“

Könnte man das Gedicht ‚Die Begegnung‘ eine Apotheose des Schönen nennen, so bewegen sich ‚Das Geheimnis‘ und ‚Die Erwartung‘ scheinbar auf niedrigerer, mehr menschlicher Ebene.

Der verworren ewig geschäftigen Welt, ihrem harten Ringen um Erfolg, ihrem freudlosen Dasein, ihrer Mißgunst gegen jedes echte Glück — diesem Leben der Wirklichkeit wird gegenübergestellt das ‚Geheimnis‘ des „wahren“ Lebens, das leise dem Beglückten naht und wie ein Heiligtum gegen den Alltag und seine Lauscher verteidigt werden muß.

Die ‚Erwartung‘ dieses „wahren“ Lebens schildert dann das letzte der drei Gedichte.

Die „Anmutstrahlende“ — ist es wieder Aphrodite? Oder ist es ein menschliches Wesen, das sich für den Liebenden zur Gottheit erhöht? Eines ist gewiß: Das „wahre“ Leben kennzeichnet sich durch gewisse Merkmale, die in der Schilderung des allmählichen Übergangs vom Tage zur Nacht Ordnung und Anschaulichkeit gewinnen. Solange noch „des Tages Flammenauge“ vom Himmel strahlt, beherrscht den Wartenden die Sehnsucht nach der „holden Nacht“, nach der „geistigen Nacht“, deren Nahen nur der Abendstern leuchten darf. Dann beginnen optische und akustische Eindrücke der stillen Natur die Sinne des Liebenden zu umfangen, und all die Quellen dieser sinnlich-seelischen Eindrücke stehen in inniger Wechselwirkung — in Sympathie:

> „ . . . alle Wesen seh’ ich Wonne tauschen.“

Und endlich, als die Nacht, vom Lichte des Mondes bestrahlt, voll hereingebrochen ist, da geschieht das Wunderbare:

> „die Welt zerschmilzt in ruhig große Massen;
> der Gürtel ist von jedem Reiz gelöst,
> und alles Schöne zeigt sich mir entblößt",

die Scham ist überwunden, weil die sinnlichen Triebe schweigen. Doch erst als sich zu diesem geistigen Schattenreich die körperliche Anwesenheit der Geliebten gesellt, ist das Glück des Sehnenden vollendet: Das wahre Leben ist für die Dauer einer zauberischen Nacht zur Wirklichkeit geworden.

Diese Sympathie zwischen Dort und Hier, zwischen Himmel und Erde, zwischen „Geisterreich und Körperweltgewühle" ist auch Gegenstand des Gedichtes ‚Der Abend‘, in welchem die Vereinigung des Gottes des strahlenden Himmelsgestirns und der Meergöttin Tethys in wenigen Strichen bildhaft wird.

Das ausführliche Bekenntnis zu einem auf das Schöne gegründeten Idealismus hat Schiller in dem Gedicht ‚Das Ideal und das Leben‘ niedergelegt. Der ursprüngliche Titel war bekanntlich „Das Reich der Schatten" — in dieser Formulierung deutlich seine innere Verwandtschaft mit dem soeben behandelten Gedichte ‚Die Erwartung‘ kundgebend. Auch die Benennung „Das wahre Leben und das Leben der Wirklichkeit" würde dem Inhalt des Gedichtes gerecht.

Die fünfzehn Strophen sind folgendermaßen gruppiert:

Den Hauptteil bilden die sechste bis dreizehnte Strophe. Sie behandeln den Gegensatz der beiden Lebensgestaltungen nach vier Seiten hin, indem viermal auf je eine, dem Leben der Wirklichkeit gewidmete Strophe eine Strophe folgt, die das wahre Leben schildert. Der Gegensatz zwischen „Leben" und „Ideal" wird jedesmal durch das mächtige „Aber" gekennzeichnet, das die zweite Strophe der vier Strophenpaare einleitet, während das die jeweils vorhergehende Strophe beginnende „Wenn" an die Bedingtheit des Lebens der Wirklichkeit erinnert.

Die einleitenden Strophen (1-5) und die Schlußstrophen (14-15) könnte man ihrem Inhalte nach als chiastisch geordnet ansprechen. Die erste Einleitungsstrophe versetzt den Hörer in den Olymp; die letzten vier Verse der fünfzehnten Strophe führen uns wieder zum Göttersitz. Die Strophen zwei bis fünf wenden sich mit dem starken Appell an den Menschen, das Götterbild der Menschheit durch die Flucht „aus dem engen dumpfen Leben in des Ideales Reich" wiederherzustellen; die beiden Schlußstrophen mit Ausnahme der letzten vier Zeilen berichten von dem Aufstieg des Hercules, des „Alciden", aus „des Erdenlebens schwerem Traumbild" in „Kronions Saal."

Der Olymp gibt dem Dichter in der Einleitungsstrophe den Namen für das Reich des Ideals, in welchem Sinnenglück und Seelenfrieden nicht,

wie im Leben der Wirklichkeit, in ewiger Trennung verharren, sondern vereint seine Bewohner beglücken. Wie kommt es aber, daß in diesem Reich
des Ideals weder der Einfluß des Sinnenglücks den Seelenfrieden zerstört, noch dieser erst durch Verzicht auf jenes gefunden wird? Weil es
in des Ideales Reich keinen Körper gibt, sondern nur „die Gestalt", das
Schattenbild, das wohl aesthetische Eindrücke weckt, nicht aber die Sinnlichkeit in Aufruhr bringt. Darum kennt das „wahre Leben" auch den Tod
nicht, dem nur die Körper unterworfen sind. Und da jene auf Erden in
ewigem Widerstand befindlichen Potenzen der Sinne und der Seele im
Olymp miteinander versöhnt sind, kennt das Reich des Ideals keinen Konflikt:

> „Wenn im Leben noch des Kampfes Waage
> schwankt, erscheinet hier der Sieg,"

und während im wirklichen Leben bei ununterbrochenem Ringen das Gefühl der beschränkten Kraft den Mut zu brechen droht, gilt im wahren Leben das die Einleitungsstrophen abschließende Wort des Dichters:

> „dann erblicket von der Schönheit Hügel
> freudig das erflog'ne Ziel."

Hier ist das Stichwort gefallen: „Schönheit", das nun in der einen oder
anderen Formulierung den Gedankengang des Hauptteils beherrscht.

In „der Schönheit stillen Schattenlanden", so berichtet das erste
Strophenpaar, kennt man nicht mehr das Spiel des Lebens, wie es in dem
gleichnamigen Gedicht ebenso knapp wie eindrücklich geschildert wurde.
Da wandte sich der Guckkastenmann an die Beschauer der „Welt im
Kleinen" mit der Mahnung:

> „Ihr müßt sie bei der Liebe Kerzen
> und nur bei Amors Fackel sehn."

Es ist die Empfindung, welche unser Gedicht als Ausgleich des Kampfes
zwischen Sinnlichkeit und Seele in dem Lande feiert, wo die Schönheit
regiert:

> „Aufgelöst in zarter Wechselliebe,
> in der Anmut freiem Bund vereint,
> ruhen hier die ausgesöhnten Triebe,
> und verschwunden ist der Feind":

Die in der Allnatur geltende Sympathie zwischen „Geisterreich und Körperweltgewühle", die im Leben der Wirklichkeit dem Menschen verloren-
gegangen war, ist in dem wahren Leben wiederhergestellt.

„In der Schönheit Sphäre", heißt es im zweiten Strophenpaar, erscheint das „Bild", das vom Menschen mühevoll aus „des Marmors sprödem Korn" herausgestaltet, „der Masse qualvoll abgerungen" wird,

„schlank und leicht, wie aus dem Nichts entsprungen";

Stoff und Genius haben sich in der Kunst vermählt, wie Natur und Schöpfer als Gottnatur in Sympathie verbunden sind.

Im Leben der Wirklichkeit gebietet, wie das dritte Strophenpaar des Hauptteils zeigt, die Pflicht als unerbittliche Gottheit, vor welcher die Menschheit „in traur'ger Blöße" ihrer der Schuld verhafteten Natur bewußt wird. Im Reich der Gedankenfreiheit „nimmt der Mensch die Gottheit in seinen Willen auf" und tut, was er früher als drückendes Pflichtgebot empfand, aus Neigung: die Sympathie zwischen Gottheit und Menschheit ist wiederhergestellt, oder, wie es die vierte Strophe der Einleitung nennt, „der Menschheit Götterbild",

„wie sie stand im himmlischen Gefild,
ehe noch zum traur'gen Sarkophage
die Unsterbliche hinunterstieg."

In der Welt der Wirklichkeit, so lehrt endlich das vierte Strophenpaar, unterliegt der Körper den Angriffen der Natur, und der Mensch fühlt sympathetisch seine Ohnmacht als irdisches Geschöpf. Wer aber in die „heitern Regionen" der „reinen Formen" eingegangen ist, dem wird das Erleben tragischer Gegenstände zum Vergnügen, insofern er das körperliche Leiden als Voraussetzung für „des Geistes tapf're Gegenwehr" erkennt, die ihm Tränen der Freude entlockt; die Sympathie des Erdenmenschen mit dem unentrinnbaren Schicksal weicht der Sympathie des Unsterblichen in uns mit der Macht des Geistigen, die uns den Göttern gleichstellt.

Das Spiel des Lebens, die Kunst, die Ethik, das Schicksal: Diese vier Manifestationen des menschlichen Daseins in ihrer ontologischen Steigerung zeigen, je nach dem wahnhaften oder gläubigen Verhältnis des Menschen zur Welt, verschiedene Ausdrücke. Im Leben der Wirklichkeit erscheinen sie als Kampf ums Dasein, als mühevolles Ringen mit dem Stoff, als hartes Pflichtgebot, als Leiden der ohnmächtigen Kreatur; im wahren Leben sind sie verklärt zum Ausgleich der Gegensätze von Sinnentrieb und Geist, zum leichten Spiel von Stoff und Form, zum Gleichklang von schöner Seele und erhabener Gesinnung, zum Sieg des Geistes über die Natur. Alle vier Erscheinungen Spiegelungen einer auf Glauben und Wagemut gegründeten Sympathie zwischen Mensch und Gott, zwischen Himmel und Erde.

Wie sich das Ideal des Schönen im menschlichen Antlitz ausprägt, sagt das Distichon ‚Die schönste Erscheinung':

„Sahest du nie die Schönheit im Augenblicke des Leidens,
niemals hast du die Schönheit gesehn.
Sahst du die Freude nie in einem schönen Gesichte,
niemals hast du die Freude gesehn."

Die zwei ersten Zeilen erinnern an die vierte Manifestation des am
Menschen sichtbar werdenden Schönheitsideals aus dem soeben besprochenen Gedicht. Sie ist die höchste Offenbarung des Schönen, insofern
in ihr jeglicher Rest des Körperlichen verschwunden scheint und nur „des
Geistes tapfre Gegenwehr" wirksam ist. In dem in anderem Zusammenhang behandelten aesthetischen Werk Schillers wird diese Erscheinung
des Schönen „Würde" genannt. In ihr ist nur die Majestät des Göttlichen
sichtbar, und der Mensch ist zum Götterbild der Menschheit entpersön-
licht.

Der Zentralbegriff des zweiten Verspaares ist die „Freude". Ein Begriff, der in Leben und Gedankenwelt des, wie Goethe sagt, „dem Leiden,
dem Tod vertrauten" Dichters eine so große Rolle gespielt hat. Die Tochter aus Elysium, der Funke, der aus der Götter Idealwelt in die Menschenwelt der Wirklichkeit übergesprungen ist, die Lebensspenderin der Allnatur, die Geleiterin zum Guten und Wahren, die Kraft, ohne welche keine
Sympathie möglich ist — sie offenbart sich dem sinnlichen Auge „in einem schönen Gesichte", in der „Anmut", dieser im lieblichen Zusammenwirken von leiblichen und geistigen Prinzipien wesenden Zauberkraft, welche Aphrodites Gürtel spendet, nichts als Spiel und heitere Leichtigkeit,
dem ‚Tanze' verwandt, in welchem des Dichters Genius ein Abbild der
„drehenden Schöpfung" erblickt.

Es ist mit dem Ideal des Schönen wie mit der Liebe: In beiden sind die
Widersprüche des Lebens wirksam: höchste Lust und tiefstes Leid, seli-
ges Einsgefühl mit dem wahren Leben und schmerzliche Mahnung an die
Hinfälligkeit alles Geschaffenen — und doch zuletzt die Gewißheit, daß
es nur des von liebendem Willen erfüllten Aufschwungs der gläubigen
Seele bedarf, um „von der Schönheit Hügel freudig das erflogne Ziel" zu
erblicken: sapere aude!

Für denjenigen, der dieses „Führers im eigenen Busen" sicher ist, gilt
das an das „Reich der Schatten" gemahnende, ‚Einem jungen Freunde'
gewidmete Wort des Dichters:

„Sicher im Dämmerschein wandelt die Kindheit dahin."

b) Das Gute

Zur Überleitung auf Schillers Ideal des Guten diene das ‚Zweierlei Wirkungsarten' überschriebene Distichon:

Wirke Gutes, du *nährst* der Menschheit göttliche Pflanze;
bilde Schönes, du streust *Keime* der göttlichen aus."

Die Ideale des Schönen und des Guten setzt der Dichter in eine enge Beziehung, deren Bedeutung aus der bildhaften Ausdrucksweise der beiden Verse zu verstehen ist.

Die Bezeichnung der Menschheit als „göttliche Pflanze" erinnert an das Bild von „der Freiheit grünem Garten, wo der Menschheit schöne Jugend blüht." Das Distichon enthält aber zwei Forderungen, die an den Menschen gerichtet werden, welcher das Schöne empfinden, das Wesen des Guten erfassen will. Ein solcher Mensch soll gleichsam im grünen Garten der Freiheit, im Paradies, Gärtnerarbeit verrichten, wie die Arbeiter in des Herrn Weinberg. Hierbei geht das Bilden des Schönen dem Wirken des Guten voraus; denn jenes legt den Keim zur Menschheit, dieses dient der Förderung seines Wachstums. So steht der Diener des Schönen und Guten, gleich dem im ‚Spaziergang' gepriesenen „glücklichen Volk der Gefilde", dem „engen Gesetz" der Natur innerlich nahe, insofern er aus ihr, wie der junge Schiller, die Antwort seiner „süßen Sympathie" zu vernehmen glaubt.

Der Dichter sieht also in der Fähigkeit, das Schöne zu empfinden, nicht allein die Voraussetzung, diesem Ideal in der Kunst Ausdruck zu geben, sondern auch die Bedingung dafür, „Gutes zu wirken." Der Begriff des „Guten" muß hier zunächst unerörtert bleiben, ebenso wie der mit dem „Wirken des Guten" identische Begriff der „Tugend". Es genüge, auf die schon ausführlich behandelte Beziehung hinzuweisen, in welcher der Tugendbegriff für Schiller zur Aesthetik steht, was noch einmal in dem Epigramm ‚Jeremiade' bestätigt wird.

Wie diese Beziehung *nicht* zu verstehen ist, zeigt die Parodie ‚Shakespeares Schatten'.

Im Dunkel der Unterwelt weilt der hohe Genius des englischen Dichters, der einst am Vorbild der Natur und der alten Griechen die große Tragödie zu neuem Leben erweckt hatte. Schiller ist „zu den Verstorbenen" hinabgestiegen, um Tiresias, den Seher, zu fragen,

„wo ich den alten Kothurn fände, der nicht mehr zu sehn."

Der Aufenthaltsort der Verstorbenen ist das Reich der Schatten; mit demselben Namen aber bezeichnet Schiller bekanntlich „des Ideales Reich" — weil die Ideale für das Leben der Wirklichkeit „Schatten" sind, die nur dem glaubenden und wagenden Menschen das wahre Leben bedeuten. Und nun entwickelt sich zwischen „der hohen Kraft des Herakles" und dem modernen Odysseus ein Gespräch, welches das Spottgebilde einer verkehrten „Aesthetik" und einer falschen „Tugend" der Lächerlichkeit preisgibt. Der alte Griechenkothurn Shakespeares ist verloren:

Nichts mehr von diesem tragischen Spuk. Kaum einmal im Jahre
geht dein geharnischter Geist über die Bretter hinweg."
Statt dessen ist die sogenannte Tragödie auf alles gerichtet,

„... was recht populär, häuslich und bürgerlich ist."

Es ist das „Spiel des Lebens", aus nächster Nähe betrachtet, das jeglicher Größe entbehrt. Die höchste Manifestation der Tragik, die Darstellung des „großen gigantischen Schicksals,

„welches den Menschen erhebt, wenn es den Menschen zermalmt,"

gilt als Grille; und die Folgerung liegt nahe:

„Also eure Natur, die erbärmliche, trifft man auf euren
Bühnen, die große nur nicht, nicht die unendliche an."

Und so wirkt die Tätigkeit des Dichters nicht als geheimnisvoller Ruf aus
einer höheren Welt, als Offenbarung einer erhabenen Sympathie zwischen
Gott und Mensch, sondern als widerwärtiges Abbild des Inhabers einer
Winkelschenke:

„Der Poet ist der Wirt und der letzte Aktus die Zeche;
wenn sich das Laster erbricht, setzt sich die Tugend zu Tisch."

Der Dichter hat seinem Publikum eine aus dessen eigenem elenden Dasein zusammengekochte Mahlzeit vorgesetzt. Der Schlußakt präsentiert
den Gästen die Abrechnung: Der Genuß des Anblicks ihrer erbärmlichen
Natur bewirkt bei ihnen „das große Kotzen" — und nun „setzt sich die
Tugend zu Tisch": Es triumphiert „das Christlich-Moralische", eine Ausgeburt der „Welt im Kleinen", auf den Alltagsgebrauch des Lebens der
Wirklichkeit berechnet, das die Gerechtigkeit nicht im großen Zusammenklang der Allschöpfung findet, sondern in der platten Sittenpredigt des,
in den kleinen und großen Schwächen der

„Pfarrer, Kommerzienräte,
Fähndriche, Sekretärs oder Husarenmajors",
befangenen Poeten.

Eine köstliche Persiflage des „tintenklecksenden Säkulums" mit seinem „beschränkten" Vernunftbegriff, seiner „Verweichlichung und Depravation der zivilisierten Klassen", denen Schiller sein „sapere aude" ent-
gegenhält und in seiner Geschichtsphilosophie und Aesthetik, in der Lebensbeichte seiner Lyrik und in dem echten Pathos seiner Meisterdramen
den Weg zur „idealischen Freiheit" weist.

Denn die verfahrene Moral der von Schiller parodierten dramatischen
Dichtung seiner Zeit, die den Kothurn der antiken Tragödie verloren hat,
ist verursacht durch eine unechte Aesthetik, eine Aesthetik, die das Spiel

des Lebens aus der Nähe betrachtet, nicht eine Aesthetik des Schönen als
der Pforte zum „Schattenreich" des wahren Lebens, nicht eine innere
Aesthetik, die vom Stofflichen frei ist. Erst die Freiheit vom Stofflichen ist
ja nach Schillers idealistischer Weltanschauung die Voraussetzung für eine
Freiheit von dem das materielle Leben der Wirklichkeit beherrschenden
Bedingtsein, die das menschliche Handeln bestimmen soll. Wer sie besitzt,
der bedarf für sein Tun keines unerbittlichen Pflichtgebotes, und damit
keines ‚Aufpassers', an den sich das Distichon wendet:

> „Strenge wie mein Gewissen bemerkst du, wo ich gefehlet:
> darum hab' ich dich stets, wie — mein Gewissen, geliebt —"

er bedarf keines „kategorischen Imperativs", den der ‚Gewissensskrupel'
ironisiert:

> „Gerne dien' ich den Freunden, doch tu' ich es leider mit Neigung,
> und so wurmt es mich oft, daß ich nicht tugendhaft bin."

Für den in Schillers Sinne vom Bedingtsein Freien gilt, was der Dichter
vom ‚Genius' sagt:

> „Jenes Gesetz, das mit ehernem Stab den Sträubenden lenkt,
> dir nicht gilt's. Was du tust, was dir gefällt, ist Gesetz."

Und warum? Weil er der einen ‚Pflicht für jeden' gehorcht, die da lautet:

> Immer strebe zum Ganzen, und kannst du selber kein Ganzes
> werden, als dienendes Glied schließ' an ein Ganzes dich an."

Nicht als ob der Mensch je, wie es das Epigramm ‚Schöne Individualität'
ausdrückt, „Eines mit dem Ganzen" werden könnte. Aber sein Streben
wirke wie ein Hall der „süßen Sympathie" seines Herzens, der ihm den
Weg zum Ganzen weist, das in der Stimme der Vernunft sich manifestiert.
In verschiedenen Fassungen findet sich dieser wichtige Gedanke in
Schillers Lyrik wieder. Vernunft und Herz sind vergleichbar mit ‚Licht und
Wärme' — ein Begriffspaar, das ja schon in des jungen Dichters Briefwechsel mit Körner eine Rolle spielt. Das Gedicht, welches jene Überschrift trägt, schließt mit der Mahnung:

> „Drum paart zu eurem schönsten Glück
> mit Schwärmers Ernst des Weltmanns Blick."

Dieser Vorstellung von einer Wechselwirkung zwischen Herz und Vernunft,
zwischen Wärme und Licht gemäß erkennt Schiller streng genommen nur
zwei Tugenden an, ‚Güte und Größe':

> „Nur zwei Tugenden gibt's. O wären sie immer vereinigt,
> immer die Güte auch groß, immer die Größe auch gut!"

Güte ist Eigenschaft des Herzens; Größe, als menschlicher Charakterzug mit dem Erhabenen identisch (,Zerstreute Betrachtungen über verschiedene aesthetische Gegenstände'), ist Gabe der Vernunft. Die Wechselwirkung beider ist, wie es Schiller von der in einer Person vereinigten Anmut und Würde bemerkt, vollendeter Ausdruck der Menschheit, wie es auch für die „Schöne Individualität", für den „Lebendigen Geist" gilt. Wie gelangt der strebende Mensch zu diesen zwei Tugenden? Das Epigramm ‚Die zwei Tugendwege' antwortet:

> „Zwei sind der Wege, auf welchen der Mensch zur Tugend emporstrebt;
> schließt sich der eine dir zu, tut sich der andre dir auf.
> Handelnd erringt der Glückliche sie, der Leidende duldend.
> Wohl ihm, den sein Geschick liebend auf beiden geführt!"

Das Doppelgesicht des Lebens und der Liebe — es wird auch dort sichtbar, wo der Mensch glaubend und wagend seine ideale Weltanschauung bewähren soll. Aber gerade indem er Glück und Leid als Spiegelungen des Lebens der Wirklichkeit anerkennt, erfüllt er die Forderung dieses Schillerschen Idealismus:

> „Alles sei recht, was du tust; doch dabei laß es bewenden,
> Freund, und enthalte dich ja, alles, was recht ist, zu tun.
> Wahrem Eifer genügt, daß das Vorhandne *vollkommen*
> sei; der falsche will stets, daß das Vollkommene *sei*."

Schiller überschreibt dieses Epigramm ‚Politische Lehre' und will damit sagen, daß die Weisung, welche sie enthält, nichts anderes als ein Gesetz der Weltklugheit, also ganz praktisch zu nehmen ist.

Das Leid lehrt den Menschen, daß er einem ‚Worte des Wahns' folgt,

> „solang er glaubt an die goldene Zeit,
> wo das Rechte, das Gute wird siegen —
> das Rechte, das Gute führt ewig Streit,
> nie wird der Feind ihm erliegen,
> und erstickst du ihn nicht in den Lüften frei,
> stets wächst ihm die Kraft auf der Erde neu;
> solang er glaubt, daß das buhlende Glück
> sich dem Edeln vereinigen werde —
> dem Schlechten folgt es mit Liebesblick;
> nicht dem Guten gehöret die Erde,
> er ist ein Fremdling, er wandert aus
> und suchet ein unvergänglich Haus."

Aber über die Treulosigkeit des „buhlenden Glücks", wie es das Leben der Wirklichkeit beherrscht, tröstet ihn das Glück des wahren Lebens, das ihm die ‚Worte des Glaubens' schenkt:

>„Und die Tugend, sie ist kein leerer Schall,
>   der Mensch kann sie üben im Leben,
>   und sollt' er auch straucheln überall,
>   er kann nach der göttlichen streben . . ."

Und huldigend verneigt sich der Dichter vor demjenigen Glauben, in welchem der Mensch durch Handeln und Leiden die praktische Folgerung aus der Erfahrung von der Doppelgesichtigkeit des Lebens gezogen hat:

>„Religion des Kreuzes, nur du verknüpfest in *einem*
>   Kranze der Demut und Kraft doppelte Palme zugleich!"[27]

Die mit Leidensbereitschaft verbundene Kraft, die den Menschen zu „der Menschheit Götterbild" erhebt, sieht Schiller in der Gestalt des Herkules verkörpert. In den schon behandelten zwei letzten Strophen des Gedichtes ‚Das Ideal und das Leben' besingt er den Aufstieg des Alciden vom Leben der Wirklichkeit zum wahren Leben; und in dem Distichon ‚Zeus zu Herkules' läßt er den Gott sprechen:

>„Nicht aus meinem Nektar hast du dir Gottheit getrunken;
>   deine Götterkraft war's, die dir den Nektar errang."

Die Gottheit „in sich aufzunehmen" ist, wie ‚Das Ideal und das Leben' lehrt, nichts als Sache des Willens — sapere aude! —, der ebenso bereit ist, die Vernunft zur Dienerin seines sympathetischen Fühlens zu machen, wie zu verhindern, daß dieses Fühlen, der Leitung der Vernunft entbehrend, sich in ziellose Schwärmerei verliere; es ist die entscheidende Tat, die den Menschen befähigt, die Erfüllung des Pflichtgebotes zu einem Tun „mit Neigung" werden zu lassen.

Erst wenn der Mensch durch Kraft und Willen zur Götterwürde emporgestiegen ist, lebt er das „wahre" Leben und findet „die Freude", wie sie der junge Schiller als Lohn der Sympathie verherrlicht.

An das Lied ‚An die Freude' erinnert vielfach das aus Schillers Vollendungsperiode stammende ‚Punschlied', „im Norden zu singen".

In dem Hymnus des Jahres 1785 hieß es:

>„Freude sprudelt in Pokalen;
>   in der Traube goldnem Blut
>   trinken Sanftmut Kannibalen,
>   die Verzweiflung Heldenmut —"

Im ‚Punschlied' stellt der Dichter der *Natur*gabe des Freude spendenden Weines das *künstlich* hergestellte Getränk des Punsches gegenüber: Indem die menschliche Kunst, die Kräfte der Natur zu ihren Zwecken nutzend, „sich dem Schöpfer gleichstellt", wird des Punsches Feuersaft zum Sinnbild,

---

[27]) Die Johanniter. —

> „was der Mensch sich kann erlangen
> mit dem Willen und der Kraft."

Hier ist der rechte Anlaß gegeben, bei der Betrachtung dieser zwei Begriffe „Willen" und „Kraft" noch etwas zu verweilen.

Kein Zweifel, daß in dem ‚Punschlied' unter „Kraft" zunächst „*der Kräfte großes Reich*" verstanden wird, das Gott-Natur dem Menschen zugänglich macht. Weiterhin aber denkt der Dichter auch an *die menschliche Kraft*, die sich in den Besitz jener Naturgaben zu eigenem Nutzen zu setzen weiß. Und indem das Gedicht im Einklang mit dem Lied von dem „schönen Götterfunken" auf die Freude hinweist, wenn wir „aus der Schale die trübe Flut schöpfen", gedenkt es endlich doch auch in weiterem Sinne der „*Götterkraft*" des Herkules, welche das Leben der Mitmenschen von Heimsuchungen befreite und ihnen dadurch Freude schenkte.

Doch hier tritt schon die zweite menschliche Fähigkeit wesentlich in Wirksamkeit: der „*Wille*", das heißt in Schillers Sinne der „*mutige Wille*", *der Wagemut*, der um des wahren Lebens willen die Bedingtheit des Lebens der Wirklichkeit überwindet. Und daß *der Weg zu diesem Ziele* — gemäß der Doppelgesichtigkeit des Lebens der Wirklichkeit — *durch Leiden* führt, dafür ist wiederum Herkules ein Beispiel,

> „tief erniedrigt zu des Feigen Knechte:"

die Bewährung beruht auf demütiger Leidensbereitschaft.

Und was ist es nun, das der Mensch vermöge dieser Kraft und dieses Willens erlangt?

Sinnbildlich, wie das ‚Punschlied', ist auch das Epigramm ‚Der Kaufmann' zu verstehen, das die Antwort auf die soeben gestellte Frage enthält:

> „Wohin segelt das Schiff? Es trägt sidonische Männer,
> die von dem frierenden Nord bringen den Bernstein, das Zinn.
> Trag' es gnädig, Neptun, und wiegt es schonend, ihr Winde,
> in bewirtender Bucht rausch' ihm ein trinkbarer Quell.
> Euch, ihr Götter, gehört der Kaufmann. Güter zu suchen
> geht er, doch an sein Schiff knüpfet *das Gute* sich an."

Es ist nicht das erste Mal, daß sich Schillers Schrifttum mit der Schiffahrt und ihrer Bedeutung für die Entwicklung der Menschheit beschäftigt. In der Abhandlung ‚Über Völkerwanderung, Kreuzzüge und Mittelalter' wird das Erliegen des „ländergattenden" Seeverkehrs und das Wiederwachen der Schiffahrt zwischen der Levante und Europa als Merkmal für Anfang und Ende der Periode mittelalterlicher „Gesetzlosigkeit" gewertet. Und im elften Paragraphen des ‚Versuchs' vom Jahre 1780 werden die Errungenschaften, die der Verfasser dem „im Geleit der Gestirne auf Flüssen und Ozeanen sicher dahingleitenden Haus" zuschreibt, in einer Vollständigkeit geschildert, daß einige Zeilen dieses Abschnitts im Wortlaut wiedergegeben seien: Die Flotte ist in „neuen Zonen" gelandet: „Hier wiederum neue Produkte, neue Gefahren, neue Bedürfnisse, neue Anstrengungen des Geistes. . . . Städte werden befestigt, Staaten errichtet, mit den Staaten entstehen bürgerliche Pflichten und Rechte, Künste, Ziffern, Gesetzbücher, schlaue Priester — und Götter. . . . Der Ost wird in West, der West in Ost bewundert, die Geburten des Auslands gewöhnen sich unter künstlichen Himmeln und die Gartenkunst bringt die Produkte von drei Weltteilen in *einem* Garten zusammen. Künstler lernen der Natur ihre Werke ab, Töne schmelzen die Wilde, Schönheit und Harmonie veredlen Sitten und Geschmack, und die Kunst geleitet zu Wissenschaft und Tugend hinüber."

Der einundzwanzigjährige Karlsschüler hat in diesen Zeilen bereits alles das genannt, was fünfzehn Jahre später der vollendete Dichter und Denker in dem Gedicht ‚Der Kaufmann' unter dem Begriff des „Guten" zusammenfaßte: Materielle und geistige Güter, von den Produkten der Landwirtschaft bis zu den höchsten Errungenschaften menschlicher Vergesellschaftung, bis zu Kunst und Wissenschaft, bis zu Ethik und Religion.

Freilich: Die soeben wiedergegebenen Sätze aus dem ‚Versuch' sprechen an den beiden hier nicht angeführten Stellen noch von anderen Folgen der Berührung mit fremden Ländern und Völkern: von der „Collision der tierischen Triebe", von *blutigem Kampf und Despotie*, von der *Ausartung der Bedürfnisse in Luxus*. Die Kenntnis der Weltanschauung des gereiften Denkers sagt uns, daß sich in dieser Mischung heilsamer und bedenklicher Erscheinungen die *Zwielichtigkeit des Lebens* der Wirklichkeit spiegelt. Sache des Willens und der Kraft ist es, gläubig und wagend aus dem Leben der Wirklichkeit zum wahren Leben vorzustoßen: sapere aude! Daß bei diesem edlen Streben der Sympathie die „politische Lehre" der Vernunft nicht vergessen werden darf, wird nie so deutlich wie hier, wo es um die Wirksamkeit des Guten im „Spiel des Lebens" geht.

Wie der Mensch durch das in sympathetischer Gemeinschaft von göttlicher Schöpferkraft und menschlichem Leistungswillen gewirkte Gute sich die Krone der Menschheit erringt, hat Schiller in einer Reihe von Balladen veranschaulicht.

Das christliche Ideal, wie es in dem vorhin angeführten Epigramm ‚Die Johanniter' ausgesprochen ist, findet im ‚Kampf mit dem Drachen' und im ‚Grafen von Habsburg' seine Verkörperung.

In dem ersten der beiden Gedichte ist es ja gerade ein Johanniterritter, dessen Verinnerlichung vom Helden der Kraft zum Helden der Demut anschaulich gemacht wird.

„.. an dem Herzen nagte mir
der Unmut und die Streitbegier."

Anfänglich ist seine Seele von zwei Antrieben beherrscht: von jugendlicher Kampfeslust, angefeuert durch das Vorbild heidnischer Helden der Vorzeit, und von dem Mitleid mit den „armen Opfern" des Ungeheuers — einem Gefühl, das seine Berechtigung in der Vorschrift des Ordens findet, daß des Christen Schwert „von jeder Not und jedem Harm befreien" solle. Von vorn herein wird also offenbar, daß es nicht Ruhmsucht oder Ungehorsam ist, was ihn das Abenteuer suchen läßt:

„nur von dem Herzen nehm' ich Rat,"

berichtet er von seiner Stimmung, die ihn unter „des Landes frisch erneutem Schmerz" beseelt. Und bevor er den Kampf beginnt, betritt er das Bergkirchlein, das auf der Höhe des Felsens liegt, an dessen Fuß die Drachenhöhle eingesprengt ist:

„Hin kniet' ich vor dem Christuskinde
und reinigte mein Herz von Sünde.
Drauf gürt' ich mir im Heiligtum
den blanken Schmuck der Waffen um ... "

Und nachdem er Gott seine Seele empfohlen, geht er in den Kampf und siegt. Ist also des Großmeisters Urteil berechtigt:

„Dich hat der eitle Ruhm bewegt"?

Des Jünglings Verhalten gibt die Antwort: Glänzend bewährt sich die Freiheit seiner Seele vom „Bedingtsein" der Welt der Wirklichkeit, das ihm in dem Toben der Menge entgegenbrandet, und die letzten Worte des Meisters bestätigen ihm seinen höheren Sieg:

„Nimm dieses Kreuz. Es ist der Lohn
der Demut, die sich selbst bezwungen."

Nicht weniger überzeugend ist die Haltung Rudolfs von Habsburg, der auch in der Pracht des Krönungsornats die Demut nicht verleugnet, die er dereinst als schlichter Graf mit der Befolgung des Wortes bewiesen, das zwei Verse des Epigramms ‚An einen Weltverbesserer' enthalten:

„Auch dem Menschen, der dir im engen Leben begegnet,
reich' ihm, wenn er sie mag, freundlich die helfende Hand" —

übrigens ein feiner Zug dieser Mahnung Schillers, daß man — auch der Christ — keinem seine Hilfe *aufdrängen* soll.

Zwei weitere Balladen, in denen Beispiele vom Wirken des Guten behandelt werden, sind ‚Die Bürgschaft' und ‚Der Gang nach dem Eisenhammer.'

Die erstere bietet wohl die schlichteste, am leichtesten eingängige Veranschaulichung dessen, was Schiller unter dem Ideal des Guten versteht. Es fragt sich, welcher der beiden Freunde dies Ideal reiner vertritt. Beide bewähren die Tugend der „Liebe und Treue", von welcher der Dichter in deutlichem Anklang an das zweite „Wort des Glaubens" den Tyrannen sagen läßt:

„Und die Treue, sie ist doch kein leerer Wahn."

Damon beweist die Freiheit seiner Seele gegenüber dem Bedingten, indem er ungeachtet der fünf Erlebnisse seiner Rückkehr, die ihn seiner Absicht, den Freund zu retten, untreu werden lassen könnten, sich dem Henker ausliefert. Im Vergleich mit dieser ausführlichen Darstellung der „handelnden" Haltung Damons wird das „leidende" Heldentum des Phintias nur in wenigen Zeilen angedeutet:

„Und schweigend umarmt ihn der treue Freund
und liefert sich aus dem Tyrannen;"

heißt es zu Beginn seiner Leidenszeit, und am Ende:

„Von Stunde zu Stunde gewartet' er
mit hoffender Seele der Wiederkehr;
ihm konnte den mutigen Glauben
der Hohn des Tyrannen nicht rauben."

Für die Berechtigung der Aufforderung des Dichters in der ‚Sehnsucht':

„Du mußt glauben, du mußt wagen,"

ist Phintias ein stummer, aber dadurch umso beredterer Zeuge.

Eine besondere Manifestation des „Guten" enthält ‚Der Gang nach dem Eisenhammer.' Fridolin ist noch ein halbes Kind; seine Rettung vor den Fäusten der Schmiedeknechte verdankt er nicht einer moralischen Handlung angesichts einer ihm bewußten Gefahr, so daß man bei ihm von Freiheit gegenüber dem Bedingtsein des Lebens der Wirklichkeit nicht wohl reden kann. Die seiner Herrin bewiesene Treue und seine kindliche Frömmigkeit, die sich in dem wunderschönen Worte ausspricht:

„Dem lieben Gotte weich' nicht aus,
find'st du ihn auf dem Weg!" —

rettet ihn, den Ahnungslosen, vor einem furchtbaren Tode. In diesem Gedichte ist der ideale Charakter des Guten am unmittelbarsten gezeichnet:

„Gott selbst im Himmel hat gerichtet!"

ruft der Graf, als er den Knaben lebendig und heil vor sich stehen sieht, und die Wahrheit des ‚Einem jungen Freunde' gewidmeten Wortes findet eine rührende Bestätigung:

„Sicher im Dämmerschein wandelt die Kindheit dahin:"

In Fridolins Schicksal hat eine Geisterhand aus dem Reiche der Schatten eingegriffen, weil er aus ihm selbst unbewußtem Triebe und in kindlichem Vertrauen auf Gott ein Geschöpf des „wahren" Lebens ist.

Beide soeben gewürdigten Balladen zeigen insofern einen verwandten Zug, als sie Schillers Überzeugung veranschaulichen, daß die Bewährung sittlichen Wertes bei anderen Menschen eine innere Wandlung hervorrufen kann, daß das Erlebnis vollkommener Tugend in bisher dem Leben der Wirklichkeit verhafteten Herzen sympathetische Regungen zu wecken und sie der ‚Hoffnung' aufzuschließen vermag:

> „Es ist kein leerer, schmeichelnder Wahn,
> erzeugt im Gehirne des Toren.
> Im Herzen kündet es laut sich an:
> zu was Besserm sind wir geboren;
> und was die innere Stimme spricht,
> das täuscht die hoffende Seele nicht."

Von hoher kulturphilosophischer Sicht her behandeln die Verwirklichung der Idee des Guten die großen Gedichte ‚Das Eleusische Fest' und ‚Der Spaziergang'.

Meisterhaft in seinem Aufbau ist ‚Das Eleusische Fest'. Eingangs- und Schlußstrophe, in daktylischem Maß gehalten, verherrlicht Ceres als „Königin" und „beglückende Mutter der Welt". Diese Strophen schließen die eigentliche Ballade ein: Zwei Hauptteile, jeder zu zwölf Strophen, in trockäischem Versmaß; beide Teile getrennt durch eine wieder daktylisch rhythmisierte Strophe.

Diese genau die Mitte des ganzen Gedichtes einnehmende Versgruppe berichtet das entscheidende Ereignis des ganzen, in der Ballade dargestellten Vorgangs: Die Menschen öffnen ihren „düstergebundenen Sinn" „der Menschlichkeit erstem Gefühl", was gleichbedeutend gesetzt ist mit der Bereitschaft zum Empfang der „göttlichen Lehre." Will man diesen zentralen Vorgang aus der weltanschaulichen Gedankenwelt Schillers heraus erklären, so ist zu sagen: Der zur Menschheit erwachende Mensch gewinnt den Glauben an eine aus einer höheren Welt seinem Herzen antwortende Sympathie.

Von diesem für das ganze Gedicht wesentlichen Gedanken aus ist der Inhalt der beiden gleichlangen Hauptteile leicht zu übersehen. Die ersten zwölf Strophen berichten, wie der Mensch den Sympathieglauben gewinnt; der zweite Hauptteil zeigt, wie dem Menschen durch seine Erziehung zum sympathetischen Fühlen gleichzeitig der rechte Gebrauch einer auf weiteste Sicht eingestellten Vernunft vermittelt wird.

Die mythologische Einkleidung des Gedichtes hat im Hinblick auf die in beiden Hauptteilen geschilderte Erziehung des Menschen zur „schönen Individualität" einen tiefen symbolischen Sinn.

Ceres, die nach der dichterischen Gestaltung der Ballade den Anfangs- und den Schlußstein an den Bau der Menschheit legt, findet auf der Suche nach ihrem verlorenen Kinde den seines göttlichen Anteils verlustig gegangenen Menschen. Und da ist es die aus dem Gedicht ‚Das Ideal und das Leben' bekannte „heil'ge Sympathie", der das „Unsterbliche" in der Göttin unterliegt:

> „ . . . der Menschheit Angst und Wehe
> fühlet mein gequältes Herz."

Der Sinn dieses wundervollen dichterischen Gedankens ist der: Aus Leid und Weh ist der Mensch zur Menschheit aufgestiegen; das Doppelgesicht des Lebens, die schmerzliche Lust der Liebe haben in ursprünglicher Sympathie an der Aufgabe mitgewirkt, die Menschen den Weg in die verlorene Heimat seiner göttlichen Herkunft wiederfinden zu lassen. Und wie in der ‚Klage der Ceres', wie früher gezeigt, die im Frühjahr aufsprießende Saat aus dem im Herbst in die Erde gesenkten Samen die Sympathie zwischen Tod und Leben versinnbildlicht, so wird die Sympathie zwischen Himmel und Erde jetzt zu dem Wunder, das die Erweckung des Menschen zum wahren Leben einleitet.

Jetzt zeigt der Mensch erst, was er sich

> „ . . . kann erlangen
> mit dem Willen und der Kraft."

Von der Lebensform des der Natur eng verbundenen Bauernstandes, der,

> „ . . . das Gesetz der Zeiten
> und der Monde heil'gen Gang"

ehrend, dieses Gesetz zum Leiter seiner Pflicht macht, der er „mit Neigung" nachkommt, weil sie die Voraussetzung seiner Existenz ist —, von dieser Lebensform schreitet die Entwicklung weiter zur Gründung der Stadt, deren Mauern nicht nur das Leben des Menschen gegen äußere Feinde schützen, sondern in der „zerstreuten Welt" das Gefühl der Verbundenheit, des aufeinander-Angewiesenseins wecken und damit aufs neue, nun aber in weiterem Kreise, die neigungsbestimmte Bereitschaft zur Pflichterfüllung, zur freiwilligen Unterwerfung unter das Gesetz, erzeugen sollen.

Hier zeigt sich die Bedeutung des mythologischen Gewandes, in das Schiller seine Dichtung gehüllt hat, erst ganz klar: Die Vorstellung, daß die Menschen bei ihrer das „Gute" wirkenden vielfältigen Tätigkeit die Hilfe der Himmlischen genießen, kann ja nur den Sinn haben, daß alles „Gute" seine Geltung erst aus dem Gefühl des Menschen gewinnt, bei seinem Bestreben einen Widerhall sympathetisch empfindender höherer Mächte zu finden.

So erscheint die Entwicklung des Menschen zur Menschheit als Erziehung zur Sympathie in ihren mannigfachen Spiegelungen: Erst zur Sympathie mit einer gläubig geahnten höheren Welt, und dann — unablässig von
dem immer stärker hörbaren Grundton dieser göttlich-menschlichen Sympathie begleitet — zur Sympathie mit dem Boden, der dem Menschen das
Lebensbrot spendet, darauf zur Sympathie mit dem Naturgesetz, das ihm
dieses Lebensbrot sichert, endlich zur Sympathie mit seinen Mitmenschen,
die sich in der Stiftung der Ehe und in der „Bürgergemeinheit" manifestiert. Diese vielfachen Formen der Sympathie aber ermöglichen dem Menschen auch, die gesetzmäßigen Bindungen, welche er gleichsam als einen
von Gott-Natur stammenden Widerhall einer Empfindung des eigenen
Herzens erlebt, nicht wie einen willkürlichen Pflichtzwang anzusehen, sondern als freundliche Helfer seiner Existenz zu lieben — kurz gesagt, die
Sympathie, zu der sich der Mensch emporentwickelt, wird eine Sympathie
der Vernunft.

Das Zusammenwirken von Sympathie und Vernunft ist es, was Ceres in
ihren Schlußworten als Sitte bezeichnet, die allein Garant der menschlichen, der „idealischen" Freiheit ist. Und alles, was der Mensch in diesem
„vertraulichen Verein" an Schönem bildet, an Gutem wirkt, wird ihm zum
Sinnbild seines Menschentums; Distichen wie ‚Der Obelisk', ‚Der Triumph-
bogen', ‚Die schöne Brücke', vor allem aber ‚Das Tor' und ‚Die Peterskirche', sprechen diesen Gedanken in mannigfacher Abwandlung aus.
Auch einige andere Distichen lassen sich als wertvolle Ergänzung zu diesem Ideenkomplex hier anführen. Der schon angeführten ‚Pflicht für jeden':

> „Immer strebe zum Ganzen, und kannst du selber kein Ganzes
>   werden, als dienendes Glied schließ' an ein Ganzes dich an,"

fügt sich passend der gleichfalls schon erwähnte Ausspruch über ‚Die
moralische Kraft' an:

> „Kannst du nicht schön empfinden, dir bleibt doch, vernünftig zu wollen
>   und als ein Geist zu tun, was du als Mensch nicht vermagst",

und für alles ‚Menschliche Wirken' gilt die resignierende Erkenntnis:

> „An dem Eingang der Bahn liegt die Unendlichkeit offen,
>   doch mit dem engsten Kreis höret der Weiseste auf." —

Führt das ‚Eleusische Fest' den Hörer in ferne Zeiten mythologischer
Phantasie, so versetzt ‚Der Spaziergang' in die unmittelbare Gegenwart
des Dichters.

Der große Hintergrund des ganzen dichterischen Gedankenkomplexes
ist die Natur: die Natur in ihrer durch die Jahrtausende einem unwandelbaren Gesetz gehorchenden Wesensart. Ihr sind die fünfzig einleitenden
und die achtundzwanzig Schlußverse gewidmet.

Im Anblick dieser Natur entwickelt sich vor dem inneren Auge des Dichters ein Bild von der Geschichte des Menschengeschlechts, wie sie in ewigem Wandel über die Natur hinaus langsam zur Kulturhöhe der Menschheit emporwächst, um dann die der Natur geschuldete Pietät freventlich vergessend vielleicht durch Jahrhunderte in Unnatur, Unwahrheit, Unwürde und Hohlheit fortzuvegetieren, bis die Natur unter Heimsuchungen des Elends und der Schrecken ihre verlorenen Rechte zurückfordert.

Einen Traum nennt der Wanderer dieses innere Gesicht, das, aus „des Lebens furchtbarem Bilde" seiner Zeit entstanden, eine Mahnung an sein Jahrhundert zur Rückkehr zur Natur enthält, durch die allein das „wahre" Leben wiedergewonnen werden kann, wie es sich in der Blütezeit der Menschheit einmal entfaltet hatte.

Die Verse 51—58 und 59—86 in denen das Landleben und die Entwicklung zur Stadt als die Grundlagen für die Ausbreitung der Menschheitskultur behandelt werden, berühren sich in manchen Einzelheiten mit Abschnitten aus dem ‚Eleusischen Fest'. Die Verse 87—138 vergegenwärtigen in breiten Strichen die Gewinnung des „Guten", wie es in Anschluß an die Würdigung der Gedichte ‚Punschlied' und ‚Der Kaufmann' erfaßt wurde — des Guten, das aus den, in gläubiger Sympathie mit den als göttliche Wesen verkörperten Naturgaben, errungenen Erfolgen „des Willens und der Kraft" des Menschen erwachsen ist. Wie dann durch den aus dem wahren Leben ins Leben der Wirklichkeit herabgezogenen Freiheitsbegriff der Mensch seiner Menschheit verlustig geht, schaut des Dichters Phantasie in den Versen 139—162, während die Gesichte von der Heimsuchung (163-172) deutliche Züge der französischen Revolution enthalten. Mit dem Appell an die Natur als Wahrerin der ewigen Gesetze, die dem Menschen den Schutz und die Wahrung seiner „Sitte" gewährleisten, schließt die „Elegie."

Für das vertiefte Verständnis des Gedichtes sei noch einmal hingewiesen auf den Satz aus der Abhandlung ‚Über das Erhabene': „Wer weiß, wie manchen Lichtgedanken oder Heldenentschluß, den kein Studierkerker und kein Gesellschaftssaal zur Welt gebracht haben möchte, nicht schon dieser mutige Streit des Gemüts mit dem großen Naturgeist auf einem Spaziergang gebar ..." Und schwer widersteht man der Versuchung, vorgreifend auf das Thema des in der „Anzeige" der letzten Seite angemeldeten Werkes, auf die Problematik einzugehen, welche sich mit dem Begriff eines Spaziergangs im Zeitalter der Motorisierung und der ständig gesteigerten Geschwindigkeit der Verkehrsmittel für den besinnlichen Menschen verbindet. —

Wenn die Feststellung richtig ist, daß Schiller das „Gute" als Produkt der schöpferischen Gott-Natur und der menschlichen, mit dem Willen und der Kraft erworbenen Kunst — das Wort im weitesten Sinne verstanden — begreift, dann ist sein ‚Lied von der Glocke‘ das große Zeugnis dieser seiner Erkenntnis.

Die Glocke *ist* ein Gutes, insofern sie durch die menschliche, von Willen und Kraft beseelte Kunstfertigkeit aus Produkten und mit Hilfe elementarer Kräfte geschaffen wird, wie sie die Natur dem Menschen spendet. Dies Wesen der Glocke als Sinnbild des Guten darzustellen, dienen die zehn Meistersprüche.

Eine wunderbare Sympathie entdeckt man in ihnen zwischen dem Werdegang der Glocke und der Entwicklung des Saatgutes vom Samenkorn bis zum wogenden Getreidefeld: Aus Erdentiefe steigen beide empor „in die Himmelsluft", Symbole der Sympathie zwischen Tod und Leben oder, von einem anderen Gesichtspunkt her gesehen, eines Lebens, das den Tod nicht kennt. So ist der Glockengießer, Schönes bildend, Gutes wirkend, Arbeiter in Gottes Weinberg.

Welches aber ist die Bedeutung der Glocke? Das sagen die Betrachtungen, welche, von Meisterspruch zu Meisterspruch gesponnen, „des Lebens wechselvolles Spiel" vorbeiziehen lassen.

In den Klängen der Glocke wird das Doppelgesicht des Lebens gegenwärtig — sei es, daß sie frohe Ereignisse verkündet, wie die Taufe eines kleinen Erdenbürgers, die Hochzeit eines jungen Menschenpaars, den Anbruch des friedlichen Abends in einer gesicherten, einträchtig dahinlebenden Gemeinschaft — sei es, daß harte Schläge des unentrinnbaren Schicksals der Anlaß ihres Schwingens sind, wie Feuersnot, der Tod eines teuren Angehörigen, Aufruhr oder Krieg.

Und bei jeder Gelegenheit, ob freudig oder schmerzlich, wird dem gläubigen Herzen wieder eine Sympathie von „Geisterreich und Körperweltgewühle", hier also zwischen Werden und Wesen der Glocke und ihrer jeweiligen Tätigkeit transparent:

> Die von Schlacken reine Mischung des Glockengutes gibt reinen Schall — würdig der Reinheit unberührter Jugend, deren Eintritt ins Leben die Taufglocke verkündet.
>
> Sprödes und weiches Metall vereint geben einen guten Klang — wie in der Ehe die in rechtem Verhältnis stehende Verbundenheit der Charaktere den Bestand des Lebensbundes gewährleistet.
>
> Meister und Gesellen hoffen, daß die in die Tiefe der Erde aufgenommene Glockenspeise als vollendete Glocke ans Licht des Tages aufsteigen werde — so pflanzt der liebende Mensch noch am Grabe die ‚Hoffnung‘[28] auf, die, auf Sympathie gegründet, der Lohn eines jeden Lebens von innen heraus, das heißt des wahren Lebens ist.
>
> Die dämonische Macht des Feuers, das ebenso menschliche Be-

---

[28] Hoffnung. —

mühungen fördern wie menschliche Werke vernichten kann, wirkt sich nicht nur auf den Einzelfall des Glockengusses, sondern auf jegliches Schicksal des Einzelnen und der Gemeinschaft aus.

Wie das Kunstwerk der Glocke nur durch des Meisters Hand seiner Vollendung zugeführt werden kann, so vermag die Vernunft ihre himmlische Bestimmung nicht zu erfüllen, wenn sie von „dem Ewigblinden" mißbraucht wird.

So dient die Glocke dem Leben der Wirklichkeit nicht weniger als dem wahren Leben. Denn indem sie „nur ewigen und ernsten Dingen" ihren metallenen Mund weiht, lehrt sie zugleich, „daß alles Irdische verhallt." Und obwohl „selbst herzlos, ohne Mitgefühl", wirkt ihr Klang auf die „schöne Individualität" doch so, als antworte er „der süßen Sympathie", die das fühlende Herz allem Menschenschicksal entgegenbringt, als weise sie das Menschenherz immer wieder auf den Schöpfer alles Lebens.

Indem aber der Schöpfer der Glocke, wie jeder Wirker des Guten,

„im innern Herzen spüret,
was er erschafft mit seiner Hand,"

sagt ihm sein Werk dasselbe, was der Dichter ‚Die Peterskirche' ihren Erbauer sagen läßt:

„meine Größe ist die, größer zu machen dich selbst,"

das heißt, indem der Mensch Gutes wirkt, wird er sich bewußt, daß er ein Glied der Menschheit ist — seine Größe besteht darin, daß „sein Individuum unvermerkt in die Gattung hinübergeführt" wird.

Darum erhält die Glocke den Namen „Concordia":

„Zur Eintracht, zu herzinnigem Vereine
versammle sie die liebende Gemeine" —

nicht allein im Sinne der sonntäglichen Kirchenbesucher, sondern in weitestem Sinne als ewige Mahnerin, daß der Einzelne seiner Aufgabe, Schönes zu bilden und Gutes zu wirken, erst dann gerecht wird, wenn er sie im Dienste der Menschheit erfüllt.

c) Das Wahre

Zwischen den Idealen des Schönen und des Guten sieht Schiller, wie bemerkt, eine innere Beziehung, die er in einem Bilde ausspricht: Die „göttliche Pflanze"[29] oder „Blume der Menschheit"[30], welche sich aus dem durch Bilden des Schönen ausgestreuten Keime entwickelt hat, wird durch das Wirken des Guten genährt.

---

[29]) Zweierlei Wirkungsarten. — [30]) Die Geschlechter. —

Die Frage liegt nahe, welche Bedeutung der Dichter für diese Entwicklung der Idee des Wahren zuweist.

Frühere Ausführungen haben erwiesen, daß Schiller als Eigenschaft des „wahren Lebens" die gleichzeitige Vollendung von „Blume" und „Frucht" betrachtet.

Vielleicht kann zur Beantwortung der eben gestellten Frage die folgende Hypothese weiterhelfen: Wie der Dichter dem Bilden des Schönen und Wirken des Guten die Bedeutung von Keim- und Nährkräften der symbolisch verstandenen Blume der Menschheit zulegt, so achtet er das Wahre als die Frucht, die dem zur Menschheit Gereiften mit seiner bildenden und wirkenden Tätigkeit dargeboten wird.

In der ersten Strophe der ,Worte des Wahns' stehen die Verse:

„Verscherzt ist dem Menschen des Lebens Frucht,
solang er die Schatten zu haschen sucht."

Bekannt ist, was Schiller „das Reich der Schatten" nennt: Es ist das der Welt des Stofflichen und Bedingten entrückte Reich des Ideals, das im Leben der Wirklichkeit keine Existenz hat. Darum sagt der Dichter: Wer diese Schatten „haschen" will, das heißt, wer sie im Leben der Wirklichkeit existent machen will und, wie es in ,Licht und Wärme' heißt,

„ ... glaubt, was ihm die Seele schwellt,
auch außer sich zu sehen,"

der hat „des Lebens Frucht verscherzt", insofern er nie das Wesen des „wahren" Lebens in sich erfahren wird.

Frucht und Reife sind eins. Reif ist der Mensch, der „zu seinem höchsten Glück"

„mit Schwärmers Ernst des Weltmanns Blick"

paart, wie der letzte Vers des eben erwähnten Gedichtes ,Licht und Wärme' fordert, oder, um an die ,Politische Lehre' zu erinnern, sich damit begnügt, „daß das Vorhandene vollkommen sei", aber auf die Existenz des Vollkommenen an sich verzichten kann. Wenige Monate vor seinem Tode hat Schiller in der ,Huldigung der Künste' demselben Gedanken durch den „Genius" folgenden Ausdruck verliehen:

„Wisset, ein erhabner Sinn
legt das Große in das Leben,
und er *sucht* es nicht darin."

Sollte dies nicht die „Wahrheit" sein, die Schiller als die Summe seiner Lebensweisheit der Nachwelt hinterlassen hat? Die *Frucht des Lebens*, die der Schönes bildende ernste Schwärmer und der Gutes wirkende Weltmann gleichzeitig mit seinem Dienst am Schönen und Guten bricht, weil die Erfüllung dieses Dienstes nur dem gelingt, der um diese Wahrheit weiß?

Die Richtigkeit dieser zunächst hypothetisch versuchten Erfassung des Schillerschen Ideals des Wahren, oder der Wahrheit, ist nunmehr an den in des Dichters Lyrik sich findenden Aussprüchen über dieses Ideal nachzuprüfen.

Was erfährt der Hörer aus Schillers Lyrik über das Wesen des Wahren? Mehrfach wird die Wahrheit als der geistigen Welt zugehörig bezeichnet. Das großartige Bild von dem freien, im Sturme dahinwandelnden Geist der Wahrheit bringt die vierte Strophe der ‚Worte des Wahns'. Geheimnisvoll wirkt die in dem Epigramm an ‚Die Forscher' sich findende Vorstellung von der Wahrheit, die „mit Geistestritt" mitten durch das Leben der Wirklichkeit hindurchschreitet. In diesem Sinne ist auch das Distichon ‚An die Mystiker' zu verstehen:

> „Das ist eben das wahre Geheimnis, das allen vor Augen
> liegt, euch ewig umgibt, aber von keinem gesehn,"

und das Wort von „der Sphären mystischen Tänzen" in dem Epigramm ‚Menschliches Wissen'.

Aber das Wahre ist nicht nur etwas, das, wie es in den ‚Worten des Wahns' heißt, „kein Ohr vernahm, was die Augen nicht sahn" — es trifft auch, wo es in Worte zu fassen versucht wird, auf ‚Gefährliche Nachfolge':

> „Freunde, bedenket euch wohl, die tiefere, kühnere Wahrheit
> laut zu sagen; sogleich stellt man sie euch auf den Kopf."

Das Wahre ist eine Weisheit, die nur auf weiteste Sicht erfaßt werden kann. Die Alltagsklugheit reicht an ihre Größe nicht heran. Daher gilt das über ‚Weisheit und Klugheit' gesprochene Wort des Dichters:

> „Willst du, Freund, die erhabensten Höhn der Weisheit erfliegen,
> wag' es auf die Gefahr, daß dich die Klugheit verlacht.
> Die Kurzsichtige sieht nur das Ufer, das dir zurückflieht,
> jenes nicht, wo dereinst landet dein mutiger Flug."

Die Wahrheit wohnt ja nicht an der Oberfläche der Dinge, sondern, wie es der zweite der ‚Sprüche des Konfucius' ausdrückt, „im Abgrund", oder — und damit stellt Schiller den ‚Worten des Wahns' das Wesen des Wahren gegenüber:

> „Es ist nicht draußen, da sucht es der Tor,
> es ist *in* dir, du bringst es ewig hervor."

Das Tiefste, was der Dichter über das Ideal des Wahren gesagt hat, spricht wohl das Distichon ‚An°°' aus:

> „Du willst Wahres mich lehren? Bemühe dich nicht! Nicht die Sache
> will ich durch dich, ich will *dich* durch die Sache nur sehn."

Denn diese Sätze besagen doch: Der Weg, auf dem der Mensch das Wahre sucht, und die Art, wie er das, was er als Wahrheit gefunden zu haben meint, weitergibt, läßt erkennen, ob er, dem Leben der Wirklichkeit verhaftet, nur die Nähe der Oberfläche des Lebens sieht, oder ob er, ein Sucher des wahren Lebens, die „Frucht des Lebens" gebrochen hat.

Und so handeln die übrigen Aussprüche, die Schiller in seiner Lyrik dem Ideal des Wahren gewidmet hat, teils von den Irrwegen, auf denen die Mehrzahl der Menschen die Wahrheit sucht, teils geben sie Aufschluß über die Eigenschaften, welche die Menschen zur Erkenntnis der Wahrheit befähigen.

Den Hauptfeind der Wahrheit sieht Schiller im ‚Falschen Studiertrieb‘ seiner Zeitgenossen:

„O wie viel neue Feinde der Wahrheit! Mir blutet die Seele,
    seh' ich das Eulengeschlecht, das zu dem Lichte sich drängt."

Diese sogenannten ‚Forscher‘ gleichen einer Schar Jäger, die hinter einem Wilde her sind:

„Alles will jetzt den Menschen von innen, von außen ergründen;
    Wahrheit, wo rettest du dich hin vor der wütenden Jagd?
Dich zu fangen, ziehen sie aus mit Netzen und Stangen ... "

Mit Messen und Zählen, mit willkürlichem Gruppieren und Stereometrie glaubt ‚Menschliches Wissen‘ das Unendliche, glauben ‚Die Astronomen‘ das Erhabene zu fassen:

„Weil du liesest in ihr, was du selber in sie geschrieben,
    weil du in Gruppen fürs Aug' ihre Erscheinungen reihst,
deine Schnüre gezogen auf ihrem unendlichen Felde,
    wähnst du, es fasse dein Geist ahnend die große Natur.
So beschreibt mit Figuren der Astronome den Himmel,
    daß in dem ewigen Raum leichter sich finde der Blick,
knüpft entlegene Sonnen, durch Siriusfernen geschieden,
    aneinander im Schwan und in den Hörnern des Stiers.
Aber versteht er darum der Sphären mystische Tänze,
    weil ihm das Sternengewölb' sein Planiglobium zeigt?"

Darum:

„Schwatzet mir nicht so viel von Nebelflecken und Sonnen;
    ist die Natur nur groß, weil sie zu zählen euch gibt?
Euer Gegenstand ist der erhabenste freilich im Raume;
    aber, Freunde, im Raum wohnt das Erhabene nicht."

Das Ziel, zu dem die Forscher gelangen, ist nicht die Wahrheit, sondern die Regel, und sie denken nicht an das allzeit gültige ‚Naturgesetz‘:

„So war's immer, mein Freund, und so wird's bleiben: die Ohnmacht
hat die Regel für sich, aber die Kraft den Erfolg."

Mit einem „tönenden Wort" meint man den Geist einkerkern zu können,
als ob dem irdischen Verstand mit seiner Klugheit „die Wahrheit je erscheinen" werde. Nein; so verstanden, ist auch Wahrheit ein ‚Wort des
Wahns':

„Ihren Schleier hebt keine sterbliche Hand,
wir können nur raten und meinen."

Und hier verbindet sich mit der Blindheit menschlichen Wähnens nur
zu leicht der Mangel an Ehrfurcht vor dem Geheimnis, das nicht an den
„Sachen" haftet. Diese Schuld läd der König im ‚Taucher' auf sich, der
in frevelhafter Neugier ein Menschenleben und ein Menschenglück opfert.

Das Urbild des ohne fromme Scheu an der Oberfläche des Daseins sich
versuchenden Wahrheitsforschers ist der Jüngling in dem Gedicht ‚Das
verschleierte Bild zu Sais'.

Man stelle das, was hier über das Zwiegespräch des Hierophanten mit
dem wißbegierigen Jüngling vor dem Standbild der Wahrheit berichtet
wird, den Ausführungen des geschichtsphilosophischen Aufsatzes ‚Die
Sendung Moses' gegenüber — und man begreift den Unterschied zwischen falschem und richtigem Suchen nach Erkenntnis. In dem Aufsatz
der wiederholte Hinweis darauf, daß „die reine und schwere Idee des
Wahren" nur als „ausschließendes Eigentum einer kleinen geschlossenen
Gesellschaft" gelten könne; die Erwähnung der „uralten, merkwürdigen
Inschrift", die man auf einer Pyramide zu Sais fand: „Ich bin alles, was ist,
was war und was sein wird; kein sterblicher Mensch hat meinen Schleier
aufgehoben" — in dem Gedicht die Verständnislosigkeit des Epopten gegenüber dem Ausspruch der Gottheit:

„Kein Sterblicher . . .
rückt diesen Schleier, bis ich selbst ihn hebe" —:
„Das fass' ich nicht. Wenn von der Wahrheit
nur diese dünne Scheidewand mich trennte" —

erwidert er dem Priester, der ihn vergeblich an die Stimme des Gewissens
verweist. Wer aber in kurzsichtiger Leidenschaft und Überheblichkeit dieser Stimme sein Ohr verschließt, der wird zuletzt zu der Einsicht des unglücklichen Epopten gelangen:

„Weh dem, der zu der Wahrheit geht durch Schuld!
Sie wird ihm nimmermehr erfreulich sein."

Mit diesem Ausspruch ist die Betrachtung bereits zu dem dritten Punkt
gelangt, der Schillers Anschauung von der Idee des Wahren betrifft: Zu

der Frage nach dem rechten Weg, den der Dichter zur Findung der Wahrheit weist.

Und wieder wird der Begriff lebendig, den Schiller mit der Idee des Wahren verbindet: Es handelt sich bei dieser Idee um ein Geheimnis, um ein Mystisches. Ihm auf die Spur zu kommen, ist nur der ‚Genius‘ fähig, der naturnahe in der Stimme der Schöpfung die Manifestation eines göttlichen Wesens ahnt, eine Manifestation, die nichts ist als die Antwort auf die „süße Sympathie des eigenen Herzens“. Dieses „Orakel“ —

> „Nur in dem stilleren Selbst vernimmt es der horchende Geist noch,
> und den heiligen Sinn hütet das mystische Wort.
> Hier beschwört es der Forscher, der reines Herzens hinabsteigt,
> und die verlorne Natur gibt ihm die Weisheit zurück.“

Ein reines Herz — ja, und ein gesundes Auge: denn nur „des Auges Gesundheit, des Herzens heilige Unschuld“ sind imstande,

> „zu entlarven den Trug, der dich als Wahrheit versucht,“

wie Schiller ‚Einem jungen Freunde‘ sagt, „als er sich der Weltweisheit widmete.“

> „Sie geben, ach! nicht immer Glut,
> der Wahrheit helle Strahlen.
> Wohl denen, die des Wissens Gut
> nicht mit dem Herzen zahlen,“

heißt es in ‚Licht und Wärme‘. Der Konflikt zwischen dem Leben der Wirklichkeit und dem wahren Leben endet nicht immer mit der rechten ‚Übereinstimmung‘, welche die Wahrheit gibt:

> „Wahrheit suchen wir beide, du außen im Leben, ich innen
> in dem Herzen, und so findet sie jeder gewiß.
> Ist das Auge gesund, so begegnet es außen dem Schöpfer;
> ist es das Herz, dann gewiß spiegelt es innen die Welt.“

Schiller nennt in dem Aufsatz ‚Über Völkerwanderung, Kreuzzüge und Mittelalter‘ den Kampf, in welchem zur Zeit Luthers „die Wahrheit den Arm der Tapfern bewaffnet,“ einen Kampf für die Vernunft. Aber die zu dieser Stelle gegebene Anmerkung betont ausdrücklich, daß es bei diesem Kampf nicht auf den Wahrheitsgehalt der Sache ankomme, sondern „auf die unternommene *Mühe* der Arbeit“ und „auf den *Fleiß*“, das heißt auf den Anteil „des Willens und der Kraft“. Auch die „Wahrheit“, die der Genius in der ‚Huldigung der Künste‘ als Summe der Lebensweisheit des Dichters verkündet, ist ja nicht Wahrheit an sich, sondern die Wahrheit, die Schiller als für den Menschen gültig anerkennt, der mit der Problematik des Lebens fertig werden will. Die Frage, die der Dichter ‚Einem jungen Freunde‘ stellt, ist ja nur allzu berechtigt:

„Fühlst du dir Stärke genug, der Kämpfe schwersten zu kämpfen,
    wenn sich Verstand und Herz, Sinn und Gedanken entzwein?
Mut genug, mit des Zweifels unsterblicher Hydra zu ringen
    und dem Feind in dir selbst männlich entgegen zu gehn?"
Schließlich helfen auch da nur die beiden Eigenschaften, die dem Menschen die Pforte in das Reich des Ideals öffnen: Glaubenskraft und Wagemut. Glaube nicht im Sinne des „beßren Menschen", der, „in die Welt
mit fröhlichem Vertrauen" tretend,

„. . glaubt, was ihm die Seele schwellt,
    auch außer sich zu schauen"[31],

sondern im Sinne des „himmlischen Glaubens," der ‚Die Worte des Wahns‘
als solche überwunden hat. Und Wagemut im Sinne der Bereitschaft, den
Kampf mit der verständnislosen Welt und den eigenen Anfechtungen durch-
zuhalten.

Schließlich ist also der Mensch für das, was er als „Wahrheit" anerkennt, selbst verantwortlich. Wer das Leben nur aus der Nähe sieht, nur
von seiner Oberfläche her wertet, wird die Wahrheitserfahrung des Jünglings von Sais machen, die in der ‚Poesie des Lebens‘ ausgesprochen ist:

„Die Welt scheint, was sie ist, ein Grab."

Wer in den Eindrücken, die das Leben ihm bietet, einen Widerhall seines
sympathetisch fühlenden Herzens vernimmt, wird das „wahre" Leben im
Reiche des Ideals finden.

Der irrende Wahrheitssucher bedient sich der Klugheit des Verstandes;
er wertet die Sache.

Der echte Wahrheitssucher bedient sich der Sympathie der Vernunft;
er wertet das Herz. —

Rückblick und Ausblick

Am 25. Februar 1789 fällt Schiller seinem Dresdener Freund gegenüber
jenes scharfe Urteil über das „lyrische Fach": „Es ist das kleinlichste und
undankbarste unter allen", und spricht die Vermutung aus, daß die Zeit
und Mühe, die er bei Abfassung der ‚Künstler‘ aufgewandt habe, ihn auf
viele Jahre von dieser Art Dichtung abschrecken werde.

Wie in einem früheren Zusammenhang bemerkt, hat tatsächlich sechs
Jahre lang Schillers lyrische Leyer geschwiegen. Dann aber beginnt plötzlich seine dichterische Ader auf diesem Gebiet wieder zu fließen, und während seiner letzten zehn Lebensjahre entsteht eine große Zahl Gedichte
verschiedenster Art, deren Gedankenreichtum in diesem jetzt zum Abschluß

---

[31]) Licht und Wärme. —

gelangenden Kapitel vermittelt werden sollte. Als ihr gemeinsames Merkmal ist herausgestellt worden, daß es sich bei ihnen, aufs Ganze gesehen, um eine Lebensbeichte handelt, insofern in ihnen des Dichters Ringen um seine persönliche Anschauung von des Menschen Stellung zum Leben, wie es theoretisch in seinen geschichtsphilosophischen und aesthetischen Arbeiten der sechs vorhergehenden Jahre geschah, in poetischer Spiegelung sichtbar wird.

Zeitlich am Anfang dieser langen Reihe lyrischer Produkte steht ein 1795 entstandenes Gedicht, in welchem der Dichter — eine große Seltenheit in seiner Lyrik — in der ersten Person spricht, wodurch das Gedicht für das Verständnis der lyrischen Dichtung des reifen Schiller als Lebensbeichte eine besondere Bedeutung gewinnt. Es handelt sich um das Gedicht ‚Die Ideale'.

Aber von den Idealen des Schönen, des Guten, des Wahren, die in der Lyrik des vollendeten Dichters einen so großen Raum einnehmen, ist in diesem Gedichte nichts zu finden. Die Ideale werden vielmehr als ein verlorenes Gut der Jugendzeit hingestellt.

> „Er ist dahin, der süße Glaube
> an Wesen, die mein Traum gebar,
> der rauhen Wirklichkeit zum Raube,
> was einst so schön, so göttlich war."

Wie verträgt sich dies Geständnis mit den für Schillers Idealismus so kennzeichnenden Worten ‚Theklas':

> „Wage du, zu irren und zu träumen"?

Das Gedicht wird sofort verständlich, wenn man die Zeit seiner Entstehung berücksichtigt.

Der Verfasser sieht sich an einem Wendepunkt seiner Entwicklung. Dem Rückblick auf überwundene Kämpfe und Enttäuschungen gesellt sich der Ausblick auf die Lebensspanne, die dem Todgeweihten noch vergönnt sein mag: Es soll eine Zeit des liebenden Wirkens sein, die zugleich eine Zeit der „Wirklichkeit' in neuem Sinne sein wird — einer Wirklichkeit, die auf dem Fundament eines „ernüchterten", aber hoffenden Idealismus ruht, wie er sich in dem Dichter seit jenem Brief vom 15. April 1786 langsam heranbildete, zuerst in den Jahren, als er sich in Weimar eine Stellung schuf, dann zu immer größerer Klarheit und Vollkommenheit entwickelt in seinen geschichtsphilosophischen und aesthetischen Prosaschriften — bis er „den Willen und die Kraft" gewonnen hatte, die Träume seiner Jugend als gereifter Mann neu zu gestalten, mit der Blume die Frucht zu brechen, weil er das „sapere aude!" zu seinem Lebensgesetz gemacht.

Klänge aus der Jugendlyrik werden laut, wenn der Dichter sich daran er-

innert, wie der Jüngling sich „mit Liebesarmen um die Natur mit Jugendlust" schlang, bis

> „. . teilend meine Flammentriebe
> die Stumme eine Sprache fand,
> mir wiedergab den Kuß der Liebe
> und meines Herzens Klang verstand;
> da lebte mir der Baum, die Rose,
> mir sang der Quellen Silberfall,
> es fühlte selbst das Seelenlose
> von meines Lebens Widerhall."

Die „süße Sympathie" des Gedichtes aus der Anthologie von 1781 ‚Die
Freundschaft' wird wieder lebendig. Die Themen der Jugenddramen wirken nach in den Versen:

> „Es dehnte mit allmächt'gem Streben
> die enge Brust ein kreißend All,
> herauszutreten in das Leben
> in Wort und Tat, in Bild und Schall."

Und in der folgenden Strophe:

> „Wie sprang, von kühnem Mut beflügelt,
> beglückt in seines Traumes Wahn,
> von keiner Sorge noch gezügelt,
> der Jüngling in des Lebens Bahn!
> Bis an des Aethers bleichste Sterne
> erhob ihn der Entwürfe Flug;
> nichts war so hoch und nichts so ferne,
> wohin ihr Flügel ihn nicht trug,"

glaubt man die Klänge des Liedes ‚An die Freude' rauschen zu hören.
    Und jetzt werden auch die Ideale genannt, die „seiner Jugend Pfad er-
hellt", die Liebe, das Glück, der Ruhm, die Wahrheit. Aber es kommt die
Ernüchterung:

> „die Ideale sind zerronnen" — ;

und doch: zwei kurze Verse weisen aus der Vergangenheit in die Zukunft,
der Rückblick wendet sich zum Ausblick:

> „Kaum warf noch einen bleichen Schimmer
> die Hoffnung auf den finstern Weg."

Wie hieß es doch in dem der ‚Hoffnung' gewidmeten Gedichte?

> „Den Jüngling locket ihr Zauberschein,
>   sie wird mit dem Greis nicht begraben;"

und was die beiden Verse der ‚Ideale' nur andeutungsweise ahnen lassen, findet in den schon früher angeführten Zeilen der ‚Hoffnung‘ ihren starken Gehalt:

> Es ist kein leerer, schmeichelnder Wahn,
> erzeugt im Gehirne des Toren.
> Im Herzen kündet es laut sich an:
> zu was Besserm sind wir geboren;
> und was die innere Stimme spricht,
> das täuscht die hoffende Seele nicht.“

In dem Gedicht ‚Die Ideale‘ wendet sich deshalb der Dichter von den Enttäuschungen seiner Jugend ab zu den bleibenden Werten seines Lebens, das seit vier Jahren dem Tod ins Auge zu sehen gelernt hat:

> „Von all dem rauschenden Geleite
> wer harrte liebend bei mir aus?
> Wer steht mir tröstend noch zur Seite
> und folgt mir bis zum finstern Haus?“

Zwei Begleiter sind es, welche dem jungen Schwärmer von einst eine ideale Wirklichkeit geschenkt haben — es sind dieselben, die in Schillers Briefwechsel mit Körner aus den Jahren 1786 bis 1789 eine so wesentliche Rolle spielen: Freundschaft und Beschäftigung.

Freundschaft: Ohne Zweifel hat der Dichter bei ihr,

> „die du des Lebens Bürden liebend teilest,
> du, die ich frühe sucht’ und fand,“

vor allem den Dresdener Freundeskreis im Auge.

Beschäftigung: Zweifellos spricht aus den ihr gewidmeten Worten:

> „die nie ermattet,
> die langsam schafft, doch nie zerstört“

Schillers eigene, in Briefen so oft ausgesprochene Erfahrung.

Und zum Schluß schwingt sich die Stimmung im Bewußtsein erfüllter und immer neu zu erfüllender Sendung hoch empor, wenn er von seinem schöpferischen Wirken — von seiner „Beschäftigung“ sagt:

> „die zu dem Bau der Ewigkeiten
> zwar Saatkorn nur für Saatkorn reicht,
> doch von der großen Schuld der Zeiten
> Minuten, Tage, Jahre streicht.“

Was kann die „große Schuld der Zeiten“ anderes sein als der Verlust des „Götterbildes der Menschheit“; welche andere Aufgabe hätte die „Beschäftigung“ des Dichters, als den Weg zu weisen zum „Olymp“, nach „Elysium“, ins „Paradies“?

Und daß bei der Erfüllung dieser Aufgabe die alle Wunden heilende

Freundschaft nicht fehlen durfte, hat ihre besondere Bedeutung. Denn von ihrer Hand geleitet, gestaltete sich des Dichters Existenz, wie sie dem gereiften Schiller erschien, in dieser Art: Die Freundschaft als lebendige Manifestation der Sympathie — die Beschäftigung als Wirken des Guten durch Bilden des Schönen im Dienste des Wahren, beschwingt durch Glauben und Wagemut, unerachtet des Lebens der Wirklichkeit, in Erwartung der Zukunft eines wahren Lebens.

Noch einmal sei an Goethes ‚Epilog zu Schillers Glocke‘ erinnert, welcher dem hoffnungsfreudigen Glaubensmut des Dichters in folgenden Versen seine ewige Bedeutung gab:

> „Nun glühte seine Wange rot und röter
> von jener Jugend, die uns nie entfliegt,
> von jenem Mut, der früher oder später
> den Widerstand der stumpfen Welt besiegt,
> von jenem Glauben, der sich stets erhöhter
> bald kühn hervordrängt, bald geduldig schmiegt,
> damit das Gute wirke, wachse, fromme,
> damit der Tag dem Edlen endlich komme.

Zweites Kapitel

Abglanz des wahren Lebens im Leben der Wirklichkeit

Mit den Dramen der Reifezeit hat Schiller den Gipfel seiner schöpferischen Leistungskraft erreicht. Es war ihm nicht vergönnt, die seit den Jahren seiner Jugend mit den Augen der Seele gläubig geschaute Endzeit im Idyll einzufangen. Aber durch alle seine Tragödien vom ‚Wallenstein‘ bis zum ‚Wilhelm Tell‘ schimmert ein *reines Licht* tröstlich in das Grau des Alltags der Wirklichkeit. Alle in ihnen handelnd oder leidend erscheinenden Menschen werden willig oder widerwillig irgendwie *in den Bannkreis dieses Lichtes* gezogen. Leidenschaft — man könnte sie, im Hinblick auf das Anliegen dieses Buchs, eine Sympathie mit sich selbst nennen — und beschränkte Vernunft beherrschen die Welt; aber die Sympathie der Vernunft, der lebendige Geist manifestiert sich in seiner unüberwindlichen Macht; und die Tragik, welche alle Geschichte bestimmt, hat schließlich doch nur den Sinn, dieser Manifestation zu dienen.

1. *Wallenstein*

Der Held des gewaltigen Doppeldramas, das ja in Wirklichkeit nur eine einzige, um der Fülle des Stoffs willen zweigeteilte, in den von der dramatischen Technik gelehrten fünf Entwicklungsstufen sich abspielende, straff gegliederte Tragödie darstellt, tritt in dem ersten dieser Dramen, in den ‚Piccolomini‘, nur im zweiten Aufzug persönlich in Erscheinung. Erst im zweiten Teil, in ‚Wallensteins Tod‘, dessen erster Akt den als Krisis bezeichneten Höhepunkt der tragischen Handlung bringt, belebt der Friedländer bis zum Schluß als herrschende Gestalt die Szene. Aber die Worte des Prologs zu ‚Wallensteins Lager‘, in denen der Dichter verkündet:

„Nicht Er ist’s, der auf dieser Bühne heut
erscheinen wird. Doch in den kühnen Scharen,
die sein Befehl gewaltig lenkt, sein Geist
beseelt, wird euch sein Schattenbild begegnen, ... “

gelten mit demselben Recht auch für die vier Aufzüge des ersten Fünfakters, in denen der Generalissimus nicht sichtbar wird. Er, der in der großartigen Szene mit Questenberg auf der Höhe seiner Macht als „des Lagers Abgott" gezeigt wird, steht wie ein „Schattenbild" hinter allen Worten und Taten der zahlreichen Gestalten, die in den ‚Piccolomini' als Anhänger oder als Gegner Wallensteins die Bühne erfüllen. Bei aller verwirrenden Vielfalt der Individualitäten und Menschenschicksale, die uns in diesem Riesenwerk unseres größten Dramatikers gezeigt werden, ist es doch schließlich nur Albrecht von Wallenstein, auf den diese Individualitäten ausgerichtet, durch den ihre Schicksale bestimmt sind.

Und so läßt es sich wohl verantworten, die Behandlung dieser Dichtung im Hinblick auf die eigentliche Absicht, die Schiller bei der künstlerischen Darstellung seiner Gedankenwelt leitete, in der Weise vorzunehmen, daß die mannigfachen Figuren der Tragödie nur als Mittel zu dem Zweck gewürdigt werden, die Hauptperson desto anschaulicher und vollkommener zur Geltung zu bringen. Die Ausführungen also, die dabei einem Octavio, einer Gräfin Terzky, einem Max und einer Thekla gewidmet werden, sind nicht als abschweifende Unterbrechung des eigentlichen Gegenstandes — des Verständnisses der Gestalt Wallensteins — zu verstehen, sondern als unentbehrliche Verlebendigung dieses „durch der Parteien Gunst und Haß verwirrten" Charakterbildes. In ihnen allein zeigt der Dichter Spieler und Gegenspieler „in des Lebens Drang", in welchem sich eine von der Natur unveränderlich angelegte Persönlichkeit notwendig so und nicht anders manifestieren muß.

Schiller sieht Wallensteins innere Entwicklung durchaus nicht in einer ebenmäßig sich fortsetzenden Linie.

Wohl sind alle Merkmale, die seinen Charakter bestimmen, von Anbeginn anlagenhaft in ihm vorhanden; aber die entscheidende Richtung nimmt dieser Charakter doch erst seit einem Ereignis, das endgültig sein Schicksal bestimmt. Es ist der Fürstentag zu Regensburg, auf dem seine erste Enthebung von seiner Stellung als kaiserlicher Generalissimus erfolgt.

An vier wichtigen Stellen der Doppeltragödie wird dieser Tag als ein verhängnisvoller erwähnt.

In der Audienz, die Wallenstein dem kaiserlichen Kriegsrat Questenberg gewährt (P. II), spricht der Friedländer von dem „Dank", den ihm der Habsburger dafür abstattete, daß er auf Kosten der Fürsten ihn groß gemacht:

„Abgesetzt wurd' ich."

Daß der Herzog hier auf eine schwache Stelle der Sache seiner Gegner den Finger legt, beweist Questenbergs verlegene Antwort, mit welcher er des Kaisers Handlungsweise zu entschuldigen sucht:

„Euer Gnaden weiß,
wie sehr auf jenem unglücksvollen Reichstag
die Freiheit ihm gemangelt,"

und Wallensteins entrüstete Erwiderung:

„Tod und Teufel!
Ich *hatte*, was ihm Freiheit schaffen konnte."

Hat bis zu dieser Stelle Questenberg seinem Wort gemäß gesprochen:

„Anklagen ist mein Amt und meine Sendung",

so beschränkt er sich von da ab auf die knappe Wiedergabe der kaiserlichen Forderungen und ihre ziemlich lahmen Begründungen, um schließlich angesichts des leidenschaftlichen Ausbruchs der Generalität ganz zu verstummen.

Ein zweites Mal fällt der Name Regensburg in der Szene, in welcher die Gräfin Terzky nach Wallensteins Gespräch mit dem schwedischen Unterhändler Wrangel die Unentschlossenheit ihres Schwagers zu überwinden sich bemüht. Auch sie erblickt in dem Ergebnis des Regensburger Fürstentags einen Beweis kaiserlicher Undankbarkeit (W. T. I 7):

„Da ließ man
dich fallen! Ließ dich fallen! Dich dem Bayern,
dem Übermütigen, zum Opfer fallen!"

Die dreimalige Betonung des entscheidenden Wortes verfehlt ihre Wirkung nicht. Bis dahin schien Wallenstein zu schwanken zwischen Bereitschaft zum Nachgeben und verzweifelter Ratlosigkeit, „einen Weg aus diesem Drang" zu finden. Von nun an gewinnen seiner Schwägerin schlau berechnete Worte mehr und mehr Einfluß auf seine Erwägungen, und schließlich markiert sein Befehl:

„Ruft mir den Wrangel, und es sollen gleich
drei Boten satteln"

den Höhepunkt der gesamten tragischen Handlung.

Zum drittenmal wird der „Unglückstag zu Regensburg" erwähnt, als sich schon die Schatten des nahenden Verhängnisses immer dichter über das Haus Friedland senken (III 3). Da sieht die Herzogin in jenem Tag den Anlaß der entscheidenden Wendung in Wesen und Wirken ihres Gatten — ein wichtiges Urteil, das zum Verständnis der Gestalt des Helden wesentliche Einzelheiten beiträgt.

In eindrucksvollem Gegensatz zu diesen trüben Gedanken stehen die Worte des Monologs, in welchem Wallenstein zu Beginn der großen Szene, die den Abfall der Pappenheimer und den Abschied von Max bringt, seine gegenwärtige Lage mit derjenigen vergleicht, als er, in Regensburg von allen verlassen, „nichts mehr hatte als sich selbst" (III 13):

> „— Noch fühl' ich mich denselben, der ich war!
> Es ist der Geist, der sich den Körper baut,
> und Friedland wird sein Lager um sich füllen.
> Führt eure Tausende mir kühn entgegen,
> gewohnt wohl sind sie, unter mir zu siegen,
> nicht gegen mich—Wenn Haupt und Glieder sich trennen,
> da wird sich zeigen, wo die Seele wohnte."

Wallensteins Größe zeigt sich, indem er aus demselben Ereignis, das ihm bisher als Markstein seines tiefsten Sturzes galt, jetzt, wo sich sein Stern zum Untergange neigt, neuen Mut und neue Kraft schöpft; denn, wie er gegen Ende der vorhergehenden Szene sagt (III 10):

> Notwendigkeit ist da, der Zweifel flecht,
> jetzt fecht' ich für mein Haupt und für mein Leben." —

In kurz aufleuchtenden Bildern erfahren wir aus Gesprächen Buttlers und Wallensteins mit dem Kommandanten von Eger, Gordon, einiges über des Helden Jugendjahre.

> „Wie doch die alte Zeit mir näher kommt.
> Ich seh' mich wieder an dem Hof zu Burgau,
> wo wir zusammen Edelknaben waren.
> Wir hatten öfters Streit, du meintest's gut,
> und pflegtest gern den Sittenprediger
> zu machen, schaltest mich, daß ich nach hohen Dingen
> unmäßig strebte, kühnen Träumen glaubend,
> und priesest mir den goldnen Mittelweg."

So Wallenstein (W. T. V 4). Und Gordon selbst erzählt Buttler, dem „bösen Dämon" (W. T. III 16) des zum Tode Bestimmten (IV 2):

> „Wohl dreißig Jahre sind's. Da strebte schon
> der kühne Mut im zwanzigjähr'gen Jüngling.
> Ernst über seine Jahre war sein Sinn,
> auf große Dinge männlich nur gerichtet;
> durch unsre Mitte ging er stillen Geists,
> sich selber die Gesellschaft; nicht die Lust,
> die kindische, der Knaben zog ihn an;
> doch oft ergriff's ihn plötzlich wundersam,
> und der geheimnisvollen Brust entfuhr,
> sinnvoll und leuchtend, ein Gedankenstrahl,
> daß wir uns staunend ansahn, nicht recht wissend,
> ob Wahnsinn, ob ein Gott aus ihm gesprochen — "

worauf Buttler von einer wunderbaren Schicksalsfügung berichtet, die für
Wallensteins weitere Charakterentwicklung von Bedeutung war:

> „Dort war's, wo er zwei Stock hoch niederstürzte,
> als er im Fensterbogen eingeschlummert,
> und unbeschädigt stand er wieder auf.
> Von diesem Tag an, sagt man, ließen sich
> Anwandlungen des Wahnsinns bei ihm spüren —“

was Gordon weiter ausführt:

> „Tiefsinn'ger wurd' er, das ist wahr, er wurde
> katholisch. Wunderbar hatt' ihn das Wunder
> der Rettung umgekehrt. Er hielt sich nun
> für ein begünstigt und befreites Wesen,
> und keck wie Einer, der nicht straucheln kann,
> lief er auf schwankem Seil des Lebens hin.“

Im Grunde ist es ein nicht außergewöhnlicher Charakter eines jungen
Menschen, der uns in diesen Berichten vor Augen geführt wird. Eine sich
entwickelnde Persönlichkeit, strebsam, gern sich in Träumen von hohen
Dingen ergehend — wie viele Knaben von guter Veranlagung lieben es
nicht, in dieser Weise sich ihr künftiges Leben phantasievoll auszumalen?
Mit der wachsenden Reife allerdings werden bei dem jungen Wallenstein diese Träume mehr und mehr bestimmend für die Entwicklung von
Wesenszügen besonderer Art. Vor allem ist es das völlige Fehlen des Be-
dürfnisses, sich an Altersgenossen anzuschließen, Freundschaften zu suchen, wie sie für diese Jahre kennzeichnend zu sein pflegen. Das kühne
Streben der Knabenjahre entwickelt in dem Jüngling einen frühreifen Ernst,
eine stille Verschlossenheit, die nur hin und wieder durch den plötzlich
hervorbrechenden Strahl einer genialischen Idee unterbrochen wird. Und
als er dann wie durch ein Wunder vor einem jähen Tode bewahrt bleibt,
da vertiefen sich diese absonderlichen Eigenschaften des Heranreifen-
den zu bleibenden Charakterzügen: Die ernste Verschlossenheit wird zum
Tiefsinn, der ihn zum Katholizismus führt; das kühne Träumen von künftigen großen Taten wird zum Glauben an eine höhere Macht, die ihn für
ein außerordentliches Schicksal ausersehen hat; frei wird er von allen
Hemmungen, die den gewöhnlichen Menschen auf Schritt und Tritt seines
Lebensweges zur Vorsicht mahnen.
Und das Schicksal scheint seinen kühnen Erwartungen Erfüllung zu
verheißen. Diese Hoffnung ist es, die ihn in den ersten Jahren seiner öffentlichen Laufbahn als den „fröhlich Strebenden“ erscheinen läßt, die seinen Ehrgeiz zu einem „mild erwärmenden Feuer“ macht, woran sich die

Herzogin noch mit Lust erinnert (W. T. III 3). Wallenstein ging, wie Gordon sagt (W. T. IV 2),

> „der Größe kühnen Weg
> mit schnellem Schritt, . . .
> ward Graf und Fürst und Herzog und Diktator . . .“

Dann aber führt der Regensburger Fürstentag jene verhängnisvolle Wandlung seines Charakters herbei, welche die Herzogin mit den Worten kennzeichnet (W. T. III 3):

> „Doch seit dem Unglückstag zu Regensburg,
> der ihn von seiner Höh' herunterstürzte,
> ist ein unstäter, ungesell'ger Geist
> argwöhnisch, finster, über ihn gekommen.
> Ihn floh die Ruhe, und, dem alten Glück,
> der eignen Kraft nicht fröhlich mehr vertrauend,
> wandt' er sein Herz den dunkeln Künsten zu,
> die keinen, der sie pflegte, noch beglückt.“

Wesenszüge seiner Jünglingsjahre erscheinen jetzt in verdüsterten Licht. Schon damals war er ein Einzelgänger, der, „sich selber die Gesellschaft,“ inmitten seiner Jugendgenossen lebte. Jetzt zeigt sich dieser Charakterzug als argwöhnische, finstere Ungeselligkeit. Das Genialisch-rätselhafte, das aus der Seele des Zwanzigjährigen hie und da überraschend wie die Manifestation halb eines Wahnsinnigen, halb eines Gottes hervorgebrochen war, wandelt sich in ein unstätes, ruheloses Wesen. Die Überzeugung, ein Günstling des Schicksals zu sein, die ihm bisher die seelische Schwungkraft zu frohem Selbstvertrauen verliehen, ist durch den tiefen Sturz einem Zweifel an dem eigenen Können gewichen, aus dem er sich durch die Hinwendung zur Astrologie hinauszufinden hofft, wartend auf die Sternenstunde, die ihm Zeit und Gelegenheit, die verlorene Macht in gesteigertem Maße zurückzugewinnen, künden soll.

Als einen so Gewandelten trifft ihn die zweite Berufung an die Spitze der kaiserlichen Armeen.

Und alsbald wirkt sich seine charakterliche Wandlung aus in der Art, wie er das ihm übertragene Amt annimmt:

> „Nur auf Bedingung nahm ich dies Kommando,
> und gleich die erste war, daß mir zum Nachteil
> kein Menschenkind, auch selbst der Kaiser nicht,
> bei der Armee zu sagen haben sollte.“

Denn: „Seitdem es mir so schlecht bekam,
dem Thron zu dienen auf des Reiches Kosten,
hab' ich vom Reich ganz anders denken lernen.
Vom Kaiser freilich hab' ich diesen Stab;
doch führ' ich jetzt ihn als des Reiches Feldherr,
zur Wohlfahrt aller, zu des *Ganzen* Heil,
und nicht mehr zur Vergrößerung des Einen!"

Diese an Questenberg gerichteten Worte (P II 17) sprechen die grundsätzliche Änderung seiner früheren Haltung unmißverständlich aus. Der Argwohn, von dem die Herzogin spricht, richtet sich in erster Linie gegen den Kaiser, der ihn dereinst im Stiche gelassen. Und damit ist seinem ins Maßlose gesteigerten Streben das Ziel, für das er kämpft, ein anderes, ein größeres geworden: Nicht mehr kaiserliches, sondern Reichsinteresse ist es, für das er kämpfen will.

Zur Erreichung dieses Zieles aber ist ihm jedes Mittel recht. Die Untreue, die er durch sein Bündnis mit den Schweden an seinem Kaiser begeht, richtet sich zugleich gegen den neuen Bundesgenossen. Seine ganze Unterhandlung mit Wrangel ist auf Lüge gegründet. Des Gesandten „Hand vertraulich fassend", versichert er:

„Aufrichtig, Oberst Wrangel — ich war stets
im Herzen auch gut schwedisch — " (W. T. I 5).

Wie anders klingen die Worte, die er an seine Pappenheimer richtet:

„Was geht der Schwed' mich an? Ich hass' ihn wie
den Pfuhl der Hölle ... " (W. T. III 15)!

Und während er Wrangel das Versprechen gibt:

„Helft den gemeinen Feind mir niederhalten,
das schöne Grenzland kann euch nicht entgehn,"

erwidert er Terzky, der sich als Fürsprecher der Interessen des schwedischen Bundesgenossen äußert:

„So! Meint er wohl, ich soll ihm
ein schönes deutsches Land zum Raube geben,
daß wir zuletzt auf eignem Grund und Boden
selbst nicht mehr Herren sind? Sie müssen fort,
fort, fort! Wir brauchen keine solche Nachbarn" (P II 5).

Und wie er gegen Kaiser wie Schweden nichts von Treue weiß, so verletzt er in seinem Verhalten gegen jenen auch die Gebote der Tradition; denn während er seinem Bestreben einen „unschuldigen Namen" gibt:

„Nichts will er als dem Reich den Frieden schenken,"

übersieht er, daß die Verkörperung des Reichsgedankens seit Jahrhunderten die Person des Kaisers ist:

> „und weil der Kaiser *diesen* Frieden haßt,
> so will er ihn — er will ihn dazu *zwingen!*" (P V 1)

Am unheilvollsten aber ist es, daß bei der Art, wie Wallenstein diese Pläne zu verwirklichen gedenkt, in entscheidendem Maße der Glaube an seine Auserwähltheit mitspricht. Und dieser Glaube äußert sich jetzt in der Unberechenbarkeit einer Naturgewalt, die ihrerseits ihre Berechtigung herleitet aus jenen vermeintlichen Winken himmlischer Konstellationen, aus welchen seine astrologische Scheinweisheit Parallelvorgänge zu irdischem Geschehen herauszulesen meint.

Wie harmlos klingen die Worte, durch welche der Friedländer den Pappenheimern den Glauben an seine Sendung mitzuteilen sucht (W. T. III 15):

> „Mir ist's allein ums Ganze. Seht! Ich hab'
> ein Herz, der Jammer dieses deutschen Volks erbarmt mich.
> Ihr seid gemeine Männer nur; doch denkt
> ihr nicht gemein, ihr scheint mir's wert vor Andern,
> daß ich ein traulich Wörtlein zu euch rede —
> Seht! Fünfzehn Jahr' schon brennt die Kriegesfackel,
> und noch ist nirgends Stillstand. Schwed' und Deutscher!
> Papist und Lutheraner! Keiner will
> dem andern weichen! Jede Hand ist wider
> die andre! Alles ist Partei und nirgends
> kein Richter! Sagt, wo soll das enden? Wer
> den Knäul entwirren, der sich endlos selbst
> vermehrend wächst — Er muß zerhauen werden.
> Ich fühl's, daß ich der Mann des Schicksals bin,
> und hoff's mit eurer Hilfe zu vollführen."

Aber deutlicher spricht er zu seinem Schwager Terzky (P II 5):

> „Mich soll das Reich als seinen Schirmer ehren,
> reichsfürstlich mich erweisend, will ich würdig
> mich bei des Reiches Fürsten niedersetzen."

Und Wallensteins letztes Ziel enthüllt Octavio seinem Sohn (P V 1):

> „Zufriedenstellen will er alle Teile
> und zum Ersatz für seine Mühe Böhmen,
> das er schon innehat, für sich behalten."

Sein Handeln ist zur Manifestation einer jähen Naturgewalt geworden, die nur als solche existieren kann:

„Wenn ich nicht wirke mehr, bin ich vernichtet.
Nicht Opfer, nicht Gefahren will ich scheun,
den letzten Schritt, den äußersten zu meiden;
doch eh’ ich sinke in die Nichtigkeit,
so klein aufhöre, der so groß begonnen,
eh’ mich die Welt mit jenen Elenden
verwechselt, die der Tag erschafft und stürzt,
eh’ spreche Welt und Nachwelt meinen Namen
mit Abscheu aus, und Friedland sei die Losung
für jede fluchenswerte Tat“ (W. T. I 7).

Und nun scheinen irdische und himmlische Vorgänge in verheißungsvoller Harmonie zusammenzustimmen, um ihm zu sagen: Es ist an der Zeit! Schon meint er die erste Voraussetzung zum Erfolg in der Hand zu halten: „daß er *König* ist in seinem *Heer*“ (P II 7). Illo mahnt ihn (P I 6):

„Die Häupter
des Heers, die besten, trefflichsten, um dich,
den königlichen Führer, her versammelt,
nur deinen Wink erwarten sie — O ! laß
sie so nicht wieder auseinander gehn!
So einig führst du sie im ganzen Lauf
des Krieges nicht zum zweitenmal zusammen.“

Und ist dieses Heer nicht einzig an seine Person gefesselt? Es kämpft weder für einen Glauben noch für ein Vaterland; denn

„. . dieses Heer, das kaiserlich sich nennt,
das hier in Böheim hauset, das hat keins;
das ist der Auswurf fremder Länder, ist
der aufgegebne Teil des Volks, dem nichts
gehöret als die allgemeine Sonne“ (W. T. I 5).

Böhmen aber hofft Wallenstein wie eine reife Frucht gewinnen zu können:

„Und dieses böhm’sche Land, um das wir fechten,
das hat kein Herz für seinen Herrn, den ihm
der Waffen Glück, nicht eigne Wahl gegeben.
Mit Murren trägt’s des Glaubens Tyrannei,
die Macht hat’s eingeschreckt, beruhigt nicht.
Ein glühend, rachvoll Angedenken lebt
der Greuel, die geschahn auf diesem Boden.
Und kann’s der Sohn vergessen, daß der Vater
mit Hunden in die Messe ward gehetzt?
Ein Volk, dem *das* geboten wird, ist schrecklich,
es räche oder dulde die Behandlung“ (W. T. I 5).

Und endlich das Offizierkorps: Auf den ersten Blick eine bunte Schar von Glücksrittern, die auf Wallensteins Karte setzen, weil sie bei ihm zu gewinnen hoffen. Isolani, ein ständiger Gast des Pharotisches, immer demjenigen gehörend, bei dem er sich den größten Vorteil verspricht. Buttler, ein Emporkömmling, in seinem Handeln durchaus von Rachegefühlen geleitet, die er gegen diejenigen hegt, die seinem Strebertum so oder so in den Weg getreten sind. Terzky, als Schwager des allmächtigen Generalissimus für sich und seine Familie auf besonderen Lohn hoffend für die Dienste, welche er Wallenstein zur Verwirklichung seiner hochfliegenden Pläne leistet. Illo, ein rabiater Großsprecher, der durch Spiegelfechterei seinen Vorgesetzten zu dem entscheidenden Schritt zu bewegen sucht und für die geistige Haltung seiner Kumpane das rechte Wort findet, das zugleich seinen eigenen Charakter kennzeichnet (P IV 4):

> „Verwandte sind sich alle starken Seelen."

„Wie doch die großen Geister sympathisieren!" formulierte unter ähnlichen Abenteurern denselben Gedanken der spätere Bandit Schwarz in den ‚Räubern'. Andere Offiziere der Armee des Friedländers, wie Tiefenbach, Götz und Colalto, Liebhaber einer reich besetzten Tafel und eines guten Tropfens, erscheinen darum als — vielleicht — willfährige Werkzeuge bei den ehrgeizigen Plänen ihres obersten Befehlshabers.

Wie eine Bestätigung aber dessen, was die Ereignisse auf Erden ihm nahezulegen scheinen, begegnet Wallenstein zu Beginn der Tragödie seines Todes der „glückselige Aspect", der alle seine Energien belebt:

> „Jetzt muß
> gehandelt werden, schleunig, eh' die Glücks-
> gestalt mir wieder wegfliehet überm Haupt;
> denn stets in Wandlung ist der Himmelsbogen."

So scheinen irdische und überirdische Mächte auf den Krieg als auf seinen Diener hinzuweisen, der ihm mit der böhmischen Königskrone die Erfüllung seines Jugendtraumes bringen soll: des Traumes, er sei vom Schicksal zu hohen Dingen ausersehen. —

Die Betrachtung des Wallensteincharakters ist jetzt so weit gediehen, daß weiterhin der Versuch gemacht werden kann, die bisherigen Ausführungen und die Behandlung der Vorgänge vom vollzogenen Hochverrat des Helden bis zu dessen Untergang unter den Gesichtswinkel der beiden für Schillers Gedankenwelt grundlegenden ethischen Werte der Sympathie und der Vernunft zu stellen.

Betrachtet man den Charakter des Jünglings Wallenstein, wie er in den Auftritten mit Gordon gekennzeichnet wird, so ist sofort ersichtlich, daß dieser verschlossene, „sich selber die Gesellschaft" lebende junge Mann nichts mit den Jünglingsgestalten gemein hat, wie sie der junge Schiller als seine Freunde um sich versammelte, wie sie in Karl von Moor, in Ferdinand von Walter, im Carlos des ersten Entwurfs dichterische Gestaltung gefunden haben. Kurz gesagt, das Gefühl schwärmerischer Sympathie ist ihm durchaus fremd.

Aber auch die unter dem Einfluß der freien Vernunft im ersten Teil dieser Arbeit als „Ernüchterung" bezeichnete Form einer gereiften Sympathie findet in dem etwa zwanzigjährigen Jüngling keine Verkörperung. Charakteristisch für diesen ist zwar ein hohes Streben, das je und je in Erscheinung tretende Aufblitzen genialischer Geisteskraft, ohne daß aber dieselbe das Vorhandensein einer bestimmten Vernunftidee, wie bei dem Marquis Posa der späteren Don Carlos-dichtung, erraten läßt.

Dann folgen die Jahre des ersten Aufstiegs Wallensteins bis zu seinem Sturz in Regensburg. Ist das, was die Herzogin über das „mild erwärmende Feuer" seines Ehrgeizes, von seinem „fröhlichen Streben" sagt, mit Sympathie verwandt? Ist vor allem sein Verhältnis zum Kaiser auf Sympathie gegründet? Man könnte es meinen. Sagt nicht Wallenstein in der großen Szene mit der Gräfin Terzky (W. T. I 7) nach Wrangels Fortgang selbst:

„Einst war mir dieser Ferdinand so huldreich;
er liebte mich, er hielt mich wert, ich stand
der Nächste seinem Herzen . . . "?

Aber wie verträgt sich mit diesen Worten die Auffassung Gordons, der den Aufstieg seines Jugendkameraden mit dem Weg eines auf schwindelndem Pfade zur Höhe klimmenden Bergsteigers vergleicht (W. T. IV 2)? Ist aus diesen Worten nicht lediglich ein unbändiger Ehrgeiz herauszulesen, der mindestens dies unzweifelhaft macht, daß eine allenfalls beim Kaiser vorhandene „Sympathie" von seinem Generalissimus unerwidert blieb? Und daß die Herzogin ihren Gemahl in einem anderen, sozusagen wärmeren Lichte sieht, ist doch wohl darauf zurückzuführen, daß sie in seinem Wesen einen Widerhall ihrer eigenen Sympathie zu vernehmen meint.

Doch halt! Als Sprecher eines von Sympathie geleiteten Feldherrn Wallenstein tritt ein Mann auf, dessen Gestalt wie ein helles Licht die düstere Atmosphäre der letzten Tage des Friedländers erhellt: Max Piccolomini.

„Und eine Lust ist's, wie er alles weckt
und stärkt und neu belebt um sich herum,
wie jede Kraft sich ausspricht, jede Gabe
gleich deutlicher sich wird in seiner Nähe!

> Jedwedem zieht er seine Kraft hervor,
> die eigentümliche, und zieht sie groß,
> läßt jeden ganz das bleiben, was er ist;
> er wacht nur drüber, daß er's immer sei
> am rechten Ort; so weiß er aller Menschen
> Vermögen zu dem seinigen zu machen."

So kennzeichnet Max vor Questenberg das Wesen des Generalissimus (P I 4). Aber hat diese Schilderung einer Leben spendenden Kraft, diese Hervorhebung einer die Eigentümlichkeit des Anderen erfühlenden Fähigkeit nicht ihre Liebenswürdigkeit aus Maxens eigenem sympathetischen Empfinden gewonnen? Und lassen nicht die Worte der letzten anderthalb Verse, dem Sprecher selbst unbewußt, das wahre Motiv erraten, das Wallenstein bei der Anwendung dieser seiner Fähigkeiten bestimmt? Wo wäre in der Charakteristik, die der Friedländer dem schwedischen Unterhändler von seiner Armee vaterlandsloser Glücksritter gibt (W. T. I 5), etwas von Sympathie zu spüren? Wer, dem Wallensteins letzte Ziele bekannt sind, glaubt ihm die Worte, die er (W. T. III 15) an seine Pappenheimer richtet:

> „Seht! Ich hab'
> ein Herz, der Jammer dieses deutschen Volks erbarmt mich"?

Nur Max, der aus reinem sympathetischen Fühlen heraus den Frieden ersehnt, vermag sein großes Vorbild von dem ehrlichen Wunsche beseelt zu glauben, dem Reiche diesen Frieden zu bringen (P I 4).

Nein, der Feldherr, der Politiker Wallenstein ist kein Mann sympathetischen Empfindens!

Aber Schiller sieht ja, wie es im Prolog heißt, die Aufgabe seiner Kunst darin, seinen Helden „unserem Herzen menschlich näherzubringen." Zu diesem Zwecke darf er uns nicht nur

> „den Schöpfer kühner Heere,
> des Lagers Abgott und der Länder Geißel,
> die Stütze und den Schrecken seines Kaisers",

sondern er muß uns auch

> „den Menschen in des Lebens Drang"

zeigen.

Dieser Mensch begegnet uns in Wallensteins Verhältnis zu Max Piccolomini.

In diesem Jüngling, der inmitten einer kriegerischen Welt des selbstsüchtigen Strebens nach Glück und Macht allein der Stimme des Herzens folgt, lernt „des Glückes abenteuerlicher Sohn" einen Menschen kennen, der ein bisher unbekanntes Gefühl in ihm lebendig macht.

„Sieh, als man dich im Pragschen Winterlager
ins Zelt mir brachte, einen zarten Knaben,
des deutschen Winters ungewohnt, die Hand
war dir erstarrt an der gewichtigen Fahne,
du wolltest männlich sie nicht lassen; damals nahm ich
dich auf, bedeckte dich mit meinem Mantel,
ich selbst war deine Wärterin, nicht schäm' ich
der kleinen Dienste mich, ich pflegte deiner
mit weiblich sorgender Geschäftigkeit,
bis du, von mir erwärmt, an meinem Herzen
das junge Leben wieder freudig fühltest."

Mit diesen Worten erinnert Wallenstein Max an ihre erste Begegnung, als dieser den Hochverräter zu verlassen entschlossen ist (W. T. III 18). Und dann folgt das Geständnis innigster Seelenkraft:

„Wann hab' ich seitdem meinen Sinn verändert?
Ich habe viele Tausend reich gemacht,
mit Ländereien sie beschenkt, belohnt
mit Ehrenstellen — Dich hab' ich *geliebt*,
mein Herz, mich selber hab' ich dir gegeben."

Was an dem jungen Wallenstein vermißt wurde: die Fähigkeit, sein Herz, gegen einen Menschen zu erschließen, Seele zur Seele sprechen zu lassen — hier inmitten kriegerischen Treibens, inmitten eines ehrgeizigen Strebens nach Ruhm und Größe, wird diese seinem Wesen bisher fremde Seite sichtbar, als ein junges Menschenkind besonderer Art in sein Leben tritt.

„Mich schuf aus gröberm Stoffe die Natur,
und zu der Erde zieht mich die Begierde.
Dem bösen Geist gehört die Erde, nicht
dem guten" —

so bekennt und urteilt Wallenstein (W. T. II 2) und bejaht damit das Leben der Wirklichkeit. Indem er Max lieben lernt, wird ihm in diesem Leben der Wirklichkeit das wahre Leben transparent.

Und dieses Wunder, das der Friedländer im Anfang seiner ruhmvollen Laufbahn an sich erlebt, es spannt sich als goldene Brücke von dieser ersten Periode seines Wirkens hinüber zu der düsteren zweiten, in welcher die dunklen Mächte, die in Wallensteins Seele von Anbeginn gewohnt hatten, sein Gemüt mehr und mehr umschatten und die Wahrheit von Illos Wort:

„In deiner Brust sind deines Schicksals Sterne" (P II 6)
in einem vom Sprecher selbst nicht geahnten Sinne bestätigen.

Dreimal scheint es, als wolle ein guter Engel im letzten Augenblick den zum Verrat schreitenden Friedländer vom Abgrund zurückreißen; dreimal wird Wallenstein Gelegenheit gegeben, dem Lichte, das vierzehn Jahre vorher zum erstenmal mit Maxens Erscheinen in sein Leben leuchtete, die Augen seiner Seele zu öffnen.

Kurz vor dem Augenblick, in welchem mit Wallensteins Befehl, den schwedischen Unterhändler zu rufen, der geplante Verrat vollendet wird, zeigt eine kurze Episode in der großen Szene mit der Gräfin Terzky, wie dem Helden „in des Lebens Drang" ein Ausweg aus dem Leben der Wirklichkeit zum wahren Leben sich öffnen will.

Eine Frau ist es, deren verhängnisvolle Beredsamkeit auf Wallensteins noch zwischen Hochverrat und Machtverzicht schwankendes Herz einstürmt. Und welch eine Frau ist das!

Um ihr Wesen recht zu begreifen, sei an das Gedicht ,Würde der Frauen' erinnert, das Schiller wenige Jahre vor der Niederschrift der Tragödie verfaßt hat. Da wird in Gegensatz zu dem Manne, dessen „Gedanken unstet auf dem Meer der Leidenschaft treiben", der „rastlos durch entlegne Sterne seines Traumes Bild jagt", die Frau gestellt, die „mit zauberisch fesselndem Blicke den Flüchtling zurückwinkt", die „mit sanft überredender Bitte den Szepter der Sitte führt" und „die tobend entglühende Zwietracht löscht."

Wie trefflich passen auf Wallenstein die Verse, in denen des Mannes maßloses Streben gekennzeichnet wird! Auch er jagt einem Traumbild nach; ja, „des Lebens Kämpfe" haben auch „seinen harten Sinn" nur noch „härter gestählt." Wie heißt es im elften Carlosbrief? „Aus der allgemeinen Hinneigung unsers Gemütes zur Herrschbegierde", aus „dem Bestreben, alles wegzudrängen, was das Spiel unserer Kräfte hindert", ist ihm die Vernunftidee der Ordnung, die in einem von weiser Hand gelenkten Friedensreich waltet, verzerrt worden zu dem Traumbild einer „beschränkten Vernunft" — beschränkt, weil die Idee nicht durch das Destillationsgefäß der Seele gegangen, nicht von Sympathie bestimmt ist.

Was aber die Gräfin Terzky betrifft, so braucht man, um ihr Charakterbild zu zeichnen, nur die Merkmale, die der Dichter für die Würde der Frauen als maßgeblich nennt, in ihr Gegenteil zu verkehren. Nach Schillers Auffassung gewinnt die Frau ihre Würde dadurch, daß sie die durch beschränkte Vernunft irregeleitete Leidenschaft des Mannes zum sympathetischen Fühlen mit der Natur zurückführt: „ . . . denn nichts führt zum Guten, was nicht natürlich ist" — Worte, mit denen der elfte Carlosbrief schließt. Die Gräfin aber, statt „die tobend entglühte Zwietracht zu löschen," entfacht die Glut zum verheerenden Brand, macht Wallensteins

Genialität, anstatt sie „warnend zurück in der Gegenwart Spur" zurückzurufen, zur vernichtenden Naturgewalt, die alles zermalmend sich selbst
zerstört.

Und wie nahe war ihm kurz zuvor der Weg zur Rettung aus „des Lebens Drang" in die Reinheit des wahren Lebens! Der Oberst Piccolomini
läßt „nur um zwei Augenblicke" bitten — aber die Gräfin Terzky, die für
sein Verlangen ganz andere Motive vermutet, verhindert die Begegnung
die — vielleicht! — Wallensteins Schicksal in eine ganz andere Richtung
gelenkt hätte.

Doch ein zweitesmal tritt der Engel des Lichts rettungsbereit dem dunklen Verhängnis in den Weg.

Die vorher verhinderte Aussprache zwischen Wallenstein und Max erfolgt gleich nach des Feldherrn endgültiger Verständigung mit Oberst
Wrangel. Wird die sympathische Kraft, die von Max ausstrahlt, jetzt noch
des Friedländers Seele aufnahmebereit finden? Wie stark äußert sich doch
diese Kraft in dem jungen Piccolomini! So stark, daß sie sich zutraut, selbst
jetzt noch, nachdem Wallenstein den entscheidenden Schritt getan, das
Schicksal wenden zu können.

> „Schick' mich nach Wien. Ja, tue das. Laß mich,
> mich deinen Frieden machen mit dem Kaiser.
> Er kennt dich nicht, ich aber kenne dich,
> er soll dich sehn mit meinem reinen Auge,
> und sein Vertrauen bring' ich dir zurück" (W. T. II 2).

Wallensteins zweimaliges „Es ist zu spät" offenbart seine völlige Unfähigkeit, die Welt zu begreifen, aus welcher des Freundes Stimme ihm liebevoll entgegentönt.

Und doch durchzuckt nach Maxens Fortgang einen Augenblick seine
Seele der Impuls, das Getane ungeschehen zu machen, wenn er an den
eintretenden Terzky die Frage richtet: „Wo ist der Wrangel?" und dessen
rasches Verschwinden ihn überrascht. Die Zaubermacht einer besseren
Welt wirkt selbst auf dieses rettungslos der Leidenschaft verfallene Gemüt — freilich nur, um sich sofort wieder in „des Lebens Drang" zu verlieren.

In schroffster Gegenüberstellung erscheinen die beiden Welten, mag
man sie nun „Leben der Wirklichkeit" und „wahres Leben", „des Lebens Drang" und „das Reich der Sympathie", „Leben" und „Ideal" nennen, in der großen Szene des dritten Aufzugs von ‚Wallensteins Tod',
in welcher die Pappenheimer ihren Obersten Max Piccolomini von Wallenstein zurückfordern. Es ist das dritte und letzte Mal, daß dem Friedländer
Gelegenheit gegeben wird, „zwischen Sinnenglück und Seelenfrieden" zu
wählen.

Und hier tritt auf der Seite des Lichtes zu Max eine zweite Gestalt, deren Existenz die ganze Tragik deutlich macht, welche das Verhältnis zwischen dem Herzog und seinem jungen Freunde überschattet. Es ist Friedlands Tochter Thekla.

Eine stille Welt tut sich auf inmitten einer Welt des Krieges und der Wirrungen, eine Welt, die ganz in sich selbst lebt und im Angesicht des Todes doch ein tiefes Glück in sich faßt.

Als Max die Geliebte fragt (P III 5):

> „O, werden wir auch jemals glücklich werden!"

da erwidert sie:

> „Sind wir's denn nicht? Bist du nicht mein? Bin ich
> nicht dein? — In meiner Seele lebt
> ein hoher Mut, die Liebe gibt ihn mir —
> Ich sollte minder offen sein, mein Herz
> dir mehr verbergen; also will's die Sitte.
> Wo aber wäre Wahrheit hier für dich,
> wenn du sie nicht auf meinem Munde findest?
> Wir haben uns gefunden, halten uns
> umschlungen fest und ewig. Glaube mir,
> das ist um vieles mehr, als sie gewollt.
> Drum laß es uns wie einen heil'gen Raub
> in unsers Herzen Innerstem bewahren.
> Aus Himmelshöhen fiel es uns herab,
> und nur dem Himmel wollen wir's verdanken."

Ein „Geheimnis" umgibt diese beiden jungen Menschen, wie es in dem gleichnamigen Gedicht ausgesprochen ist:

> „Daß ja die Menschen nie es hören,
>   wie treue Lieb' uns still beglückt!
> Sie können nur die Freude stören,
>   weil Freude nie sie selbst entzückt.
> Die Welt wird nie das Glück erlauben,
>   als Beute wird es nur gehascht;
> entwenden mußt du's oder rauben,
>   eh' dich die Mißgunst überrascht."

Ein „Heiligtum" ist dies Geheimnis, ein Inselparadies, nur dem zugänglich, der auf des Dichters Mahnung hört:

> „In des Herzens heilig stille Räume
>   mußt du fliehen aus des Lebens Drang!" —

ein Idyll, wie es keimhaft schon in der kurzen Szene des fünften Aktes
des „Fiesco‘ zwischen Bourgognino und Bertha, und zuletzt in dem Lie-
bespaar Rudenz und Bertha von Bruneck uns vor Augen gestellt wird.

Wie nun verhält sich Wallenstein zu diesen beiden Kündern des „wahren“ Lebens?

Als er durch die Gräfin zum erstenmal von Maxens Hoffnung auf Theklas Hand vernimmt, entfährt es ihm (W. I. III 4):

> „Hofft,
> sie zu besitzen — Ist der Junge toll?“

Und etwas später erklärt er:

> „Er ist ein Untertan, und meinen Eidam
> will ich mir auf Europens Thronen suchen.“

So spricht der Verblendete, dessen Mörder schon bereit steht. Wenn die
Herzogin sonst immer als die leidende und duldende Frau erscheint, die
sich widerspruchslos dem Willen des Gatten fügt —

> „Ihr Wille, wissen Sie, war stets der meine“ (P II 2) — ,

dies eine Mal wagt sie — freilich ohne daß der Angesprochene die ge-
ringste Notiz davon nimmt —, Wallensteins unselige Natur mit den rechten Worten zu kennzeichnen:

> „O mein Gemahl! Sie bauen immer, bauen
> bis in die Wolken, bauen fort und fort
> und denken nicht dran, daß der schmale Grund
> das schwindelnd schwanke Werk nicht tragen kann.“

Das Bild vom Baumeister erinnert an das Epigramm ‚Der Genius‘:

> „Wiederholen zwar kann der Verstand, was da schon gewesen;
> was die Natur gebaut, bauet er wählend ihr nach.
> Über Natur hinaus baut die Vernunft, doch nur in das Leere.
> Du nur, Genius, mehrst in der Natur die Natur.“

Auch Wallensteins Vernunft baut in das Leere — weil ihr der Ausgleich
durch die Sympathie fehlt.

Und „in des Lebens Drang“, der in der großen Pappenheimerszene so
gewaltig wie nie zuvor den Herzog umbrandet, hören wir, wie auf der Insel
des Paradieses, die beiden Liebenden, durch den Zauber ihrer Herzen
gleichsam abgeschirmt gegen die Stürme der Welt, die letzten Worte innigster Sympathie tauschen:

Max: „Nicht Friedlands Tochter,
ich frage dich, dich, die Geliebte frag' ich!
Es gilt nicht, eine Krone zu gewinnen . . .
Die Ruhe deines Freundes gilt's, das Glück
von einem Tausend tapfrer Heldenherzen,
die seine Tat zum Muster nehmen werden. . .

Thekla: O Max —

Max: Nein, übereile dich auch nicht.
Ich kenne dich. Dem edeln Herzen könnte
die schwerste Pflicht die nächste scheinen. Nicht
das Große, nur das Menschliche geschehe.
Denk', was der Fürst von je an mir getan.
Denk' auch, wie's ihm mein Vater hat vergolten . . .
Leg' alles, alles in die Waage, sprich
und laß dein Herz entscheiden.

Thekla: O das deine
hat längst entschieden, folge deinem ersten
Gefühl — . . . . Wie könnte *das*
das Rechte sein, was dieses zarte Herz
nicht gleich zuerst ergriffen und gefunden?
Geh und erfülle deine Pflicht. *Ich* würde
dich immer lieben. Was du auch erwählt,
du würdest edel stets und deiner würdig
gehandelt haben — aber Reue soll
nicht deiner Seele schönen Frieden stören.

Max: So muß ich dich verlassen, von dir scheiden!

Thekla: Wie du dir selbst getreu bleibst, bist du's mir.
Uns trennt das Schicksal, unsre Herzen bleiben einig.
Ein blut'ger Haß entzweit auf ew'ge Tage
die Häuser Friedland, Piccolomini;
doch wir gehören nicht zu unserm Hause."

Währenddessen aber erfährt Wallenstein die größe Demütigung seines
Lebens, als dem „Abgott des Lagers" die Pappenheimer, die er durch seine
bloße Erscheinung „ins alte Bette des Gehorsams" zurückzurufen hoffte,
ihr „Vivat Ferdinandus!" entgegen schreien.

Und Schillers tief pessimistische Lebensauffassung, wie sie düsterer in
keiner existentialistischen Philosophie verkündet werden könnte, erfüllt
sich an den beiden Verkörperungen eines „wahren Lebens", wie ihr
Thekla nach der Kunde von Maxens Tod Ausdruck verleiht:

„ — Da kommt das Schicksal — Roh und kalt
. faßt es des Freundes zärtliche Gestalt
und wirft ihn unter den Hufschlag seiner Pferde —
— Das ist das Los des Schönen auf der Erde!“

Diese Erkenntnis — wirkt sich nicht doch auch in dem Vater nach? Als Wallenstein, unmittelbar vor seinem Ende, bereit sich zur Ruhe zu begeben, von seinem Astrologen Seni, von dem Kameraden seiner Jugend, Gordon, schließlich auch durch das stumme Flehen seines Kammerdieners zum letzten Male vor dem über seinem Haupte schwebenden Unheil gewarnt wird, spricht er die Worte (W. T. V 5):

„Hätt’ ich vorher gewußt, was nun geschehn,
daß es den liebsten Freund mir würde kosten,
und hätte mir das Herz wie jetzt gesprochen —
kann sein, ich hätte mich bedacht — kann sein,
auch nicht — “

Über dies „kann sein“ kommt auch in dieser letzten Viertelstunde des Lebens seine Einsicht nicht hinaus.

Aber das eine hat er doch erfahren (W. T. V 3):

„Die Blume ist hinweg aus meinem Leben,
und kalt und farblos seh’ ich’s vor mir liegen.
Denn er stand neben mir wie meine Jugend,
er machte mir das Wirkliche zum Traum,
um die gemeine Deutlichkeit der Dinge
den goldnen Duft der Morgenröte webend —
im Feuer seines liebenden Gefühls
erhoben sich, mir selber zum Erstaunen,
des Lebens flach alltägliche Gestalten.
— Was ich mir ferner auch erstreben mag,
das Schöne ist doch weg, das kommt nicht wieder;
denn über alles Glück geht doch der Freund,
der’s fühlend erst erschafft, der’s teilend mehrt.“

Welch erschütternder Nachruf auf den edlen Toten aus dem Munde eines dem Leben der Wirklichkeit Verhafteten! Das Gedicht von der ‚Poesie des Lebens‘ klingt an, in welchem für den strengen Forderer der „entblößten Wahrheit“ die Situation des entgötterten Daseins mit den furchtbaren Worten gekennzeichnet wird:

„Die Welt scheint, was sie ist, ein Grab.“

So gelangt Wallenstein über die resignierende Einsicht in eine entwertete Existenz endlich doch noch zur ahnenden Erkenntnis echter Sympathie.

Freilich: auch über dieser Erkenntnis steht: Es ist zu spät!

Wallensteins Schicksal ist ja schon lange unabänderlich bestimmt; denn, um die Worte der Herzogin (W. T. III 3) noch einmal verkürzt anzuführen.

> „.. seit dem Unglückstag zu Regensburg . . .
> wandt' er sein Herz den dunkeln Künsten zu,
> die keinen, der sie pflegte, noch beglückt."

Und wunderbar: Auch in diesen dunklen Künsten üben sympathetische Kräfte ihre Wirkung! Aber wie könnte es auch anders sein: ist doch die gesamte Schöpfung durch Sympathie zu einem Ganzen, zum All geeint!

> „Waltet nicht auch durch des Übels Reiche
> fürchterliche Sympathie?
> Mit der Hölle buhlen unsre Laster,
> mit dem Himmel grollen sie,"

heißt es schon in der ‚Phantasie an Laura.' Und wie die kosmische Sympathie mit der genialischen in Wechselbeziehung steht, wie sich für den jungen Schiller Freundschaft und Schöpfungsfreude ineinanderschlangen, wie Wallenstein in der Liebe zu Max die Ahnung von einer höhern, reinen Welt aufgeht, so ist von seinem Sternenglauben nicht zu trennen das tiefe Vertrauen in die Treue Octavios, des Vaters seines einzigen wirklichen Freundes.

Die Betrachtung wendet sich daher zunächst des Friedländers Verhältnis zur Astrologie, dann der Rolle zu, welche Octavio in Wallensteins Schicksal spielt.

Im Lied ‚An die Freude' singt der Chor:

> „Was den großen Ring bewohnet,
> huldige der Sympathie!
> Zu den Sternen leitet sie,
> wo der Unbekannte thronet."

Ist der Sympathieglaube, der aus diesen Worten spricht, mit Wallensteins Sternenglauben zu vergleichen?

Man könnte die Frage auf dem kürzesten Wege zu beantworten versuchen, indem man auf die anderen Chorstrophen des Gedichtes verweist, wo der „liebe Vater", also der Quellpunkt — und Zielpunkt — der Sympathie, *über* die Sterne gerückt wird:

„Brüder — überm Sternenzelt
muß ein lieber Vater wohnen." —
„Such’ ihn überm Sternenzelt!
Über Sternen muß er wohnen." —
„Droben überm Sternenzelt
wird ein großer Gott belohnen." —
„Brüder — überm Sternenzelt
richtet Gott, wie wir gerichtet." —
„Dieses Glas dem guten Geist
überm Sternenzelt dort oben!"

Aber so einfach ist die Antwort nicht zu finden. Das Gedicht nennt als
Lebenskraft aller Sympathie die Freude. Und diese Freude findet der Dichter in allen Wesen der Schöpfung — auch in den Sternen:

„Blumen lockt sie aus den Keimen,
Sonnen aus dem Firmament,
Sphären rollt sie in den Räumen,
die des Sehers Rohr nicht kennt."

Ist in diesen Versen ein Gedanke, der auch nur entfernt verwandt ist
mit dem Glauben Wallensteins an die Beziehung des Schicksals eines
Menschen zu einem bestimmten Planeten — dem Glauben an die Fähigkeit

„der hellgebornen, heitern Joviskinder" (P II 6),

aus dem Stand der Gestirne nicht allein die rechte Zeit für Aussaat und
Ernte, sondern auch für jegliches andere wesentliche Tun des Menschen
abzulesen?

Das Lied ‚An die Freude‘ erblickt die Quelle aller Sympathie in der von
Gott stammenden, zu Gott strebenden Freude, die alle Wesen der Schöpfung erfüllt und ihre schönste Manifestation im Menschenherzen findet.
Erst aus der Freude des Herzens fließt das beglückende Erleben eines
allumfassenden Zusammenhangs vom Schöpfer bis hinab zum letzten
Wurm; und dies Erleben bildet ja, wie der Geschichtsphilosoph Schiller
lehrt, den Ursprung der Vernunft.

Wallenstein macht die Erkenntnis einer zwischen himmlichem und irdischem Geschehen herrschenden Sympathie abhängig von der Geburts-
stunde des Menschen, über welcher der Jupiter kulminiert: Er ist das Ge-
stirn des aufgeschlossenen Geistes des Vernunftmenschen, welcher die
großen Zusammenhänge des Weltgeschehens zu überschauen vermag.

Während also in dem Liede des jungen Schiller die Sympathie als Voraussetzung zum Erleben des Schöpfungsgedankens gilt, macht Wallenstein
die Vernunft zur Voraussetzung der Erkenntnis einer vermeintlichen Sympathie.

Während das Lied ‚An die Freude' in der Sympathie den *Zweck* der Schöpfung sieht, insofern die alle Geschöpfe belebende Freude ihrer allumfassenden Herrschaft dienen soll, ist für Wallenstein die Sympathie ein *Mittel*, um die Zeit für ein menschliches Tun zu erkennen:

> „Da tut es not, die Saatzeit zu erkunden,
> die rechte Sternenstunde auszulesen,
> des Himmels *Häuser* forschend zu durchspüren,
> ob nicht der Feind des Wachsens und Gedeihens
> in seinen *Ecken* schadend sich verberge" (P II 6).

Weil mithin diese Sympathie nicht ein Gefühl des Herzens ist, sondern der Glaube an sie „auf tiefste Wissenschaft sich baut" (W. T. II 3), so ist die Vernunftidee, deren Verwirklichung diese Wissenschaft dienen soll, die Idee einer von Leidenschaft bestimmten „beschränkten" Vernunft.

Gemessen an dem echten, in einer „schönen Individualität" in Erscheinung tretenden Verhältnis von Sympathie und Vernunft ist Wallensteins astrologische Weisheit eine Konstruktion, die nur eine äußerliche Ähnlichkeit mit diesen beiden Grundpfeilern der Schillerschen Gedankenwelt hat. Konstruiert wirkt der „glückselige Aspekt", in den Wallenstein zu Anfang des zweiten Teils des Doppeldramas versunken ist. Denn aus dem Zusammenwirken des Jupiter, des Gestirns des Vernunftmenschen, und der Venus, der Manifestation der Sympathie, erwächst kein „lebendiger Geist," sondern es soll Wallensteins ehrgeizigen Plänen „dienen" (W. T. I 1). —

Durch Wallensteins Seele geht ein Zwiespalt, der sich als ein Zwiespalt zwischen falscher und echter Sympathie verstehen läßt. Er offenbart sich erschütternd in seinem Verhältnis zu Vater und Sohn Piccolomini.

Wallenstein und Octavio — sind größere Gegensätze zweier Charaktere denkbar? Und wo ließen sich diese anschaulicher kennzeichnen als in der Einstellung beider Männer zu der durch Tradition geheiligten Ordnung?

Max beansprucht im Gespräch mit Questenberg für sein bewundertes und verehrtes Vorbild (P I 4):

> „Es braucht
> der Feldherr jedes Große der Natur.
> So gönne man ihm auch, in ihren großen
> Verhältnissen zu leben. Das Orakel
> in seinem Innern, das lebendige —
> nicht tote Bücher, alte Ordnungen,
> nicht modrigte Papiere soll er fragen."

Aber warnend erwidert der Vater:

> „Mein Sohn, laß uns die alten, engen Ordnungen
> gering nicht achten! Köstlich unschätzbare

Gewichte sind's, die der bedrängte Mensch
an seiner Dränger raschen Willen band;
denn immer war die Willkür fürchterlich —
Der Weg der Ordnung, ging er auch durch Krümmen,
er ist kein Umweg. Gradaus geht des Blitzes,
geht des Kanonballs fürchterlicher Pfad —
schnell, auf dem nächsten Wege, langt er an,
macht sich zermalmend Platz, um zu zermalmen.
Mein Sohn! die Straße, die der Mensch befährt,
worauf der Segen wandelt, diese folgt
der Flüsse Lauf, der Täler freien Krümmen,
umgeht das Weizenfeld, den Rebenhügel,
des Eigentums gemeßne Grenzen ehrend —
So führt sie später, sicher doch zum Ziel.“

In seinem Selbstgespräch, das der Unterredung mit Wrangel voraus-geht, sagt Wallenstein (W. T. I 4):

„Nicht, was lebendig, kraftvoll sich verkündigt,
ist das gefährlich Furchtbare. Das ganz
Gemeine ist's, das ewig Gestrige,
was immer war und immer wiederkehrt,
und morgen gilt, weil's heute hat gegolten!
Denn aus Gemeinem ist der Mensch gemacht,
und die Gewohnheit nennt er seine Amme.
Weh dem, der an den würdig alten Hausrat
ihm rührt, das teure Erbstück seiner Ahnen!
Das Jahr übt eine heiligende Kraft;
was grau für Alter ist, das ist ihm göttlich.
Sei im Besitze, und du wohnst im Recht,
und heilig wird's die Menge dir bewahren.“

Octavio, aus „ruhiger Anschauung“ und „regem Gedächtnis“, wie es die Geschichtsphilosophie Schillers ausdrückt, den Wert einer auf Über-lieferung ruhenden Ordnung bejahend, ist nicht imstande, Wallensteins einer Naturkraft gleichende, anstelle ruhiger Entwicklung den „abkürzen-den Weg einer „beschränkten Vernunft“ vorziehenden Wesensart zu begreifen.

Der Friedländer hinwiederum befindet sich in einem völligen Irrtum über das eigentlich-menschliche Verhältnis zwischen sich und dem älteren Piccolomini.

Eine wirkliche Freundschaft der Herzen hat nie zwischen den beiden

Männern bestanden. Den an Questenberg gerichteten Worten Octavios (P I 3):

> „Wir waren immer Freunde, Waffenbrüder"

folgt die Bemerkung:

> „Gewohnheit, gleichgeteilte Abenteuer
> verbanden uns schon frühe ... "

Äußere Umstände also, nicht innere Zuneigung war es, wodurch diese so verschiedenartigen Charaktere zusammenfanden. Dem entspricht, was Wallenstein auf Terzkys Warnung erwidert (P II 6):

> „Lehre du
> mich meine Leute kennen. Sechzehnmal
> bin ich zu Feld gezogen mit dem Alten."

Diese, einer ursprünglichen Sympathie der Herzen entbehrende Verbindung findet eine eigentümliche Bestätigung durch das, was die beiden Männer über jenes wunderbare Erlebnis vor der Lützener Schlacht berichten.

Nicht die Stimme des eigenen Inneren gibt dem Friedländer Auskunft auf eine Frage, wer

> „ ... der Treuste mir
> von allen ist, die dieses Lager einschließt" (W. T. II 3),

sondern eine vermeintliche Traum-Offenbarung des Schicksals. Und erschütternd zeigt die Kluft, welche die Herzen Wallensteins und Octavios trennt, der Satz, mit welchem Piccolomini seinen Bericht über denselben Vorfall, dessen eigentlicher Hintergrund ihm unbekannt ist, in seinem Gespräch mit Questenberg schließt (P I 3):

> „Seit jenem Tag verfolgt mich sein Vertrauen
> in gleichem Maß, als ihn das meine flieht."

Wüßte Octavio um den Anlaß, der Wallenstein an jenem Morgen in die ihm unbegreifliche Rührung versetzte, er würde sagen wie Illo (W. T. II 3):

> „Das war ein Zufall;"

und Wallenstein würde auch ihm erwidern:

> „Es gibt keinen Zufall;
> und was uns blindes Ohngefähr nur dünkt,
> gerade das steigt aus den tiefsten Quellen."

Man könnte zur Veranschaulichung der Wesensverschiedenheit Octavios und Wallensteins vielleicht das ,Naturgesetz' überschriebene Distichon aus den ,Votivtafeln' anführen:

> „So war's immer, mein Freund, und so wird's bleiben: die Ohnmacht
>   hat die Regel für sich, aber die Kraft den Erfolg.

Octavios Seele ist im Grunde „ohnmächtig", klein, insofern sie nur der „Regel", dem Alltäglichen, dem „Gemeinen", wie Wallenstein sagt, geöffnet ist; und was uns an ihm als Unaufrichtigkeit erscheinen könnte, ist bei ihm aus dieser Schwäche seiner seelischen Anlage zu erklären. So wenn er Max sein Verhalten gegenüber Wallensteins vertraulichen Mitteilungen über den geplanten Verrat mit den Worten kundgibt (P V 1):

> „Wohl hab' ich mein Bedenken ihm geäußert,
> hab' dringend, hab' mit Ernst ihn abgemahnt;
> — doch meinen Abscheu, meine innerste
> Gesinnung hab' ich tief versteckt.

Darum wird Maxens erstaunte Frage:

> „Du wärst
> so falsch gewesen?"

dem Wesen seines Vaters nicht gerecht.

Wie aber steht es mit der Anwendbarkeit des Distichons auf Wallensteins Charakter? Man wird den Begriffen „Kraft und „Erfolg" eine besondere Bedeutung geben müssen, um aus jenem Zweizeiler einen Gewinn für das Verständnis des Wesensgrundes unseres Helden zu ziehen.

Als Wallenstein erfährt, daß ihn Octavio dem Kaiser verraten hat, hören wir von ihm die erschütternden Worte (W. T. III 9):

> „Religion ist in der Tiere Trieb;
> es trinkt der Wilde selbst nicht mit dem Opfer,
> dem er das Schwert will in den Busen stoßen.
> Das war kein Heldenstück, Octavio!
> Nicht deine Klugheit siegte über meine,
> dein schlechtes Herz hat über mein gerades
> den schändlichen Triumph davongetragen.
> Kein Schild fing deinen Mordstreich auf, du führtest
> ihn ruchlos auf die unbeschützte Brust,
> ein Kind nur bin ich gegen solche Waffen.

Wer lächelt nicht unwillkürlich über solche Worte wie das von Wallensteins „geradem Herzen", wenn man an seine Verhandlung mit Wrangel, an seine an Buttler verübte Hinterlist denkt! Über die scheinbare Verkennung des eigenen Charakters, die aus der letzten Zeile spricht!

Und doch! Es ist eben nicht Heuchelei, sondern Ausdruck eines für sein

Tun die volle Verantwortung übernehmenden Menschen, der Ausdruck einer ganz starken Seele, eines *kraftvollen* Willens, der uns unwillkürlich in seinen Bann zieht und gegenüber diesem Charakter die Haltung Octavios als irgendwie verwerflich erscheinen läßt. Und ist das nicht wirklich ein „Erfolg" unseres Helden?

Worauf aber gründet sich letztlich diese Kraft? Auf den unbedingten Glauben an seine Sendung, der ihn in jene verhängnisvolle Beziehung zu „den unglückseligen Gestirnen" bringt — denn diese ist es ja, welche den Anlaß zu dem Irrtum bildet, dessen Opfer er in seinem Verhältnis zu Octavio wird.

Die Sympathie, welche Wallenstein an Octavio fesselt, ist keine Sympathie gleichgestimmter Seelen, sondern aus seiner astrologischen Grübelei herauskonstruiert:

„ — Zudem — ich hab sein Horoskop gestellt,
wir sind geboren unter gleichen Sternen —
und kurz — Es hat damit sein eigenes Bewenden (P II 6).

Unerschütterlich wie seine Überzeugung von der eigenen Sendung ist seine Gewißheit, daß auch hier die Astrologie nicht irrt:

„Du wirst mir meinen Glauben nicht erschüttern,
der auf die tiefste Wissenschaft sich baut.
Lügt er, dann ist die ganze Sternkunst Lüge" (W. T. II 3).

Zieht Wallenstein aber aus diesem letzten Wort die Folgerung, als er Octavios Abfall erfährt?

Er tut es nicht. Aber in diesem Augenblick, nachdem er unter dem ersten Eindruck der Nachricht auf einen Stuhl gesunken ist und das Gesicht verhüllt hat, wächst der Friedländer zu seiner ganzen Größe empor, der gegenüber der streng korrekte Octavio erst recht klein und ohnmächtig erscheint. Auf Terzkys verzweifelten Ausruf (W. T. III 9):

„Da siehst du's, wie die Sterne dir gelogen!"

erwidert er:

„Die Sterne lügen nicht, *das* aber ist
geschehen wider Sternenlauf und Schicksal."

Warum widerruft er hier seine am Tage zuvor an Illo gerichteten Worte? Weil er sonst sich selbst aufgeben müßte.

Und wenn er fortfährt:

„Die Kunst ist redlich; doch dies falsche Herz
bringt Lug und Trug in den wahrhaft'gen Himmel.
Nur auf der Wahrheit ruht die Wahrsagung;
wo die Natur aus ihren Grenzen wanket,
da irret alle Wissenschaft,"

so wird jetzt offenbar, was Wallenstein unter einem „falschen" und einem „geraden" Herzen versteht. „Falsch" ist das undurchsichtige Herz — das Herz, das die „Krümmen" (P I 4) liebt, um zum Ziel zu kommen, wenn es sich nur auf dem Weg der sogenannten „Ordnungen" hält. „Gerade" nennt Wallenstein sein eigenes Herz, weil er von sich sagen kann, was er der Gräfin Terzky gegenüber ausspricht (W. T. I 7):

> „Wahr ist's! Sie sah'n mich immer, wie ich bin,
> ich hab' sie in dem Kaufe nicht betrogen;
> denn nie hielt ich's der Mühe wert, die kühn
> umgreifende Gemütsart zu verbergen — "

also auch ein Herz, das, um Octavios Worte zu gebrauchen, den geraden Pfad geht wie der Blitz und die Kanonenkugel (P I 4). Daß ein solcher Pfad zugleich der „abgekürzte" Weg einer „beschränkten" Vernunft ist, vermag Wallenstein nicht zu erkennen.

Nirgend wird das Fehlen jeder sympathetischen Beziehung zwischen dem Friedländer und seinem vermeintlichen Freunde so erschütternd deutlich wie in jener Szene, in welcher Wallenstein bewußt wird, daß er sich in Piccolomini geirrt hat — nirgend aber auch die Ursache so offenkundig, aus welcher er über diesen seinen Irrtum so lange im Unklaren bleiben mußte. —

Und doch: bei aller Verschiedenheit ihres Wesens finden Wallenstein und Octavio sich in *einem* sympathetischen Gefühl. In dem unbedingten Vertrauen zu Max.

In den Gesprächen, die Vater Piccolomini mit dem Sohne führt, tritt uns jener menschlich nahe.

Octavio lehnt Questenbergs Ansinnen, Max mit dem vom Kaiser gegen Wallenstein erlassenen Ächtungsbefehl bekannt zu machen, mit der Bemerkung ab (P I 3):

> „Ich muß ihn seiner Unschuld anvertrauen.
> Verstellung ist der offnen Seele fremd."

In der Bankettszene, als die Generäle die um die bewußte Klausel verkürzte Erklärung unterzeichnen, weist er Terzkys Aufforderung, dem die Unterschrift im gegenwärtigen Augenblick verweigernden Max gegenüber „sein Ansehen zu brauchen", mit den Worten zurück: „Mein Sohn ist mündig" (P IV 7). Obwohl er weiß, daß Max durch seine Liebe zu Thekla sich innerlich noch enger an Wallenstein gebunden fühlen muß, offenbart er in der verhängnisvollen, dem Bankett folgenden Nacht seinem Sohne alles, was über den Herzog beschlossen ist und welche Rolle er — Octavio — selbst vom Kaiser zugewiesen bekommen hat (V 1):

> „Max!
> — Des Reiches Wohlfahrt leg ich mit dem Worte,
> des Vaters Leben dir in deine Hand."

Und als er am nächsten Morgen von Max Abschied nimmt, der auf des Feldherrn Wunsch in dessen Nähe bleiben soll (W. T. II 1), und er weiß, daß ihn sein Vertrauen zum Sohne nicht getäuscht hat, da muß er sich schließlich auch dessen anklagenden Worten gegenüber (W. T. II 7):

> „O! Hättest du vom Menschen besser stets
> gedacht, du hättest besser auch gehandelt.
> Fluchwürd'ger Argwohn! Unglücksel'ger Zweifel!
> Es ist ihm Festes nichts und Unverrücktes,
> und alles wanket, wo der Glaube fehlt" —

damit abfinden, von einem zum Tode Bereiten zu scheiden, der eher sein Leben als seine Ehre opfert, aber seines Herzens Stimme von niemand bezwingen läßt.

Und Wallenstein?

An einer einzigen Stelle zeigt es sich, wieviel stärker auch bei ihm das Vertrauen auf des jungen Freundes Herz als auf alle schriftlichen Treueversicherungen ist. Als er am Morgen nach dem Bankett von Illo die bekannte Erklärung seiner Generale erhält, fragt er nach kurzem Einblick (W. T. I 3):

> „Max Piccolomini steht nicht hier. Warum nicht?"

Und auf Illos rasche Antwort:

> „Bloßer Eigendünkel!
> Es brauche das nicht zwischen dir und ihm"

gibt er zu:

> „Es braucht das nicht, er hat ganz recht — "

Das „wahre Leben" wirft sein Licht in das Leben der Wirklichkeit und umgibt für Augenblicke selbst rettungslos der Leidenschaft des Sinnenglücks verhaftete oder ohnmächtig dem „Gemeinen" unterworfene Kreaturen mit einem Schimmer edlen Menschentums. In solchen Erscheinungen sieht Schillers zukunftsgläubiger Idealismus die Gewähr für die Berechtigung jenes Glaubens, der, wie es in Goethes schon früher angeführtem Nachruf heißt,

> „sich stets erhöhter
> bald kühn hervordrängt, bald geduldig schmiegt,
> damit das Gute wirke, wachse, fromme,
> damit der Tag dem Edlen endlich komme."

Äußert sich dieser Glaube Schillers, wie im vorigen Kapitel gezeigt, auch in einigen seiner Balladen, so bildet die Entwicklung der Handlung in ,Wallensteins Lager' eine in dramatische Form gefaßte Darstellung einer Steigerung vom „Leben" zum „Ideal", insofern mit dem Auftreten des ersten Kurassiers der edle Geist Max Piccolominis die gesamte Soldateska gleichsam auf eine erhöhte menschliche Ebene führt, auf welcher die letzten Verse des Schlußliedes erst ihren rechten Sinn erhalten:

> „Und setzet ihr nicht das Leben ein,
> nie wird euch das Leben gewonnen sein." —

Und wie sich in diesem Liede Menschen verschiedener, ja entgegengesetzter Wesensart zusammenfinden, so verbindet für den im Sinne Schillers aesthetisch wertenden Betrachter Max und Wallenstein ein verwandter Zug.

In der Abhandlung ,Über das Pathetische' führt der Verfasser aus: „Die aesthetische Kraft, womit uns das Erhabene der Gesinnung und Handlung ergreift, beruht .. keineswegs auf dem Interesse der Vernunft, daß recht gehandelt *werde*, sondern auf dem Interesse der Einbildungskraft, daß recht handeln *möglich sei*, d. h. daß keine Empfindung, wie mächtig sie auch sei, die Freiheit des Gemüts zu unterdrücken vermöge. Diese Möglichkeit liegt aber in jeder Äußerung von Freiheit und Willenskraft ... Wieviel mehr wir in aesthetischen Urteilen auf die Kraft als auf Gesetzmäßigkeit sehen, wird schon daraus hinlänglich offenbar, daß wir Kraft und Freiheit lieber auf Kosten der Gesetzmäßigkeit geäußert, als die Gesetzmäßigkeit auf Kosten der Kraft und Freiheit beobachtet sehen. Sobald nämlich Fälle eintreten, wo das moralische Gesetz sich mit Antrieben gattet, die den Willen durch die Macht fortzureißen drohen, so gewinnt der Charakter aesthetisch, wenn er diesen Antrieben widerstehen kann. Ein Lasterhafter fängt an uns zu interessieren, sobald er Glück und Leben wagen muß, um seinen schlimmen Willen durchzusetzen; ein Tugendhafter hingegen verliert in demselben Verhältnis unsre Aufmerksamkeit, als seine Glückseligkeit selbst ihn zum Wohlverhalten nötigt."

Und über Würde als „Ausdruck einer erhabenen Gesinnung" heißt es in der Schrift ,Über Anmut und Würde': „Die Würde bezieht sich auf die *Form* und nicht auf den *Inhalt* des Affekts; daher es geschehen kann, daß oft dem Inhalt nach lobenswürdige Affekte, wenn der Mensch sich ihnen blindlings überläßt, aus Mangel der Würde ins Gemeine und Niedrige fallen; daß hingegen nicht selten verwerfliche Affekte sich sogar dem Erhabenen nähern, sobald sie nur in ihrer Form Herrschaft des Geistes über seine Empfindungen zeigen." Denn: „Der Wille des Menschen ist ein erhabener Begriff auch dann, wenn man auf seinen moralischen Gebrauch nicht achtet. Schon der *bloße* Wille erhebt den Menschen über die Tierheit; der *moralische* erhebt ihn zur Gottheit. Er muß aber jene zuvor verlassen haben, eh' er sich dieser nähern kann; daher ist es kein geringer Schritt zur moralischen Freiheit des Willens, durch Brechung der Naturnotwendigkeit in sich auch in gleichgültigen Dingen den *bloßen* Willen zu üben."

Ohne Zweifel übt Max den „moralischen", Wallenstein den „bloßen" Willen. Aber beide gleichen sich in der unbeirrbaren Verwirklichung ihres Willens. Max bewährt seinen sittlichen Willen dem Vater und Wallenstein gegenüber; Wallenstein bleibt bis zuletzt der seinem Stern folgende, auf seinen Stern vertrauende Willensmensch in ungebrochener „Lebensfülle" (W. T. V 3), hoch erhaben über seine von niedrigen Leidenschaften umgetriebene Gefolgschaft; und hat er vorher im Gedenken an Max von der verlorenen Blume seines Lebens gesprochen, so sagt er bald darauf, in den Anblick seines Jugendgenossen Gordon versunken, von sich selbst (W. T. V 4):

> „Es treibt der ungeschwächte Mut
> noch frisch und herrlich auf der Lebenswoge;
> die Hoffnung nenn' ich meine Göttin noch,
> ein Jüngling ist der Geist, und seh' ich mich
> *dir* gegenüber, so möcht' ich rühmend sagen,
> daß über meinem braunen Scheitelhaar
> die schnellen Jahre machtlos hingegangen."

Sollte ihn also nicht das Glück, das ihm doch so oft treu gewesen, auch diesmal wieder auf des Lebens Höhen emportragen? In erschütternder Weise verbindet sich dies Vertrauen auf sein Glück mit Gedanken an den verlorenen jungen Freund. Das Polykratesmotiv wird lebendig:

> „ . . . mir fiel
> der liebste Freund, und fiel durch meine Schuld.
> So kann mich keines Glückes Gunst mehr freuen,
> als dieser Schlag mich hat geschmerzt — Der Neid
> des Schicksals ist gesättigt, er nimmt Leben
> für Leben an, und abgeleitet ist
> auf das geliebte reine Haupt der Blitz,
> der mich zerschmetternd sollte niederschlagen."

Welch eine gewaltige Willenskraft drückt sich in dieser Absicht aus, um den Preis des wahren Lebens die Erhaltung eines Lebens der Wirklichkeit vom Schicksal einzuhandeln!

Und doch hat Gordon recht mit seiner Mahnung:

> „Furcht soll das Haupt des Glücklichen umschweben,
> denn ewig wanket des Geschickes Waage."

Aber die Furcht ist nur eine Begleiterin des irdischen Lebenswandels. In einer höheren Welt wird dem Menschen nach seinem Glauben gelohnt, ohne Unterschied, ob derselbe einem ehrsüchtigen Streben oder reinem Wollen gegolten:

> „Dort ist auch der Vater frei von Sünden,
> den der blut'ge Mord nicht mehr erreicht . . .
> Wort gehalten wird in jenen Räumen
> jedem schönen gläubigen Gefühl;
> wage du, zu irren und zu träumen,
> hoher Sinn liegt oft in kind'schem Spiel."

2. Maria Stuart

,Maria Stuart' ist das letzte Werk Schillers, dessen Stoff dem so vielseitig behandelten geschichtlichen Komplex der Auseinandersetzung zwischen Reformation und Romkirche entnommen ist.

Aber wie verschieden ist die Rolle, welche dieser Konflikt zweier Glaubensbekenntnisse in dem dramatischen Vorgang zwischen der englichen und der schottischen Königin spielt, von der Bedeutung, die der Dichter dem weltgeschichtlichen Ereignis in der Wallensteindichtung zugewiesen hat!

In dieser versetzt den Zuschauer das Vorspiel gleich mitten in das bunte Treiben eines kriegerischen Lagerlebens; Träger der Handlung des zehnaktigen Schauspiels sind in überwiegender Zahl Soldaten höheren und niederen Ranges; der Charakter des Haupthelden ist geprägt durch die Erfolge und Niederlagen, die ihm die sechzehnjährige Dauer des blutigen Ringens bereitet hat.

In ,Maria Stuart' vergißt der Hörer die geschichtlichen Voraussetzungen der dramatischen Handlung fast über den menschlichen Problemen, vor die er sich angesichts der Trägerinnen der beiden Hauptrollen gestellt sieht. Man vernimmt wohl von der Gefahr, die dem protestantischen England durch die Anschläge der in Frankreich sitzenden Widersacher aus der katholischen Partei droht, und hinter der Szene vollzieht sich der Mordanschlag auf Elisabeth, in welchem sich die fanatische Unerbittlichkeit dieses Machtkampfes schrecklich offenbart. Aber das Wort „Freiheit" in dem schönen, edlen Sinne, der nach des Geschichtsphilosophen Anschauung die geistige Welt der Reformation etwa in der ,Geschichte des Abfalls der vereinigten Niederlande' und in der Gestalt des Schwedenkönigs in der ,Geschichte des Dreißigjährigen Kriegs' widerspiegelt, ist der dramatischen Idee des Trauerspiels ,Maria Stuart' fremd. Denn in der Auseinandersetzung zwischen Maria von Schottland und Elisabeth von England geht es um ganz andere Werte — wenn auch, wie sich zeigen wird, das große Problem des Verhältnisses zwischen Mensch und Geschichte im umfassenden Sinne, ebenso wie in den anderen geschichtlichen Dramen des reifen Schiller, auch in diesem Werke die letzten Fragen der menschlichen Existenz berührt.

Betrachtet man die Gestalt der Hauptheldin Maria Stuart, so ist es bei Würdigung ihrer Wesensart unmöglich, ihre Bedeutung als geschichtliche Persönlichkeit in Anschlag zu bringen. Was an der Schottenkönigin in Schillers Tragödie fesselt, ist nur der Mensch, genauer der weibliche Mensch.

Einige Äußerungen aus dem Munde von Anhängern und Gegnern veranschaulichen diese Tatsache.

Elisabeth, ihr ärgste Feindin, erklärt (II 9) Marias Beliebtheit beim männlichen Geschlecht daher,

„weil sie sich nur befliß, ein Weib zu sein."

Die in demselben Gespräch fallende Behauptung der englischen Königin:

„Der Stuart ward's vergönnt,
die Hand nach ihrer Neigung zu verschenken,"

wäre angesichts der politischen Stellung Marias unverständlich, wenn nicht auch im Falle der Bindung an einen Mann bei dieser Frau nicht die Königin, sondern eben gleichfalls das *Weib* den Ausschlag gegeben hätte. Mortimer spricht ihr daher (II 6) indirekt die „Frauenkrone" zu, die das Höchste bedeutet, was das Leben schmückt:

„Wenn sich ein Herz, entzückend und entzückt,
dem Herzen schenkt in süßem Selbstvergessen."

Das ist eine Umschreibung des Wesens der Sympathie, die hier transparent wird. Diese Eigenschaft ist bedingt durch eine andere, die derselbe Mortimer ebendort Maria zuspricht:

„Um sie, in ew'gem Freudenchore, schweben
der Anmut Götter und der Jugendlust."

Diese Anmut ist es, die ihr „die rührende Gestalt" verleiht, die Anmut, die in demselben Zusammenhang als „der hohen Schönheit göttliche Gewalt" gekennzeichnet wird, und deren wesenhafte Bedeutung sich darin zeigt, daß ihr „des Kerkers Schmach" nichts von ihrem Schönheitsglanze rauben konnte (I 6), der selbst den edlen Talbot — freilich zur Unzeit — zu begeisterten Worten der Bewunderung hinreißt (II 3 ∼ II 9). Und wenn Mortimer von eben dieser rührenden Gestalt sagt (III 6):

„Die läßt nicht alles wagen und vermögen,
die treibt dem Beil des Henkers mich entgegen — ",

so deuten diese Worte wieder auf die zauberische Kraft der Sympathie hin, die zum Mit-leiden mit der Leidenden ruft. Am schönsten aber erweist sich die an Maria sichtbar werdende sympathetische Macht im Verhältnis der Königin zu ihrer Dienerschaft. Dem tiefen Schmerz, den die Kammerfrau und das übrige Gesinde angesichts des Schicksals ihrer Herrin empfinden (V 6), entspricht die Treue, mit welcher Maria für das Schicksal der Zurückbleibenden sorgt (V 8), ja auch an Margaretha Kurl nicht des Gatten Schuld rächt (V 6). Am stärksten bewährt sich diese Sympathie zwischen der zum Tode Bereiten und ihrer Amme (V 9):

„Sie trug auf ihrem Arme mich ins Leben,
sie leite mich mit sanfter Hand zum Tod."

Also schönstes Frauentum, sich manifestierend in ganz neigungsbestimmtem Handeln, als Zauber der Sympathie im Erleben ewig-jugendlicher Anmut auf ihre Umgebung wirkend: das ist zunächst die rein menschliche Grundlage im Wesen Maria Stuarts.

Alle weiteren Eigenschaften sind aus dem soeben bestimmten Wesenskern der Hauptheldin des Schillerschen Trauerspiels zu begreifen.

Wer sollte sich wundern, daß Maria in ihrem traurigen Gefangenenleben von einem unbändigen Freiheitsdrang erfüllt ist? Aber das Motiv dieses Dranges liegt tiefer.

Es ist nicht etwa der Wunsch, sich an ihrer großen Feindin für all die Leiden zu rächen, die sie ihr allein zu danken hat. Nein:

„Ein heilig Zwangsrecht üb' ich aus, da ich
aus diesen Banden strebe",

sagt sie zu Burleigh (I 7).

Worin sieht Maria den Zwang, aus welchem sie ihr Recht herleitet, ihn zu brechen? Wie weit weicht doch ihre Erklärung von den Gründen ab, mit denen der Großschatzmeister die Zwangsmaßnahmen der englischen Regierung rechtfertigt! Weit von sich weist Maria die Beschuldigung, die Burleigh gegen sie erhebt:

„Daß ihr Anschläge
geschmiedet, die Religion des Landes
zu stürzen, alle Könige Europens
zum Krieg mit England aufgeregt — "

Diesen Verdächtigungen gegenüber stellt Maria nichts als das Wort von dem *heiligen* Zwangsrecht.

Der tiefe Sinn dieses Wortes wird aus einer ganz anderen Stelle der Tragödie deutlich. Es ist die Szene zu Beginn des dritten Aufzugs (III 1), wo Maria Stuart mit ihrer Amme Kennedy im Park von Fotheringhay nach Jahren des Eingeschlossenseins hinter düsteren Schloßmauern unerwartet von der Schönheit der freien Natur überwältigt wird:

> „Laß mich der neuen Freiheit genießen,
> laß mich ein Kind sein, sei es mit . . . "

Mit dem Gefühl der abgefallenen Fesseln bricht das *Kind* in Maria durch,
das sich „frei und glücklich träumt" und, ganz Impulsivität, in der ver-
meintlich wiedergewonnenen Freiheit nur ein Geschenk der Liebe — der
Sympathie sehen kann.

> „Glaub' mir, nicht umsonst
> ist meines Kerkers Tor geöffnet worden.
> Die kleine Gunst ist mir des größern Glücks
> Verkünderin. Ich irre nicht. Es ist
> der Liebe tät'ge Hand, der ich sie danke . . .",

versichert sie Kennedy. Und immer wieder werden ihre Gedanken durch
Eindrücke eines freien Daseins auf Erlebnisse der Kindheit zurückgeführt:
Die frei dahineilenden Wolken segeln nach Frankreich und sollen freundlich ihr Jugendland grüßen; der Klang des Hifthorns erinnert an des
schottischen „Hochlands bergigte Heiden" und an das ungehemmte Da-
hinstürmen im brausenden Jagdtroß.

Ist es nicht deutlich sichtbar, daß Freisein und Kindsein für Maria identische Begriffe sind? Und ist also ihr Freiheitsdrang nicht einzig daher zu
begreifen, daß sie nur in der Freiheit zu ihrem eigentlichen Wesen zurückfinden zu können glaubt?

Dieses Wesen aber hat so manche Eigenschaft mit dem Kinde gemein.
Selbst die Gefangenschaft konnte ja ihren angeborenen Frohsinn nicht
ganz darniederschlagen, der ihr selbst und anderen Trost zusprach, ja der
angesichts ihrer wirklichen Lage wohl gar als „Flattersinn" den Tadel
der getreuen Amme hervorrief (I 4).

Und dieser kindliche, nur zu leicht dem Impuls des Augenblicks statt-
gebende Charakter läßt sie da, wo es auf kühl berechnende Abwehr geg-
nerischer Absichten ankommt, das rechte Wort nicht finden — ihrer „ge-
schwinden Zunge" (III 2) fehlt die Leitung einer alle Folgen rasch erfas-
senden Vernunft.

Wie trefflich weist sie in dem schon erwähnten Gespräch mit Burleigh
(I 7) auf den Rechtsbruch hin, den die Untersuchungskommission durch
Verweigerung der Gegenüberstellung Marias und ihrer Ankläger began-
gen hat! Zweimal weicht der Großschatzmeister einer Antwort auf diesen
Vorwurf aus; zweimal mahnt Maria: „Bleibt bei der Sache, Lord!" Wa-
rum vergißt sie diese Mahnung beim drittenmal? Weil der verschlagene
Staatsmann Maria durch unwahre Anschuldigungen im Innersten ihrer
Seele verletzt: Ihr Freiheitsstreben, das die Kraft ihres Wesens ist, sieht
sie verfälscht — und statt den Gegner im Angriff zu schlagen, greift sie
— angesichts dieses Feindes ein aussichtsloses Unterfangen! — zur
Rechtfertigung ihres „heiligen Zwangsrechts."

Eine zweite Versäumnis des rechten Augenblicks begegnet ihr beim Zusammentreffen mit Elisabeth (III 4).

Ohne es zu wollen, gibt ihr die englische Königin gleich nach dem Beginn der Zwiesprache das Stichwort, das, richtig erwidert, unmittelbar in den Kern des vorliegenden Streitfalls führen könnte:

> „.. ihr wißt,
> daß ihr mich habt ermorden lassen wollen."

Wie nachdrücklich bezeugt Maria bei anderen Gelegenheiten die Hinfälligkeit dieser Anklage! Schon im Gespräch mit Burleigh (I 7) erklärt sie:

> „Den Mord allein, die heimlich blut'ge Tat,
> verbietet mir mein Stolz und mein Gewissen."

Und kurz vor ihrer Hinrichtung beichtet sie Melvil (V 7):

> „Ich habe alle Fürsten aufgeboten,
> mich aus unwürd'gen Banden zu befrein;
> doch nie hab' ich durch Vorsatz oder Tat
> das Leben meiner Feindin angetastet!"

Warum versagt ihre „geschwinde Zunge" jetzt, wo eine geschickt geführte Verteidigung vielleicht Marias Schicksal doch hätte wenden können?

Wieder sind es seelische Impulse, das innerste Wesen der Unglücklichen berührende Motive, die — hier wie im vorigen Fall ihr selbst *unbewußt* — sie eine nie wiederkehrende Gelegenheit verspielen lassen. Jäh hat sich die kindliche Freude, welche Maria angesichts der unerwarteten Freiheit schwärmen ließ, in ratlosen Schrecken gewandelt, als sie von der Annäherung der königlichen Feindin erfuhr (III 2). All die jahrelangen Demütigungen, die sie seit ihrer Flucht aus Schottland von derjenigen erfahren, bei der sie Schutz und Freundschaft erhoffte, drängen sich wieder in ihr Bewußtsein (III 3):

> „Nichts lebt in mir in diesem Augenblick,
> als meiner Leiden brennendes Gefühl.
> In blut'gen Haß gewendet wider sie
> ist mir das Herz, es fliehen alle guten
> Gedanken, und die Schlangenhaare schüttelnd,
> umstehen mich die finstern Höllengeister."

Und etwas später:

> Eh' mögen Feu'r und Wasser sich in Liebe
> begegnen, und das Lamm den Tiger küssen —
> ich bin zu schwer verletzt — sie hat zu schwer
> beleidigt — Nie ist zwischen uns Versöhnung!"

Es ist instinktive Ablehnung einer ihrem eigenen Wesen ganz fremden Natur, welche Maria die Erfolglosigkeit der so lange herbeigesehnten Begegnung vorausahnen läßt. Und instinkthaft sicher ist das Urteil, das ihr beim ersten Anblick der furchtbaren Gegnerin entfährt (III 4):

> „O Gott, aus diesen Zügen spricht kein Herz!"

Und doch will sie sich selbst überwinden, will etwas tun, dessen Aussichtslosigkeit sie doch fühlt: Herz soll zum Herzen sprechen, Sympathie soll zwischen ihr und Elisabeth wirksam werden:

> „Löst *mir* das Herz, daß ich das *eure* rühre!"

Eine ungeheure Aufgabe hat sie sich gestellt: Königliche Würde und weibliche Anmut sollen sich vereinen, das edle Blut der Tudor und die rührende Gestalt der Stuart sollen die eisige Kälte der Gegnerin zum Schmelzen bringen — und über diesem ihr ganzes Wesen beherrschenden Verlangen überhört sie jenen Vorwurf ihrer angeblichen Mordabsicht gegen Elisabeth; denn ihr ganzer Sinn ist auf die eine Frage gerichtet:

> „Womit soll ich den Anfang machen, wie
> die Worte klüglich stellen, daß sie euch
> das Herz ergreifen, aber nicht verletzen!"

Wie sehr Maria hier nur sie selbst ist, wie ganz jede Stimme der Vernunft durch die mächtige Urkraft der Sympathie zum Schweigen gebracht wird, offenbart sich in den Worten, die sie wenig später „zutraulich und mit schmeichelndem Ton" an ihre Feindin richtet:

> Wir stehn einander selbst nun gegenüber.
> Jetzt, Schwester, redet! Nennt mir meine Schuld,
> ich will euch völliges Genüge leisten."

Hier ist es Zeit, sich wieder an Elisabeths Äußerung zu erinnern, Maria habe sich immer nur beflissen, ein Weib zu sein.

Dem Weibe hat, wie Schiller in der Abhandlung ‚Über naive und sentimentalische Dichtung' sagt, „die Natur in dem naiven Charakter seine höchste Vollkommenheit angewiesen." Und naiv im Sinne Schillers ist tatsächlich Marias Verhalten in jenen beiden entscheidungsvollen Augenblicken ihrer Begegnung mit Burleigh und mit der Königin von England. Das Naive, heißt es in der soeben erwähnten Abhandlung kurz vorher, „ist seinem Charakter und seinen Neigungen treu, aber nicht sowohl, weil es Grundsätze hat, als weil die Natur bei allem Schwanken immer wieder in die vorige Stelle rückt, immer das alte Bedürfnis zurückbringt."

Aus Marias Naivetät wird auch ohne weiteres der Zauber verständlich, den ihre Persönlichkeit auf ihre Umgebung ausübt. „Aus der naiven Denkart," lehrt Schiller, „fließt notwendigerweise auch ein naiver Ausdruck sowohl in Worten als Bewegungen, und er ist das wichtigste Bestands-

stück der Grazie. Mit dieser naiven Anmut drückt das Genie seine erhabensten und tiefsten Gedanken aus; es sind Göttersprüche aus dem
Mund eines Kindes."

Mit demselben Recht gilt aber von Marias Charakter das Urteil Schillers über die Anmut als dem eigentlichen „Ausdruck der weiblichen Tugend": „Selten wird sich," lauten die Worte in der Schrift ‚Über Anmut
und Würde‘, „der weibliche Charakter zu der höchsten Idee sittlicher
Reinheit erheben und es selten weiter als zu *affektionierten* Handlungen
bringen. Er wird der Sinnlichkeit oft mit heroischer Stärke, aber nur
durch die Sinnlichkeit widerstehen. Weil nun die Sittlichkeit des Weibes
gewöhnlch auf seiten der Neigung ist, so wird es sich in der Erscheinung ebenso ausnehmen, als wenn die Neigung auf seiten der Sittlichkeit wäre."

An diese Ausführungen des Dichters muß man sich halten, um die Gefahr zu vermeiden, an den Charakter der Titelheldin seiner Tragödie sittliche Anforderungen zu stellen, die nach Schillers Ansicht mit der weiblichen Wesensart unvereinbar sind.

Diese Erinnerung ist nötig, wenn man die Rolle verstehen will, die der
Tragiker in zwei Komplexen ihres Daseins spielen läßt: in den Verfehlungen ihrer Jugend und in der Besonderheit ihrer politischen Bedeutung.

Das lebensfrohe Kind wächst auf „am üpp'gen Hof der Medicäerin"
(I 1), diesem Hof

„des Leichtsinns, der gedankenlosen Freude
. . in der Feste ew'ger Trunkenheit" . . . (II 3)

Ihr Oheim und Erzieher, der Kardinal von Guise, führt das sinnenfrohe
Mädchen in die der Schönheit huldigende Welt der Renaissance ein; er
lehrt sie, wie später Mortimer(I 6),

„daß die grübelnde Vernunft
den Menschen ewig in der Irre leitet,
daß seine Augen sehen müssen, was
das Herz soll glauben . . . "

In keiner Weise vorbereitet auf die entsagungsvollen Pflichten des
Herrschertums, nur ein lebenshungriges junges Menschenkind, empfängt
sie in ihrer Heimat Schottland die Königskrone. Die unselige eheliche
Verbindung mit dem rohen Darnley endet mit dessen Ermordung durch
den Verführer Bothwell. Die vom schottischen Parlament erzwungene
Freisprechung des Mörders, seine Erhebung zum Prinzgemahl erklärt die
treue Amme Kennedy als Verirrung einer zum Leichtsinn erzogenen Natur; denn

> „weich
> ist euer Herz gebildet, offen ist's
> der Scham — " (I 4);

und selbst der edle Talbot sucht Marias Tat zu verstehen als erzwungen durch das

> „ . . Angstgedränge bürgerlichen Kriegs,
> wo sie, die Schwache, sich umrungen sah
> von heftigdringenden Vasallen, sich
> dem Mutvollstärksten in die Arme warf — " (II 3).

Beide Urteile sind berechtigt, weil sie an die Schuldige menschlichen Maßstab anlegen.

Kennedys Wort von dem der Scham geöffneten Herzen Marias kann nur den oberflächlichen Betrachter überraschen. Als Elisabeth bei ihrer Begegnung mit der Schottenkönigin (III 4) die Gegnerin unter Anspielung auf deren jugendliche Verirrungen aufs schwerste beleidigt, erwidert Maria „von Zorn glühend, doch mit einer edlen Würde":

> „Ich habe menschlich, jugendlich gefehlt,
> die Macht verführte mich, ich hab' es nicht
> verheimlicht und verborgen, falschen Schein
> hab' ich verschmäht mit königlichem Freimut.
> Das Ärgste weiß die Welt von mir, und ich
> kann sagen, ich bin besser als mein Ruf."

Und dann richtet sie ihre Drohung an die unversöhnliche Feindin:

> „Weh euch, wenn sie von euren Taten einst
> den Ehrenmantel zieht, womit ihr gleißend
> die wilde Glut verstohl'ner Lüste deckt."

Man stelle neben diese Worte einen Satz aus Schillers Kennzeichnung des Naiven: „Es ist *schamhaft*, weil die Natur dieses immer ist; aber es ist nicht *decent*, weil nur die Verderbnis decent ist (‚Über naive und sentimentalische Dichtung‘). Auf Maria Stuart angewandt, darf man des Dichters Auffassung so formulieren: Weil Maria nicht nach dem Decenten fragte, darf man sie noch nicht für schamlos erklären. Ein Satz aus demselben Zusammenhang der bewußten aesthetischen Abhandlung ist für das Verständnis, wie Schiller seine Heldin sieht, von nicht geringerer Bedeutung. Nachdem er, wie schon erwähnt, als die größte Macht des weiblichen Geschlechts seine Naivetät bezeichnet hat, fährt er fort: „Weil aber die herrschenden Grundsätze bei der weiblichen Erziehung mit diesem Charakter in ewigem Streit liegen, so ist es dem Weibe im Moralischen ebenso schwer als dem Mann im Intellektuellen, mit den Vorteilen der guten Erziehung jenes herrliche Geschenk der Natur unverloren zu behalten; und die *Frau*, die mit einem geschickten Betragen für die große Welt dieses Naive der Sitten verknüpft, ist ebenso hochachtungswürdig als der Gelehrte, der mit der ganzen Strenge der Schule genialische Freiheit des Denkens verbindet." Hier ist die Eigenschaft der Frau genannt, die Schillers Maria Stuart fehlt: das „geschickte Betragen für die große Welt"; andererseits aber ist es gerade jener schönste Zug des Naiven, nämlich alle Bedenken hinsichtlich dessen, was „decent" heißt, zurückzustellen, oder, wie Maria es ausdrückt, allen falschen Schein zu verachten, was ihr den Tadel der nach dem Scheine urteilenden Welt zuzieht.

Die Worte aber, mit denen der Lordsiegelbewahrer Talbot Marias Vergehen entschuldigt, sind, abgesehen von dem schönen menschlichen Verständnis, das aus ihnen spricht, zugleich aufschlußreich für die Rolle, die Schiller seine Heldin als politische Figur spielen läßt.

Es ist bei Würdigung dieser Rolle scharf zu unterscheiden zwischen der Stellung, welche die katholische Partei der Schottenkönigin im Interesse ihrer Politik aufnötigt, und der persönlichen Einstellung Marias zu der ihre Zeit bewegenden Fragen.

Die Romkirche hat ihre wichtigsten Vertreter in Frankreich; an der Spitze Marias Oheim, der Kardinal von Guise, ferner die aus ihrer Heimat verbannten schottischen Träger geistlicher Würden, alle in Zusammenarbeit mit der Gesellschaft Jesu, die (I 6)

„fromm geschäftig
für Englands Kirche Priester auferzieht."

Der Schwärmereifer dieser Verschwörer erblickt die Verkörperung seiner Ideen in der Persönlichkeit Marias; sie „leiht ihm Vorwand und nährt seine Hoffnung" (II 5). Und verhängnisvoll wirkt die autoritäre Macht der Papstkirche auf die jugendlichen Heißsporne und frommen Fanatiker, denen die Absolutionsgewalt des katholischen Priesters Freiheit zum Königsmord gibt.

Und Maria selbst? Es sollten zwei Worte ihrer ärgsten Feinde genügen, um die politische Rolle der unglücklichen Königin zu kennzeichnen. Burleigh berichtet im zweiten Aufzug (II 3) über die Machenschaften der unter Führung des Kardinals gegen Elisabeth intrigierenden katholischen Verschwörer und sagt von ihnen:

„ . . . Sie waren's, die die Törichte
verführt, sich Englands Königin zu schreiben."

Und Elisabeth erhebt (III 4) vor Maria die Anklage gegen den Kardinal:

„Nichts Feindliches war zwischen uns geschehn,
da kündigte mir euer Ohm, der stolze,

> herrschwüt'ge Priester, der die freche Hand
> nach allen Kronen steckt, die Fehde an,
> betörte euch, mein Wappen anzunehmen,
> euch meine Königstitel zuzueignen . . ."

Beide Äußerungen verneinen jede Initiative der schottischen Königin; sie ist nur eine Figur im Spiel einer Partei, nicht handelnd, sondern leidend an diesem Spiel beteiligt.

> „O dieses unglücksvolle Recht! Es ist
> die einz'ge Quelle aller meiner Leiden,"

klagt sie Mortimer (I 6). Ein einziges Mal erwähnt sie dieses „Recht" als Anspruch — und da gerade im unrechten Augenblick. Im Gespräch mit Elisabeth zeigt Maria ihre ganze politische Unerfahrenheit, als sie, taub gegen das leider berechtigte Mißtrauen ihrer Rivalin gegenüber der alle Untreue rechtfertigenden Macht Roms, ihr versichert (III 4):

> „Hättet ihr
> zu eurer Erbin mich erklärt, wie mir
> gebührt, so hätten Dankbarkeit und Liebe
> euch eine treue Feundin und Verwandte
> in mir erhalten."

Überall, wo Schiller Maria Stuart politisch handeln auftreten, wo er sie politische Ideen äußern läßt, dienen solche Gelegenheiten dem Dichter nur dazu, ihre liebenswürdige, aber unheilvolle Unfähigkeit zu irgend einer Rolle auf der Bühne der Weltgeschichte ins Licht zu setzen. Welche Gefahr ihre Person als Exponent der Herrschaftsansprüche der katholischen Kirche für das protestantische England bedeutet, das zu erkennen mangelt ihr jede politische Einsicht. Das Trennende zwischen Schotten und Briten sieht sie nicht so sehr in der Verschiedenheit des religiösen Bekenntnisses, als vielmehr in einer seit tausend Jahren beide Nationen entzweienden — also rein menschlichen — Abneigung — einer fehlenden Sympathie! Und es zeugt von einer gänzlichen Blindheit gegenüber der weltgeschichtlichen Lage, wenn sie ausgerechnet einem Burleigh bekennt (I 7):

> „Ja, ich gesteh's, daß ich die Hoffnung nährte,
> zwei edle Nationen unterm Schatten
> des Ölbaums frei und fröhlich zu vereinen.
> Nicht ihres Völkerhasses Opfer glaubt' ich
> zu werden; ihre lange Eifersucht,
> der alten Zwietracht unglücksel'ge Glut
> hofft' ich auf ew'ge Tage zu ersticken,
> und, wie mein Ahnherr Richmond die zwei Rosen
> zusammenband nach blut'gem Streit, die Kronen
> Schottland und England friedlich zu vermählen."

Wie anders sieht die Wirklichkeit aus! Freilich wird diese nicht allein durch die weltgeschichtliche Auseinandersetzung zwischen Reformation und Papsttum bestimmt, sondern schuldlos-schuldhaft auch durch Marias Persönlichkeit.

Wer kann sagen, wie weit religiöser Fanatismus, wie weit die Schönheit und die sympathetische Macht der gefangenen Fürstin es ist, die Parry und Babington, Tishburn und Norfolk (I 1 ∼ I 6) sich für das sogenannte Thronrecht der Stuart waffnen ließ? Wer weiß, ob es nur das Interesse des katholischen Glaubens ist, das in England die edlen Häuser der Howard und der Percy noch in Freundschaft bei der unglücklichen Königin ausharren läßt (II 8)? Und die Beschuldigung, daß Maria selbst es sei, welche „die Fackel des Bürgerkrieges in das Reich schleudere" und „Meuchelrotten" gegen Elisabeth bewaffne (I 1), fußt sie allein auf Kurls mit mehr oder weniger List von Burleigh herausgelocktem falschem Zeugnis (V 13—I 7), oder scheint sie im Urteil der Welt nicht gerechtfertigt im Hinblick auf Marias Vergangenheit, die von Gewalttat und Mord zu erzählen weiß?

So geistert sie in der Phantasie des Volkes als „die *Ate* dieses ew'gen Kriegs",

„die mit
der Liebesfackel dieses Reich entzündet" (II 3),

als die „*Helena*", die Englands Küste zum eignen Unheil gastfreundlich empfing (I 1), als „eine listige Armida" (III 4), in deren Schönheit selbst Talbot die Quelle ihres Verderbens sieht (II 3). Unentwirrbar verschlingen sich alte persönliche Schuld, weiblicher Zauber, ungerechtfertigter Verdacht und geschichtsbedingtes Schicksal in dem Bilde der schwergeprüften Frau, wie es die Vorstellung ihrer feindlichen Umwelt beherrscht, und das schließlich Londons Pöbel zur Forderung nach der Stuart Haupt treibt (IV 7).

Der Kontrast zwischen Marias anmutiger Naivetät und der politischen Rolle, in welche sie ihre Geburt und das Interesse ihrer Kirche zwingen, veranschaulicht in erschütternder Weise die Unmöglichkeit, im Leben der Wirklichkeit dem wahren Leben zur Transparenz zu verhelfen, wenn die Sympathie nur eine schwärmerische und nicht eine Sympathie der Vernunft ist.

Ist im Vorhergehenden der Versuch gemacht worden, Marias Jugendsünden und ihre Stellung im Spiel der weltgeschichtlichen Ereignisse im Sinne Schillers aus dessen aesthetischen Anschauungen über das Naive und über die weibliche Anmut zu verstehen, so darf in Ergänzung dieses Versuchs nicht übersehen werden, daß die Titelheldin der Tragödie schon bei deren Beginn über diesen ethisch-aesthetischen Zustand, den der

Verfasser der Abhandlung ‚Über Anmut und Würde' als Ausdruck einer „schönen Seele" bezeichnet, hinausgewachsen ist.

Der Tag, an dem der erste Aufzug spielt, ist der Jahrestag der Ermordung König Darnleys, und

> „des Gatten rachefordendes Gespenst
> schickt keines Messedieners Glocke, kein
> Hochwürdiges in Priesters Hand zur Gruft" (I 4).

Man sieht: Maria hat mit der Welt abgeschlossen und ist bereit, die späte Sühne ihrer Tat auf sich zu nehmen.

Zwei Tage später, unmittelbar vor ihrem Tod, offenbart sie ihrem Beichtiger Melvil den Sinn ihres Lebens, wie sie ihn in langer Prüfung und schwerem Leid verstehen gelernt hat (V 7):

> „Gott würdigt mich, durch diesen unverdienten Tod
> die frühe schwere Blutschuld abzubüßen."

Hier spricht aus Maria die „erhabene Gesinnung", die Schiller in der eben in Erinnerung gebrachten Abhandlung als notwendigen „Probierstein" der schönen Seele, deren Manifestation die Anmut ist, im Falle eines derart starken Affekts bezeichnet, daß „keine Zusammenstimmung zwischen Neigung und Pflicht, zwischen Vernunft und Sinnlichkeit möglich" ist.

Der Maria Stuart-Dichtung würde ja die Eigenschaft des Dramatischen fehlen, wenn ihre Hauptheldin in unverändert „erhabener Gesinnung" durch alle fünf Aufzüge verharren wollte.

Deshalb führt der Verfasser nicht nur im ersten Akte Situationen herbei, in denen Marias Anmutszauber und ihre aus naiver Wesensart erwachsenen Verfehlungen ihrer Jugend gegenwärtig werden, sondern er zeigt im dritten Aufzug dieses Menschenkind noch einmal in aller Liebenswürdigkeit und in allen Schwächen seines Charakters, läßt im Zusammentreffen mit Elisabeth und mit Mortimer die furchtbare Wahrheit ihrer verzweifelten Frage lebendig werden (III 6):

> „Bin ich geboren, nur die Wut zu wecken?
> Verschwört sich Haß und Liebe, mich zu schrecken?"

Die endgültige Wendung von Lebenshoffnung zur Todesbereitschaft vollzieht sich in der Nacht, die dem Beginn des letzten Aufzugs voraufgeht: Kennedy berichtet darüber Melvil am Morgen der Hinrichtung ihrer Herrin. Die Frauen hatten voll Bangens der von Mortimer verheißenen Befreiung geharrt — da vernehmen sie das Geräusch der im Erdgeschoß das Todesgerüst aufschlagenden Handwerker (V 1). Und jetzt geschieht an Maria die große Bewährung ihres Charakters.

„Man löst sich nicht allmählich von dem Leben!
Mit *einem* Mal, schnell, augenblicklich muß
der Tausch geschehen zwischen Zeitlichem
und Ewigem, und Gott gewährte meiner Lady
in diesem Augenblick, der Erde Hoffnung
zurückzustoßen mit entschloßner Seele,
und glaubensvoll den Himmel zu ergreifen."

Dies der Bericht der getreuen Amme. Das Wesen des Erhabenen beschreibt Schiller in dem gleichnamigen Aufsatz: „Das Erhabene verschafft uns also einen Ausgang aus der sinnlichen Welt, worin uns das Schöne gern immer gefangen halten möchte. Nicht allmählich (denn es gibt von der Abhängigkeit keinen Übergang zur Freiheit) sondern plötzlich und durch eine Erschütterung reißt es den selbständigen Geist aus dem Netze los, womit die verfeinerte Sinnlichkeit ihn umstrickte, und das umso fester bindet, je durchsichtiger es gesponnen ist. Wenn sie durch den unmerklichen Einfluß eines weichlichen Geschmacks auch noch so viel über die Menschen gewonnen hat, wenn es ihr gelungen ist, sich in der verführerischen Hülle des geistigen Schönen in den innersten Sitz der moralischen Gesetzgebung einzudrängen und dort die Heiligkeit der Maximen an ihrer Quelle zu vergiften, so ist oft eine einzige erhabene Rührung genug, dieses Gewebe des Betrugs zu zerreißen, dem gefesselten Geist seine ganze Schnellkraft *auf einmal* zurückzugeben, ihm eine Revelation[1] über seine wahre Bestimmung zu erteilen und ein Gefühl seiner Würde wenigstens für den Moment aufzunötigen."

Eine solche Erhabenheit zeigt Maria Sturart im Augenblick der letzten Entscheidung, und diese Gesinnung begleitet sie auf dem Weg zum Tode. Die seelische Erschütterung, die sie bei der Nachricht von Leicesters Verrat und Mortimers jammervollem Schicksal überwältigt, läßt ihre edle Fassung angesichts des eigenen Geschicks nur noch bewundernswerter erscheinen:

„Da flossen ihre Tränen, nicht das eigne Schicksal,
der fremde Jammer preßte sie ihr ab" (V 1).

Es ist die ihrem Wesen eigentümliche Kraft der Sympathie, welche sie noch einmal ins Leben zurückruft — zum letztenmal auf dem Weg zur Hinrichtung bei der Begegnung mit Leicester, von dem sie (V 9) mit den Worten Abschied nimmt:

„Lebt wohl! — Jetzt hab' ich nichts mehr auf der Erden!" —

das heißt: Jetzt bindet mich keine Sympathie mehr an irgend etwas, das von dieser Welt ist.

---

[1] Entdeckung, Offenbarung. —

Aber damit wird ihr ein Geschenk zuteil, dessen Verlust sie in den Jahren ihrer Gefangenschaft um das heilige Recht gebracht hat, sie selbst zu sein. Hat Elisabeths politische Klugheit ihr mit der Freiheit das Kindsein geraubt, sie dem Urstand der naiven Natur entrissen, so wird ihr der Tod die Möglichkeit geben, daß

> „die frohe Seele sich
> auf Engelsflügeln schwingt zur ew'gen Freiheit" (V 6).

Sieht man von der katholisch-religiösen Färbung dieser Worte ab, so erinnert die Idee von der verlorenen und wiedergewonnenen Freiheit, von einer Rückkehr des Menschen zu sich selbst — oder, wie es in dem Gedicht ,Das Ideal und das Leben' heißt, zu „der Menschheit Götterbild" — an den Schicksalsweg, den die Abhandlung ,Über naive und sentimentalische Dichtung' als den Weg der Menschheit darstellt. Maria wandelt sich von der individuellen Persönlichkeit zum Sinnbild der Menschheit schlechthin, insofern des Dichters Kunst, ebenso wie die geschichtsphilosophische Schau, das Individuum in die Gattung hinüberführt, getreu seiner Sendung, „der Menschheit ihren möglichst vollständigen Ausdruck zu geben" (,Über naive und sentimentalische Dichtung'). —

Elisabeth I. von England gilt in der Geschichte als Exponent der Glaubensfreiheit. Das Menschenbild, das Schillers Tragödie in Elisabeth gestaltet hat, ist die höchste Steigerung innerer Unfreiheit. In dem Zusammentreffen der beiden Königinnen im dritten Aufzug ist die gefangene Maria freier als ihre mächtige Gegnerin, weil sie ganz sie selbst ist, während Elisabeth dem Scheine dient.

Gewiß, die Beherrscherin des freien Englands trägt ein schweres Erbe. Immer verfolgt sie der Gedanke an

> „den Flecken meiner fürstlichen Geburt,
> wodurch der eigne Vater mich geschändet" (IV 10).

Eine freudlose Jugend in Woodstocks Park und in der Nacht des Tower (II 3) hat Anmut und Naivetät, worin Schiller die eigentlich weiblichen Eigenschaften sieht, nicht zur Entfaltung kommen lassen. Gegen diesen Mangel sucht sie sich zu schützen:

> „Das Weib ist nicht schwach. Es gibt starke Seelen
> in dem Geschlecht — Ich will in meinem Beisein
> nichts von der Schwäche des Geschlechtes hören,"

erklärt sie Talbot (II 3). Und diese Stärke wollte sie in der Erfüllung ihrer Herrscherpflichten beweisen.

> „ . . . ich meinte doch regiert
> zu haben wie ein Mann und wie ein König",

sagt sie zu dem außerordentlichen Botschafter Frankreichs (II 2). Dieser Leistung, die England zur Zufluchtsstätte des freien Glaubens erhoben, dankt sie die Liebe ihres Volkes,

> „das sich, sooft ich öffentlich mich zeige,
> mit Segnungen um meine Sänfte drängt" (II 2).

Die Eigenschaft, welche Elisabeth diese Segnungen eintrug, war in allererster Linie „Gerechtigkeit" (IV 10): sie ist die oberste all der Tugenden, die sie „auf ihrem Thron verherrlicht hat" (II 2).

Dies Charakterbild wird nun von Schiller in der Auseinandersetzung mit Maria einer Bewährungsprobe unterzogen.

Das Henkerbeil schwebt über dem Nacken der schottischen Königin — Elisabeth muß das Todesurteil ihres von Burleigh geleiteten Parlaments bestätigen oder verwerfen. Wie soll sie handeln, um den Ruhm der Gerechtigkeit zu verdienen?

Talbot, der edle Lordsiegelbewahrer Elisabeths, verneint die Befugnis der Königin, Maria Stuart töten zu lassen (II 3):

> „Du kannst das Urteil über *die* nicht sprechen,
> die dir nicht untertänig ist."

England würde, sagt er, mit der angeblich nur durch Marias Tod gewährleisteten Sicherung seines Glücks und Friedens den Ruhm der Gerechtigkeit verlieren; und er folgert daraus:

> „Nun dann, so wirst du auf ein ander Mittel sinnen,
> dies Reich zu retten — denn die Hinrichtung
> der Stuart ist ein ungerechtes Mittel."

Talbot versteht den Begriff der Gerechtigkeit viel weiter als Burleigh und das englische Parlament:

> „Nicht Stimmenmehrheit ist des Rechtes Probe,
> England ist nicht die Welt, dein Parlament
> nicht der Verein der menschlichen Geschlechter.
> Dies heut'ge England ist das künft'ge nicht,
> wie's das vergang'ne nicht mehr ist — Wie sich
> die Neigung anders wendet, also steigt
> und fällt des *Urteils* wandelbare Woge."

Die in früheren Kapiteln formulierte Gegenüberstellung von „beschränkter Vernunft" und „Vernunft auf weiteste Sicht" wird hier wieder lebendig. Die „Gerechtigkeit" des englischen Parlaments sieht nur einen räumlich und zeitlich begrenzten Ausschnitt des geschichtlichen Lebens. Aus dieser begrenzten Perspektive, sagt Talbot, erwächst auch jenes

Vorurteil und jene Leidenschaft der Masse, die Elisabeths freies sittliches Handeln behindern will. Vor solchen Fehlern menschlicher Kurzsicht darf aber die Königin nicht zurückweichen, deren Blick über die scheinbare Forderung der Stunde nach rückwärts und nach vorwärts in die ewigen Gesetzmäßigkeiten der Weltgeschichte schweift. Von diesem erhöhten Gesichtspunkt gesehen ist das Todesurteil gegen Maria Stuart ungerecht. Und Talbot richtet an seine Königin die befreienden Worte:

> „Sag nicht, du müssest der Notwendigkeit
> gehorchen und dem Dringen deines Volks.
> Sobald du willst, in jedem Augenblick
> kannst du erproben, daß dein Wille frei ist.
> Versuch's! Erkläre, daß du Blut verabscheust,
> der Schwester Leben *willst* gerettet sehn,
> zeig' denen, die dir anders raten wollen,
> die Wahrheit deines königlichen Zorns;
> schnell wirst du die Notwendigkeit verschwinden
> und Recht in Unrecht sich verwandeln sehn.

Talbot ist Elisabeths guter Geist. Er weist seine Herrscherin an ihre von Gott gewollte Eigenschaft als Weib:

> „Du selbst mußt richten, du allein. Du kannst dich
> auf dieses unstet schwanke Rohr nicht lehnen.
> Der eignen Milde folge du getrost.
> Nicht Strenge legte Gott ins weiche Herz
> des Weibes — Und die Stifter dieses Reichs,
> die auch dem Weib die Herrscherzügel gaben,
> sie zeigten an, daß Strenge nicht die Tugend
> der Könige soll sein in diesem Lande."

Von jener Tugend der Gerechtigkeit, deren sich Elisabeth als einer Stütze ihres Thrones bisher gerühmt, verweist Talbot die Königin an die eigentlich weibliche Tugend:

> „Man soll nicht sagen, daß in deinem Staatsrat
> die Leidenschaft, die Selbstsucht eine Stimme
> gehabt, nur die Barmherzigkeit geschwiegen.
> Verbündet hat sich alles wider sie,
> du selber hast ihr Antlitz nie gesehn,
> nichts spricht in deinem Herzen für die Fremde."

Die wahre Gerechtigkeit — dies ist der Sinn dieser Worte — wird nicht durch die beschränkte Vernunft der Leidenschaft diktiert, sondern erfordert, daß die Vernunft durch Sympathie geleitet wird:

> „Wohl dir, wenn die Vernunft immer im Herzen dir wohnt!"

Wie soll aber Elisabeth diese Gerechtigkeit üben, wenn ihr die Kraft der Sympathie fehlt?

Die Unfähigkeit, das Herz sprechen zu lassen, wird nun bei der englischen Herrscherin zur Grundlage ihrer wesentlichen Charaktereigenschaft: Der inneren Unwahrheit, der Heuchelei, welche sie zu einer Sklavin des Scheines macht.

Und da ergibt sich, daß auch Elisabeths gerühmte Gerechtigkeitsliebe von jeher nur Schein gewesen ist. Welch eine Selbstenthüllung bedeuten ihre Worte aus dem Monolog im vierten Aufzug (IV 10):

> „Doch war's denn meine eigne freie Wahl,
> gerecht zu sein? Die allgewaltige
> Notwendigkeit, die auch das freie Wollen
> der Könige zwingt, gebot mir diese Tugend.“

Gerechtigkeit zu üben, ist ihr gleichbedeutend mit erzwungener Unterwerfung unter den Willen der Masse:

> „O Sklaverei des Volksdiensts! Schmähliche
> Knechtschaft — Wie bin ich's müde, diesem Götzen
> zu schmeicheln, den mein Innerstes verachtet!“

Nicht freier Neigung, nicht schöner Sympathie mit dem ihrer Herrschaft anvertrauten Volk entspringt ihre Gerechtigkeit, sondern einem Zwang der Notwendigkeit, weil sie nur durch die Volksgunst ihr von der katholischen Welt bedrohtes und infolge einer nicht fleckenlosen Herkunft angezweifeltes Thronrecht wahren zu können meint.

Wer Gerechtigkeit nicht aus sympathiebestimmter Vernunft übt, sondern sich von der beschränkten Vernunft der Leidenschaft leiten läßt, der wird, wo es ihm diese beschränkte Vernunft ratsam erscheinen läßt, kein Bedenken tragen, das Recht zu beugen.

Und es erweist sich, daß das gerichtliche Verfahren, das unter Burleighs Leitung vom englischen Parlament angestrengt worden ist, ein einziger großer Rechtsbruch war.

> „Es sind Unziemlichkeiten vorgegangen
> in diesem Rechtsstreit, wenn ich's sagen darf.
> Man hätte diesen Babington und Tishburn
> ihr in Person vorführen, ihre Schreiber
> ihr gegenüberstellen sollen.“

Diese Worte wagt der biedere und ehrliche Amias Paulet dem mächtigen Großschatzmeister zu sagen (I 8). Und Burleigh leugnet die „Unziemlichkeiten“ nicht, erwidert aber:

„Nein, Ritter Paulet! Das war nicht zu wagen.
Zu groß ist ihre Macht auf die Gemüter
und ihrer Tränen weibliche Gewalt.
Ihr Schreiber Kurl, ständ' er ihr gegenüber,
käm' es dazu, das Wort nur auszusprechen,
an dem ihr Leben hängt — er würde zaghaft
zurückziehn, sein Geständnis widerrufen — "

Also weil man Marias sympathetischen Zauber fürchtet, hat man der
Angeklagten ihr Recht verweigert. Paulet sieht die Folgen voraus:

„So werden Englands Feinde alle Welt
erfüllen mit gehässigen Gerüchten,
und des Prozesses festliches Gepräng
wird als ein kühner Frevel nur erscheinen."

Und Burleigh bestätigt:

„Das ist der Kummer unsrer Königin —"

Erst nach Marias Hinrichtung wird bekannt, daß der Hauptbelastungs-
zeuge, der Schreiber Kurl, durch den Bösewicht Nau verführt, Briefe, die
Maria ihm diktiert, gefälscht und ihre Echtheit vor Gericht fälschlich be-
schworen habe.

Welcher Ausweg bleibt Elisabeth, nachdem das Parlament sein Urteil
gesprochen, das durch einen Rechtsbruch zustande gekommen ist? Burleigh gibt die Antwort, nicht ohne aus Unrecht wieder ein scheinbares
Recht zu machen:

„Umsonst,
daß wir, die Richter, nach Gewissen sprachen!
Sie hat der Gnade königliches Recht,
sie muß es brauchen; unerträglich ist's,
wenn sie den strengen Lauf läßt dem Gesetze!"

Aber gleich fährt er fort:

„Also soll sie leben? Nein!
Sie darf nicht leben! Nimmermehr! Dies, eben
dies ist's, was unsre Königin beängstigt —"

Wir wissen, Elisabeth ist nicht fähig zur Gnade, weil, wie Talbot sagt,
in ihrem Herzen nichts für die Fremde spricht — weil Sympathie, auch
Sympathie der Vernunft, in ihrer Seele keine Stätte hat. Und nun offenbart sich die dunkelste Seite dieses Charakters, der ein Sklave des
Scheins ist: Weil ihr Sympathie mangelt, heuchelt sie Sympathie.

Als sie Marias Brief gelesen hat, in dem die Gefangene ihre Gegnerin um eine Zwiesprache bittet, bricht sie in Tränen aus (II 4):

> „Was ist der Mensch! Was ist das Glück der Erde!...
> — Verzeiht, Mylords, es schneidet mir ins Herz,
> Wehmut ergreift mich, und die Seele blutet,
> daß Irdisches nicht fester steht, das Schicksal
> der Menschheit, das entsetzliche, so nahe
> an meinem eignen Haupt vorüberzieht.“

Kurz darauf entläßt sie die Mitglieder ihres Staatsrates mit den Worten:

> „Geht, meine Lords. Wir werden Mittel finden,
> was Gnade fordert, was Notwendigkeit
> uns auferlegt, geziemend zu vereinen.“

Nur Mortimer hält sie zurück — weil sie in ihm ein Werkzeug für ihre Absicht gefunden zu haben glaubt, durch Marias Ermordung der Verantwortung für ihren Tod vor der Welt enthoben zu sein. Sieht Elisabeth in dieser Lösung ein Gebot der „Notwendigkeit“, so kann die „Gnade“ nur so verstanden werden, daß sie schon jetzt entschlossen ist, wozu sie sich nachher durch Leicester scheinbar bereden läßt: Maria Stuart zu sehen — aber nicht, um ihr damit eine Gnade zu erweisen, sondern einmal, um diese „Reize sondergleichen“ (II 3) zu prüfen, vor allem aber, wie sie später (IV 5) sich selbst verrät, um die verhaßte Feindin „zu erniedrigen.“

Auch als ihr das Todesurteil zur Unterschrift vorgelegt wird, übt sie ihre Heuchelei sympathetischer Gesinnung weiter. Was ihr wirkliches Anliegen ist, hat sie im Gespräch mit Mortimer gesagt (II 5):

> „So muß ich Sorge tragen, daß mein Anteil
> an ihrem Tod in ew’gem Zweifel bleibe.“

Jetzt tritt in Talbot-Shrewsbury noch einmal ihr guter Engel an sie heran und warnt sie vor den Folgen eines Königsmordes. Wieder entwirft die Sympathie der Vernunft, die sich in dem Lordsiegelbewahrer verkörpert, ein *Zukunfts*bild (IV 9):

> „Durchziehe London, wenn die blut’ge Tat
> geschehen, zeige dich dem Volk, das sonst
> sich jubelnd um dich her ergoß, du wirst
> ein andres England sehn, ein andres Volk,
> denn dich umgibt nicht mehr die herrliche
> Gerechtigkeit, die alle Herzen dir
> besiegte! *Furcht*, die schreckliche Begleitung
> der Tyrannei, wird schaudernd vor dir herziehn,
> und jede Straße, wo du gehst, veröden.

> Du hast das Letzte, Äußerste getan,
> welch Haupt steht fest, wenn dieses heil'ge fiel!"

Da erklärt Elisabeth, sie wolle ihrem Volke die Wahl zwischen sich und „der jüngern Königin" lassen:

> „Bin ich
> zur Herrscherin doch nicht gemacht! Der Herrscher
> muß hart sein können, und mein Herz ist weich.
> Ich habe diese Insel lange glücklich
> regiert, weil ich nur brauchte zu beglücken.
> Es kommt die erste schwere Königspflicht,
> und ich empfinde meine Ohnmacht —"

Wie stimmen solche Worte zu der stolzen Äußerung, mit der sie wenige Stunden vorher desselben Talbots Mahnung zu sympathetischer Gesinnung zurückwies:

> „Das Weib ist nicht schwach. Es gibt starke Seelen
> in dem Geschlecht — "!

Und tatsächlich fühlt sie sich ja auch stark genug, unter das Todesurteil ihre Unterschrift zu setzen — nicht weil sie von Marias Schuld überzeugt ist, auch kaum aus politischen Erwägungen einer „beschränkten" Vernunft, sondern aus Haß des „Bastards" gegen die Edelgeborene, aus Neid der äußerlich und innerlich Reizlosen über die körperliche und seelische Anmut der Rivalin.

Aber für ihr Handeln die Verantwortung vor der Welt zu tragen, dazu fehlt ihr die sittliche Kraft. Davison, dem sie das unterzeichnete Urteil einhändigt, entläßt sie ohne Weisung, was mit der Schrift geschehen soll. Als sie den ersten sichern Beweis der erfolgten Hinrichtung zu haben glaubt, schwankt ihre Stimmung zwischen Triumph und Angst. Aber sie beruhigt sich (V 12):

> „Das Grab deckt meine Furcht, und wer darf sagen,
> ich hab's getan! Es soll an Tränen mir
> nicht fehlen, die Gefall'ne zu beweinen!"

Ja sie bringt es fertig, auf die Meldung Shrewsburys, daß Kurl sich des falschen Zeugnisses beschuldigt hat, trotz besseren Wissens dem Verlangen ihres Lordsiegelbewahrers nach Erneuerung des gerichtlichen Verfahrens scheinbar stattzugeben mit den Worten (V 13):

> „Gut, daß es noch Zeit ist!
> An unsrer königlichen Ehre soll
> auch nicht der Schatten eines Zweifels haften."

Aber dann erweist es sich, daß der Mensch, dem nicht „die Vernunft im Herzen wohnt", zuletzt sich selbst betraf.

Um den Schein zu retten, verbannt sie Burleigh, der das von ihr unterzeichnete Todesurteil vollzog, und die ganze Scheinheiligkeit ihres Charakters spricht aus den Worten:

> „Das Urteil war gerecht, die Welt kann uns
> nicht tadeln; aber euch gebührte nicht,
> der Milde unsres Herzens vorzugreifen —"

Davison schickt sie in den Tower, und Shrewsbury, den sie jetzt — zu spät und mit innerer Unwahrheit — als einzig „gerecht Erfundenen" um seine Freundschaft bittet, reißt ihr die Maske vom Gesicht, wenn er im Hinblick auf seine am Tag zuvor der Königin geleistete Rettungstat vor des Meuchelmörders Dolch sagt:

> „Ich habe wenig
> getan — Ich habe deinen edlern Teil
> nicht retten können. Lebe, herrsche glücklich!
> Die Gegnerin ist tot. Du hast von nun an
> nichts mehr zu fürchten, brauchst nichts mehr zu achten."

So steht sie da, verraten und verlassen, weil sie neben sich keinen Menschen als Menschen lieben konnte. —

Neben dem weltweiten Kontrast der beiden das Drama beherrschenden Heldinnen treten alle anderen Gestalten zurück, soweit sie nicht durch ihr Wesen und Handeln die Eigenart der Hauptpersonen noch verdeutlichen.

Nichts Neues zu sagen ist über Talbot-Shrewsbury und Burleigh. Letzterer ist derjenige, welcher „für seine Königin gehandelt hat" und „für sie schweigt." Am offenkundigsten wird dies in der Szene, in der er Paulet zum Meuchelmord an Maria anzustiften sucht (I 8), und in der raschen Vollstreckung des Todesurteils, wofür ihm ein Elisabeths Charakter würdiger Dank zuteil wird.

Eine etwas ausführlichere Würdigung verdient Mortimer; wenig zu sagen ist über Elisabeths Günstling Leicester.

Mortimer ist keineswegs der katholische Fanatiker wie Sauvage, der Barnabit aus Toulon (III 8), der den mißglückten Mordanschlag auf Elisabeth verübt. Gewiß bedient er sich der Machtmittel der Romkirche, durch welche jede Gewalttat gegen die Exponentin des protestantischen Glaubens von vornherein der Absolution gewiß ist (III 6). Aber eigentlich ist er das lebenshungrige Weltkind, der Renaissancemensch, der, in der kunstfeindlichen Atmosphäre der Puritaner aufgewachsen, plötzlich in Rom „der Säulen Pracht und Siegesbogen", „des Colosseums Herrlichkeit" erlebt, in den Kirchen „die Musik der Himmel" vernimmt, „der Gestalten Fülle verschwenderisch aus Wand und Decke quellen" sieht und aus dem Munde des Kardinals von Guise die Lehre empfängt, daß des Herzens Gläubigkeit erst durch das Zeugnis der Augen Gültigkeit gewinnt (I 6).

So ist es kaum das Interesse der Papstkirche, das Mortimer zu Marias Befreiung treibt. Der sinnenfrohe Jüngling sieht ein Bildnis Maria Stuarts

> „von rührend wundersamem Reiz; gewaltig
> ergriff es mich in meiner tiefsten Seele,
> und des Gefühls nicht mächtig stand ich da".

Jetzt erst glaubt er sich zum Retter der unglücklichen Königin berufen und läßt sich vom Kardinal „der Verstellung schwere Kunst" lehren. Man höre die Worte, mit denen Mortimer Maria den Eindruck schildert, den immer wieder der Anblick ihres „Schönheitsglanzes" auf ihn ausübt — und man erkennt, daß es nur die Leidenschaft seiner Sinnlichkeit ist, die ihn die schreckenden Spuren eines Babington, eines Tishburn nicht fürchten läßt (I 6), wenn es Marias Rettung gilt. Müßte er sonst nicht in Leicester einen willkommenen Helfer begrüßen, anstatt den Anspruch zu erheben (II 6):

> „Ich selber kann sie retten, ich allein,
> Gefahr und Ruhm und auch der Preis sei mein!"

An Mortimer erweist sich die von Maria Stuart ausgehende sympathetische Macht von der verhängnisvollen Seite; denn sie wirkt hier auf einen nur von sinnlichen Trieben gehetzten Charakter. Daher ist auch seine Verachtung gegen Elisabeth weniger in deren „frommem Heuchelschein der Gnade" und ihrem verruchten Auftrag begründet, als in ihrem Mangel an dem „*einen* Höchsten,"

> „was das Leben schmückt,
> wenn sich ein Herz, entzückend und entzückt,
> dem Herzen schenkt in süßem Selbstvergessen."

Was an Mortimers Gestalt fesselt und bei allem Schrecken den Betrachter doch zur Anerkennung zwingt, ist die unbedingte Konsequenz seines Handelns, die ihn schließlich auch zur Hingabe seines Lebens stark macht:

> „Noch versuch' ich's, sie zu retten,
> wo nicht, auf ihrem Sarge mich zu betten" (III 8).

Für Mortimer gilt in gewissem Sinne, was Schiller in der Betrachtung ‚Über den Grund des Vergnügens an tragischen Gegenständen' von dem

Eindruck sagt, den der „konsequente Bösewicht" der Tragödie auf den
Zuschauer macht: wir rechnen ihm „die Besiegung des moralischen Gefühls, von dem wir wissen, daß es sich notwendig in ihm regen mußte,
zu einer Art von Verdienst an, weil es von einer gewissen Stärke der
Seele und einer großen Zweckmäßigkeit des Verstandes zeugt, sich durch
keine moralische Regung in seinem Handeln irre machen zu lassen."

Die Anerkennung, die Mortimers „Konsequenz" gezollt werden darf,
wird erst recht verständlich, wenn wir seiner Folgerichtigkeit den ewig
schwankenden, nur der persönlichen Eitelkeit dienenden, auf die eigene
Sicherheit bedachten Charakter Leicesters gegenüberstellen. Ja, ein
solcher Charakter paßt an den Hof einer Elisabeth, wie der Graf ihn
Mortimer schildert (II 8), ebenso wie diese eines Günstlings von der Art
Leicesters würdig ist: Nach zehn Jahren der Unterwerfung unter die
Launen eines Weibes wird er schließlich um den Preis für seine „Sklaven-
demut" betrogen — und Elisabeth sieht sich am Ende auch von diesem
ihrem letzten Ratgeber verlassen, der sich durch die Flucht nach Frankreich den Folgen seines Verrats entziehen will (IV 5). So dient Leicester
lediglich als Folie einer geistigen Welt, die unendlich arm an idealen
Werten ist, weil ihr die belebende Kraft der Sympathie fehlt, während
Mortimers wenn auch mißgeleitetes Empfinden durch die Art, wie er für
dasselbe eintritt, doch unser menschliches Mitgefühl findet.

Wurde am Anfang dieses Abschnittes darauf hingewiesen, daß die das
Zeitalter Elisabeths und Marias bewegenden weltanschaulichen Ideen,
wie sie sich in dem Gegensatz von Reformation und Katholizismus aussprechen, in der Tragödie kaum einen Widerhall finden — was dadurch
noch deutlicher wird, als gerade die Vertreterin derjenigen Geistesbewe-
gung, der Schillers Herz gehört, ein jeder menschlichen Teilnahme barer
Charakter ist, während Maria, welche die von Schiller bekämpfte Glau-
bensrichtung verkörpert, alle Eigenschaften einer menschlich rührenden
Wesensart zeigt —, so ist doch eben die Tatsache, daß Elisabeth wie ihre
Gegnerin eher als Spielbälle eines gewaltigen geschichtlichen Schicksals
erscheinen, für das Verständnis des tieferen Sinnes dieses Dramas von
Bedeutung.

Lehrt die Geschichtsphilosophie Schillers, daß alle großen weltgeschichtlichen Entwicklungen ihren Weg über Heimsuchungen und Leiden
nehmen müssen — kommt seine Theorie des Tragischen zu dem Ergebnis, daß der Sieg des moralisch Guten erst durch Verzicht auf sinnliches
Glück gewonnen wird, so ist das Gemeinsame dieser beiden Thesen die
Vorstellung von einem scheinbar Zweckwidrigen als einem in Wahrheit
Zweckmäßigen. Diese Vorstellung kennzeichnet das Verhältnis des Menschen — insofern er die Menschheit in sich verkörpert — gegenüber dem
Schicksal und wirkt sich aus als eine an den Menschen angesichts des

Schicksals ergehende Forderung, die im Sinne Schillers durch folgenden
Satz formuliert werden kann:

Erkenne in der Geschichte das Schauspiel eines Konflikts der Naturkräfte, insofern dieselben in den menschlichen Affekten und Leidenschaften dargestellt werden (‚Über das Erhabene‘), und erblicke
deine Aufgabe darin, diesen Konflikt durch die Sympathie der Vernunft sinnvoll aufzulösen.

Maria und Elisabeth sind Figuren im Spiel der eine weltgeschichtliche
Epoche bestimmenden Affekte.

Elisabeth, jeder Fähigkeit zu selbstlosem Schenken und Empfangen
sympathetischen Gefühls ermangelnd, beherrscht von der beschränkten,
weil leidenschaftbestimmten Vernunft des Hier und Jetzt, verratend und
verraten, ist blind für das die Geschichte durchwaltende Schicksal, so
daß sie ihrem Leben keinen Sinn zu geben vermag und dem Leben der
Wirklichkeit verhaftet bleibt.

Maria Stuarts Weibestum, durch seine Naivetät dem naturnahen Genie
verwandt, teilt mit diesem die Eigenschaft des unbewußten Wirkens und
die Notwendigkeit, „sich durch Grundsätze, Geschmack und Wissenschaft
zu stärken" (‚Über Anmut und Würde‘), in diesem Fall durch das Ver-
nunftprinzip seine genialisch-kosmische Sympathie zu „ernüchtern."
Das Schicksal läßt Maria durch diesen Vorgang über das Zwischensta-
dium der „schönen Seele" zur „erhabenen Gesinnung" reifen. So wächst
sie durch die auf weiteste Sicht die Zusammenhänge ihres Lebens
erfassende Vernunft zur Sympathie mit ihrem Schicksal empor, dem sie,
es bejahend, einen Sinn gibt und damit zur Freiheit gelangt, des wahren
Lebens teilhaftig wird.

3. *Die Jungfrau von Orleans*

Schiller nennt sein Schauspiel ‚Die Jungfrau von Orleans‘ eine roman-
tische Tragödie. Die Bezeichnung ist gewählt mit Rücksicht auf das in der
Dichtung stark hervortretende Element des Wunderbaren, Geheimnisvol-
len und Übersinnlichen, das für die Gestalt der Heldin charakteristisch
ist.

Der Druidenbaum am Kreuzweg, in dessen nächster Nähe die Kapelle
mit dem Gnadenbilde (Prol. 2), von wo die Berufung an Johanna ergeht —
der Helm, der auf wunderbarem Wege in ihre Hand gelangt und ihr als
Zeichen des Himmels erscheint, daß die Zeit ihrer Sendung herangekom-
men ist (Prol. 3-4) — die weissagenden Träume Vater Thibauts (Prol. 2) —
die erste Bewährung ihrer überirdischen Eigenschaft, als sie den nie
vorher mit leiblichen Augen geschauten König erkennt und seine nächt-

lichen Gebete ihm wiederholt (I 10) — ihr Wissen um die Fundstätte des
Siegschwertes auf dem Kirchhof von Fierboys (I 10) — ihre Kenntnis von
des Britenfeldherrn Salsbury Tod vor Orleans (I 11) — ihre Weissagung
von der Zukunft der Häuser Valois und Burgund (II 4) — der schwarze
Ritter auf dem Schlachtfeld vor Reims, der ihr die Wendung ihres Ge-
schickes prophezeit (III 9) — die Donnerschläge vor der Kathedrale beim
Krönungszug, welche Thibauts Anklage zu rechtfertigen scheinen (IV 11)
— und endlich die Zerreißung der Ketten, welche der Jungfrau Freiheit
und göttliche Kraft wiedergibt (V 11): das sind die einzelnen Manifestationen jener überirdischen Mächte, die in das irdische Geschehen eingreifen
und dem gesamten dramatischen Geschehen jenen Charakter verleihen,
den Schiller als romantisch bezeichnet. Alle diese halb hell-göttlich, halb
dunkel-dämonisch anmutenden Erscheinungen sind irgendwie auf die Gestalt Johannas ausgerichtet, die damit selbst zur romantischen Figur und
zur Heldin der ganzen Handlung wird. Alle anderen Personen nehmen zu
den Vorgängen eine gläubig-abergläubige Haltung ein; keine bestimmt
willensmäßig Johannas Schicksal, das allein durch die in der Jungfrau ge-
heimnisvoll-unbegreiflich wirkende übernatürliche Macht vorwärtsgetrie-
ben wird.

Bedeutet es ein Abweichen von seiner eigentümlichen Denkweise, daß
Schiller in diesem einzigen seiner dramatischen Werke eine Welt vor dem
Zuschauer entfaltet, die seiner geistigen Sphäre wesensfremd scheint?
Wie verträgt sich dieses Zeitalter einer geistigen Gebundenheit mit dem-
jenigen, als dessen beredter Sprecher sich Schiller im Anfang des Ge-
dichtes ‚Die Künstler' vernehmen läßt?

Doch man erinnere sich aus dem Kapitel über Schillers Geschichtsphilosophie, was der Verfasser der ‚Vorrede zu der Geschichte des
Malteserordens' über den Glauben jener frühen Jahrhunderte im Vergleich mit seiner Aera der siegreichen Vernunft zu sagen hat. Im Interesse
des hier zu erörternden Gegenstandes sei aus jenem Zusammenhang nur
der eine Satz nochmals angeführt: „Die *Heroen* des Mittelalters setzten
an einen Wahn, den sie mit Weisheit verwechselten, und eben weil er
ihnen Weisheit war, Blut, Leben und Eigentum; so schlecht ihre Vernunft
belehrt war, so heldenmäßig gehorchten sie ihren höchsten Gesetzen —
und können *wir*, ihre verfeinerten Enkel, uns wohl rühmen, daß wir an
unsere Weisheit nur halb soviel als *sie* an ihre Torheit wagen?"

Der Dichter stellt in dem erwähnten Abschnitt der ‚Vorrede' den
„helleren Begriffen, besiegten Vorurteilen, gemäßigteren Leidenschaften,
freieren Gesinnungen", kurz allen Errungenschaften der Vernunft seiner
Gegenwart gegenüber die „praktische Tugend" jener Heroen, als deren
Ausdruck er „die Glut der Begeisterung, den Schwung der Gesinnungen,
die tatenreife Energie des Charakters" hinstellt.

Zur weiteren Erläuterung dieses Begriffes diene der schon so oft angeführte elfte Carlosbrief. Da ist zunächst der Satz, dessen thesenhafte Formulierung den Fehler in Marquis Posas Handlungsweise ins Licht setzt: „Durch praktische Gesetze, nicht durch gekünstelte Geburten der theoretischen Vernunft, soll der Mensch bei seinem moralischen Handeln geleitet werden." Vor allem aber ist es der Satz am Schluß des Briefes, in dem Schiller „eine nie genug zu beherzigende Erfahrung" ausspricht: „daß man sich in moralischen Dingen nicht ohne Gefahr von dem natürlichen praktischen Gefühle entfernt, um sich zu allgemeinen Abstraktionen zu erheben, daß sich der Mensch weit sicherer den Eingebungen seines Herzens oder dem schon gegenwärtigen und individuellen Gefühle von Recht und Unrecht vertraut als der gefährlichen Leitung universeller Vernunftideen, die er sich künstlich erschaffen hat . . . "

Es braucht nach den Ergebnissen der bisherigen Erörterungen keines weiteren Nachweises mehr, daß in allen diesen Gedankengängen wieder der Begriff der Sympathie transparent wird. Die Hinweise auf die Bedeutung des Herzens als Ausgleich gegen einseitige Wirksamkeit des Kopfes, die in der ‚Vorrede' wie im elften Carlosbriefe laut werden, genügen zur Bestätigung dieser Einsicht. Jene drei „praktischen Tugenden" aus dem Abschnitt der ‚Vorrede' sind ja nichts weiter als Manifestationen sympathetischen Fühlens. Das Fehlen derselben ist es, welches Schiller im fünften Brief ‚Über die aesthetische Erziehung des Menschen' für die Verwilderung der niederen und für die Verweichlichung der civilisierteren Klassen seines Zeitalters verantwortlich macht.

Der Dichter ist also der Ansicht, daß da, wo es an einer „Sympathie der Vernunft" fehlt, es immer noch besser ist, wenn heldenmäßige Begeisterung auf einer „Sympathie der Torheit" beruht, die unbewußt doch den höchsten Vernunftgesetzen gehorcht.

Eine Würdigung der Gestalt Johannas muß also von zwei Seiten her erfolgen. Sie wird dieselbe einmal vom Gesichtspunkt der „Torheit" her als vom Glauben — oder Aberglauben — ihrer Zeit bestimmt zu verstehen suchen, ferner aber, vom Standpunkt der „Vernunft" aus, als Beispiel für die aus aesthetischen Grundsätzen entwickelte Ethik Schillers begreifen lernen. Die Einsicht, daß hier wie dort ein und dieselbe Forderung an den Menschen gerichtet wird, die ihm seine auf Sympathie begründete Stellung zur Welt und zu sich selbst anweist, wird das Endergebnis der ganzen Untersuchung bilden. —

Im Prolog erscheint Johanna ganz als die vom „Jehova" des Alten Testaments Berufene:

„Geh hin! Du sollst auf Erden für mich zeugen" (4).

Ihre Bestimmung als Gottesstreiterin ist aber bedingt durch den Verzicht auf irdische Liebe:

„Nie wird der Brautkranz deine Locke zieren,
dir blüht kein lieblich Kind an deiner Brust" (4).

Genau wird ihr von der Stimme aus dem Zauberbaum die zeitliche Begrenzung ihrer Aufgabe gesetzt: Sie erstreckt sich von der Befreiung der belagerten Stadt Orleans bis zu Karls Königskrönung in Reims. Was dann aus ihr wird? Gott breitet den Schleier des Geheimnisses über die letzten Ziele seines Willens. Es ist, als werde ihre Existenz mit der Erfüllung seines Auftrags ausgelöscht. Johanna fragt nicht — ganz unterwirft sie sich dem Ruf aus der Höhe:

„Mich treibt nicht eitles, irdisches Verlangen."

Ihr erstes Erscheinen wirkt auf Freund und Feind unwiderstehlich. Baudricours Ritter folgen „selbst nicht wollend" „der hohen Fahn' und ihrer Trägerin". Und der Gegner,

„als hätten Gottes Schrecken ihn
ergriffen, wendet er sich um
zur Flucht, und Wehr und Waffen von sich werfend,
entschaart das ganze Heer sich im Gefilde" (I 9).

Ohne Blutopfer wird der erste Sieg über den Landesfeind errungen.
Johannas Auftreten im Kreise der Fürsten ist ganz beherrscht von dem Eindruck des „Wunders". Das „wunderbare", das „heilige" Mädchen verkündet ihre Berufung — nun aber in wesentlich anderer Form als im Prolog.
Ihre Verpflichtung, „der irdschen Liebe zu widerstehen", wird jetzt dadurch motiviert, daß ihr die Aufforderung aus dem Munde der Gottesmutter zuteil wird, deren Nachfolge sie antreten soll:

„Eine reine Jungfrau
vollbringt jedwedes Herrliche auf Erden",

und die sie an ihr eigenes Vorbild der Demut erinnert:
„Gehorsam ist des Weibes Pflicht auf Erden,
das harte Dulden ist ihr schweres Los,
durch strengen Dienst muß sie geläutert werden,
die hier gedienet, ist dort oben groß" (I 10).

Und auf der Fahne, unter welcher sie Karls Heere zum Siege führen will,

„sei die Himmelskönigin
zu sehen mit dem schönen Jesusknaben,
die über einer Erdenkugel schwebt;
denn also zeigte mir's die heil'ge Mutter" (I 10).

Will man Johannas Wesen durch ein treffendes Wort kennzeichnen, so reichen dazu die Epitheta „wunderbar" und „heilig" nicht aus. Geben sie doch nur den Eindruck wieder, den ihre unbegreifliche Erscheinung auf die an ihre Sendung Glaubenden macht.

Ihr wahres Wesen aber, das sie mit der himmlischen Welt in Beziehung setzt, kann nur durch das Wort „begeistert" voll gewürdigt werden, das heißt „vom Geiste erfüllt".

„Ich sah dich, wo dich niemand sah als Gott,"

sagt sie zu König Karl, als sie ihm den Inhalt seiner Gebete zu wiederholen sich anschickt. Den Fundort des Siegsschwertes beschreibt sie ihm, „wie's der Geist mich lehrte." Dem englischen Herold (I 11) begegnet sie als Sprecherin in göttlichem Auftrag:

„Gebt
heraus die Schlüssel alle von den Städten,
die ihr bezwungen wider göttlich Recht!"

Jede Persönlichkeit menschlicher Art ist in ihr ausgelöscht:

„ . . . mich treibt die Götterstimme, nicht
eignes Gelüsten — "

erklärt sie Montgomery (II 7). Jeder Gedanke an ein irdisches Anliegen ist ihr ein Greuel, und sie fordert die Fürsten, die ihre Gedanken auf die Aussicht in eine friedliche Zukunft lenken wollen, mit Nachdruck auf (III 4):

„Kein solches Wort mehr, sag' ich euch, wenn ihr
den Geist in mir nicht zürnend wollt entrüsten!"

Solange diese Geisterfülltheit Johannas währt, ist auch der Glaube an ihre göttliche Sendung bei ihrer Umgebung unerschüttert.

Aber dann weicht der Geist von ihr, weil sie „ihr Gelübde bricht" (III 10) — und damit verliert sich auch der mächtige Zauber, den ihre Erscheinung bis dahin ausgeübt hat, mehr und mehr, bis unter dem Eindruck der Anklage des Vaters und der Donnerstimme des Himmels der Glauben zum Aberglauben und die Retterin ihres Vaterlands als „Hexe von Orleans" (V 3) vogelfrei wird.

Johanna aber trägt dieses Unheil als „eine Schickung" (V 4) in der Gewißheit, daß Gottes Rat nicht vorgegriffen werden darf. Ohne Widerstand läßt sie sich von den Engländern gefangen nehmen, und trotz ihrer verzweifelten Frage, welche sie an die Himmelskönigin richtet (V 6):

„Hast du mich ganz aus deiner Huld verstoßen?"

bewährt sie ihr unerschütterliches Vertrauen auf Gottes gnadenvolle Hilfe. Und wie im Prolog wird noch einmal die Erinnerung an den alttestamentlichen Jehova lebendig. In der höchsten Not der Ihrigen ruft ihn die gefesselte Jungfrau an (V 11):

> „Du halfst
> dem Simson, da er blind war und gefesselt,
> und seiner stolzen Feinde bittern Spott
> erduldete. — Auf dich vertrauend faßt' er
> die Pfosten seines Kerkers mächtig an,
> und neigte sich und stürzte das Gebäude —"

Und ihr Gebet findet Erhörung: Die zentnerschweren Ketten, die ihren Leib fesseln, zerreißt sie, befreit ihren König und entscheidet mit Lionels Gefangennahme die Schlacht zugunsten Frankreichs. Tödlich verwundet, schaut sie im geöffneten Himmelstor Maria mit dem Jesusknaben, wie sie ihr lächelnd die Arme entgegenstreckt (V 14):

> „Wie wird mir? — Leichte Wolken heben mich —
> der schwere Panzer wird zum Flügelkleide.
> Hinauf — hinauf — die Erde flieht zurück —
> kurz ist der Schmerz, und ewig ist die Freude!"

Der Konflikt, der Johannas Gestalt im Sinne der „Torheit" zu einer tragischen macht, liegt in dem Gegensatz zwischen der ihrer Menschennatur eigentümlichen Schwäche und der Größe des göttlichen Gebots (Prol. 4):

> „Nicht Männerliebe darf dein Herz berühren
> mit sünd'gen Flammen eitler Erdenlust",

ergeht die Forderung aus des Zauberbaumes Zweigen durch Jehovas Stimme an die Hirtin. Milder formuliert, nicht als Forderung, sondern als bedingte Aussage, erscheint derselbe Gedanke in den schon teilweise angeführten Worten Marias (I 10):

> „Eine reine Jungfrau
> vollbringt jedwedes Herrliche auf Erden,
> wenn sie der ird'schen Liebe widersteht."

Der Judengott, die Gottesmutter verlangen von dem Menschenweib Johanna geradezu die Überwindung ihrer naturgegebenen Art. Und solange der Landesfeind unbesiegt ist, hält die vor dem Himmel übernommene Verantwortung ihre Kraft zur Entsagung aufrecht; als aber mit Talbots Tod, der Einnahme von Reims, der Unterwerfung von Paris die Gefahr gebannt scheint, siegt die Natur über die, menschliches Vermögen übersteigende Verpflichtung und läßt Johanna im Sinne des christlichen Glaubens schuldig, sündig werden. Erst als in der erneut aufs äußerste gestiegenen Not ihres Volkes ihr verzweifeltes, aber tief gläubiges Gebet Erhörung findet und sie mit göttlicher Hilfe ihre Ketten zerreißt, vermag sie noch einmal dem himmlischen Auftrag gemäß zur Retterin ihres Vaterlands zu werden. —

Im Sinne der in Schillers Ethik vertretenen „Wahrheit" ist der für Johannas Schicksal entscheidende Konflikt bedingt durch das Verhältnis zwischen „schöner Seele" und „erhabener Gesinnung."

Die Erscheinung des Mädchens von Orleans zeigt Anmut und Würde in einer eigenartigen Spannung.

Bei der Anmut, so führt Schiller in dem bekannten Aufsatz aus, stehen Neigung und Pflicht, Sinnlichkeit und Vernunft in Harmonie, der Mensch ist einig mit sich selbst, insofern er naturgemäß handelt. Wird dagegen durch einen Willensakt die Angelegenheit des Begehrungsvermögens vor das sittliche Forum gebracht, so ist derselbe „im eigentlichen Sinn *naturwidrig*".

Das Kriegshandwerk ist weder einer „schönen Seele" gemäß noch der weiblichen Natur angemessen:

„In Mitleid schmilzt die Seele, und die Hand erbebt,
als bräche sie in eines Tempels heil'gen Bau,
den blüh'nden Leib des Gegners zu verletzen;
schon vor des Eisens blanker Schneide schaudert mir" (II 8).

Daß Anmut nach Schillers Aesthetik in erster Linie eine weibliche Eigenschaft ist, zeigt ihre in der erwähnten Abhandlung erfolgende Herleitung von der Göttin der Liebe. Die Ausführungen über Maria Stuart machten diese Auffassung des Dichters an einem konkreten Beispiel deutlich. Ebendort wurde dann auch anschaulich, wie eine schöne Seele „plötzlich und durch eine Erschütterung" zum „Gefühl ihrer Würde", das heißt zu erhabener Gesinnung durchbricht.

Bei Johanna stehen die beiden Gemütskräfte in einem wesentlich anderen Verhältnis. Bei ihr handelt es sich nicht, wie bei der Schottenkönigin, um eine wesentlich einmalige Entwicklung von der Anmut zur Würde, sondern Johanna schreitet andauernd gleichsam auf einem schmalen Grat, auf welchem sie genötigt ist, zwischen der Haltung einer schönen Seele und einer erhabenen Gesinnung das Gleichgewicht zu halten — ebenso wie die Johanna der „Torheit" immer zwischen der Schwäche ihres Weibtums und der göttlichen Forderung den Ausgleich suchen muß. Dieses Zwielichtige ihres Charakters, das sich in ihren Handlungen manifestiert, bildet die eigentliche Grundlage des dramatischen Geschehens und wird in seinen wechselnden Spannungen zur Voraussetzung der tragischen Entwicklung.

Diese Entwicklung gilt es nun im einzelnen zu verfolgen.

noble lofty

Der Prolog zeigt Johanna — als von Jehovas Geist erfüllt — fast durchaus als erhabenen Charakter; nur wie verlorene Lichter erscheinen hie und da Anzeichen der schönen Seele.

Im schroffem Gegensatz steht Thibauts jüngste Tochter zu ihren beiden Schwestern: Margot und Louison schließen den Ehebund mit Männern ihrer Wahl; Johanna steht einsam, schweigend und teilnahmlos abseits. Wie verträgt sich dies Verhalten zu der natürlichen Bestimmung eines jungen Mädchens?

> „Dein Lenz ist da, es ist die Zeit der Hoffnung,
> entfaltet ist die Blume deines Leibes;
> doch stets vergebens harr' ich, daß die Blume
> der zarten Lieb' aus ihrer Knospe breche
> und freudig reife zu der goldnen Frucht!"

So klagt Vater Thibaut (2). Ihr Verehrer Raimond ist der einzige, der die Größe ihres Charakters ahnt:

> „Ist sie's nicht,
> die ihren ältern Schwestern freudig dient?
> Sie ist die hochbegabteste von allen;
> doch seht ihr sie wie eine niedre Magd
> die schwersten Pflichten still gehorsam üben,
> und unter ihren Händen wunderbar
> gedeihen euch die Herden und die Saaten;
> um alles, was sie schafft, ergießet sich
> ein unbegreiflich überschwenglich Glück."

Und andererseits:

> „. . ihre Brust verschließt ein männlich Herz.
> Denkt nach, wie sie den Tigerwolf bezwang,
> das grimmig wilde Tier, das unsre Herden
> verwüstete, den Schrecken aller Hirten.
> Sie ganz allein, die löwenherz'ge Jungfrau,
> stritt mit dem Wolf und rang das Lamm ihm ab,
> das er im blut'gen Rachen schon davontrug" (3).

Diese Charakteristik der Heldin ermöglicht es, Johannas Wesen sowohl vom Standpunkt des Christenglaubens als auch unter dem Gesichtspunkt der Schillerschen Ethik zu würdigen.

> Religion des Kreuzes, nur du verknüpfest in *einem*
> Kranze der Demut und Kraft doppelte Palme zugleich!"

Mit diesen Worten kennzeichnet der Dichter bekanntlich die beiden grossen Eigenschaften der ‚Johanniter', denen er in dem ‚Kampf mit dem

Drachen' ein so unvergeßliches Denkmal gesetzt hat. Dieselben Eigenschaften vereinigt auch das Mädchen von Dom Remi in seinem Wesen und bewährt damit in Schillers Augen den hohen Wert der christlichen Religion, die Nächstenliebe und Heldentum zu einer unlöslichen Einheit verbunden zeigt.

Aber der Eindruck, den Johannas Erscheinung auf Raimond macht, ist mit demselben Recht vom Standpunkt der auf aesthetischer Grundlage errichteten Ethik des Dichters zu verstehen. Läßt sich sympathetisches Empfinden einer schönen Seele überzeugender kundgeben als in des Hirtenmädchens stillem Wirken, das im Haus, im Feld, in Garten und Wiese gesegnet ist? Und ist der Heldenmut, mit welchem die „löwenherzige Jungfrau" den Wolf bekämpft, nicht das Zeichen einer erhabenen Gesinnung? Wie treffend passen doch einige aus der vergleichenden Charakteristik von Anmut und Würde in einem früheren Zusammenhang herausgezogene Thesen auf den Eindruck, dem Johannas Freier Worte verleiht! „Würde erweckt Achtung, Anmut erweckt Wohlwollen oder Liebe", und: „Die Würde hindert, daß die Liebe nicht zur Begierde wird; die Anmut verhütet, daß die Achtung nicht Furcht wird." In Raimond vereinen sich Johanna gegenüber Liebe und Achtung; der Vater hat für das Wesen seiner Tochter kein Verständnis; daher anerkennt er weder ihre Anmut noch ihre Würde, sondern ihn beherrscht die Furcht.

Der Anblick des Helms läßt in Johanna die anmutige Seite ihrer Erscheinung zunächst ganz verschwinden und nur die Würde stark hervortreten:

> „Eine weiße Taube
> wird fliegen und mit Adlerkühnheit diese Geier
> anfallen, die das Vaterland zerreißen.
> Darniederkämpfen wird sie diesen stolzen
> Burgund, den Reichsverräter, diesen Talbot,
> den himmelstürmend hunderthändigen,
> und diesen Salsbury, den Tempelschänder,
> und diese frechen Inselwohner alle
> wie eine Herde Lämmer vor sich jagen" (3).

Und wenn sie fortfährt:

> „Der Herr wird mit ihr sein, der Schlachten Gott,"

so spricht aus diesen Worten nicht nur der von der Stimme Jehovas berufene, christgläubige Mensch des Mittelalters, sondern auch „die hohe *dämonische* Freiheit des erhabenen Charakters.

Freilich, das Motiv, mit welchem sie das „Wunder" der weißen Taube später begründet, offenbart doch deutlich die schöne Seele. Die Pflicht, zu welcher der „reine Dämon" sie beruft, erscheint gleichgewogen mit der Neigung, die sie mit ihrem Vaterland und mit dessen Verkörperung verbindet: mit dem König,

> „der den heil'gen Pflug beschützt,
> der die Trift beschützt und fruchtbar macht die Erde,
> der die Leibeignen in die Freiheit führt,
> der die Städte freudig stellt um seinen Thron —
> der dem Schwachen beisteht und den Bösen schreckt,
> der den Neid nicht kennet, denn er ist der Größte,
> der ein Mensch ist und ein Engel der Erbarmung
> auf der feindsel'gen Erde.“

Hier klingt ein Ton der Sympathie an, als deren Quelle der König erscheint: für ihn will sie kämpfen, weil sie mit ihm fühlt, durch Vaterlandsliebe mit ihm verbunden ist.

Diese Sympathie wird dann als Ausdruck inniger Verbundenheit mit der ländlichen Heimat und ihrer bisherigen still-friedlichen Arbeit noch einmal ganz stark hörbar in den zwei ersten Strophen des großen Monologs, mit dem das Vorspiel endet. Und zum ersten Male deutet ein einziges Wort das innere Verhältnis an, in welchem Johanna zu ihrem göttlichen Auftrag steht:

> „denn eine andre Herde muß ich weiden . . . “

„muß“, nicht „will“! Die erhabene Gesinnung, die dem Mädchen von Dom Remi Schwert und Fahne in die Hand gibt, sie ist ihrem schlichten Weibtum fremd und nur aus der Sympathie erwachsen, welche sie, wie mit ihrer ländlichen Heimatflur, so mit ihrem in tödlicher Gefahr befindlichen großen Vaterland und seinem König verbindet.

Aber dann ist diese weiche Stimmung einer schönen Seele überwunden:

> „Mit Götterkraft berühret mich sein Eisen“,

sagt sie von dem Helm, der auf so wunderbare Weise in ihre Hand gelangt ist,

> „und mich durchflammt der Mut der Cherubim.“

Die „dämonische Freiheit“ hat von ihrer Seele wieder Besitz ergriffen, die als „absolute, unwandelbare Einheit des menschlichen Wesens“ zwar nicht die Wirkung hat, die Menschen eines seiner „Würde“ vergessenen Zeitalters zu erfreuen, aber, wie es der neunte Brief ‚Über die aesthetische Erziehung des Menschen' ausdrückt, „furchtbar wie Agamemnons Sohn“, es zu reinigen. Ein erschütterndes Kennzeichen ihres erhabenen Charakters ist die Tatsache, daß Johanna von Anbeginn ahnt: das Ende ihrer Ruhmesbahn wird ihr Tod sein. Nicht anders sind ihre bekannten Abschiedsworte zu verstehen:

„Johanna geht, und nimmer kehrt sie wider!"

Vorbereitend auf die Würdigung der in den fünf Aufzügen der Tragödie dargestellten Ereignisse sei hier ein Wort zu den beiden Berichten gesagt, die Johanna im Prolog und im ersten Akt über ihre Berufung gibt.

Ist es nicht beachtenswert, daß beide Berichte nach Inhalt und Stimmung grundverschieden sind?

Dort vernimmt Johanna die Stimme Jehovas — hier spricht zu ihr die Himmelskönigin.

Im Prolog klingt alles, was aus des Baumes Zweigen zu Johanna spricht, streng und erbarmungslos — der Gegensatz zwischen der Unerbittlichkeit ihrer Aufgabe und der froh-lieblichen Bestimmung des mütterlichen Weibes kann gar nicht schroffer gekennzeichnet werden als durch die Worte von den „sünd'gen Flammen eitler Erdenlust." Es wird über den menschlichen Willen *verfügt*: zweimal „du sollst", zweimal „du wirst" — das Erhabene begegnet in seiner ganzen Unbedingtheit und Härte, alles Menschliche hat zu schweigen. — In dem Bericht, den die Jungfrau vor der Versammlung der Fürsten abstattet, wird die kriegerische Leistung Johannas nur kurz gestreift. Die irdische Liebe wird nicht als Sünde bezeichnet, sondern der Widerstand gegen sie gilt hier als Pflichtgehorsam des Weibes; „hartes Dulden", „strenger Dienst" — weisen auf die Bestimmung des Weibes als Verkörperung einer aus Anmut erwachsenen Würde.

Das *Herz* ist es, mit dem Johanna die Stimme der Gottesmutter vernimmt — wie ja die Eiche mit dem Madonnenbilde ihr Lieblingsplatz war, wohin sie „das Herz zog."

Unterscheidet man die beiden Berichte kurz als Jehovaerlebnis und Marienerlebnis der Heldin, so wird sich zeigen, daß im Lauf der dramatischen Ereignisse Johannas seelische Haltung zunächst je nach den Umständen durch das eine oder andere Erlebnis bestimmt wird, daß aber dann immer stärker das Jehovaerlebnis über das Marienerlebnis die Vormacht gewinnt, eine Entwicklung, die in der Krisis auf dem Schlachtfeld von Reims gipfelt.

In Raouls Bericht über den Sieg im Yonnetal (I 9) herrscht die Erhabenheit der Erscheinung Johannas vor.

„Wie eine Kriegesgöttin, schön zugleich
und schrecklich anzusehn",

tritt sie vor die Soldaten;

„ein Glanz
vom Himmel schien die Hohe zu umleuchten",

und ihr Ruf:

> „Gott und die heil'ge Jungfrau führt euch an!"

ist nur der Ausdruck ihrer eigenen erhabenen Gesinnung, die sich ungewollt auf das Heer überträgt.

Daß aber diese „echte Würde als eine moralische Selbsttätigkeit" nur der „von einem harmonischen Gemüt und einem empfindsamen Herzen zeugenden Anmut" entspringen kann, wie es die neunte These über die Wechselbeziehung von Anmut und Würde lehrte, beweist Johannas erste Begegnung mit dem französischen König. Die geheimen sympathetischen Gefühle des Menschen liegen offen vor ihrem inneren Blick; daher die hellseherische Kenntnis der königlichen Gebete, die in den schon angeführten Worten:

> „Ich sah dich, wo dich niemand sah als Gott"

durchaus nicht nur als „Wunder" im Sinne mittelalterlichen Christenglaubens zu werten ist, sondern in Schillers Gedankenwelt seit dem Lied ‚An die Freude' verwandte Züge aufweist. Ein Beispiel für den Glauben des jungen Schiller an eine fernwirkende Sympathie der Geister sei noch aus seinem Brief an die Leipziger Freunde vom 10. Februar 1785 angeführt: „Wenn Sie zuweilen mitten unter den berauschenden Zerstreuungen Ihres Lebens von einer plötzlichen Wehmut überrascht werden, die Sie nicht gleich erklären können, so wissen Sie von jetzt an, daß in *der* Minute Schiller an Sie gedacht hat, — dann hat sich mein Geist bei Ihnen gemeldet."

Im zweiten Aufzug schreitet die Jungfrau auf der Spur des Erhabenen weiter: Das Siegschwert, dessen Fundort sie dem Könige mitgeteilt, ist in ihrer Hand; zum Helm ist der Brustharnisch gekommen. Als vollendete Kriegsheldin erscheint sie im englischen Lager (II 4): hat sich im Yonnetal ihre Tätigkeit noch darauf beschränkt, dem Heer die Fahne voranzutragen, während die Blutarbeit den Soldaten überlassen blieb, so ist sie jetzt entschlossen, „das Schwert, das tödliche", selbst zu führen. Vergebens raten Dunois und La Hire ihr davon ab; sie erwidert:

> „Wer darf mir Halt gebieten? Wer dem Geist
> vorschreiben, der mich führt? Der Pfeil muß fliegen,
> wohin die Hand ihn seines Schützen treibt.
> Wo die Gefahr ist, muß Johanna sein;
> nicht *heut*, nicht *hier* ist mir bestimmt zu fallen,
> die Krone muß ich sehn auf meines Königs Haupt;
> dies Leben wird kein Gegner mir entreißen,
> bis ich vollendet, was mir Gott geheißen."

Bedeutsam, daß Johanna die Vollziehung ihres Schwertamtes mit dem eigenen Schicksal in Beziehung setzt. Ihre Heldenlaufbahn vollendet sich erst, wenn sie nicht allein die Fahne trägt, sondern auch das Schwert schwingt. Nur so vermag sie Jehovas Weisung auszuführen (Prol. 4):

> „Dann wirst du meine Oriflamme tragen
> und, wie die rasche Schnitterin die Saat,
> den stolzen Überwinder niederschlagen!"

So hat die Montgomeryszene (II 6—8) nur den Zweck, die Erhabenheit der Aufgabe Johannas zu veranschaulichen:

> „mit dem Schwert zu töten alles Lebende, das mir
> der Schlachten Gott verhängnisvoll entgegenschickt."

Schon das Versmaß kennzeichnet diese besondere Bedeutung der Szene. Die ganze Erscheinung des jungen Wallisers ist dazu angetan, Mitleid zu wecken. Aus der schönen Heimat ist er in jugendlicher Ruhmbegierde nach Frankreich gekommen und hat dort die ganzen Schrecken des Krieges erlebt — zum Furchtbaren gesteigert in der „tödlichen Gestalt" der Jungfrau, zu deren sanftem Blick ihn doch das Herz zieht, sobald er sie aus der Nähe schaut. Daheim gelassen hat er eine zarte, süße Braut, und nun soll ihre Hoffnung auf seine Wiederkehr betrogen werden? Und wie werden die Eltern den Verlust des Sohnes ertragen?

> „O schwer ist's, in der Fremde sterben unbeweint."

Wer fühlt nicht, daß alle Worte, die Montgomery an Johanna richtet, Appelle an ihr sympathetisches Empfinden sind?
Aber keine Sympathie antwortet seinem Flehen:

> „ . . . tödlich ist's, der Jungfrau zu begegnen.
> Denn dem Geisterreich, dem strengen, unverletzlichen,
> verpflichtet mich der furchtbar bindende Vertrag";

ja, „dieser Panzer deckt kein Herz": nicht die Zartheit ihres Geschlechts, nicht die Aussicht auf eheliches Glück vermag es zu schmelzen; erbarmungslos ahnden will sie das Unglück, das der Feind den Müttern und Bräuten ihres Volkes, den Gefilden und Heimstätten ihres Vaterlands angetan hat.

Erst als Montgomery in völliger Hoffnungslosigkeit klagt:
> „O ich muß sterben! Grausend faßt mich schon der Tod",

erst da wird ein sympathetisches Empfinden in Johanna laut — das aber aus der Erhabenheit ihrer Gesinnung fließt: Es ist das Gefühl des ihr und ihm gemeinsamen Geschicks, zuletzt ein Opfer des Todes zu fallen. Sie, die eben erst gefordert hatte:

> „Nicht mein Geschlecht beschwöre! Nenne mich nicht Weib!“

sie schlägt jetzt einen fast mütterlichen Ton an:

> „Stirb, Freund! Warum so zaghaft zittern vor dem Tod,
> dem unentfliehbaren Geschick?“

Und tröstend läßt sie ihr Herz sprechen:

> „.. weggerissen von der heimatlichen Flur,
> von Vaters Busen, von der Schwestern lieber Brust,
> muß ich *hier*, ich *muß* — mich treibt die Götterstimme, nicht
> eignes Gelüsten — *euch* zu bitterm Harm, *mir* nicht
> zur Freude, ein Gespenst des Schreckens, würgend gehn,
> den Tod verbreiten und sein Opfer sein zuletzt.“

Zum zweitenmal wird hier die schicksalhafte Verbundenheit ihres Schwertamtes und ihres eigenen Todes angedeutet.

Aufschlußreich für das Verständnis der Verbindung von Anmut und Würde in Johannas Charakter sind die Worte, welche die Jungfrau nach ihrem Siege über Montgomery an die Himmelskönigin richtet.

Hier spricht nicht die dem „strengen, unverletzlichen Geisterreich“ verpflichtete Kriegerin, sondern das Weib, das über die eigene Leistung staunt. Dem sympathetischen Geist, der sie um ihres Königs geheimste Gedanken wissen ließ, steht gegenüber der „lebendige Geist“, der das Schwert in ihrer zitternden Hand regiert.

Will man also die „Begeisterung“, die in den Ausführungen über die mittelalterlich bedingte Welt der „Torheit“ als wesenhafter Zug Johannas bezeichnet wurde, vom Gesichtswinkel der Gedankenwelt Schillers her begreifen, so darf man sie als „zwielichtig“ ansprechen. In der Jungfrau wirkt einerseits der „Geist der Sympathie“, die das Lied ‚An die Freude‘ verherrlicht, andererseits „der reine Dämon“, „um den sich das Erhabene verdient macht“ (‚Über das Erhabene‘). Während der Geist der Sympathie „Geisterreich und Körperweltgewühle zum Ziele wälzt“ (‚Die Freundschaft‘), das heißt, auf den Menschen bezogen, die Harmonie von Sinnlichkeit und Vernunft, von Pflicht und Neigung in der Anmut manifestiert, befähigt der reine Dämon den Menschen, eine Gewalt, „die er der Tat nach leiden muß, dem Begriff nach zu vernichten.“ In dem Aufsatz ‚Über das Erhabene‘ bezeichnet Schiller als die unwiderstehlichste solcher Gewalten den Tod. Für die Jungfrau von Orleans gilt als solche Gewalt ihr Schwertamt — aber schon zweimal ist angemerkt worden, daß Johanna dies ihr Schwertamt mit ihrem dereinstigen Tode in Beziehung setzt. In jedem Fall erblickt das Mädchen von Dom Remi in ihrer Aufgabe, das Schwert zu führen, im Sinne Schillers eine „Gewalt", unter der sie leidet. Die Forderung aber, die Schiller an den Leidenden stellt, ist Würde. Überträgt man die hier in Erinnerung gerufenen Begriffe der Aesthetik Schillers in die der mittelalterlichen Welt der „Torheit" angemessene Ausdrucksweise, wie sie Johanna in ihrem Bericht aus dem ersten Aufzug der Himmelskönigin in den Mund legt, so ist das „harte Dulden" und der „strenge Dienst" der Gewalt, der „Gehorsam" als „des Weibes Pflicht" der Würde gleichzusetzen.

Die beiden letzten Auftritte des zweiten und die vier ersten Auftritte des dritten Aktes zeigen Johanna auf der Höhe ihres Glücks.

Der Gott der Schlachten weicht aus dem Blickfeld. Damals, als Johanna vor Antritt ihrer Sendung ganz unten dem Eindruck der Weisung Jehovas stand, prophezeite sie von der „weißen Taube" (Prol. 3):

> „Darniederkämpfen wird sie diesen stolzen
> Burgund, den Reichsverräter . . . "

Jetzt steht sie unter der weißen Fahne, die das Bild Marias mit dem Jesusknaben zeigt (I 10); und wie die Mutter mit dem Kinde nach Schillers kulturphilosophischer Anschauung das Sinnbild der naiven Natur ist, so darf Johanna zu Burgund mit Recht von sich sagen (II 10):

> „Ich bin vor hohen Fürsten nie gestanden,
> die Kunst der Rede ist dem Munde fremd.
> Doch jetzt, da ich's bedarf, dich zu bewegen,
> besitz' ich Einsicht, hoher Dinge Kunde;
> der Länder und der Könige Geschick
> liegt sonnenhell vor meinem Kindesblick,
> und einen Donnerkeil führ' ich im Munde."

Und der Herzog unterwirft sich dem Zauber der „rührenden Gestalt"; denn

> „mir sagt's das Herz, sie ist von Gott gesendet."

Ihre Rolle als Friedensstifterin vollendet Johanna durch die Versöhnung Burgunds mit seines Vaters Mörder Du Chatel (III 4):

> „O sie kann mit mir schalten, wie sie will,
> mein Herz ist weiches Wachs in ihrer Hand",

gesteht der Herzog und bestätigt damit die Allmacht der Sympathie, die von Johanna auf alle überströmt, die dem „Götterkind der heiligen Natur," wie Dunois sie nennt (III 1), ihre Seele öffnen.

> „Wie schrecklich war die Jungfrau in der Schlacht,
> und wie umstrahlt mit Anmut sie der Friede!"

Diese Worte Burgunds veranschaulichen den Eindruck, den die Erscheinung der glücklichen Johanna auf ihre Umgebung ausübt. Glücklich, weil sie zum „Kinde" geworden ist.

Und als „Kind", dessen inneres Auge „der Länder und der Könige Geschick" sieht, spricht Johanna jetzt zu der Versammlung der Fürsten von der Zukunft der Häuser Valois und Burgund (III 4) — immer daran erinnernd, daß ihr Glück nur auf dem Fundament der Sympathie bestehen kann, mag dieselbe als Menschlichkeit, als Gerechtigkeit und Gnade der Herrscher, als Liebe des Volkes, als Meiden von Zwietracht und Streit in Erscheinung treten.

In diesem Augenblick tritt in Johannas Geschick eine Wendung ein, die für ihre ganze weitere Laufbahn verhängnisvoll werden soll.

Zum erstenmal tritt die Versuchung an sie heran. Von den „großen Weltgeschicken", die der Geist ihrem Kindesblick aufgedeckt hat, wird sie durch Dunois auf sich selbst gewiesen:

„Was aber wird dein eigen Schicksal sein,
erhabnes Mädchen, das der Himmel liebt?
Dir blüht gewiß das schönste Glück der Erden,
da du so fromm und heilig bist."

Johanna antwortet:

„Das Glück
wohnt droben in dem Schoß des ew'gen Vaters."

Karl aber erwidert:

„Dein Glück sei fortan deines Königs Sorge!" —

und als erste Bestätigung seiner Absicht erhebt er sie durch Ritterschlag in den Adelsstand.

Der Konflikt, der demnächst Johannas Seele zerreißen soll, deutet sich in diesen Versen an: Himmel und Erde — welche Macht wird das Leben der Jungfrau fortan bestimmen?

Zwei hochangesehene Männer aus des Königs Gefolge,

„an Heldentugend gleich und Kriegsruhm",

bewerben sich um Johannas Hand — das Mädchen schweigt lange, bis sie den in ihre Brust geworfenen Konflikt mit den Worten entscheidet:

„. . nicht verließ ich meine Schäfertrift,
um weltlich eitle Hoheit zu erjagen."

Wie bisher will sie der gebietenden Stimme des Geistes gehorchen, die zu ihr spricht.

Aber zum zweitenmal meldet sich die Versuchung. Der Weisheit des Erzbischofs, der sie an die vom Himmel gewollte Weibespflicht erinnerte, der Stimme der Natur zu gehorchen, hat sie standgehalten. Aber sollte des Königs freundlicher Zuspruch keinen Widerhall in ihrer Seele finden?:

> „Dich treibt des Geistes Stimme jetzt, es schweigt
> die Liebe in dem gotterfüllten Busen.
> Sie wird nicht immer schweigen, glaube mir!"

Die Wirkung dieser Worte ist überraschend. Zum erstenmal spricht entrüstete Abwehr aus ihrer Entgegnung:

> „Ihr blinden Herzen! Ihr Kleingläubigen!
> Des Himmels Herrlichkeit umleuchtet euch,
> vor eurem Aug' enthüllt er seine Wunder,
> und ihr erblickt in mir nichts als ein Weib . . . .
> Kein solches Wort mehr, sag' ich euch, wenn ihr
> den Geist in mir nicht zürnend wollt entrüsten!"

Wie eine Befreiung wirkt auf ihr tief erregtes Gemüt die Meldung von der bevorstehenden Entscheidung vor Reims:

> „Schlacht und Kampf!
> Jetzt ist die Seele ihrer Bande frei."

Es ist, als flüchte Johanna aus der Stimmung der „schönen Seele" in die Regionen einer „erhabenen Gesinnung", nachdem sie die Gefahr verspürt hat, der ihr Herz für einen Augenblick durch die Lockungen irdischen Glücks ausgesetzt gewesen ist.

Die Schlacht um Reims geht für die Engländer verloren, Paris unterwirft sich, Talbot, der englische Feldherr, fällt. Dunois sieht in diesem letzten Ereignis die Entscheidung in Karls Kampf um sein Königtum (III 7):

> „— Erst jetzo, Sire, begrüß' ich euch als König;
> die Krone zitterte auf eurem Haupt,
> solang ein Geist in diesem Körper lebte."

Der sterbende Talbot sprach also wahr, als er die Lage mit den Worten kennzeichnete (III 6):

> „. . der Tag des Schicksals ist gekommen,
> der unsern Thron in Frankreich stürzen soll."

Damit wäre Johannas Sendung erfüllt, die den Zweck hatte, den rechtmäßigen französischen König zur Krönung nach Reims zu führen.

Und jetzt beginnt sich Johannas Schicksal zu erfüllen.

Leidenschaftlicher als je, als wolle sie sich selbst betäuben, hat sie sich in den Kampf geworfen, so daß Dunois die Befürchtung äußert (III 8):

> „Sie hat der kühne Mut zu weit geführt."

Jetzt tritt ihr, wie sie ahnungsvoll sagt (III 9), mit dem Schwarzen Ritter das Unglück an die Seite.

Wer ist und welche Bedeutung hat dieser Schwarze Ritter?

Die kurze Szene enthält über sein Wesen nur *eine* unzweideutige Aussage, und zwar aus dem Munde des unheimlichen Ritters selbst:

> „Töte, was sterblich ist!"

ruft er Johanna zu, als diese das Schwert zum Streiche gegen ihn erhebt. Daneben stehen zwei Bemerkungen der Jungfrau, Vermutungen über die Person ihres Gegners. „Wer bist du?" fragt sie zu Anfang:

> „Öffne das Visier! — Hätt' ich
> den kriegerischen Talbot in der Schlacht
> nicht fallen sehn, so sagt' ich, du wärst Talbot."

Als der Ritter zuletzt unter Blitz und Donnerschlag versinkt, sagt sie:

> „Es war nichts Lebendes. Ein trüglich Bild
> der Hölle war's, ein widerspenst'ger Geist,
> heraufgestiegen aus dem Feuerpfuhl,
> mein edles Herz im Busen zu erschüttern."

Auf welchen gemeinsamen Nenner lassen sich diese teils rätselhaften, teils aus dunkler Ahnung gesprochenen Worte bringen?

Zur Beantwortung dieser Frage wird die Beachtung der einleitend erwähnten, für diese Tragödie charakteristischen dichterischen Einkleidung von besonderem Werte sein: In das mittelalterliche Gewand der „Torheit" hüllt der Dichter seine auf Sympathie der Vernunft begründete idealistische Weltanschauung.

In der Rüstung des Schwarzen Ritters meint Johanna das Bild des toten Talbot zu sehen — ein Trugbild der Hölle, bestimmt, ihr „edles Herz im Busen zu erschüttern." In Nacht versinkt der Ritter, nachdem er Johanna an seine Unsterblichkeit erinnert hat, gegen die jeder Kampf aussichtslos ist.

Die Deutung dieses Vorgangs vom Standpunkt der „Torheit" her ist einfach: Der Höllenfürst wirkt, wie so oft, als Versucher, um die Jungfrau ihrer himmlischen Sendung untreu zu machen — natürlich um dem Landesfeind, dessen Feldherr bisher Talbot war, den Sieg wieder zuzuwenden.

In die aesthetisch-ethische Weltanschauung Schillers übersetzt heißt das, soweit sich bisher überblicken läßt: Irgend eine Stimmung wandelt die Jungfrau an, welche in ihr eine Reaktion gegen die Erhabenheit ihrer Aufgabe weckt. Deutlich wird dieser Tatbestand an den Worten des Ritters:

„Schau hin! Dort hebt sich Reims mit seinen Türmen,
das Ziel und Ende deiner Fahrt — die Kuppel
der hohen Kathedrale siehst du leuchten.
Dort wirst du einziehn im Triumphgepräng,
deinen König krönen, dein Gelübde lösen.
— Geh nicht hinein! Kehr' üm! Hör' meine Warnung!"

Was ist das für eine innere Macht, die, hier zum erstenmal, Johannas erhabene Gesinnung wanken machen will?

Vielleicht führt ein kurz zuvor fallendes Wort des unheimlichen Gegners etwas weiter:

„Nichts kann dir, du Gewalt'ge, widerstehn,
in jedem Kampfe siegst du — Aber gehe
in keinen Kampf mehr. Höre meine Warnung!"

Zweimal schallen aus dem geschlossenen Visier die drei Schlußworte und setzen damit die beiden an Johanna gerichteten Ansprachen in engste Beziehung.

In dem Aufsatz ‚Über das Erhabene' heißt es im dritten Abschnitt: „Gegen alles, sagt das Sprichwort, gibt es Mittel, nur nicht gegen den Tod. Aber diese einzige Ausnahme, wenn sie das wirklich im strengsten Sinne ist, würde den ganzen Begriff des Menschen aufheben. Nimmermehr kann er das Wesen sein, welches will, wenn es auch nur *einen* Fall gibt, wo er schlechterdings muß, was er nicht will. Dieses einzige Schreckliche, *was er nur muß und nicht will*, wird wie ein Gespenst ihn begleiten und ihn, wie auch wirklich bei den mehresten Menschen der Fall ist, den blinden Schrecknissen der Phantasie zur Beute überliefern; seine gerühmte Freiheit ist absolut nichts, wenn er auch nur in einem einzigen Punkte gebunden ist."

Will uns der Dichter seine Heldin in einem solchen Augenblick zeigen, wo sie, die ihre erhabene Gesinnung als Bewährung höchster Vernunftfreiheit so oft bewiesen hat, jetzt in Gedanken an den Tod diese „gerühmte Freiheit" zu verlieren droht? Könnten die zuletzt angeführten Worte des Schwarzen Ritters diese Deutung nicht nahelegen? Dann wäre also der Ritter eine Manifestation des Todes, und seine Worte: „Töte, was sterblich ist!" wären dahin zu verstehen: Mich zu überwinden ist dir nicht möglich; denn der Tod ist eine unsterbliche Macht, der alle Menschen unterliegen.

Die Erwägung muß aber noch einen Schritt weitergehen, um die „Doppelzüngigkeit" der inneren Stimme Johannas zu deuten.

Noch einmal zurück in die mittelalterliche Welt der „Torheit"! Johanna meint in dem Schwarzen Ritter ein Bild des toten Talbot zu sehen.

Schiller hat des englischen Feldherrn Sterbeszene auffallend breit

ausgeführt. Die letzten Worte, die er spricht, sind eine Bankerotterklä-
rung der Vernunft, die von der Dummheit besiegt wird (III 6):

> „Dem Narrenkönig
> gehört die Welt — "

Talbot versteht die „Torheit" als zersetzende Macht, nicht, wie Schiller
in der angeführten Stelle der ‚Vorrede', als ethische Kraft, die den
Menschen eines noch nicht zur Vernunftfreiheit gelangten Zeitalters zum
Heldentum begeistert. Eine derartige Auffassung, zeigt Schiller, führt
zum Nihilismus:

> „So geht
> der Mensch zu Ende — und die einzige
> Ausbeute, die wir aus dem Kampf des Lebens
> wegtragen, ist die Einsicht in das Nichts,
> und herzliche Verachtung alles dessen,
> was uns erhaben schien und wünschenswert."

Das Gedicht von der ‚Poesie des Lebens' wird in Erinnerung gerufen:
Versteinerung ergreift den strengen Freund der sogenannten Wahrheit,
der verwerfend auf alles hinblickt, „was nur scheint." Und ist ein solcher
Nihilismus nicht geistiger und seelischer Tod?

Jetzt wird der Sinn, den Schiller der Szene mit dem Schwarzen Ritter
gibt, deutlich.

Johanna sieht sich, angesichts der Türme von Reims, am Ende ihrer
Sendung. Die übersteigerte Begeisterung, mit der sie sich, um die Ver-
suchungen der letzten Stunde zu vergessen, in den Kampf gestürzt hat,
findet keinen Gegner mehr. Allein sieht sie sich in einer öden Gegend
des Schlachtfeldes; und wie an Jesus in der Wüste, so tritt der Versucher
an sie heran: der Gegner in ihrer eigenen Brust. Ernüchterung will von
ihr Besitz ergreifen und den Schwung ihrer erhabenen Gesinnung lähmen.
Immer wieder sucht sie sich des Gegners zu erwehren , wie sich das
physische Leben gegen den leiblichen Tod wehrt. Und noch einmal gelingt es ihr, sich zu fassen:

> „Wen fürcht' ich mit dem Schwerte meines Gottes?
> Siegreich vollenden will ich meine Bahn;
> und käm' die Hölle selber in die Schranken,
> mir soll der Mut nicht weichen und nicht wanken!"

Da begegnet ihr Lionel, der letzte von den Feldherren des englischen
Heeres.

Statt der abergläubischen Furcht, die sie bisher überall, wo sie erschien, getroffen, findet sie einen zu Sieg oder Tod bereiten Helden. Und
sympathisches Fühlen weht ihr aus seinen Worten, aus seiner Haltung

entgegen: Liebe zu seinem Volk, Verehrung für seinen toten Feldherrn, Verbundenheit mit all den Tapferen, die vor ihm den Tod gefunden — und schließlich Sympathie mit der Feindin, die er aus der vermeintlichen Macht des Bösen erretten will. Das edle Antlitz, dessen Anblick den tödlichen Streich ihres Schwertes hemmt, ist nur der körperliche Ausdruck seelischer Vorzüge, die Johannas Geist, bis dahin einzig dem Gebote der Pflicht gegen ihren Gott verhaftet, sich fangen lassen in einem Netz, „womit die verfeinerte Sinnlichkeit ihn umstrickt" (‚Über das Erhabene'). Die Neigung bringt den Ruf der freien Vernunft zum Schweigen; „die Macht der sympathetischen Gefühle", die ihre erhabene Gesinnung bisher „zum Anblick des Leidens, des Schreckens, des Entsetzens hintrieb" (‚Zerstreute Betrachtungen über verschiedene aesthetische Gegenstände'), wird verdrängt durch die Sympathie, die zwischen dem Auge und der Anmut webt, und die nichts anderes ist als Wohlgefallen und Liebe (‚Über Anmut und Würde').

Die Gotteskämpferin fällt zurück in den Zustand eines schwachen Menschenkindes, und mit dem Verlust des Schwertes entweicht ihr die Gotteskraft, die sie bisher der Niederlage und dem Tod unzugänglich machte.

Erschütternd spiegelt Johannas großer Monolog zu Anfang des vierten Aufzugs ihre Seelenlage wider und enthüllt zugleich die letzten Wesensgründe des Mädchens von Orleans.

Endlich — zu spät — ringt sich ihr das Geständnis ab:

„Ach, ich sah den Himmel offen
und der Sel'gen Angesicht!
Doch auf Erden ist mein Hoffen,
und im Himmel ist es nicht!
Mußtest du ihn auf mich laden,
diesen furchtbaren Beruf!
Konnt' ich dieses Herz verhärten,
das der Himmel fühlend schuf!"

Wie zerbrochen steht doch dieses Menschenkind jetzt vor uns, dessen gottbegeisterte Prophetenworte noch vor kurzem geistliche und weltliche Fürsten mit frommem Schauer berührt hatten! Und wie deutlich wird es dem rückschauenden Betrachter, daß die erhabene Gesinnung doch eben nur eine aus großer Not geborene Seelenlage auserwählter Menschen sein kann, die alsbald absinkt, wenn die Heimsuchung vorüber ist und der „schönen Seele" das Feld räumt.

„Daß der Sturm der Schlacht mich faßte,
Speere sausend mich umtönten
in des heißen Streites Wut!
Wieder fänd'ich meinen Mut!"

Das ist es: der „reine Dämon" ist ein karger Gast in der Menschenbrust. Darum fleht die Unglückliche Gott an:

> „Willst du deine Macht verkünden,
> wähle *sie*, die, frei von Sünden
> stehn in deinem ew'gen Haus;
> deine Geister sende aus,
> die Unsterblichen, die Reinen,
> die nicht fühlen, die nicht weinen!
> Nicht die zarte Jungfrau wähle,
> nicht der Hirtin weiche Seele!"

Denn eine „erhabene Rührung" vermag, wie die Abhandlung ‚Über das Erhabene' lehrt, „dem gefesselten Geist ... ein Gefühl seiner Würde" nur „wenigstens für den Moment aufzunötigen."

Aber die Tragödie ist ja noch nicht zu Ende — ja im Sinne Schillers wäre sie mit dem Abschluß des dritten oder mit dem Eingangsmonolog des vierten Aufzugs noch gar keine Tragödie. Man könnte geradezu sagen, sie fängt mit dem vierten Akt von vorne an.

Gänzlich verändert sind die Verhältnisse, soweit sie Johannas Schicksal betreffen, im Vergleich mit dem ersten Auftreten des Mädchens von Dom Remi. Zur Veranschaulichung der Lage sei hier wieder im Sinne der mittelalterlichen Gedankenwelt der „Torheit" gesprochen.

Damals wehte über Johanna der Odem Jehovas; dann trat hinzu die Weisung der Himmelskönigin. Und Jehovaerlebnis und Marienerlebnis schufen einen „zwielichtigen" Geist, der Johannas Schicksalsweg als ein Schreiten auf schmalem Bergesgrat erscheinen ließ, auf dem es galt, das Gleichgewicht zu halten. Nur im Schlachtgetümmel war sie die erhabene Gottesstreiterin; und ein *Muß* war es, das sie auf ihrem Wege vorantrieb. Ihre eigentliche Natur zeigte sich dort, wo sie Versöhnung stiften, Haß in Liebe wandeln durfte. Aber jede Erinnerung an ihr Weibtum weckte in ihr einen leidenschaftlichen Widerstand wie gegen eine Versuchung, die ihren reinen Dämon entrüstete. Und aus einer Art von verkrampfter Übersteigerung dieses „Müssens", mit dem sie ihr „Wollen" nicht in Einklang zu bringen vermochte, erwuchs endlich die Katastrophe auf dem Schlachtfeld vor Reims.

Und jetzt! Das Siegsschwert ist ihr entrissen;

> „kein Gott erscheint, kein Engel zeigt sich mehr,
> die Wunder ruh'n, der Himmel ist verschlossen" (V 6).

Ganz auf sich angewiesen ist die Unglückliche — und jetzt erst, von den Menschen verlassen, von Gott scheinbar aufgegeben, sind die Voraussetzungen gegeben, um Johanna als tragische Heldin erscheinen zu lassen.

Um den Weg zu würdigen, den die Jungfrau zu diesem Ziele einer tragischen Heldin im Sinne Schillers geht, gilt es zunächst, ihre äußere Lage nach ihrem Zusammenbruch vor Reims zu untersuchen.

Hat dann Johanna zu Beginn des vierten Aufzugs alle Möglichkeiten verloren, ihre Rolle als Retterin Frankreichs weiterzuspielen? Niemand ist Zeuge ihrer Begegnung mit Lionel gewesen; Dunois und La Hire haben die Leichtverwundete zu ihren Freunden zurückgeführt. Jetzt ist der Morgen des Krönungstages angebrochen. Agnes Sorel begrüßt Johanna und fällt — sie, die Geliebte des Königs! — vor ihr nieder; wieder erreichen Johannas Ohr Worte von der alle Herzen verbindenden Sympathie, der auch sie sich nicht entziehen dürfe. König Karl bestimmt, daß Johanna im Krönungszug die heilige Fahne vor ihm hertrage (IV 3):

„Wem anders ziemt es! Welche andre Hand
ist rein genug, das Heiligtum zu tragen!"

Das Volk „adoriert" sie wie eine Heilige und küßt ihre Kleider . . .

Aber keinen Augenblick kommt ihr der Gedanke, diesen falschen Schein der Heiligkeit zu ihren Gunsten auszunutzen; unwürdig ist sie ja aller dieser Zeichen der Verehrung.

Da scheint sich ihr ein Weg der Rettung zu öffnen. Hat sie schon auf der Höhe ihres Erfolges erklärt (III 4):

„Will es der Himmel, daß ich sieggekrönt
aus diesem Kampf des Todes wiederkehre,
so ist mein Werk vollendet — und die Hirtin
hat kein Geschäft mehr in des Königs Hause",

so läßt sie in ihrer Herzensnot das Wiedersehen mit ihren Schwestern das aussprechen, wonach ihre Seele verlangt:

„Kommt, laßt uns fliehn! Ich geh' mit euch, ich kehre
in unser Dorf, in Vaters Schoß zurück."

Denn:

„Ihr habt mich kindisch, klein und schwach gesehn,
ihr liebt mich, doch ihr betet mich nicht an!"

Wie ein böser Traum liegt das Vergangene, dieses „Muß" einer erhabenen Gesinnung, hinter ihr; zurück will sie in die Gefilde kindlich-sympathetschen Empfindens:

„Da ich die Herde trieb auf unsern Höhen,
da war ich glücklich wie im Paradies — "

Das ist, um mit Schiller zu reden, die Sehnsucht, die der sentimentalische Mensch nach der naiven Welt der noch kindlichen Menschheit verspürt.

Aber eine solche Rückkehr ist dem Menschen als Vernunftwesen ja unmöglich. Die Forderung der Vernunft ist unerbittlich, und alle schwärmerische Sympathie erfährt die „Ernüchterung", welche das Gebot der Vernunftfreiheit an ihr übt.

In der mittelalterlichen Gedankenwelt der „Torheit", in welcher Johanna lebt, ist die Vernunftidee, welche sich des sympathetischen Empfindens der Jungfrau bedient, das göttliche Gebot, den Landesfeind zu besiegen. Die Sympathie zu Vaterland und König bringt jedes andere sympathetische Fühlen — zur engeren Heimat, zu Vater und Geschwistern — zum Schweigen.

Bis zum Tage der Entscheidungsschlacht vor Reims hat Johanna die Verwirklichung dieser Vernunftidee, weil sie das natürliche Empfinden ihres Weibtums vergewaltigte, als ein „Muß" empfunden. Nachdem jetzt aus der erhabenen Gottesstreiterin ein innerlich zerbrochenes Menschenkind geworden, nachdem darüber jene heilige „Sympathie der Vernunft" hinter die neu erwachten Sympathien ihrer Kindheit zurückgetreten ist, gilt es, um sie ihrer menschheitlichen Aufgabe wieder zugänglich zu machen, das „Muß" mit ihrem Wollen in Einklang zu bringen. Dazu aber bedarf es der Erweckung jener „erhabenen Rührung", die ihrem „gefesselten Geist ... eine Revelation über seine wahre Bestimmung" erteile. Sie dahin zu führen, dienen die Prüfungen, die dem christlichen Glauben ihrer Zeit als Strafen des Himmels erscheinen: die Anklage aus dem Munde des Vaters, ihre scheinbare Bestätigung von oben, die Abkehr des Volkes von der „Hexe von Orleans", ihr vogelfreies Irren im Ardennerwald, ihre Gefangennahme durch die Engländer.

In der Abhandlung ‚Über Anmut und Würde' stehen die schon bekannten Sätze: „Würde wird mehr im *Leiden*, Anmut mehr im *Betragen* gefordert und gezeigt; denn nur im Leiden kann sich die Freiheit des Gemüts, und nur im Handeln die Freiheit des Körpers offenbaren."

Und Johanna weiß mit Würde zu leiden: Der Gott, als dessen Schickung ihr frommes Herz alle Heimsuchungen hinnimmt (V 4), ist ja nichts anderes als der in sie zurückkehrende „reine Dämon", der es dem Menschen möglich macht, „ein *Verhältnis*, welches ihm so nachteilig ist, *ganz und gar aufzuheben* und eine Gewalt, die er der Tat nach erleiden muß, *dem Begriff nach* zu vernichten."

Es ist kein Zweifel, daß ein derartiges Verhältnis jetzt zum erstenmal an Johanna herantritt. Und damit wird ihr auch zum erstenmal die Gelegenheit gegeben, nach eigenem Entschluß zu ihrer Lage Stellung zu nehmen. Eine letzte Demütigung und tiefste Erniedrigung — zugleich aber auch schwerste Versuchung — gibt ihr das Bewußtsein, daß es an der Zeit ist. Sie soll als Gefangene der Aufsicht Lionels übergeben werden; vergeblich fordert sie die englischen Soldaten auf, sie zu töten (V 6):

„Reißt mich entseelt zu eures Feldherrn Füßen!"

Und wie Christus am Kreuz in die Anfangsverse des 22. Psalms ausbricht, so ruft sie in ihrer Verzweiflung zur Gottesmutter:

„Furchtbare Heil'ge! deine Hand ist schwer!
Hast du mich ganz aus deiner Huld verstoßen?"

Aber nun tritt jener Ruck ein, der ihr die Kraft gibt, aus einem „ich muß" ein „ich will" zu machen.

Wieder wird sie zur großen Sprecherin ihres Volkes. Um Freiheit ist es ihr zu tun — aber nicht um diejenige, welche Lionel ihr anbietet, wenn sie Frankreichs Sache aufgeben wolle (V 9); von dreifachen Ketten gefesselt, erklärt sie (V 10):

„Mich zu befreien ist mein einz'ger Wunsch."

Aber erst als sie hört, daß ihr König in Feindeshand gefallen ist, gewinnt „der gefesselte Geist seine ganze Schnellkraft auf einmal" zurück, und es wird offenbar, daß das Zerreißen der eisernen Ketten im Sinne des Dichters nichts ist als ein sinnbildlicher Ausdruck der sittlichen Selbstbefreiung (V 11).

Und Johannas Schicksal schließt sich wie dasjenige Maria Stuarts: Der Lohn für die Seelengröße, mit der Frankreichs Retterin die Freiheit des sittlichen Wollens zurückgewonnen hat, ist die „ewige Freiheit" (‚Maria Stuart' V 6), die ihr den schweren Panzer zum Flügelkleide werden und sie

„schmerzlos und ruhig wie ein schlafend Kind"

zur „ewigen Freude" eingehen läßt (V 14), wo ihr die Gottesmutter mit dem Jesusknaben, ein Sinnbild der zum Paradies erhobenen naiven Natur, die Arme öffnet.

Treten schon in ‚Maria Stuart' die übrigen Gestalten der Tragödie mit Ausnahme Elisabeths hinter der Hauptheldin zurück, so läßt sich in der ‚Jungfrau von Orleans' neben dieser keine einzige Person nennen, welche die Teilnahme des Lesers und Hörers auch nur in annäherndem Grade in Anspruch nehmen könnte. Alle sind sie gleichsam Spiegel, in welche das Licht der anmutig-erhabenen Erscheinung seine Strahlen wirft, und die, je nachdem ihr Glas klarer oder trüber ist, diese Strahlen auffangend sie weniger oder mehr gedämpft zurückwerfen. Vor ihnen allen manifestiert sich die Anmut einer schönen Seele und die Würde einer erhabenen Gesinnung; aber alle — alle ohne Ausnahme — versagen einmal vor diesem Erlebnis, weil „ihr Auge mit Nacht bedeckt ist" (V 14) — das heißt, weil sie für den Zauber der dem Menschen anlagenhaft eigene Fähigkeit zum Schönen und zugleich zum Sittlichen — als Freiheit in Schönheit — unzugänglich sind. Fürsten und Volk von Reims zweifeln an

Johannas himmlischer Sendung, weil sie vergessen, was die Jungfrau durch rein menschliche Eigenschaften für die nationale Einigung Frankreichs getan hat.

Johannas „Schuld“, wie sie fern allen menschlichen Zeugen begangen wird, geht allein ihr Gewissen an, das durch ihre erhabene Sendung bestimmt wird,

> „mit dem Schwert zu töten alles Lebende, das mir
> der Schlachten Gott verhängnisvoll entgegenschickt“ (II 7).

Im Anblick Lionels fühlt sie sich außerstande, dieser Sendung zu gehorchen, weil sich ihre schöne Seele dagegen auflehnt. „Es ist dem Menschen zwar aufgegeben, eine innige Übereinstimmung zwischen seinen beiden Naturen zu stiften, immer ein harmonierendes Ganze zu sein und mit seiner vollstimmigen ganzen Menschheit zu handeln. Aber diese Charakterschönheit, die reifste Frucht seiner Humanität, ist bloß eine Idee, welcher gemäß zu werden, er mit anhaltender Wachsamkeit streben, aber die er bei aller Anstrengung nie ganz erreichen kann.“ Diese Worte des zweiten Absatzes aus den der Würde gewidmeten Ausführungen der so oft angeführten Abhandlung geben Antwort auf die Frage nach dem Wesen von Johannas „Schuld“. Sie besteht darin, daß Johanna eine „Idee“, oder, wie es im elften Carlosbrief heißt, ein „Ideal von Vortrefflichkeit“ verfolgt, dessen „moralische Motive ... nicht natürlich im Menschenherzen liegen.“ Ihre Schuld könnte man also in Schillers Sinne liebenswürdig nennen, insofern sie der schönsten und liebenswürdigsten Tugend des weiblichen Geschlechts entsprang, welche die Anmut ist. „Selten“, heißt es am Schluß der Erörterungen Schillers über die Anmut, „wird sich der weibliche Charakter zu der höchsten Idee sittlicher Reinheit erheben und es selten weiter als zu *affektionierten* Handlungen bringen“. Danach ist es wohl kaum als ein Mißverständnis der Absichten des Dichters zu bezeichnen, wenn man annimmt, daß die Taten, durch welche Johanna zuletzt zum Durchbruch einer erhabenen Gesinnung gelangt, eben weil sie ein Weib ist, als Affekthandlungen verstanden werden dürfen — ohne daß sie dadurch etwas von ihrer Größe verlieren, insofern sie unter Aufopferung aller menschlichen Begrenztheit vollzogen werden.

4. Die Braut von Messina

> „Das Leben ist der Güter höchstes nicht,
> der Übel größtes aber ist die Schuld.“

Mit diesen Versen des Chors schließt Schillers Tragödie ‚Die Braut von Messina‘.

Eine Schuld steht im Blickpunkt der Dichtung; eine Schuld, die, lange vor Beginn der dramatischen Handlung begangen, geheimnisvoll und doch für das rechte Verständnis durchaus notwendig fortwirkt bis zum furchtbaren Ende.

Welches ist die Urschuld, von der alles weitere Schuldhaftwerden seinen Ausgang nahm?

> „.. ein Raub war's, wir alle wissen,
> der des alten Fürsten ehliches Gemahl
> in ein frevelnd Ehebett gerissen,
> denn sie war des Vaters Wahl,"

berichtet der Chor (Berengar) gegen Schluß des ersten Bildes.

Das Ereignis, vom Dichter nur mit diesen wenigen Worten angedeutet, ist anscheinend dieses: Der „alte Fürst", wie sich aus einer Äußerung Isabellas im fünften Bild schließen läßt, der Großvater der „feindlichen Brüder", hatte nach der Gattin Tod, von der ihm ein Sohn hinterlassen worden war, einen zweiten Ehebund zu schließen beabsichtigt; aber der schon mannbare Sohn hatte die junge Frau — die Isabella der Tragödie — gewaltsam geraubt und damit des Vaters unversöhnliche Feindschaft auf sich gezogen:

> „Und der Ahnherr schüttete im Zorne
> grauenvoller Flüche schrecklichen Samen
> auf das sündige Ehebett aus."

So Berengar in Fortsetzung der eben angeführten Verse.

Es handelt sich also um ein Verhältnis, wie es in Schillers Jugendwerk ‚Don Carlos' ursprünglich im Bereich des Möglichen lag. Isabella hat recht, wenn sie gegen Ende des Schauspiels, auf ihr Leben zurückschauend, sagt, ein Frevel habe sie in Messinas Fürstenhaus geführt.

Um das Wesen dieser Schuld im Sinne der Schillerschen Gedankenwelt verständlich zu machen, sei auf die Ausführungen zurückgegriffen, die in einem früheren Abschnitt zu dem geschichtsphilosophischen Aufsatz ‚Die erste Menschengesellschaft nach dem Leitfaden der mosaischen Urkunde' gegeben worden sind.

Da wird von dem Verhältnis des Erzeugers zum Sohne gesagt: „Das väterliche Ansehen hatte die Natur gegründet, weil sie das hilflose Kind von dem Vater abhängig machte und es vom zarten Alter an gewöhnte, seinen Willen zu ehren. Diese Empfindung mußte der Sohn sein ganzes Leben hindurch beibehalten." Die Beziehungen zwischen Vater und Sohn beruhen also nach Schillers Auffassung von Anfang an auf Ehrerbietung, auf Ehrfurcht. Dieses sittliche Gefühl ist auf die Natur gegründet, weil das Kind in seiner Hilflosigkeit auf den Beistand des Vaters angewiesen ist.

Es sei davon abgesehen, die Frage zu erörtern, ob und inwieweit der Dichter schon den Entschluß des „alten Fürsten", eine zweite Ehe einzugehen, als Verstoß gegen naturgegebene Gebote ansah. Er könnte nach dem, was er in demselben Zusammenhang des erwähnten Aufsatzes über „die schöne Erscheinung der ehelichen Liebe" sagt, immerhin auch in dieser Absicht einen „Frevel" gesehen haben. Aber eine solche Erörterung wäre zwecklos, da der Dichter mit keinem Wort auf diese Frage zu sprechen kommt und ihre Beantwortung für die Entwicklung der dramatischen Vorgänge unwichtig ist.

Keinem Zweifel unterliegt es aber, daß Schiller in der Tat des Sohnes eine Versündigung gegen das von der Natur ihm auferlegte Gebot der Ehrfurcht gesehen hat.

Die Urschuld also, die das Fürstengeschlecht Messinas durch den Frevel des Frauenraubs auf sich geladen hat, ist *ein Abfall von der Natur* — und „nichts führt zum *Guten,* was nicht *natürlich* ist" (11. Carlosbrief).

Diese Schuld wirkt nun weiter. In der geschichtsphilosophischen Abhandlung heißt es: „Wurde er" — das heißt der Sohn — „nun auch selbst Vater, so konnte sein Sohn denjenigen nicht ohne Ehrfurcht ansehen, dem er von seinem Vater so ehrerbietig begegnet sah, und stillschweigend mußte er dem Vater seines Vaters ein höheres Ansehen zugestehen. Dieses Ansehn des Stammherrn mußte sich in gleichem Grade mit jeder Vermehrung der Familie und mit jeder höheren Stufe seines Alters vermehren, und die größere Erfahrenheit, die Frucht eines so langen Lebens, mußte ihm ohnehin über jeden, der jünger war, eine natürliche Überlegenheit geben. In jeder strittigen Sache war der Stammherr also die letzte Instanz ... " Es ist, wenn wir Schillers Gedankengängen folgen, offensichtlich, daß in einem Geschlecht, von welchem das natürliche Gefühl der Ehrfurcht gegen den Ahnherrn verletzt worden ist, die als Familientradition gültige „lange Beobachtung" ehrfürchtiger Haltung nicht in Erscheinung treten kann. Das Geschlecht wird also eine von der Natur selbst begründete sittliche Eigenschaft vermissen lassen. So wirkt sich die „Urschuld" in seinen Nachkommen aus.

Dieser in dem Drama dargestellte Vorgang wird vom Dichter in gelegentlichen Hinweisen auf den Charakter des durch den Frevel am Ahnherrn schuldig gewordenen, jüngst verstorbenen Gatten Isabellas veranschaulicht.

Er, der „mächtigwaltende" Beherrscher Messinas, besaß keine, gütiges Verstehen mit väterlichem Ernst verbindende, Ehrfurcht weckende Erziehungsgabe, sondern er bändigte „durch gleicher Strenge furchtbare Gerechtigkeit" die „heftigbrausende" Leidenschaft der Söhne „unter *eines* Joches Eisenschwere" (Isabella, 1.Bild). Mit einem derartigen Charakter verträgt sich „des Argwohns ruhelose Pein" und „finster grübelnder Verdacht", mit dem er alles verfolgt, was sich seinem harten Willen zu widersetzen droht. Und aus diesem Mißtrauen gegen alle Welt erklärt sich seine Gewohnheit,

> „sich verborgen in sich selbst
> zu spinnen und den Ratschluß zu bewahren
> im unzugangbar fest verschlossenen Gemüt" (Isabella, 3. Bild),

das heißt also die Vorliebe für Verheimlichung und Geheimhaltung.

Ein solcher Charakter konnte nur die Wirkung haben, das unselige naturwidrige Verhältnis, das der Fürst zu seinem Vater, dem „Ahnherrn," eingenommen hatte, auf das Verhalten seiner Söhne zu übertragen: Die Ehrfurchtslosigkeit, aus der die Urschuld des Geschlechts erwachsen war, setzte sich in der zweiten Generation fort. Das ist der „schreckliche Same grauenvoller Flüche", die der alte Fürst „auf das sündige Ehebett ausgeschüttet" hatte: Es ist die aus der Urschuld erwachsende zweite Schuld, die Sucht zur Verheimlichung.

Es erfordert keine weiteren Umwege, um diese beiden Schuldigwerdungen, die auf Messinas Fürstengeschlecht lasten, unter dem Gesichtswinkel der die Gedankenwelt Schillers grundlegend bestimmenden seelisch-geistigen Kräfte der Sympathie und Vernunft verständlich zu machen.

Man darf sagen, daß Schiller im rechten Vater-Sohn-Verhältnis einen wesentlichen Schritt des Menschengeschlechts von der Sympathie der Natur zu einer Sympathie der Vernunft sieht:

Naturhaft-naiv ist das Abhängigkeitsverhältnis des Kindes von seinem Erzeuger: hier wird die Sympathie der Natur transparent. Die durch lange Dauer dieses Verhältnisses gewonnene Erkenntnis desselben führt zur Ehrfurcht, die der reifende Sohn als Gebot der Vernunft bejaht. Indem sich damit das sympathetische Verhältnis auf Vernunft gründet, wird es zur Sympathie der Vernunft.

Wird der Sohn schuldig, indem er als Sklave sinnlicher Begierde die Ehrfurcht mißachtet, so versündigt er sich nicht allein an der ursprünglichen Sympathie der Natur, sondern er verschließt sich auch von vornherein den Weg zur Sympathie der Vernunft, die dem über die Natur hinausgewachsenen Menschen überhaupt erst die Möglichkeit gibt, ein Glied der Menschheit zu werden.

Aber der Mensch schreitet auf dem einmal eingeschlagenen Wege weiter. Wie die Sympathie ein Opfer der Leidenschaft geworden ist, so entstellt dieselbe Leidenschaft die Vernunft, insofern diese nicht mehr auf weiteste Sicht den Blick richtet, sondern, wie es im elften Carlosbriefe heißt, „sich ihren Weg abzukürzen" sucht und sich von einem scheinbaren Gebot des Augenblicks leiten läßt. Eine Form solcher Haltung ist die

Verheimlichung, die für den Augenblick scheinbare Vorteile gewährt, in Hinsicht auf die fernere Zukunft aber unbekannte Gefahren in sich birgt. So gesehen, darf nunmehr die „Schuld" des Fürstengeschlechts von Messina im Sinne der Schillerschen Gedankenwelt dahin verstanden werden, daß sie ihren Ursprung hat in einem Verlassen des Weges, der den Menschen von der naiven Sympathie der Natur zur Sympathie der Vernunft führen soll, um ihn über das sentimentalische Bewußtwerden dieses Wandels zu einer erhöhten Natur der Menschheit zu geleiten, in welcher „das Individuum unvermerkt in die Gattung hinübergeführt wird." —

Über die Stellung, die Schiller in seiner Tragödie dem Chor einräumt, hat der Dichter in dem Aufsatz ‚Über den Gebrauch des Chors in der Tragödie' ausführlich gehandelt. Dabei ist sein Augenmerk darauf gerichtet, die Verschiedenheit der Anwendung ins Licht zu setzen, welche dieser Bestandteil des tragischen Gedichtes in der Antike und in der Gegenwart aufweist.

Im griechischen Altertum, sagt Schiller, spielt sich das gesamte Leben in der Öffentlichkeit ab. Handlungen und Schicksale der Helden und Könige, an sich selbst schon öffentlich, sind es in der einfachen Urzeit noch mehr. Die Gerichtsbarkeit vollzog sich auf öffentlichem Marktplatz; der Staat erschien als sinnlich-lebendige Masse, als öffentliche Versammlung des beratenden Volkes; der religiöse Glaube lebte von der Vorstellung der sich in der Natur manifestierenden Götter.

In der Gegenwart ist von diesem „sinnlich-lebendigen" Wesen nicht mehr viel zu spüren. „Der Palast der Könige ist jetzt geschlossen; die Gerichte haben sich von den Toren der Städte in das Innere der Häuser zurückgezogen; die Schrift hat das lebendige Wort verdrängt; der Staat ist, wo die Masse nicht „als rohe Gewalt wirkt", „zu einem abgezogenen Begriff geworden; die Götter sind in die Brust des Menschen zurückgekehrt."

Die Welt der Antike war also naturnäher, einfacher, ursprünglicher — „naiver", um einen in Schillers Abhandlung gebrauchten Ausdruck wiederzugeben —; die moderne Welt ist künstlicher, komplizierter, vergeistigter, abstrakter.

Es liegt nahe, bei diesen Darlegungen des Dichters über den Unterschied zwischen antiker und moderner Lebenshaltung sich an den in der letzten seiner großen aesthetischen Abhandlungen aus dem Jahre 1795 aufgestellten Gegensatz von „naiv" und „sentimental" zu erinnern.

Aus diesem Gegensatz versteht man die Bedeutung, welche Schiller dem Chor der Tragödie eines Sophokles und dem Chor in einer modernen Tragödie, speziell in seiner eigenen Dichtung, zuweist.

In dem diesbezüglichen Aufsatz heißt es: „Die alte Tragödie ...

brauchte den Chor als eine notwendige Begleitung; sie fand ihn in der Natur, und brauchte ihn, weil sie ihn fand . . . Der Chor war folglich in der alten Tragödie mehr ein natürliches Organ, er folgte schon aus der poetischen Gestalt des wirklichen Lebens . . . Der neuere Dichter findet den Chor nicht mehr *in der Natur*, er muß ihn poetisch erschaffen und einführen, das ist, er muß mit der Fabel, die er behandelt, eine solche Veränderung vornehmen, wodurch sie in jene kindliche Zeit und in jene einfache Form des Lebens zurückversetzt wird. Der Chor leistet daher dem neuen Tragiker noch weit wesentlichere Dienste als dem alten Dichter, eben deswegen, weil er die moderne gemeine Welt in die alte poetische verwandelt, weil er ihm alles das unbrauchbar macht, was der Poesie widerstrebt, und ihn auf die einfachsten, ursprünglichsten und naivsten Motive hinauftreibt. . . Der Dichter muß . . . alles Unmittelbare, das durch die künstliche Einrichtung des wirklichen Lebens aufgehoben ist, wieder herstellen und alles künstliche Machwerk an dem Menschen und um denselben, das die Erscheinung seiner inneren Natur und seines ursprünglichen Charakters hindert, wie der Bildhauer die modernen Gewänder, abwerfen und von allen äußeren Umgebungen desselben nichts aufnehmen, als was die höchste der Formen, die menschliche, sichtbar macht.‟

Da nun nach Schillers Anschauung eine Rückkehr des Menschen zur schlechthin naiven Natur nicht mehr möglich ist, weil die Vernunft den Menschen über sie hinausgeführt hat, sagt Schiller mit den soeben wiedergegebenen Ausführungen nichts mehr und nichts weniger als dies, daß die Anwendung des Chors in der modernen Tragödie die Rückkehr zur Natur auf einer erhöhten Ebene *vermittelt*, die in der erwähnten aesthetischen Schrift des Jahres 1795 als „Elysium‟ bezeichnet wird.

Im antiken Chor spricht die Sympathie der Natur, der moderne Chor ist Sprecher einer Sympathie der Vernunft.

Um über die Absicht des Dichters in der Anwendung des Chors jedes Mißverständnis auszuschalten, sei ausdrücklich betont, daß nach Schillers Idee der Chor nicht etwa den handelnden Personen diesen Weg ins Elysium weisen soll. Der Chor ist vielmehr ein Werkzeug in der Hand des Dichters, vollzieht eine rein aesthetische Aufgabe, indem er dem Hörer das Wesen der Schuld der Handelnden bewußt machen, immer wieder das rein Menschheitliche zum Klingen bringen will. Das drückt er in seinem Aufsatz durch die Worte aus: „Der Chor war . . . in der alten Tragödie mehr ein natürliches Organ . . . In der neuen Tragödie wird er zu einem Kunstorgan; er hilft die Poesie *hervorbringen*.‟ Die Poesie bzw. der Dichter hat ja in Schillers Ideenwelt die Aufgabe, den Menschen zur Menschheit emporzuläutern.

Der Chor in der ‚Braut von Messina‘ ist also nicht handelnde Person — wenigstens nicht in erster Linie —, sondern Sprachrohr des Dichters.

Man könnte sich zu der Frage veranlaßt fühlen, warum Schiller nicht
schon in einer seiner früheren Tragödien dieses Kunstmittel des Chors
zur Anwendung gebracht hat. Es ist bekannt, daß der Dichter jahrelang
den Stoff der ‚Malteser‘ in antiker Form mit Chören zu bearbeiten erwog,
und daß er lange zwischen diesem und dem endlich zur Ausführung gelangten Gegenstand der ‚Braut vom Messina‘ schwankte.

Die Antwort auf die eben gestellte Frage ist diese: In keinem seiner
vollendeten Trauerspiele hat Schiller das Wesen der Schuld in dieser
unbarmherzigen Kraßheit behandelt wie in seinem vorletzten dramatischen
Werke. Um einen derartigen Superlativ tragischer Situation zur Darstellung zu bringen, mußte Schiller seinen Stoff frei erfinden. Gleichzeitig
aber ergab sich aus der Kraßheit des Stoffes, daß demselben, um ihn
poetisch tragbar zu machen, ein Gegengewicht gesetzt werden mußte,
das dem Miterlebenden ermöglichte, beim Anblick der Vernichtung alles
Menschlichen den in Sympathie und Vernunft gegebenen Ausweg aus
der Verirrung der Leidenschaft zu finden. Die Handlung selbst konnte
diesen Ausweg nicht bieten: dazu war die Schuld zu schwer, die nur
durch die Vernichtung des Lebens gesühnt werden konnte. Hier mußte
der Dichter selbst, gleichsam als außerhalb der Handlung stehender Beobachter, das Wort nehmen. Er tat es durch den Chor.

Die weitere Würdigung der Tragödie hat also nach zwei Seiten hin zu
erfolgen.

Zuerst ist zu zeigen, wie der Ablauf der Handlung, als notwendige Folge
der Urschuld, unrettbar zur Vernichtung alles Menschlichen führen muß.
Dann ist an der Behandlung, die Schiller dem Chor zuteil werden läßt, dar-
zulegen, wie der Dichter, der erschütternden Wirkung des tragischen Vorgangs gegenüber, die Stimme des Menschheitlichen als poetisches Kunstmittel erhebt, „um“, wie es in dem Aufsatz heißt, „die großen Resultate
des Lebens zu ziehen und die Lehren der Weisheit auszusprechen.“ Mit
Recht faßt Schiller die Bedeutung, die er dem Chor in seinem Dichtwerk
einräumt, in die Worte zusammen: „Der Chor *reinigt* also das tragische
Gedicht, indem er die Reflexion von der Handlung absondert und eben
durch diese Absonderung sie selbst mit poetischer Kraft ausrüstet.“

Das eigentliche Wesen der von Geschlecht zu Geschlecht sich fort-
erbenden Schuld wird sofort offenbar, wenn man das Verhältnis des Ahnherrn und seines Sohnes zu derselben Frau als eine Art unheimlicher
Seelengemeinschaft, einer verhängnisvollen Sympathie zu verstehen sucht.
Schon der Dichter des Sturmes und Drangs warf die Frage auf (‚Phantasie an Laura‘):

> „Waltet nicht auch durch des Übels Reiche
>   fürchterliche Sympathie?

> Mit der Hölle buhlen unsre Laster,
> mit dem Himmel grollen sie."

Aus dieser Sympathie entspringen Raub und Fluch.

Und beides wirkt sich auf das Verhältnis der Ehegatten aus: Der Fürst verschlossen, hart und streng; die Fürstin duldend, nach Liebe verlangend, angstvoll des Gatten unbeugsamem Willen sich fügend. Die Geburt der Söhne bringt nicht die Wandlung zu einer Sympathie, wie sie Schiller in der Betrachtung der „ersten Menschengesellschaft" so schön beschreibt: „Der Mann liebte in dem Weibe die Mutter ... Das Weib ehrte und liebte in dem Mann den Vater, den Ernährer ihres Kindes. Das bloß sinnliche Wohlgefallen aneinander erhob sich zur Hochachtung, aus der eigennützigen Geschlechtsliebe erwuchs die schöne Erscheinung der *ehelichen* Liebe."

So vermochte sich auch das Verhältnis der Brüder nicht in dem sympathetischen Sinne zu gestalten, wie es der Dichter in demselben Zusammenhange darstellt: „Die Kinder wuchsen heran, und auch unter ihnen knüpfte sich allmählich ein zärtliches Band an. Das Kind hielt sich am liebsten zum Kinde, weil jedes Geschöpf sich in seinesgleichen nur liebt. An zarten, unmerklichen Fäden erwuchs die *Geschwisterliebe*."

Nein, in Manuel und Cesar entwickelte sich eine ähnliche Entartung naturgegebener Sympathie, wie sie die Beziehung zwischen dem Ahnherrn und dessen Sohn gekennzeichnet hatte: Die feindlichen Brüder sind sich in einem Gefühl einig: in der Furcht vor dem „finster grübelnden" Vater (Isabella, 3. Bild) und in einem „unseligen Bruderhaß" (Isabella, 1. Bild). Was wollte daneben ihre gemeinsame Liebe zur Mutter bedeuten, welche nicht die Kraft besaß, das brüderliche Verhältnis zu läutern?

Und nun kommen die widerspruchsvollen Träume des Ehepaars und ihre ebenso widerspruchsvolle Deutung.

Entsprechen nicht die Träume durchaus dem Charakter der träumenden Personen?

In dem Aufsatz über die „erste Menschengesellschaft" sagt Schiller, daß beim Anblick ihrer heranwachsenden Kinder ein neues Gefühl, die Hoffnung, entsteht. Dies Gefühl darf man gewissermaßen als die Blüte ansehen, die aus dem Erdreich naturgegebener Sympathie zwischen Eltern und Kindern hervorwächst.

Wie kann das Gemüt des Fürsten von Messina angesichts der scheinbar unversöhnlichen Feindschaft der Söhne, dem Verdacht geöffnet wie es ist, eine Zukunftshoffnung hegen? Und so ist denn der Traum des Vaters ein hoffnungsloser Traum, und es bedarf nicht der Deutung des Arabers, um dem unseligen Herrscher die Geburt einer Tochter als den Ursprung von Untergang und Vernichtung des Fürstenhauses erscheinen zu lassen.

Wie anders die liebende Mutter! Was bisher ihr innigster Wunsch gewesen, die Feindschaft der Söhne geendigt zu sehen, wird durch ihren Traum zur frohen Hoffnung, die ihr durch die Deutung des Mönches nur bestätigt wird.

Aber des Ahnherrn Fluch ist ja nicht ausgelöscht. Der aus dem Mißtrauen gegen alle Welt erwachsene Charakterzug des Fürsten,

> „sich verborgen in sich selbst
> zu spinnen und den Ratschluß zu bewahren
> im unzugangbar fest verschlossenen Gemüt,“

er wirkt auf das Tun der Mutter — hier aber verursacht durch das ihrem Wesen eigentümliche Gefühl der Liebe — als verhängnisvolle Verquickung reinsten Menschentums und düsterer Dämonie. Der grausamen Absicht des Vaters, das neugeborene Kind als vermeintlichen Träger Unheil bringender Entwicklungen töten zu lassen, begegnet sie

> „durch eines treuen Knechts verschwiegnen Dienst“ (Isabella, 3. Bild)

und läßt die Tochter fern der Welt, ohne Kenntnis ihrer Herkunft aufziehen.

Erschütternd die Perspektive: Die Tat, zu welcher ursprüngliche Sympathie die Mutter getrieben hat, wird durch den im Charakter des Fürsten fortwirkenden Fluch des Ahnherrn der Anlaß, daß dieser Fluch aller Bemühung sympathetischer Gefühle zum Trotz letzte Erfüllung findet — weil eine einmalige Versündigung gegen die Natur nie wieder ungeschehen gemacht werden kann.

Man könnte die große Linie, in welcher sich die Handlung der nun anhebenden Tragödie bewegt, geradezu als ein Kräftemessen zwischen naturgegebener Sympathie und dem durch beschränkte Vernunft mißleiteten Streben nach Verheimlichung verstehen, wie es zum erstenmal in Isabellas Ungehorsam gegen den unmenschlichen Befehl des Gatten in Erscheinung tritt.

Unter glücklichem Aspekt beginnt die dramatische Handlung. Der Sympathie, welche die Brüder in ihrer Liebe zur Mutter vereinigt, gelingt es jetzt nach des Fürsten Tode, ihrer unseligen Feindschaft ein Ziel zu setzen. So verschieden ihr Charakter — Manuel sanft, verschlossen, Cesar leidenschaftlich und offen —, sind beide von durchaus edler Gesinnung: auch hierin durch sympathetische Kräfte verbunden.

Aber dann treten wir ein in das düstere Reich der Geheimnisse, deren Enthüllung schließlich das Verderben und den Untergang des Fürstengeschlechts herbeiführen soll.

Aller Welt verborgen hat sich Manuels Liebesbund mit Beatrice eingeleitet — das Geheimnis ihrer Herkunft kümmert ihn nicht. Eine Sympathie, deren wahre, auf Geschwisterliebe beruhende Natur die Beteiligten nicht ahnen: auch dies ein Geheimnis, von Mutterliebe in seinem Ursprung ersonnen, jetzt aber in seinen Folgen die daran Beteiligten in schuldlos begangene Schuld verstrickend. Entgegen ihrem Don Manuel gegebenen Wort besucht Beatrice heimlich die Leichenfeier des Fürsten — eine „stille Schuld" beklemmt ihr Herz, welche sie nicht mehr offen dem Geliebten ins Auge sehen läßt — und doch war der Ungehorsam aus dem „unbezwinglichen Gelüsten" eines heißen Herzensdranges geboren (Beatrice, 4. Bild): die Sympathie mit den ihr selbst unbekannten Eltern war es ja, die sie Manuels Verbot übertreten ließ, wie es Diego richtig ahnt:

> „Die Stimme der Natur, die Macht des Bluts
> glaubt' ich in diesem Wunsche zu erkennen;
> ich hielt es für des Himmels eignes Werk,
> der mit verborgen ahnungsvollem Zuge
> die Tochter hintrieb zu des Vaters Grab!" (3. Bild)

Aber wieder wird eine fehlgeleitete Sympathie zum Anlaß unendlichen Unheils. Ein neues Geheimnis entsteht aus Beatrices verwegenem Schritt, das nun selbst den aller Verheimlichung abholden Don Cesar in seine Schlingen zieht. Der leidenschaftliche Jüngling erglüht in Liebe zu dem holden Mädchen, als er sie bei des Vaters Leichenfeier erblickt; auch er nimmt das Geheimnis ihrer Herkunft unbedenklich hin. Aber schuldig wird er erst, als er in jähem Wiederaufflammen seines Hasses den Bruder ersticht. Diese Schuld ist die letzte, äußerste Auswirkung des Fluches, der auf Messinas Fürstengeschlecht lastet.

Von diesem Augenblick an eilt das tragische Geschehen rasch seinem Ende entgegen.

Zunächst vereinigt sich im letzten Bilde das Interesse auf Isabella, die Mutter.

Im bisherigen Verlauf der Handlung erscheint Isabella weniger schuldig als bemitleidenswert. Als willenloses Opfer ist sie dereinst in die fürstliche Familie getreten; dem harten Willen des Gatten hatte sie nur ihre Mutterliebe als wirkungslose Kraft entgegenzusetzen, die sie dann zu der verhängnisvollen Heimlichkeit trieb. Nun glaubt sie der Erfüllung ihrer Herzenswünsche ganz nahe zu sein: die Brüder sind versöhnt, die Tochter gefunden — da bricht das Verderben über sie herein: ihr älterer Sohn Manuel ist ermordet, Don Cesar ist sein Mörder; Anlaß zu der Tat ist unwissend-ahnungslos die Tochter, in welcher beide Brüder die Braut gefunden zu haben meinten.

Und doch trifft dies Unheil Isabella nicht unverschuldet. Je näher es

rückt, desto mehr erscheint auch sie als Teilhaberin an der das ganze
Geschlecht treffenden Schuld. Mag man über die Berechtigung des Vor-
wurfs im Zweifel sein, den Don Cesar, als er die unseligen Zusammenhänge endlich durchschaut, der Mutter ins Gesicht schleudert (5. Bild):

> „ . . . verflucht sei deine Heimlichkeit,
> die all dies Gräßliche verschuldet!“ —

zu leugnen ist doch nicht, daß es eben die Haltung ihrer „beschränkten
Vernunft“ ist, welche sie mehr und mehr zur Verblendung über ihre tat-
sächliche Lage führt.

Erschütternd ihre Worte im dritten Bild, als sie in Erwartung der in ihre
Arme zurückkehrenden Tochter und der von den Söhnen ihr verheißenen
Schwiegertöchter ausruft:

> „Die Mutter zeige sich, die glückliche,
> von allen Weibern, die geboren haben,
> die sich mit mir an Herrlichkeit vergleicht!“

Daß auch um die von ihr erhofften künftigen Gattinnen ihrer Söhne die
Schleier des undurchdringlichen Geheimnisses wehen, daß also ihr ganzes
„Glück“ auf Voraussetzungen beruht, die in ihrer Heimlichkeit unbe-
rechenbar sind, erkennt ihre kurzsichtige Vernunft nicht. Und so hat von
ihrer Seele die Hybris Besitz ergriffen, vor der zu bewahren sie im Anblick ihrer Söhne die Himmelskönigin kurz vorher gebeten hatte (1. Bild).

Ihre Schuld beruht nicht auf einer fehlgeleiteten Sympathie, aber auf
ihrer trotz aller Heimsuchungen nicht die Unberechenbarkeit alles Irdischen beachtenden Blindheit gegenüber der unentwirrbaren Verknotung
alles gegen die Sympathie der Vernunft verstoßenden Handelns. Aus
dieser Blindheit stammen die Gefühlsausbrüche, zu denen Isabella sich
hinreißen läßt, nachdem sie Manuels Ermordung und später aus Don
Cesars Munde die letzten entsetzlichen Wahrheiten erfahren hat. Alle
ihre verzweifelten Vorwürfe gegen Schicksal und Gott kreisen um die
Orakelsprüche, die einst die Entschlüsse der Eltern über die eben geborene Tochter veranlaßt haben. Was es mit diesen Orakelsprüchen auf
sich hatte, ist vorhin dargelegt worden. Entscheidend für das Verständnis
der tragischen Entwicklung sind nicht sie, sondern die durch den Charakter der Personen bestimmten Träume. Aber Isabellas Verblendung erkennt nicht die tiefe Wahrheit, daß, um im Sinne Schillers zu reden, auch
in ihrer Brust ihres Schicksals Sterne sind. So erscheint ihr die Ermordung ihres „bessern“ Sohnes, dessen Mörder sie noch nicht kennt, nur
als Beweis, daß beide Orakel, so widersprechend sie in sich waren, gelogen haben:

„Vermauert ist dem Sterblichen die Zukunft,
und kein Gebet durchbohrt den eh'rnen Himmel.
Ob rechts die Vögel fliegen oder links,
die Sterne *so* sich oder anders fügen,
nicht Sinn ist in dem Buche der Natur,
die Traumkunst träumt, und alle Zeichen trügen."

Und wie sie ahnungslos auch ihrerseits das Schicksal ihrer Familie erfüllt, enthüllt sich in den Flüchen, die sich gegen den eigenen Sohn, ja
gegen sie selbst richten: der „grauenvollen Flüche schrecklicher Samen",
den einst der Ahnherr ausgeworfen hatte, er geht auf. Als sie schließlich
das Letzte erfährt, bricht ihre Verzweiflung in die Lästerung aus:

„alles dies
erleid' ich schuldlos; doch bei Ehren bleiben
die Orakel, und gerettet sind die Götter."

Zu Flüchen ist ihre Seele jetzt nicht mehr fähig. Den Göttern bietet sie
Trotz; denn

„wer für nichts mehr
zu zittern hat, der fürchtet sie nicht mehr."

Daß die Gottheit nur Vollstreckerin dessen ist, was der Mensch in irregeleitetem Wahne gefehlt hat, zu dieser Erkenntnis hat sie sich noch nicht
durchgerungen.

Erst als sie erfährt, daß sie auch ihren jüngeren Sohn verlieren soll,
siegt über die Leidenschaft der Verzweiflung die Mutterliebe. Mit ihr
kehrt auch die Ehrfurcht vor den Göttern in ihr Herz zurück:

„Eine Mutter kann des eignen Busens Kind,
das sie mit Schmerz geboren, nicht verfluchen.
Nicht hört der Himmel solche sündige
Gebete; schwer von Tränen fallen sie
zurück von seinem leuchtenden Gewölbe.

Aber ihr unseliges Wort von dem „bessern Sohn", mit dem sie die, keine
Unterschiede anerkennende, mütterliche Sympathie verraten hat, nimmt
ihren Tränen die Wirkung.

Derjenige, welcher durch seinen Tod das Naturrecht der elterlichen
und geschwisterlichen Sympathie wiederherstellt, ist Don Cesar.

„In *einen* Fall verstrickt, drei liebende
Geschwister, gehen wir vereinigt unter,
und teilen gleich der Tränen traurig Recht."

So sieht er die Lösung des Konflikts zunächst. Der gemeinsame Tod soll in seiner Furchtbarkeit gemildert werden durch die Liebe, welche die Geschwister eint: Eine Sympathie, welche den einen des anderen Elend als noch engere Bindung blutsverwandtschaftlicher Zusammengehörigkeit empfinden läßt, weist aus dem Irrweg, der das ganze Geschlecht ins Verderben geführt, den Ausgang zur Erlösung. So will Don Cesar auch der unglücklichen Mutter helfen, indem er stellvertretend für ihr Unvermögen zu unbedingter Sympathie sich als Opfer für die Sühnung des Unheils dreier Generationen hingibt:

„Dann, Mutter, wenn *ein* Totenmal den Mörder
zugleich mit den Gemordeten umschließt,
ein Stein sich wölbet über beider Staube,
dann wird der Fluch entwaffnet sein — dann wirst
du deine Söhne nicht mehr unterscheiden;
die Tränen, die dein schönes Auge weint,
sie werden einem wie dem andern gelten!"

Aber zu letzter Größe erhabener Gesinnung gelangt Don Cesar erst, als mit Beatrices Erscheinen und ihrem liebenden Flehen sich ihm eine Aussicht eröffnet, die

„das ird'sche Leben
zu einem Los der Götter machen kann — "

Doch der Anblick des in der Kapelle aufgerichteten Katafalks mit dem Sarge des toten Bruders erinnert ihn im letzten Augenblick an die Forderung, welche ohne Rücksicht auf die Bande, die ihn an Mutter und Schwester fesseln, der Gemordete an seinen Mörder zu stellen hat: Sterbend gleitet er an seiner Schwester nieder, die sich der Mutter in die Arme wirft.

Der Irrweg des den Geboten der Natur entfremdeten Menschen ist geendet; im Tode — und, im Hinblick auf Isabella und Beatrice, auch im Leben — ist die Sympathie der Natur in ihrer ursprünglichen Reinheit wiederhergestellt. —

Über die Rolle, die Schiller dem Chor in der modernen im Gegensatz zur antiken Tragödie zuweist, ist vom grundsätzlichen Standpunkt aus schon gehandelt worden.

Wenden wir uns jetzt der Stellung zu, die der Chor in der ‚Braut von Messina' praktisch innehat, so ist einleitend eine Bemerkung im vorletzten Abschnitt seiner Abhandlung ‚Über den Gebrauch des Chors in der Tragödie' zu erwähnen, wo es heißt: „Ich habe den Chor zwar in zwei Teile getrennt und im Streit mit sich selbst dargestellt; aber dies ist nur dann der Fall, wo er als wirkliche Person und als blinde Menge mithandelt. Als *Chor* und als ideale Person ist er immer eins mit sich selbst.

Der Chor in der ‚Braut von Messina‘ spielt also eine Doppelrolle: einmal als „wirkliche“, einmal als „ideale“ Person — einmal als „blinde Menge“, einmal als eigentlicher Chor. Diese Doppelrolle ist näher zu untersuchen.

Entsprechend der Zweizahl der „freindlichen Brüder“ ist der Chor, wie Schiller bemerkt, „in zwei Teile getrennt und im Streit mit sich selbst dargestellt“. Als Sprecher des Gefolges Don Manuels erscheinen Cajetan, Berengar und Manfred; als Sprecher der Diener Don Cesars wirken Bohemund, Roger und Hippolyt.

Zunächst seien die Stellen des Dramas betrachtet, an denen der Chor eigentlich handelnd auftritt. Dies ist streng genommen nur im Anfang des vierten Bildes der Fall. Das Gefolge Don Manuels und dasjenige Don Cesars machen sich gegenseitig das Recht streitig, den Garten zu betreten, wohin der Ältere der Brüder, „unfern vom Kloster der Barmherzigen“, Beatrice aus ihrem bisherigen Aufenthaltsort geflüchtet hat. Das Streitgespräch, das in höchster dramatischer Spannung zwischen den beiden Chorhälften geführt wird, kennzeichnet zugleich die Verschiedenartigkeit der Charaktere, die der Dichter den zwei Gefolgschaften gegeben hat.

Durchweg verliert die Anhängerschaft Don Cesars an menschlichem Wert und Würde gegenüber den Mannen des älteren Bruders. Kränkend sind ihre Worte, die sie ihrem Gegner zuschleudert, und herausfordernd häuft sie die Beleidigungen; streitsüchtig drängt sie zu blutiger Auseinandersetzung, die nur durch Manuels Erscheinen verhindert wird. Bei weitem maßvoller sind die Reden der Gefolgsleute dieses Fürsten. Es wird klar ersichtlich, daß es Don Cesars Anhänger geradezu darauf anlegen, den Gegner aus seiner Reserve herauszulocken, indem sie zuletzt sogar die Ritterehre der von ihnen Angegriffenen anzweifeln.

Dieser Gegensatz zwischen beherrschter Haltung und jäher Leidenschaftlichkeit beruht aber auf grundsätzlichen Charaktereigenschaften, wie eine Stelle aus dem ersten Bilde erweist. Als die beiden Chorhälften ihren Einzug in die Säulenhalle des Fürstenhauses halten, wo Isabella die Versöhnung der Brüder und damit auch ihrer Gefolgschaft herbeiführen will, und als es sich darum handelt, welche Seite mit der Begrüßung des anderen beginnen soll, sagt Cajetan als Sprecher der Diener Don Manuels:

> „Weisere Fassung
> ziemet dem Alter;
> ich, der Vernünftige, grüße zuerst.“

Dem Gefolge des älteren Bruders eignet das höhere Alter und damit auch

„Vernunft" — ein wichtiger Begriff für die Rolle, welche der Chor als „ideale Person" spielen soll.

Man möchte aus dem bisher Beobachteten schließen, daß Schillers vorhin erwähnte Unterscheidung zwischen „wirklicher" und „idealer" Person, zwischen „blinder Menge" und eigentlichem „Chor" als Ganzem, doch das wahre Verhältnis nicht erschöpfend kennzeichnet.

Der Unterschied, der zwischen den beiden Chorhälften in ihrer Beziehung zu den fürstlichen Brüdern in Erscheinung tritt, ist für das rechte Verständnis ihrer sogenannten Doppelrolle von wesentlicher Bedeutung.

Gewiß — beide Mannschaften fühlen sich als Hörige ihrer Herren. Die Worte des „ersten" Chors, das heißt der Gefolgschaft Don Manuels, mit denen er im ersten Bild die Begrüßung seines Gegenübers beschließt:

> „Aber treff' ich dich draußen im Freien,
> da mag der blutige Kampf sich erneuen,
> da erprobe das Eisen den Mut,"

werden vom „ganzen Chor", also auch von Don Cesars Gefolge, wiederholt; ebenso erklärt sich das Gefolge Don Manuels mit dem Grundsatz Bohemunds als des Sprechers der Anhänger Don Cesars einverstanden:

> „Aber wir fechten ihre Schlachten;
> der ist kein Tapfrer, kein Ehrenmann,
> der den Gebieter läßt verachten."

Im ganzen aber erscheint das innere Verhältnis der ersten Chorhälfte zu ihrem Führer Manuel viel selbständiger als dasjenige der zweiten Hälfte zu Don Cesar.

Berengar, Cajetan und Manfred zögern nicht, die Handlungsweise ihres Herrn, wo es sich um Beatrices Entführung handelt, zu kritisieren. Don Cesars Gefolgschaft hingegen geht mit ihrem Lehensherrn so weit einig, daß sie sogar nach dem Brudermord durch Bohemund ihre Befriedigung über dies Ereignis in den Worten äußert:

> „Heil uns! Der lange Zwiespalt ist geendigt,
> und *einem* Herrscher jetzt gehorcht Messina";

ja die drei Sprecher versichern, Don Cesar gegen jeden Racheversuch des Gegners schützen zu wollen.

Erst im letzten Bilde, als Don Cesars Gefolge aus Isabellas Rede klar wird, daß seines Herrn vermeintliche Braut in Wahrheit dessen Schwester ist, ändert sich sein Verhalten:

> „Ein seltsam neues Schrecknis glaub' ich ahndend
> vor mir zu sehn und stehe wundernd, wie
> das Irrsal sich entwirren soll und lösen."

Aber im weiteren Verlauf der Handlung treten Don Cesars Mannen nur selten noch mit bedeutsamen Äußerungen hervor.

Im ganzen muß man sagen, daß die Bezeichnung als „blinde Menge" für das Gefolge des älteren Bruders von Anfang an kaum Anwendung finden kann, während sie für Don Cesars Diener erst kurz vor Abschluß des tragischen Geschehens ihre Gültigkeit verliert.

Vergleicht man diese Tatsache mit der Feststellung der für Don Manuels Dienerschaft charakteristischen Eigenschaften des höheren Alters und der Vernunft, so ergibt sich: Es ist der jugendliche Mangel an Vernunft, der Cesars Gefolge die Augen für die tieferen Hintergründe des über Messinas Fürstengeschlecht waltenden Schicksals erst in dem Augenblick öffnet, als das Verhängnis bereits seiner letzten Erfüllung entgegenreift.

Damit gelangt die Untersuchung zu der Würdigung der Rolle, die Schiller dem Chor als „idealer Person" zugewiesen hat. Aus dem bisher Erkannten läßt sich von vornherein der Schluß ziehen, daß dieser Rolle gerecht zu werden im weitaus größeren Teil der Tragödie nicht der Chor als Ganzes, sondern nur derjenige Teil vermag, der das Gefolge Don Manuels bildet. Eine eingehende Betrachtung der den Sprechern dieser Chorhälfte in den Mund gelegten Worte bestätigt diese vorausgreifende Vermutung.

Wieder ermöglicht vergleichende Gegenüberstellung der Äußerungen, die den beiden Chorhälften an einer bedeutsamen Stelle der Tragödie vom Dichter in den Mund gelegt werden, den Zugang zum rechten Verständnis dessen, was unter den Verlautbarungen des Chors als eigentliche Weisheit Schillers zu werten ist.

Im ersten Bilde begrüßt der Chor die zwischen ihren Söhnen aus dem Inneren des Fürstenhauses tretende Isabella.

Die Lobpreisung des Gefolges Don Manuels gipfelt in den Worten:

> „Hoch auf des Lebens
> Gipfel gestellt,
> schließt sie blühend den Kreis des Schönen,
> mit der Mutter und ihren Söhnen
> krönt sie die herrlich vollendete Welt.
> Selber die Kirche, die göttliche, stellt nicht
> Schöneres dar auf dem himmlischen Thron;
> Höheres bildet
> selber die Kunst nicht, die göttlich geborne,
> als die Mutter mit ihrem Sohn."

Don Cesars Ritterschaft spricht abschließend die in ihrer poetischen Schönheit einzig dastehenden Verse:

„Völker verrauschen,
Namen verklingen,
finstre Vergessenheit
breitet die dunkelnachtenden Schwingen
über ganzen Geschlechtern aus.
Aber der Fürsten
einsame Häupter
glänzen erhellt,
und Aurora berührt sie
mit den ewigen Strahlen
als die ragenden Gipfel der Welt."

Welch ein Unterschied zwischen dem weltanschaulichen Gehalt der beiden feierlichen Anreden! Roger als Sprecher der Gefolgschaft des jüngeren Bruders verherrlicht fürstlichen Glanz als höchste Manifestation welt-
licher Größe — Cajetan, Wortführer der Mannen Don Manuels, ruft vor
das innere Auge das Bild von Mutter und Kind, dieses rührende Bild,
das, wie ein früherer Zusammenhang zeigte, von Schiller als Sinnbild der
naiven Natur gesehen wurde.

Wie anders denkt, mit Rogers Worten verglichen, Don Manuels Chorsprecher Cajetan über Fürstenschicksal! Auch er spricht, einen Ausdruck
Manfreds aufnehmend, von „der Erde Gebietern", deren Los er mit dem
der Völker vergleicht, zu denen er auch sich und seine Landsleute rechnet.
Beider Schicksal liegt in der Hand der Natur, der „ewig gerechten":

„Uns verlieh sie das Mark und die Fülle,
die sich immer erneuend erschafft,
jenen ward der gewaltige Wille
und die unzerbrechliche Kraft.
Mit der furchtbaren Stärke gerüstet,
führen sie aus, was dem Herzen gelüstet,
füllen die Erde mit mächtigem Schall;
aber hinter den großen Höhen
folgt auch der tiefe, der donnernde Fall."

Zwei schnurstracks entgegengesetzte Weltanschauungen sprechen aus
diesen beiden Chorpartien: Dort verblendeter Stolz auf menschliche
Größe — hier weise Erkenntnis der Vergänglichkeit alles Irdischen angesichts des auf weiteste Sicht der Vernunft geschauten gerechten Wal-
tens der ewigen Natur.

Auf die beiden Ideen der Mutterschaft und der Natur gründet sich die
Gedankenwelt der Gefolgschaft des älteren Bruders.

Kennzeichnend für die Bedeutung, die der Muttergedanke im Denken
dieser Ritter besitzt, ist ihr Verhalten im fünften Bild.

Don Cesar tritt auf, entschlossen, seine unselige Tat mit dem eigenen Leben zu sühnen. Sein eigenes Gefolge wie auch die Ritterschaft des Toten ahnen, was beabsichtigt ist. Während aber die Mannen des Mörders lediglich Anweisungen ihres Herrn wortlos entgegennehmen und ausführen, mahnen ihn die Anhänger des Ermordeten durch Cajetans Mund:

„Beschließe nichts gewaltsam Blutiges, o Herr,
wider dich selber wütend mit Verzweiflungstat;"

und als Isabella sich dem Sohne nähert und angstvoll fragt, ob das „unglückselige Gerücht" wahr sei, richtet wieder Cajetan an sie die Worte:

Entschlossen siehst du ihn, festen Muts,
hinabzugehen mit freiem Schritte
zu des Todes traurigen Toren.
Erprobe *du* jetzt die Kraft des Bluts,
die Gewalt der rührenden Mutterbitte!
Meine Worte hab' ich umsonst verloren."

Voll tiefen Mitgefühls beklagt derselbe Sprecher die Fürstin, als Beatrice sich selbst zum Opfer für den „geliebten Toten" anbietet:

O jammervolle Mutter! Hin zum Tod
drängen sich eifernd alle deine Kinder
und lassen dich allein, verlassen stehn
im freudlos öden, liebeleeren Leben."

Und gewiß ist es nicht, wie die szenische Anmerkung sagt, ein Sprecher der zweiten Chorhälfte — die sich ja längst mit Don Manuels Leichnam entfernt hat und sich innerhalb der noch geschlossenen Flügeltür der Kapelle befindet —, sondern Berengar aus Don Manuels Gefolge, der unmittelbar vor Cesars Selbstmord noch einmal der Mutter Mut zuspricht:

„Trostlose Mutter! Gib Raum der Hoffnung,
er erwählt das Leben, dir bleibt dein Sohn!"

Bei weitem größer ist der Raum, den die Natur in den Gedankengängen der ersten Chorhälfte einnimmt.

Viermal läßt sich Manuels Ritterschar in Betrachtungen größeren Umfanges vernehmen: Zum erstenmal im ersten Bild vor dem Auftreten Isabellas mit ihren Söhnen; dann nach Manuels Tod im vierten Bild; zum drittenmal im letzten Bild, als er seines Herrn Leiche in der Säulenhalle des Fürstenhauses niedersetzt; und endlich vor Don Cesars letztem Auftreten.

Die Reflexionen Berengars, Manfreds und Cajetans im ersten Bild könnte man unter die Überschrift stellen: „Die Natur ist ewig gerecht."

Die Gedanken des großen Chorliedes im vierten Bild spielen um das Leitmotiv: „Ein großes Lebendiges ist die Natur." Rückblickend spricht Don Manuels Ritterschaft im fünften Bild von dem „Ungeheuren" in der Natur als dem Sinnbild des furchtbaren Schicksals. Das letzte größere Chorlied handelt von dem aus der Verbundenheit mit der Natur herausgetretenen Menschen.

Diese vier soeben kurz gekennzeichneten Chorgesänge enthalten die eigentlichen Kernstücke des Ideengehalts dessen, was Schiller, den Chor betreffend, als „ideale Person" bezeichnet. Es sei daher auf diese Betrachtungen noch im einzelnen eingegangen.

Aus seiner Überzeugung von der ewigen Gerechtigkeit der Natur gewinnt Berengar inneren Abstand gegenüber den Fürsten Messinas als fremden Eroberern, denen auch seine Kameraden Dienste leisten müssen; aus dem gleichen Gefühl heraus steigert sich in Manfred das schmerzliche Bewußtsein, im eigenen Lande Sklave von Fremdlingen zu sein; aber das Gefühl der Geborgenheit in den Armen der Natur läßt Cajetan das wahre Verhältnis zwischen Herren und Knechten richtig erkennen: Immer neu ersteht Mark und Fülle der mit ihrem Heimatboden verwachsenen Eingesessenen; die anderen aber sind gerade dadurch, daß ihnen der gewaltige Wille und die unzerbrechliche Kraft eignet, der Gefahr des Sturzes ausgesetzt, weil ihrer Existenz eben die Grundlage fehlt, die dem Menschen der eigene Boden gibt:

„Die fremden Eroberer kommen und gehen;
wir gehorchen, aber wir bleiben stehen."

Man erinnere sich an Maria Stuarts sehnsuchtsvollen Ruf nach ihrem Heimatland, an Johannas Klage über die verlassenen Stätten ihrer Kindheit: hier wie dort die sentimentalische Stimmung des aus der Verbundenheit mit der Natur getretenen Menschen. Während aber diese Stimmung den Weg zu einer höheren Natur weist, sind, wie das Chorlied aus der ‚Braut von Messina' zeigt, die einer solchen Stimmung Unteilhaftigen dem Untergang geweiht.

Der Natur als einem „großen Lebendigen", an dem alles Frucht und Same zugleich ist, stellt das Chorlied im vierten Bilde den Menschen gegenüber, der unter dem Einfluß der Leidenschaft kurzsichtige Entschlüsse faßt, deren Nichtigkeit ihm erst im Augenblick ihrer Verwirklichung bewußt wird — im besonderen Falle den Mörder, der unter dem trügerischen Gaukelschein der Gerechtigkeit einem Rachegelüst nachgibt, dessen Frevelhaftigkeit ihn sein Grimm zu spät einsehen läßt. Dem Brudermord der Tragödie stellt der Chor den Muttermord Orests an die Seite: Beide Taten sind Vergehen gegen naturgegebene sympathetische Bindungen. In diesen Bindungen manifestiert sich eben das Wesen der Natur als eines großen Lebendigen, gegen das sich zu vergehen eine Sünde gegen das Leben selbst ist. Handelte es sich im Chorlied des ersten Bildes bei den fremden Gewaltherren um ein Fehlen sentimentalischer Empfindung, so wird in dem Liede des vierten Bildes ein Vergehen gegen die naive Natur selbst in seinen Folgen vergegenwärtigt.

Von der Seite des „Ungeheuren" sieht das dritte Chorlied der Manuelritterschaft die Natur und schildert die Wirkung, welche diese Seite auf das Menschenherz ausübt:

> „Wenn die Wolken getürmt den Himmel schwärzen,
> wenn dumpftosend der Donner hallt,
> da, da fühlen sich alle Herzen
> in des furchtbaren Schicksals Gewalt."

Dies Ungeheure steht außerhalb desjenigen Weges der Natur, auf welchem, wie im Herbst oder beim Greise, sie

> „ruhig nur
> ihrem alten Gesetze,
> ihrem ewigen Brauch"

gehorcht, und der dem Menschen zum Entsetzen keinen Anlaß gibt. Hier darf auf frühere Ausführungen zurückgegriffen werden, die sich mit Zusammenhängen zwischen geschichtsphilosophischen und aesthetisch-ethischen Betrachtungen aus Schillers Ideenwelt befaßten und die Frage nach Wesen und Wirkung des Tragischen behandelten. Den dortigen Darlegungen zufolge sieht Schiller in allem, was in der Natur und in der Geschichte ihrem „alten Getzen", ihrem „ewigen Brauch" zuwiderzulaufen scheint, ein „Außerordentliches", das als scheinbar Zweckwidriges sich erfüllen muß, damit ein höheres Zweckmäßiges Wirklichkeit werde. Hier wirkt die unsichtbare Hand des Fatums und enthüllt ein höheres Naturgesetz als Schicksal, als Gotteswille. Die extremste Wirkung dieses „Außerordentlichen" sprechen in dem Chorlied die Verse aus:

> „Aber auch aus entwölkter Höhe
> kann der zündende Donner schlagen."

Und aus dieser Erkenntnis entwickelt der Dichter die Weisheit:

> „Darum in deinen fröhlichen Tagen
> fürchte des Unglücks tückische Nähe!
> Nicht an die Güter hänge dein Herz,
> die das Leben vergänglich zieren;
> wer besitzt, der lerne verlieren,
> wer im Glück ist, der lerne den Schmerz!"

Stellt man diese Beziehung zwischen dem „Außerordentlichen" der Naturgesetze und die daraus abgeleitete sittliche Forderung unter den Gesichtspunkt der Anschauung Schillers über Wesen und Wirkung des Tragischen, so läßt sich sagen: Schiller hält eine moralische Wirkung des in der Natur erlebten scheinbar Außerordentlichen auf den Menschen nur da für möglich, wo dieser die „Anlage" dazu mitbringt; anders ausgedrückt: wo zwischen Natur und Mensch eine sympathetische Beziehung besteht. Wo dies der Fall ist, da ist die Menschenseele dem Reich des Erhabenen geöffnet, ja sie selbst ist eine erhabene Größe, insofern sie befähigt wird, die tragische Schicksalsforderung zu erfüllen: den Sieg des menschlich Guten durch den Verzicht auf die sinnliche Glückseligkeit zu gewinnen.

Daß Schiller diese Forderung gerade in der ‚Braut von Messina', in der er, wie früher gesagt, den äußersten Fall von Tragik zur Darstellung bringen wollte, mit allen Mitteln poetischer Kraft zu verkünden bemüht ist, dafür ist der Abschnitt des fünften Bildes Beweis, in welchem Isabella durch ihre furchtbaren Flüche und verzweifelten Gotteslästerungen jede sympathetische Bindung und jede Fähigkeit zur Vernunftsbewährung auf weiteste Sicht verloren hat. Dies ist zugleich die einzige Stelle der Tragödie, wo beide Chorhälften weltanschaulich einig sind: auch Don Cesars Gefolge ist unter der Wucht der tragischen Begebenheiten dieses *eine* Mal zur Wahrheit durchgedrungen. *Beide* Chorhälften richten an die Fürstin, nur in verschiedener Fassung, *dieselbe* Warnung. Manuels Getreue rufen durch den Mund ihres Sprechers Cajetan:

> Wehe! Wehe! Was sagst du? Halt' ein, halt' ein!
> Bezähme der Zunge verwegenes Toben!
> Die Orakel *sehen* und treffen ein,
> der Ausgang wird die Wahrhaftigen loben."

Von Don Cesars Anhänger Bohemund stammen die Worte:

> „Halt' ein, Unglückliche! Wehe! Wehe!
> Du leugnest der Sonne leuchtendes Licht
> mit blinden Augen! Die Götter leben,
> erkenne sie, die dich furchtbar umgeben!"

Diesen mahnenden Worten gegenüber werden wieder die Verse aus dem Chorliede des vierten Bildes lebendig, welche die Nichtigkeit des Menschen vor der waltenden Macht des Schicksals erschütternd aussprechen:

> „Was sind Hoffnungen, was sind Entwürfe,
> die der Mensch, der vergängliche, baut?"

Und die so oft in Schillers Geschichtsphilosophie und Ethik geforderte Haltung auf weiteste Sicht, das heißt eine Haltung, die nicht den Ver-

suchungen einer „beschränkten Vernunft" unterliegt, gewinnt auch für
diese Tragödie Gültigkeit. Mahnt doch schon im ersten Bilde Cajetan die
feindlichen Brüder, die Bitte der Mutter, den unseligen Haß zu begraben,
nicht in den Wind zu schlagen:

> „Es sind nur Worte, die sie gesprochen,
> aber sie haben den fröhlichen Mut
> in der felsigten Brust mir gebrochen!
> Ich nicht vergoß des verwandte Blut.
> Rein zum Himmel erheb' ich die Hände:
> ihr seid Brüder! Bedenket das Ende!"

Und schon in wesentlich düstrerer Bedeutung, am Schluß desselben
Bildes, nachdem er von Don Manuels geheimen Taten vernommen:

> „Denn zu tief schon hat der Haß gefressen,
> und zu schwere Taten sind geschehn,
> die sich nie vergeben und vergessen;
> noch hab' ich das Ende nicht gesehn!"

So kann das letzte Chorlied, unmittelbar vor Don Cesars Sühnetat,
nichts Neues mehr sagen, sondern nur noch einmal die poetische Wahrheit der Tragödie in Versen von hoher Schönheit zusammenfassen.

Das Lied beginnt mit einer Seligpreisung des Menschen, der „kindlich
liegt an der Brust der Natur", im Gegensatz zu dem Schicksal der
„Höchsten", der „Besten", die „in der Schnelle des Augenblicks" vom
Gipfel des Glückes herabstürzen. Hier werden Gedanken aus dem *ersten*
Liede in knappster Form wieder aufgenommen. Was im zweiten Abschnitt
von dem friedlichen Leben der Klosterinsassen gesagt wird, ist, auf des
Dichters Weltanschauung übertragen, nur als Sinnbild des Menschen zu
verstehen, der, frei von leidenschaftlichem Begehren nach vergänglichen
Gütern, seinen Geist dem Wahren und Ewigen zugewandt hat. Da klingt
die Mahnung aus dem Schluß des *dritten* Liedes an. Die letzten Verse
aber, durch Hinzuziehung Bohemunds von Vertretern des gesamten Chors
vorgetragen und damit als Verkündung höchster Weisheit hervorgehoben,
in dem ersten Satz vorausdeutend auf das Leitmotiv des ‚Wilhelm Tell',
stellt noch einmal, an das *zweite* Chorlied erinnernd, die naive Natur dem
von ihr abgefallenen Menschen gegenüber — damit gleichzeitig zurück-
weisend auf die „Schuld", die Messinas Fürstengeschlecht auf sich geladen und, indem es sich den Weg zur Vernunft verschüttete, auch den
Zugang zu einer höheren Sympathie verschloß:

> „Auf den Bergen ist Freiheit! Der Hauch der Grüfte
> steigt nicht hinauf in die reinen Lüfte;
> die Welt ist vollkommen überall,
> wo der Mensch nicht hinkommt mit seiner Qual."

So zieht denn Cajetan am Schluß der Tragödie das Facit mit den Versen, die unsere Würdigung des Dramas einleiteten:

„Das Leben ist der Güter höchstes *nicht*,
der Übel größtes aber ist die *Schuld*.“ —

Der „ungeduldig strebende“ Jüngling des Gedichtes ‚Das verschleierte Bild zu Sais‘, der mit frecher Hand sich am Heiligen vergriff, antwortet „ungestümen Fragern“:

„Weh dem, der zu der Wahrheit geht durch Schuld!
Sie wird ihm nimmermehr erfreulich sein.“

Der Unselige glaubte durch eine an der Oberfläche eines Geheimnisses verübte Handlung in das Innere desselben Zutritt zu gewinnen. Aber Konfucius sagt:

„In die Tiefe mußt du steigen,
soll sich dir das Wesen zeigen.
Nur Beharrung führt zum Ziel;
nur die Fülle führt zur Klarheit,
und im Abgrund wohnt die Wahrheit.“

Der Mensch, der sich von Schuld freihalten will, muß von innen heraus leben, indem er die Anlage zur sympathetischen Verbundenheit mit der Natur als einem großen Lebendigen durch unermüdliche Versenkung in ihre zahllosen Wunder bewährt und das Spiel des Lebens auf weiteste Sicht, das heißt vernunftgemäß, betrachtet. Tut er das nicht, so kann er diese Schuld nur mit der Hingabe des eigenen Lebens sühnen, weil sein Tun sich gegen die Mutter alles Lebendigen, die Natur, gerichtet hat, die ihm mit der sympathetischen Anlage zugleich den Weg zur Vernunft eröffnete.

5. *Wilhelm Tell*

Schillers letztes vollendetes Schauspiel nimmt gegenüber allen früheren eine Sonderstellung ein. Nicht deshalb, weil ihm der tragische Ausgang fehlt — der Unterschied liegt tiefer.

In fast allen anderen dramatischen Dichtungen seiner Reife ordnet sich die Handlung um *eine* beherrschende Gestalt, während die übrigen als Kontrastfiguren oder zur Belebung ihrer Umwelt dienen.

Wallenstein bestimmt die Haltung aller anderen Mitspieler der Trilogie; seine Größe überragt Gegner und Anhänger, sein Schicksal wirkt maßgeblich auf die Entfaltung des Wesens und die Gestaltung des Schicksals seiner Umgebung. Die in der Maria-Stuart-Tragödie handelnd auftretenden Personen lassen das eigentümlich-weibliche Wesen der Hauptheldin nur anschaulicher hervortreten. Noch stärker fast treten die Gestalten, die in der ,Jungfrau von Orleans' das tragische Geschick der Heldin begleiten, hinter der überragenden Persönlichkeit der Befreierin Frankreichs zurück. In der ,Braut von Messina' ist es zwar nicht das Schicksal eines einzelnen Menschen, aber der wenigen Angehörigen eines Fürstengeschlechts, das die Handlung der Tragödie in fester Straffung führt.

Das Schauspiel, dem der Dichter den Titel ,Wilhelm Tell' gegeben hat, ist das Drama eines ganzen Volkes. Es ist, wie das gleichnamige Gedicht sagt, „ein Volk, das fromm die Herden weidet", ein Volk von Hirten, das zum dramatischen Helden erhoben wird.

Wie oft hat Schiller, seit er in seinen geschichtsphilosophischen Studien auch die Form der „ersten Menschengesellschaft" betrachtet hatte, den Hirtenstand einer tiefsinnigen Wertung unterzogen!

In jenem Aufsatz erscheint dem Historiker unter den ältesten Lebensformen des Menschen, dem Ackerbau und der Viehzucht, die letztere als die ursprünglich einfachere. „ . . . solange die Gesellschaft noch klein war, konnte die Natur seiner kleinen Herde Nahrung im Überfluß darbieten. Er hatte keine andere Mühe, als die Weide aufzusuchen und sie, wenn sie abgeweidet war, mit einer andern zu vertauschen. Der reichste Überfluß lohnte ihm für diese leichte Beschäftigung, und der Ertrag seiner Arbeit war keinem Wechsel weder der Jahreszeit noch der Witterung unterworfen. Ein gleichförmiger Genuß war das Los des Hirtenstandes, Freiheit und ein fröhlicher Müßiggang sein Charakter.

In poetischer Fassung schildert diesen Zustand die sechste Strophe der ,Vier Weltalter':

> „Erst regierte Saturnus schlicht und gerecht,
>   da war es heute wie morgen,
> da lebten die Hirten, ein harmlos Geschlecht,
>   und brauchten für gar nichts zu sorgen;
> sie liebten und taten weiter nichts mehr,
> die Erde gab alles freiwillig her."

Auch im ,Spaziergang' deutet wohl der Vers, welcher von der mit dem Ackerbau einziehenden „freundlichen Schrift des Gesetzes" spricht,

> „seit aus der ehernen Welt fliehend die Liebe verschwand",

auf jenen glücklichen älteren Zustand der Menschheit hin.

Eine Hirtin aus Dom Remi ist es, der die Himmelskönigin den Auftrag gibt, zur Retterin ihres von den Engländern bedrängten Vaterlandes zu werden.

In der ,Braut von Messina' sagt der Chorsprecher Cajetan:

„Wohl dem! Selig muß ich ihn preisen,
der in der Stille der ländlichen Flur,
fern von des Lebens verworrenen Kreisen,
kindlich liegt an der Brust der Natur."

Ein Gedicht Schillers stellt das schweifende und gefahrvolle Treiben des ,Alpenjägers' in Gegensatz zu dem friedlichen Dasein des Hirten, der mit des Hornes munterm Klang die Herde lockt, deren Glocken in den Lustgesang der Waldvögel hineinschallen.

Am deutlichsten wird wohl die Rolle, die Schiller dem Hirtenleben in seiner idealistischen Weltanschauung zuweist, in dem Gedicht ,Das Mädchen aus der Fremde'. In den Blumen und Früchten, welche die schöne Wunderbare den naturnahen Bewohnern des Tales spendet, versinnbildlichen sich ja die Eigenschaften, die der Dichter als für das Dasein der Hirten kennzeichnend ansieht: Jugend und Fülle, wie er sie auch dem Weibe zuspricht (,Das weibliche Ideal'). Das liebende Paar aber, dem die Jungfrau der Blumen allerschönste darreicht, es ist bekanntlich das Sinnbild der im Idyll, im Elysium wiedergewonnenen Natur; es ist Symbol des weltweiten Wirkens in engem Kreise, von dem ,Der Jüngling am Bache' sagt:

„Raum ist in der kleinsten Hütte
für ein glücklich liebend Paar;"

es ist die Welt, in welcher der Dichter der ,Vier Weltalter' lebt:

„Kein Dach ist so niedrig, keine Hütte so klein,
er führt einen Himmel voll Götter hinein." —

In Tschudis ,Helvetischer Chronik', der er den Tellstoff entnahm, fand Schiller diesen Geist wieder, als dessen Verkörperung er seit langem den Hirtenstand angesehen hatte. Das dramatische Moment gab ihm der Konflikt, in den dies schlichte Hirtenvolk mit der Welt der Wirklichkeit geraten ist, als deren Vertreter das auf Erweiterung seiner Hausmacht bedachte Geschlecht der Habsburger erscheint. In diesem Konflikt bewähren sich die tüchtigen Eigenschaften des Volkes, „das fromm die Herden weidet."

In vierfacher Spiegelung vergegenwärtigt Schiller diese im Abwehrkampf gegen die fremden Gewalthaber sich entfaltenden Tugenden. Drei dieser Spiegelungen werden sichtbar in drei Ständen oder Klassen, in welche das Gesamtvolk sich gliedert, während die vierte in einem einzelnen Menschen erscheint.

Die erste Klasse umfaßt die große Menge der Landleute, Hirten, Fischer, Jäger, auch Unfreie und in ärmlichsten Verhältnissen lebende Wildheuer; weiblicher Exponent dieser Klasse ist Armgard. In ihrem Verhältnis zum

Landesfeind darf man sie als in ihrer materiellen Existenz bedroht bezeichnen.

Die zweite Klasse wird vertreten durch Arnold vom Melchthal, Werner Stauffacher und Walther Fürst. Unter ihnen nimmt Stauffacher als Abkömmling eines, wie Tschudi sagt, „alten Wappengeschlechts" (vgl. „Wilhelm Tell" I 2) eine hervorragende Stellung ein. Die allgemein-charakteristischen Eigenschaften ihres Volkes prägen sich in diesen drei Männern, durch ihre verschiedenen Lebensalter variiert, in gehobener und verschärfter Weise aus. Deutlicher als die große Masse sehen sie durch Albrecht von Habsburg ihre verbrieften Freiheiten bedroht. Weiblicher Exponent dieser Klasse ist Gertrud, Stauffachers Eheweib, deren erhabene Gesinnung sich auf ihren Gatten auswirkt.

Die dritte Klasse bildet der Stand des Landadels, vertreten durch den greisen Freiherrn von Attinghausen, seinen Neffen Rudenz und den von Baumgarten erschlagenen Wolfenschießen. In diesem weltanschaulich bedrohten Stand verkörpert sich, belebt durch den Gegensatz zwischen heimatlicher Tradition und fremder Lockung, der Begriff des Vaterlands. Weiblicher Exponent dieser Klasse ist Bertha von Bruneck, welche dem Vaterlandsbegriff seine für Schillers Ideenwelt kennzeichnende Bedeutung gibt.

Wilhelm Tell endlich spiegelt das Wesen des Schweizervolks in besonders eindrucksvoller Weise wieder. Zu den in ihrer höchsten Vollendung sich bewährenden Tugenden seiner Landsleute kommt bei ihm als dessen eigentümliche Charaktereigenschaft diejenige des auf tätiges Wagen eingestellten Mannes. Neben diesem Manne steht als weibliche Figur seine Hausfrau Hedwig, die mit ihren Kindern Tells männliche Wesensart nach zwei Seiten näher bestimmt: als Gatten und als Vater. In dieser Bewährung seines Mannestums sieht Tell sich bedroht und wird damit zur Verkörperung allgemein menschlicher, ursprünglicher Eigenschaften, für deren Erhaltung das Schweizervolk in allen seinen Ständen gegen die fremden Unterdrücker antritt. Über die Sonderstellung, die Tell seinen Volksgenossen gegenüber einnimmt, soll erst in dem ihm besonders gewidmeten Abschnitt gesprochen werden.

Die Untersuchung wendet sich jetzt der eingehenderen Betrachtung der ersten Klasse zu, also der Masse des Schweizervolkes.

Zwei Wörter, von Schiller der Chronik Tschudis entnommen, bestimmen zunächst die Wesensart dieser Menschen im allgemeinen.

„Biedermann" heißt jeder, der brav und tüchtig durchs Leben geht, der Vertrauen verdient, weil er zur gemeinsamen Sache steht. So gilt das Wort für den Alzeller Baumgarten (I 1), für Stauffacher (I 2); im kollektiven Sinne vom „guten Schweizer" gebraucht es Attinghausen (II 1), Stüssi (IV 3) und Stauffacher (I 2); Melchthal nennt sein Volk „bieder".

Auch das Eigenschaftswort „bescheiden" gilt für den einzelnen Schweizer, wie Baumgarten (I 4), und für das ganze Volk, das, wie Bertha von Bruneck sagt, „so bescheiden ist und doch voll Kraft" (III 2); und König Albrechts Witwe wendet sich in ihrem Schreiben an die „bescheidnen Männer von Uri, Schwytz und Unterwalden." Das Wort bedeutet also etwa „schlicht", „unkompliziert", „unproblematisch", aber damit auch tatkräftig, wo es um die Wahrung der *schlichten* Menschenrechte geht. Und damit deutet es, wie sich weiterhin zeigen wird, auf die Urzelle der auf weiteste Sicht denkenden Vernunft.

Wie aber der Geschichtsphilosoph Schiller die Existenz dieser Urzelle in dem auf Sympathie beruhenden ursprünglichen Familiengeist der ersten Menschengesellschaft findet, so sieht der Dichter in der Bescheidenheit des Schweizervolkes den Ausfluß seines naturnahen Wesens.

Der junge Schiller glaubte in den leblosen Felsklüften einen Widerhall der „süßen Sympathie" zu vernehmen; der Verfasser der aesthetischen Schriften verstand die griechische Götterwelt als Erzeugnis des naturnahen Empfindens des griechischen Menschen. Ebenso läßt Schiller — und auch hier hat er aus Tschudis Chronik gelernt — im ,Wilhelm Tell' den Schweizer in der Natur Äußerungen menschlichen Tuns und Fühlens wahrnehmen. Ziehen Gewitterwolken am Himmel auf, so „kommt der graue Talvogt"; der unter dem Einfluß des Wetterwechsels in Bewegung geratende Firnschnee „brüllt dumpf"; die Ansammlung der Dünste um den „Mythenstein" wird zu einer Tätigkeit dieses Felsens — oder Felsenberges, der „seine Haube anzieht" (I 1). Und wie mit der toten Natur, steht der einfache Schweizer mit der seiner Obhut anvertrauten Herde in sympathetischer Beziehung; ja auch die Einflüsse, die das Herannahen des Gewitters auf das Verhalten der Tiere ausübt, sehen diese Naturmenschen, ob Hirten oder Jäger, vom menschlichen Standpunkt. Besonders innig gestaltet sich aber das Verhältnis des Volkes zur Natur dadurch, daß es in ihr schützende Kräfte für seine Existenz findet. Das Gespräch Wilhelm Tells mit seinem Knaben Walther über den Altorf überragenden Bannberg ist ein schönes Zeugnis für dies Verhältnis: „Der Wald dort oben" stellt sich den von den Eisgebirgen herabdonnernden Lawinen „als eine Landwehr" entgegen; und der naive Hirtenglaube sieht in den schützenden Bäumen menschliche Wesen, die bei Verletzung durch einen Axthieb Blut fließen lassen (III 3). Am eindrucksvollsten aber ist die Sympathie, die zwischen der ewig unveränderten Natur und der konservativen Lebensform ihrer Brüder besteht (II 2):

„Denn so wie ihre Alpen fort und fort
dieselben Kräuter nähren, ihre Brunnen
gleichförmig fließen, Wolken selbst und Winde
den gleichen Strich unwandelbar befolgen,

> so hat die alte Sitte hier vom Ahn
> zum Enkel unverändert fort bestanden:
> nicht tragen sie verwegne Neuerung
> im altgewohnten gleichen Gang des Lebens."

Diese konservative Lebenshaltung wird von Geschlecht zu Geschlecht fortgeerbt durch treu bewahrte Überlieferung der Geschichte des Schweizervolkes, wie sie in den Erzählungen der „alten Hirten" weiterlebt (II 2). Aus diesem Bewußtsein des Jahrhunderte alten gemeinsamen Schicksals und naturverbundenen gleichen Fühlens ist die Bereitschaft zum gegenseitigen Beistand in Zeiten der Gefahr zu verstehen: sympathetisch empfindet jeder die Not des Landsmanns als seine eigene Not. So findet Baumgarten bei Stauffacher (I 2), Melchthal bei Walther Fürst (I 4) Unterschlupf vor den Häschern der fremden Gewaltherren. Und endlich: Ebenso wie die Natur in Freiheit ihren eigenen Gesetzen folgt, ohne sich dieser Freiheit als solcher bewußt zu sein, ebenso wird dem Schweizer dieser Begriff erst in dem Augenblick zu einem seelischen Wert, wann der Landesfeind ihm dies Naturrecht nehmen will — ohne daß derselbe durch das Wort selbst bestimmt wird. Baumgarten „übt sein gutes Hausrecht aus", als er den Schänder seiner Ehre und seines Weibes erschlägt (I 1); die Arbeiter an Zwing-Uri „nehmen Abred'" miteinander, wie sie den Befehl Geßlers, den Herzogshut von Österreich zu grüßen, umgehen können (I 3); nur Spott findet die Absicht des Vogtes, Uri „mit diesem Häuslein" zu zwingen:

> „Laß sehn, wie viel man solcher Maulwurfshaufen
> muß über 'nander setzen, bis ein Berg
> draus wird, wie der geringste nur in Uri!"

Das Freiheitsgefühl dieses Volkes ist derartig ein Wesenskern seines mit der Natur aufs engste verwachsenen Charakters geworden, daß es dies Unterfangen des fremden Zwingherrn gar nicht ernst nehmen kann. Aber erschütternd und den furchtbaren Ernst der Lage enthüllend wirkt das Schicksal Armgards und ihres der Freiheit beraubten Mannes; denn es zeigt, daß selbst die Ärmsten der Armen vor der Unmenschlichkeit des Feindes nicht sicher sind.

Dies also ist der seelische Boden, auf dem nun die Vertreter der zweiten Klasse des Schweizervolkes stehen: Arnold vom Mechthal, Werner Stauffacher und Walther Fürst.

Mechthal besitzt die Naturverbundenheit seiner Landsleute; aber die Heimsuchung, welche er durch den an seinem Vater vom Landenberger begangenen Frevel erfahren, läßt ihn dies Gefühl in schmerzlicher Entstellung erleben. Die Blendung, die an den Augen Heinrichs von der Halden vollzogen worden ist, und deren Schmerzen er sympathetisch

mitfühlt, bewirkt, daß er das Glück des Lichtes, in welchem die Land-
schaft seiner Heimat erst ihren vollen Reiz empfängt, doppelt empfindet
(I 4):

>„O ein edle Himmelsgabe ist
>das Licht des Auges — Alle Wesen leben
>vom Lichte, jedes glückliche Geschöpf —
>die Pflanze selbst kehrt freudig sich zum Lichte.
>Und *er* muß sitzen, fühlend, in der Nacht,
>im ewig Finstern — ihn erquickt nicht mehr
>der Matten warmes Grün, der Blumen Schmelz,
>die roten Firnen kann er nicht mehr schauen — “

Das Recht der Wehrhaftigkeit zum Widerstand gegen Angriffe begründet
er durch den Hinweis auf den Hirsch, die Gemse, den Pflugstier, denen
die Natur „ein Notgewehr in der Verzweiflungsangst“ verliehen hat. Er
ist es, der auf den schon erwähnten sympathetischen Zusammenhang
zwischen den ewig gleichen Naturgesetzen und dem seit Urväterzeiten
unveränderten Brauch seines Volkes hinweist.

Was Melchthal als jungen Menschen von den beiden anderen Vorkämpfern seiner Landsleute unterscheidet, das ist die im Lauf der Ereignisse
fortschreitende Reifung seines Charakters, anders gesagt sein Heranwach-
sen zu einer der sein Volk auszeichnenden Tugenden, zu deren Bewährung ihn erst die bittere Prüfung durch gemeinsame Not befähigt. Im
ersten Schmerz über des Vaters furchtbares Geschick erfüllt ihn nur
ein Gedanke (I 4):

>„Feigherz’ge Vorsicht, fahre hin — auf nichts
>als blutige Vergeltung will ich denken.“

Dieselbe unerbittliche Entschlossenheit beherrscht ihn auch noch beim
Wiedersehen mit dem blinden Greis (II 2):

>„Die Hand hab’ ich gelegt auf seine Augen,
>und glühend Rachgefühl hab’ ich gesogen
>aus der erloschnen Sonne seines Blicks.“

Aber alsbald wird dies Gefühl zurückgedrängt durch die Forderung des
Augenblicks:

>„Da weint’ ich nicht! Nicht in ohnmächt’gen Tränen
>goß ich die Kraft des heißen Schmerzens aus;
>in tiefer Brust, wie einen teuren Schatz
>verschloß ich ihn und dachte nur auf Taten.“

Doch erst als im Zusammenwirken von Volk und Adel der Sieg erfoch-
ten ist, erst als er den Frevler zu den Füßen seines Vaters niedergewor-

fen hat, bezwingt er das noch immer nicht erstorbene Verlangen nach Vergeltung (V 1):

> „Geschwungen über ihn war schon das Schwert,
> von der Barmherzigkeit des blinden Greises
> erhielt er flehend das Geschenk des Lebens."

So wächst auch er zu jener menschlichen Größe heran, die in diesem Kampf sein ganzes Volk auszeichnet, das, wie es in dem Gedichte ‚Wilhelm Tell' heißt:

> „Im Glücke selbst, im Siege sich *bescheidet*."

Diese „Bescheidenheit", der jedes Rachegelüst fremd ist, erweist sich hier als Manifestation einer freien Vernunft, die sich nicht von einem leidenschaftlichen Impuls des Augenblicks hinreißen läßt, sondern alles Handeln im Hinblick auf seine ferneren Auswirkungen zu bestimmen fähig ist. Und ist es nicht bemerkenswert, daß diese Regung der Vernunft in Melchthal aus der Pietät gegen seinen Vater, also aus sympathetischem Fühlen erwächst, daß sich also in Melchthal die „schöne Individualität" offenbart, welcher „die Vernunft immer im Herzen wohnt"?

Es ist begreiflich, daß diese Eigenschaft in hervorragendem Maße an dem ältesten der drei Hauptvertreter ihres Volkes, an dem Urner Walther Fürst sichtbar wird. Schon die Formulierung, die er in dem Gespräch mit Stauffacher und Melchthal (I 4) der den Schweizern gestellten Aufgabe, der Verteidigung ihrer Freiheit, gibt, läßt seinen „bescheidenen" Sinn erkennen:

> „Wäre ein Obmann zwischen uns und Östreich,
> so möchte Recht entscheiden und Gesetz.
> Doch, der uns unterdrückt, ist unser Kaiser
> und höchster Richter — so muß *Gott uns helfen*
> *durch unsern Arm* — "

Vernünftige Erwägung aller Möglichkeiten führt zu dem Ergebnis, daß nur der Glaube an eine zwischen Gott und Mensch wirkende Sympathie Rettung verheißt. Damit ist zugleich die Begrenzung der Aufgabe und die Art ihrer Ausführung bestimmt. Gegen Ende der Beratung auf dem Rütli sagt er (II 2):

> „Abtreiben wollen wir verhaßten Zwang;
> die alten Rechte, wie wir sie ererbt
> von unsern Vätern, wollen wir bewahren,
> nicht ungezügelt nach dem Neuen greifen."

Und kurz darauf bestimmter:

> „Die Vögte wollen wir mit ihren Knechten
> verjagen und die festen Schlösser brechen,
> doch, wenn es sein mag, ohne Blut."

Und dann spricht die auf weiteste Sicht denkende Vernunft des „bescheidenen" Schweizers:

> „Es sehe
> der Kaiser, daß wir notgedrungen nur
> der Ehrfurcht fromme Pflichten abgeworfen.
> Und sieht er uns in unsern Schranken bleiben,
> vielleicht besiegt er staatsklug seinen Zorn;
> denn bill'ge Furcht erwecket sich ein Volk,
> das mit dem Schwerte in der Faust sich *mäßigt*."

So sind auch die Worte, die Walther Fürst an Melchthal nach dessen Bericht über die Vertreibung des Landenbergers richtet, Worte eines Mannes, dem „die Vernunft im Herzen wohnt (V 1):

> „Wohl euch, daß ihr den reinen Sieg
> mit Blute nicht geschändet!"

Daß freilich zumal durch Geßlers Tod die Voraussetzung für eine versöhnliche Beilegung des Konflikts, wie sie die Versammlung auf dem Rütli erhofft hatte, hinfällig geworden ist, erkennt auch er:

> „Das Werk ist angefangen, nicht vollendet.
> Jetzt ist uns Mut und feste Eintracht not,
> denn, seid gewiß, nicht säumen wird der König,
> den Tod zu rächen seines Vogts und den
> Vertriebnen mit Gewalt zurück zu führen."

Als aber die Nachricht von König Albrechts Ermordung eintrifft, da findet sein „bescheidner" Sinn die rechte Antwort auf der Witwe Hilfegesuch:

> „Wir wollen nicht frohlocken seines Falls,
> nicht des empfangnen Bösen jetzt gedenken,
> fern sei's von uns! Doch, daß wir rächen sollten
> des Königs Tod, der nie uns Gutes tat,
> und die verfolgen, die uns nie betrübten,
> das ziemt uns nicht und will uns nicht gebühren.
> Die Liebe will ein freies Opfer sein;
> der Tod entbindet von erzwungnen Pflichten,
> — ihm haben wir nichts weiter zu entrichten."

Hier sprechen Sympathie und Vernunft eines schlichten und besonnenen Herzens.

Als der berufene Sprecher seines Volkes erweist sich Werner Stauffacher. Wesen und Denken seiner Landsleute sind bei ihm gleichsam ins Große gehoben. Damit hängt zusammen, daß bei ihm jene unmittelbare Naturverbundenheit, wie sie sich bei den schlichten Hirten, Fischern und Jägern aus dem breiten Volke zeigt, weniger hervortritt. Im übrigen aber zeichnen auch ihn die Eigentümlichkeiten des Schweizer Volkscharakters aus. Die eine erwähnt seine Gattin Gertrud, wenn sie mit Bezug auf ihn sagt, Geßler sehe mißgünstig auf jedes Biedermannes Glück. Die zweite Eigenschaft, die Bescheidenheit, bewährt er in allem, was er denkt und tut. Im dramatischen Zwiegespräch mit Gertrud scheint er zunächst vor dem Wagnis zu zaudern, das „ein schwaches Volk der Hirten" durch einen Kampf mit dem Herrn der Welt auf sich nimmt: Er rechnet mit dem bösen Willen der Gegner, mit dem Verlust von Hab und Gut, er fürchtet für das Schicksal der zarten Kinder und schwachen Frauen. Weiterhin zeigt sich Stauffachers bescheidener Sinn in der nach kluger Erwägung entschlossenen Haltung, in welcher er die ersten Schritte zur Verwirklichung des Rates seiner Gattin unternimmt, und in der wohlüberlegten Vorbereitung des Zusammenwirkens der drei Waldstätte. Die Klarheit und Leidenschaftslosigkeit seines Planens spricht aus den Worten, die er auf dem Rütli an den immer noch auf Vergeltung sinnenden Melchthal richtet (II 2):

„Sprecht nicht von Rache. Nicht Geschehnes rächen,
gedrohtem Übel wollen wir begegnen."

Desto schwerer, weil Tells Befreiungstat schon im voraus rechtfertigend, wiegen die Worte, die er gegen Ende derselben Szene spricht:

„Nur mit dem Geßler fürcht' ich schweren Stand,
furchtbar ist er mit Reisigen umgeben;
nicht ohne Blut räumt er das Feld, ja selbst
vertrieben bleibt er furchtbar noch dem Land.
Schwer ist's und fast gefährlich, ihn zu schonen."

Was Stauffacher aber über die Masse seiner Landsleute hinaushebt, das ist sein waches Freiheitsgefühl, das bei dem schlichten Hirtenvolk, wie gezeigt, mehr instinktiv, als ein dem eigenen Gesetz notwendig gehorchender Trieb, lebendig ist. Er, als Glied einer gehobenen Schicht seines Volkes dem Wesen der Freiheit nicht nur naturhaft, sondern demselben als einem für die Existenz der Gemeinschaft unentbehrlichen politischen Werte verbunden, ist wie kein anderer dazu berufen, als beredter Anwalt dieses höchsten Gutes der Menschheit im Kampf gegen fremde Gewalt aufzutreten. Diese Bedeutung des Mannes bewährt sich in der großen Rede, die er vor den auf dem Rütli Versammelten hält. Und hier zeigt sich, was dieser geborene Volksführer aus den Erzählungen der „alten Hirten“ zu machen weiß, indem er das naiv Schlichte ins Erhabene hebt.

In drei Abschnitte zerfällt die Rede, und jeder neue Abschnitt ist eine Steigerung des vorhergehenden.

Der erste Abschnitt leitet aus der Geschichte des Schweizervolkes den Gedanken seiner Einheit nach Herz und Blut ab.

Der zweite Abschnitt weist aus derselben geschichtlichen Vergangenheit nach, daß die Schweizer allzeit frei waren, diese ihre Freiheit vom Kaiser als Vertreter des Reichs bestätigt erhielten und sie gegen fremde Einmischung erfolgreich verteidigten.

Der dritte Abschnitt endlich spricht, im Anschluß an ein einzelnes Vorkommnis seiner Geschichte, von des Schweizervolkes durch tausendjährige Kulturleistung erworbenem Herrenrecht auf seine freie Erde; und indem der Redner dieses Recht als vom Himmel garantiert anruft, fordert er auf zur Rückkehr zum „alten Urstand der Natur, wo Mensch dem Menschen gegenübersteht“ — und die Sympathie zwischen den am Himmel hangenden, ewig unveräußerlichen Menschenrechten und dem Recht des Menschen auf die von ihm bearbeitete Erde gilt ihm als göttliches Gesetz:

> „Der Güter höchstes dürfen wir verteid’gen
> gegen Gewalt — wir stehn für unser Land,
> wir stehn für unsre Weiber, unsre Kinder!“

Der Gehalt der drei Abschnitte, in welche Stauffachers Rede sich aufteilt, entspricht genau der Bedeutung der drei Eide, die Pfarrer Rösselmann am Schluß der Szene auf dem Rütli die Versammelten schwören läßt. Alle drei Eide enthalten den Ausdruck eines bejahenden Willens zu den höchsten Werten, in welchen sich die Sympathie der Vernunft manifestiert: Zur Einigkeit, zur Freiheit, zum Gottvertrauen. Die Bejahung dieser drei Werte gibt dem Menschen zugleich die Richtung für sein Verhalten gegenüber den Mächten, die ihn in der Bewährung seines Menschentums zu hindern drohen: gegen Gefahr und Not, gegen den Tod, gegen Menschenfurcht.

Erhaben wie der Anblick des über den Eisgipfeln sich ankündigenden Tages schließt die Szene so auch im menschlichen Bereich. Und es sei nicht vergessen, daß die Erhabenheit der Gesinnung, die sich von Stauffachers Rede in den drei feierlichen Eiden auf die Masse des Schweizervolks überträgt, in dem Gespräch ihren Ursprung hat, in welchem Gertruds Vorbild die in dem Gatten schlummernde Fähigkeit zu Größe und Opferbereitschaft weckte.

„Der Strom, der in den Niederungen wütet,
bis jetzt hat er die Höhn noch nicht erreicht — "

Diese Worte Stauffachers (I 4) beziehen sich auf den dritten Stand, den Landadel, der in Schillers Schauspiel durch den greisen Freiherrn von Attinghausen und seinen Neffen Rudenz vertreten ist. Die Ansicht des biederen Wappengenossen ist nur insoweit richtig, als die Mitglieder des Adels noch nicht, wie die breite Masse des Volkes, in ihrer Existenz unmittelbar bedroht sind.

Viel ernster aber ist die Gefahr, der die weltanschauliche Einstellung dieses Standes ausgesetzt ist. Zwischen älterer und jüngerer Generation klafft bereits ein verhängnisvoller Spalt. Die Verlockungen des glänzenden Königshofes, die dem Ehrgeiz und dem Geltungsbedürfnis der Jugend schmeicheln, haben schon den Wolfenschießen zum Abfall von der alten, schlichten Sitte seines Volkes verleitet. Den jungen Rudenz zieht es „nach Altorf in die Herrenburg" (II 1), wo ihm auf die Hand der reichen Erbin Bertha von Bruneck Hoffnung gemacht wird. Seiner Unreife erscheint die Stimme seiner Leidenschaft als Mahnung einer „weisen Vorsicht", die ihm den Weg weise, „Saaten in die Zukunft zu streuen." Ach, in Wahrheit ist diese vermeintliche Mahnung die Stimme einer „beschränkten Vernunft", welche, Wesensart und Geschichte des angestammten Volkes vergessend, ihr Auge vor den auf weitere Sicht verhängnisvollen Folgen ihrer Blindheit verschließt.

Dem gegenüber ist der hochbetagte Freiherr der Sprecher einer durch das Herz bestimmten Vernunft. Die Sympathie, die er seinen leidenden Landeskindern entgegenbringt, trennt ihn von seinem Neffen:

„Das ganze Land liegt unterm schweren Zorn
des Königs — Jedes Biedermannes Herz
ist kummervoll ob der tyrannischen Gewalt,
die wir erdulden — Dich allein rührt nicht
der allgemeine Schmerz — "

Zu spät wird einmal diese aus der Liebe zur Heimat erwachsene Sympathie auch in Rudenz wieder erwachen:

„Mit heißen Tränen wirst du dich dereinst
heim sehnen nach den väterlichen Bergen,
und dieses Herdenreihens Melodie,
die du in stolzem Überdruß verschmähst,
mit Schmerzenssehnsucht wird sie dich ergreifen,
wenn sie dir anklingt auf der fremden Erde."

Attinghausens aus der Erfahrung eines langen Lebens erwachsene Vernunft sagt ihm, daß ein Volk, das seine Wehrhaftigkeit in so mancher

Schlacht, die es für das Reich schlug, erwiesen hat, auch imstande sein wird, seine alten Rechte und Freiheiten mit Erfolg zu verteidigen. Diese aus den beiden Urkräften menschlichen Fühlens und Denkens genährte Überzeugung ist es nun, welche Attinghausen zum Künder der Vaterlandsliebe werden läßt, wie sie in den berühmten Versen zum Ausdruck kommt:

> „Ans Vaterland, ans teure, schließ' dich an,
> das halte fest mit deinem ganzen Herzen."

Da in früheren Ausführungen die geschichtsphilosophische Ansicht Schillers über die Bedeutung der Vaterlandsliebe im Werdegang der Menschheit behandelt worden ist, so liegt die Frage nahe, ob der Dichter in seinen letzten Lebensjahren diese Anschauung, nach welcher die Vaterlandsliebe nur ein Abschnitt in der Entwicklung der Menschheit zum Weltbürgertum zu verstehen sei, etwa geändert hat. Zur Beantwortung dieser Frage muß der Begriff „Vaterland", wie ihn Attinghausen hier gebraucht, genau bestimmt und in das geistige Weltbild Schillers eingeordnet werden.

Die beiden soeben angeführten Verse stehen in einem Zusammenhang, der zur Bewältigung dieser Aufgabe die Richtung weist.

Attinghausen stellt einander gegenüber den „eitlen Glanz und Flitterschein" des Königshofes und „die echte Perle" menschlichen Wertes, das „teure Vaterland" und die „fremde Welt", den im Heimatboden wurzelnden, kraftvollen Baum und das schwanke, dem Sturm wehrlos ausgelieferte Rohr. Die Fähigkeit, diese Gegensätze zu erkennen, findet er in einem Gefühl, das dem Menschen sagt, „welches Stamms" er ist, also sowohl in einer Kraft des Herzens, einer Sympathie mit seinem „freien Volk", als auch in einer vernunftmäßigen Voraussicht der Folgen, welche der Verlust dieser Sympathie nach sich ziehen muß. Ist daher der Mensch zum Haupte eines Volkes berufen, das ihm „aus Liebe nur sich herzlich weiht", dann wird die Pflicht, die er seinem Volk gegenüber hat, zu einer Forderung der Vernunft, die ihm „im Herzen wohnt".

Des Oheims Mahnung findet bei Rudenz kein Gehör, weil er „durch der Liebe Seile gebunden" ist. Aber diese Liebe ist es dann, durch welche der Verirrte auf den rechten Weg zurückgeführt wird.

Die befreienden Worte, mit denen Bertha von Bruneck dem Jüngling die Binde von den Augen reißt, sind diese (III 2):

> „Seid,
> wozu die herrliche Natur euch machte!
> Erfüllt den Platz, wohin sie euch gestellt,
> und kämpft für euer heilig Recht!"

In dieser naturgemäßen Haltung sieht Bertha das Wesen eines „guten Menschen":

> „Was liegt
> dem guten Menschen näher als die Seinen?
> Gibt's schönre Pflichten für ein edles Herz,
> als ein Verteidiger der Unschuld sein,
> das Recht der Unterdrückten zu beschirmen?"

Und wenn sie sagt, „Natur und Ritterpflicht" habe Rudenz seinem Volke zum „geborenen Beschützer" gegeben, so zeigt sich hier wieder jene Wechselbeziehung zwischen Sympathie und Vernunft, die Attinghausen nur mit anderen Worten seinem Neffen als Aufgabe seines Lebens vor Augen stellte.

Es ist von tiefer Bedeutung und nur aus des Dichters in früheren Zusammenhängen dargelegten Anschauungen zu verstehen, daß Rudenz nun nicht etwa auf die von Bertha an ihn gerichtete Aufforderung antwortet, sondern ein Zukunftsbild seines Lebens entwirft, in welchem die Liebe zu Bertha und zur Heimat eines werden.

Die „eingeschlossene wilde Waldgegend", wo „Staubbäche von den Felsen stürzen", wird ihm zum Abbild des von ihm erträumten Paradieses:

> „Könnt ihr mit mir euch in dies stille Tal
> einschließen und der Erde Glanz entsagen —
> o dann ist meines Strebens Ziel gefunden;
> dann mag der Strom der wildbewegten Welt
> ans sichre Ufer dieser Berge schlagen —
> kein flüchtiges Verlangen hab' ich mehr
> hinaus zu senden in des Lebens Weiten —
> dann mögen diese Felsen um uns her
> die undurchdringlich feste Mauer breiten,
> und dies verschloss'ne sel'ge Tal allein
> zum Himmel offen und gelichtet sein!"

Und weiter:

> „Fahr' hin, du eitler Wahn, der mich betört!
> Ich soll das Glück in meiner Heimat finden.
> Hier, wo der Knabe fröhlich aufgeblüht,
> wo tausend Freudespuren mich umgeben,
> wo alle Bäume mir und Quellen leben,
> im Vaterland willst du die Meine werden!
> Ach, wohl hab' ich es stets geliebt! Ich fühl's,
> es fehlte mir zu jedem Glück der Erden."

Es würde zu weit führen, auf die Tatsache einzugehen, daß Rudenz —

und mit ihm der Dichter — Heimat und Vaterland als gleichwertige Begriffe versteht. Von hier aus öffnen sich Ausblicke in eine spätere, auch
unsere Gegenwart tiefgreifend berührende Entwicklung.

Bertha gibt nun dem Wesen dieser Heimat, dieses Vaterlandes, erst
den rechten Charakter:

> „Wo wär’ die sel’ge Insel aufzufinden,
> wenn sie nicht hier ist, in der Unschuld Land?
> Hier, wo die alte Treue heimisch wohnt,
> wo sich die Falschheit noch nicht hingefunden,
> da trübt kein Neid die Quelle unsers Glücks,
> und ewig hell entfliehen uns die Stunden.“

Merkwürdig! Im Gespräch mit Attinghausen hatte Rudenz die scheinbare
Nutzlosigkeit des Widerstandes gegen Albrechts Raubgelüste damit begründet, daß er von der „Länderkette“ spricht, die Habsburg „gewaltig
rings um uns gezogen“ (II 1):

> „Von seinen Ländern wie mit einem Netz
> sind wir umgarnet rings und eingeschlossen.“

Diese Waldstätte, die Rudenz dort als ohnmächtiges Opfer eines rück-
sichtslosen Gegners von der Vernichtung bedroht sieht, werden in
Berthas Munde — ja schon, dem Sinne nach, in den ihren Worten vorausgehenden, von Rudenz gesprochenen Versen zur „sel’gen Insel“; vergessen sind die Schrecken der „fremden Welt“ (II 1); denn an ihre Stelle
sind Werte des Herzens getreten: die Unschuld, die Treue, die Neidlosig-
keit und — die Freiheit, die keine „Ländergier“ verschlingen kann, weil
sie ein inneres Gut „der Freien und der Gleichen“ (III 2) ist. Wer gedenkt hier nicht der Sätze aus dem Gedicht ‚Der Antritt des neuen
Jahrhunderts‘:

> „Ach, umsonst auf allen Länderkarten
> spähst du nach dem seligen Gebiet,
> wo der Freiheit ewig grüner Garten,
> wo der Menschheit schöne Jugend blüht . . .
> In des Herzens heilig stille Räume
> mußt du fliehen aus des Lebens Drang!“

Dasselbe Gedicht nennt jenen ewig grünen Garten der Freiheit „das
Paradies“ — im ‚Wilhelm Tell‘ heißt es „Vaterland“, „Heimat“.

Aber das Zwiegespräch zwischen Rudenz und Bertha führt das Verständnis noch etwas weiter, und diese Weiterentwicklung ist schon vorbereitet in dem aus Schillers Gedichten wohlbekannten Bild von dem
„Strom der wildbewegten Welt“, der in der ‚Sehnsucht‘ als „des

Stromes Toben", in dem ‚Geheimnis' als der „breite Strom" wiederkehrt, der „drohend mit empörter Welle" das „Heiligtum verteidigen" soll — welches Heiligtum?

> Bertha: „Da seh' ich *dich* im echten Männerwert,
>   den ersten von den Freien und den Gleichen,
>   mit reiner, freier Huldigung verehrt,
>   groß, wie ein König wirkt in seinen Reichen.

> Rudenz: „Da seh' ich *dich*, die Krone aller Frauen,
>   in weiblich reizender Geschäftigkeit,
>   in meinem Haus den Himmel mir erbauen
>   und, wie der Frühling seine Blumen streut,
>   mit schöner Anmut mir das Leben schmücken
>   und alles rings beleben und beglücken!"

Mann und Weib als Sinnbild der im Idyll wiedergewonnenen Natur: das Ziel der sentimentalischen Weltanschauung Schillers ist hier zum Wunschbild der jungen Generation des Schweizer Adels geworden, zu dessen Verwirklichung es nur „einer erhabenen Rührung" bedarf.

So hier. Rudenz fragt die Geliebte:

> „Doch wie mich retten — wie die Schlinge lösen,
>   die ich mir töricht selbst ums Haupt gelegt?"

Und Bertha antwortet:

> „Zerreiße sie mit männlichem Entschluß!"

So finden sich das durch Stauffacher verkörperte Volk und der in Rudenz und Bertha zur Selbstbesinnung kommende Adel in erhabener Gesinnung.

Schillers Vaterlandsbegriff in dieser vergeistigten Form bedeutet kein hermetisches Sichabschließen gegen die Welt der Wirklichkeit, so wenig wie sein Idealismus vor den „Tiefen des Lebens" die Augen zumacht. Im Gegenteil: Aus dem Vaterland des Herzens erwächst dem Menschen eine Kraft zu neuer Lebensgestaltung, weil er alles, die enge Welt seiner irdischen Heimat und die weite Menschenwelt, mit den Augen der Liebe sieht. Mit prophetischem Blick sieht des sterbenden Attinghausen Sympathie der Vernunft in kommende Zeiten:

> „Der Adel steigt von seinen alten Burgen
>   und schwört den Städten seinen Bürgereid;
>   im Nechtland schon, im Thurgau hat's begonnen,
>   die edle Bern erhebt ihr herrschend Haupt,
>   Freiburg ist eine sichre Burg der Freien,

die rege Zürich waffnet ihre Zünfte
zum kriegerischen Heer — es bricht die Macht
der Könige sich an ihren ew'gen Wällen — . . .
Der Landmann stürzt sich mit der nackten Brust,
ein freies Opfer, in die Schar der Lanzen,
er bricht sie, und des Adels Blüte fällt,
es hebt die Freiheit siegend ihre Fahne."

Das ist die Freiheit, die der Verfasser des Aufsatzes ‚Über Völkerwanderung, Kreuzzüge und Mittelalter‘ die „Bürgergemeinheit" nennt — den ersten Schritt auf dem Wege zu jenem „Glückstand", der seinerseits wieder nur eine Etappe zur Menschheit bedeutet, in der sich die eschatologische Hoffnung des Dichters erfüllen soll. —

Wilhelm Tell hat Schillers Dichtung den Namen gegeben — und dabei setzt er selbst sich zu dem eigentlichen Helden des Schauspiels, zu dem „Volk, das fromm die Herden weidet", in Gegensatz. An Hedwig richtet er die Worte (III 1):

„Zum Hirten hat Natur mich nicht gebildet;
rastlos muß ich ein flüchtig Ziel verfolgen.
Dann erst genieß' ich meines Lebens recht,
wenn ich mir's jeden Tag aufs neu' erbeute."

Ist es nicht auffallend, daß von diesem Manne, der seinem Wesen und seiner Lebenshaltung nach seinen Landsleuten scheinbar fern steht, doch Stauffachers Wort gilt (V 1):

„Das Größte
hat er getan, das Härteste erduldet",

und daß daher das Drama mit einer Huldigung schließt, die alle Eidgenossen ihm darbringen?

Zunächst ist zu sagen, daß Tell zwar als Einzelfigur der Vielheit des Volkes gegenübersteht, daß er aber dem Rütlibund angehört (III 1) und mehrmals erklärt, daß er seinem Lande in der Not jederzeit Hilfe leisten wird (I 3. III 1). Doch ist sein Verhältnis zu den von der Gesamtheit seiner Landsleute gefaßten Beschlüssen und seine Bereitschaft zur Teilnahme an ihrer Ausführung durch seinen Charakter bestimmt. Er ist zwar Mitglied des Rütlibundes, ist aber der Versammlung selbst ferngeblieben. Schon vor ihrem Zustandekommen bittet er Stauffacher (I 3):

„. . was ihr tut, laßt mich aus eurem *Rat!*
Ich kann nicht lange prüfen oder wählen;
bedürft ihr meiner zu bestimmter *Tat,*
dann ruft den Tell, es soll an mir nicht fehlen."

Diese Sonderstellung, die von seinen Volksgenossen anerkannt wird, erklärt sich aus Tells Beruf als Alpenjäger und seinem dadurch geprägten Charakter.

Ein Tell im kleinen ist der Jäger Werni. Ganz auf sich angewiesen, hat er dauernd mit den Gefahren der Hochgebirgsnatur zu kämpfen (I 1):

> „Es donnern die Höhen, es zittert der Steg,
> nicht grauet dem Schützen auf schwindlichtem Weg;
> er schreitet verwegen
> auf Feldern von Eis,
> da pranget kein Frühling,
> da grünet kein Reis . . . "

Immer hat er den Tod vor Augen; daher sagt der Hirte Kuoni zu ihm:

> „Von eurer Fahrt kehrt sich's nicht immer wieder."

Sein ständiger Verkehr mit der Natur hat ihn schweigsam gemacht; an der Beratung auf dem Rütli nimmt er zwar teil, greift aber mit keinem Wort in die Verhandlung ein. Die Bereitschaft, im Kampf mit den Naturgewalten jederzeit sein Leben einzusetzen, verbindet ihn mit seinem Berufsgenossen Wilhelm Tell.

Bei diesem sind die den Alpenjäger kennzeichnenden Charakterzüge ins Große gehoben und durch das ihn heimsuchende Schicksal ins Erhabene gesteigert.

Wie froh und unbeschwert klingt Walthers Liedchen vom Schützen, dem freien Herrscher durch Gebirg und Tal, dem alles eigen ist, was sein Pfeil erreicht! Und wie ernst ist in Wahrheit dies Leben des Jägers, wie gefahrvoll und verantwortungsreich:

> „umher zu streifen in des Winters Strenge,
> von Fels zu Fels den Wagesprung zu tun,
> hinan zu klimmen an den glatten Wänden,
> wo er sich anleimt mit dem eignen Blut . . . " (IV 3)!

Nur zu ertragen für einen Mann wie Tell, der von sich sagen kann, daß ihm der rechte Lebensgenuß erst aus einem täglich neu erbeuteten Leben zuteil werde. So spricht nur ein Mann, der, wie es im ‚Spiel des Lebens' heißt, kämpft und alles wagen will, und der das stolze Wort vertreten kann:

> „Der Starke ist am mächtigsten *allein*" (I 3),

weil ihn sein Beruf täglich lehrt:

> „Ein jeder zählt nur sicher auf sich selbst."

Wer seine Tage in Klüften und auf Gletschern verbringt, wo alles Leben der grünen Erde erstorben ist, die er nur tief unter sich durch den

Riß der Wolken erblickt, der erfährt Gott in seiner ungeheuren Majestät, an der nichts mehr von dem liebenden Vater zu spüren ist. Das ‚Berglied‘ vergegenwärtigt den Eindruck, wie dieser Gott sich in der Natur der eisigen Felszacken manifestiert, in der letzten Strophe:

„Es sitzt die Königin hoch und klar
auf unvergänglichem Throne,
die Stirn umkränzt sie sich wunderbar
mit diamantener Krone;
drauf schießt die Sonne die Pfeile von Licht,
sie vergolden sie nur und erwärmen sie nicht.“

In solcher Welt wird der Mensch zum „Träumer“, der „sich entfernt von andrer Menschen Weise“; die Größe des Hochgebirges läßt ihm vieles, was dem Bewohner des Tales gar wichtig dünkt, als unwesentlich, als gleichgültig erscheinen; er gilt den Menschen der „Welt im kleinen“ als unbesonnen — und in diesem Rufe steht auch Tell bei seinen Landsleuten (III 3). In Wahrheit ist Tells sogenannte Unbesonnenheit der Ausdruck einer ganz tiefen Lebensphilosophie: Gottnatur und Menschenqual sieht er in unvereinbarem Gegensatz. Als der vor des Landvogts Reitern fliehende Baumgarten den Fischer um Rettung anfleht, Ruodi aber wegen des heraufziehenden Gewittersturms zaudert, mahnt Tell (I 1):

„Der See kann sich, der Landvogt nicht erbarmen“,

und tröstet den Unglücklichen:

„.. besser ist’s, ihr fallt in Gottes Hand,
als in der Menschen!“

Frei weiß er sich von allen Leidenschaften und Hemmnissen, unter denen die Menschen in „dieses Tales Gründen“ (‚Sehnsucht‘) leiden; und wie der Chor in der ‚Braut von Messina‘ bekannt: „Auf den Bergen ist Freiheit!“, so sagt Tell angesichts der im Bau befindlichen Feste Zwing-Uri, mit einem Blick auf die Berge:

„Das Haus der Freiheit hat uns Gott gegründet.“

Nirgend hat Schiller den Gegensatz des Lebens der Wirklichkeit und des wahren Lebens schlichter gepredigt als in der Gestalt Wilhelm Tells. Und wie Schillers Lyrik die Erfüllung des wahren Lebens auch in der kleinsten Hütte sieht, wenn ein glücklich liebend Paar sie bewohnt, so findet der Mann Tell die Verwirklichung dieses Ideals als Gatte und Vater — und als Gatte und Vater soll er tatsächlich sein echtes Mannestum bewähren: in der Rettung Baumgartens und in seiner Tat an Geßler.

Ein Schicksal, wie es Tell trifft, kann nur ein Mann wie er meistern. Dieser Mann, dessen Leben zwischen diesen beiden Polen — dem Ungeheuren der in Licht aber nicht in Wärme aufragenden Gletscherwelt und dem Hüttenglück einer vernunftbestimmten Sympathie — sich bewegt, er muß seine Freiheit verteidigen gegen eine Macht des schlechthin Bösen; und die in seiner Seele erlebte Gegenüberstellung der grandiosen Gottnatur und eines bestialischen Bösewichts läßt ihn die Wahrheit erfahren, welcher der Chor aus der ‚Braut von Messina' die Worte gibt:

„Die Welt ist vollkommen überall,
    wo der Mensch nicht hinkommt mit seiner Qual." —

Fünfmal wirft die dunkle Gestalt Geßlers ihren Schatten voraus, ehe er persönlich die Szene betritt: Die Begegnung mit Stauffacher vor dessen Haus (I 2) — seine Absicht des Baues der Feste Zwing-Uri (I 3) — die Aufrichtung des Herzoghutes von Österreich (I 3) — Stauffachers Hinweis auf die in Geßler verkörperte größte Gefahr für die Freiheit des Schweizervolks (II 2) — Tells Erzählung von seiner Begegnung mit dem Landvogt im Schächental (III 1). Der Zuschauer muß innerlich vorbereitet werden, bevor er den Anblick dieses Scheusals, das Miterleben seiner Unmenschlichkeit ertragen kann. Erschütternd ist es, wie sich Tells Mangel an „Besonnenheit" an ihm selber rächt. Gedacht ist hier nicht an die Unterlassung des Grußes vor dem Hute. Aber sein Grundsatz:

„Ein jeder lebe still bei sich daheim;
    dem Friedlichen gewährt man gern den Frieden" (I 3),

seine Meinung:

„Die Schlange sticht nicht ungereizt.
    Sie werden endlich doch von selbst ermüden,
    wenn sie die Lande ruhig bleiben sehn",

erweist sich als ein verhängnisvoller Irrtum, den als solchen — ohne bei dem selbstsicheren Manne Gehör zu finden — sein Eheweib Hedwig ahnungsvoll erkennt (III 1):

„Er hat vor dir gezittert — Wehe dir!
    Daß du ihn schwach gesehn, vergibt er nie."

Das stille Hüttenglück, diese irdische Idylle, die höchste Vollendung der Entwicklung des Menschen zur Menschheit, will der fremde Gewaltherr vernichten. Dadurch stellt er sich außerhalb der menschlichen Gesellschaft. Tells Schuß in der Hohlen Gasse wird zur sinnbildlichen Handlung, insofern sie an diesem beispielhaften Einzelfall dartut, daß der Mensch berechtigt ist, Menschenblut zu vergießen, wenn der Bestand der Menschheit als solcher auf dem Spiele steht und jede Hoffnung hinfällig ist, einen Unmenschen zur Menschlichkeit zu bekehren. Die Begegnung mit Armgard ist nur noch ein letzter Beweis, daß Geßler sterben muß, wenn der Glaube nicht ein Wahn bleiben soll, daß der Mensch im Leben der Wirklichkeit das Gute wirken kann.

Daraus erklärt sich die Strahlungskraft, welche Tells Persönlichkeit und Schicksal auf Wesen und Erleben seiner Landsleute ausübt und ihn zum Repräsentanten des Freiheitskampfes eines ganzen Volkes werden läßt. Tells Gefangennahme steigert die sympathetische Kraft in den Herzen der Schweizer aufs äußerste (III 3):

> „Mit euch
> sind wir gefesselt alle und gebunden!"

Und an Attinghausens Sterbelager gibt Hedwig dieser Kraft den vollen Ausdruck (IV 2):

> „Was könnt *ihr* schaffen ohne ihn? — Solang
> der Tell noch frei war, ja, *da* war noch Hoffnung,
> da hatte noch die Unschuld einen Freund,
> da hatte einen Helfer der Verfolgte,
> euch alle rettete der Tell — ihr alle
> zusammen könnt nicht *seine* Fesseln lösen!"

Sympathie mit dem Schicksal ihres besten Mannes — Sympathie im Gefühl der Schicksalsgemeinschaft mit dem freiesten Mann — und damit der Entschluß zum sofortigen Handeln, wie ihm Melchthal Ausdruck gibt:

> „Frei war der Tell, als wir im Rütli schwuren,
> das Ungeheure war noch nicht geschehen.
> Es bringt die Zeit ein anderes Gesetz:
> wer ist so feig, der jetzt noch könnte zagen!

Zugleich mit Tell wird das ganze Volk zur Freiheit geführt.

Schlußwort

Schillers Idealismus der Tat

Der Ausgang des Schauspiels ‚Wilhelm Tell‘ veranschaulicht noch
einmal an einem leicht faßlichen Beispiel das Wesen von Schillers
Idealismus der Tat.

Die nüchterne Überlegung, die durch die Kenntnis der vollendeten Tatsachen sich klug dünkt, könnte sagen: Wäre der Rat, den Pfeiffer von
Luzern Werner Stauffacher gab (I 2), befolgt worden, hätte dies nicht die
ganze übermenschliche Anstrengung der Schweizer, die Selbstrettung
Tells von Geßlers Schiff, ja die Tötung des Landvogts überflüssig gemacht?

„ — Was ihr auch Schweres mögt zu leiden haben
    von eurer Vögte Geiz und Übermut,
    tragt's in Geduld! Es kann sich ändern, schnell,
    ein andrer Kaiser kann ans Reich gelangen.“

Nach Albrechts Ermordung wären durch Verhandlungen von Vertretern
des Schweizervolkes mit dem neuen Kaiser die Tage der Gewaltherrschaft der bisherigen Vögte gezählt gewesen. Tells Gefängnis hätte sich
geöffnet, die Eroberung des Roßbergs, die Erstürmung der Burg von
Sarnen wären überflüssig geworden; die Waldstätte hätten ihre Freiheit
von dem neuen Kaiser, der kein Habsburger war, alsbald neu bestätigt
erhalten.

So spricht die kluge Vernunft, die nicht „im Herzen wohnt“, sondern
im Kopf. So spricht der sogenannte Realist.

Der Idealist im Sinne Schillers sagt: „Dem Menschen gehört der Augenblick und der Punkt, aber die Weltgeschichte rollt der Zufall. Wenn die
Leidenschaften, welche sich bei einer einzelnen geschichtlichen Begebenheit geschäftig erzeigten, des Werks nur nicht unwürdig waren, wenn die
Kräfte, die sie ausführen halfen, und die einzelnen Handlungen, aus deren
Verkettung sie wunderbar erwuchs, nur an sich edle Kräfte, schöne und
große Handlungen waren, so ist die Begebenheit groß, interessant und
fruchtbar für uns, und es steht uns frei, über die kühne Geburt des Zufalls zu erstaunen, oder einem höhern Verstand unsere Bewunderung zuzutragen“.

Versucht man, diese aus der bekannten Einleitung zur ‚Geschichte
des Abfalls der vereinigten Niederlande‘ stammenden Sätze für das Verständnis der dichterischen Gestaltung des Freiheitskampfes der Schweizer auszuwerten, so ergibt sich folgendes:

Das Urteil des die reale Welt von idealem Gesichtspunkt betrachtenden Menschen wird nicht dadurch bestimmt, ob dieser Freiheitskampf angesichts der weltgeschichtlichen Entwicklung, sondern ob er in Anbetracht höherer menschheitlicher Forderungen „notwendig" war. Geschichtliche und ethisch-aesthetische Notwendigkeit treffen, um an Schillers Brief an Körner vom 7. Januar 1788 zu erinnern, zusammen in einer philosophischen Notwendigkeit.

Mit dem Maßstab dieser philosophischen Notwendigkeit gemessen, erfüllt das Handeln des Schweizervolkes die Gebote des Schönen, des Guten und des Wahren, weil es von der Sympathie der Vernunft geleitet wird.

Durch tausendjährige Sitte ist das Gefühl der innigen Verbundenheit mit seiner Natur, mit seinen Menschen, mit seinem Gott zu *der* Charaktereigenschaft des Schweizervolks geworden.

Daher ist sein Handeln schön — denn es geschieht in Freiheit; gemäß dem Urteil des Dichters, daß Schönheit „Freiheit in der Erscheinung" ist.

Daher ist sein Handeln gut — denn es ist sinnbildlich dafür, „was der Mensch sich kann erlangen mit dem Willen und der Kraft".

Daher dient sein Handeln der Wahrheit — denn es hofft das Große, das es wirkt, nicht außer sich, im Leben der Wirklichkeit zu finden, sondern bedient sich seines von Gott gelenkten Armes und verleiht damit dem Leben Sinn und Wert.

Zum würdigen Abschluß des in diesem Buche unternommenen Versuchs, den auch für unser heutiges Geschlecht bindenden idealistischen Realismus Schillers zur Darstellung zu bringen, sei das Verhältnis, in welchem unser Dichter das wahre Leben zum Leben der Wirklichkeit sieht, durch das schöne Gleichnis veranschaulicht, das Albert Schweitzer in seiner Abhandlung über ‚Das Christentum und die Weltreligionen' für das Verhältnis zwischen christlich-religiösem Erleben und Erleben der Welt gefunden hat:

„Es gibt einen Ozean. Kaltes Wasser, unbewegt. In dem Ozean aber ist der Golfstrom, heißes Wasser, das vom Aequator zum Pole fließt. Fragen Sie alle Gelehrten, wie es physikalisch vorstellbar ist, daß zwischen den Wassern des Ozeans, wie zwischen zwei Ufern, ein Strom heißen Wassers fließt, bewegt in dem Unbewegten, heiß in dem Kalten. Sie können es nicht erklären. So ist der Gott der Liebe in dem Gott der Weltkräfte eins mit ihm, und doch so ganz anders als er. Von diesem Strome lassen wir uns ergreifen und dahintragen."

Register

der Werke Schillers

Die Zahlen bezeichnen die Seiten des vorliegenden Buches (Die Titel oft gekürzt)

A. Prosawerke

I. Aesthetisches. 1. *Schaubühne als moralische Anstalt* 19 f. 47 f. 54. 143. 159 ff. 182 f. 229 — 2. *Gegenwärtiges deutsches Theater* 48 f. 55 — 3. *Grund des Vergnügens an tragischen Gegenständen* 366 f. — 4. *Tragische Kunst* vgl. 412 — 5. *Das Pathetische* 92. 176. 179. 283. 343 — 6. *Das Erhabene* 46. 91. 112. 149. 155 ff. 180. 192 f. 199. 226. 280. 302. 357. 368. 381. 386. 388. 430 — Über die Aufsätze 3 bis 6 passim 174—182 — 7. *Zerstreute Betrachtungen usw.* 175. 292 f. 388 — 8. *Gemeines und Niedriges in d. Kunst* 179 — 9. *Kalliasbriefe* 182. 194— 97. 223. 227 ff. 240 — 10. *Anmut u. Würde* 76. 182. 194. 197—202. 222 f. 227 ff. 289. 293. 343. 351. 368. 374. 376—79. 381 f. 384. 388. 391. 393 — 11. *Aesthet. Erziehung d. Menschen* 131. 145 148 f. 157. 182. 190. 194 f. 209—221(—234). 239 f. 247. 279 f. 291. 370. 377 — 12. *Naive u. sentimentalische Dichtg.* 234. 236. 350 ff. 358. 398 — 13. *Gebrauch d. Chors i. d. Tragödie* 397 ff.

II. Geschichtsphilosophie. 1. „*Niederländ. Rebellion*" 66, 70. 119. 122. 125 *Abfall der vereinigten Niederlde.* 101. 119—24. 126. 138. 153. 155. 179. 345. 436 — 2. *Gesch. d. dreißigjähr. Kriegs* 121. 158—71. 190. 345 — 3. (*Antrittsrede:*) *Was ist ... Universalgeschichte* 93. 122—30. 139. 141. 180. 197. 226. 243. 280. 304. 358. 397 — 4. *Die erste Menschengesellschaft usw.* 130—34. 145 f. 337. 394 f. 400. 416. 419 — 5. *Gesetzgebg. d. Lykurg u. Solon* 135—38 — 6. *Sendung Moses* 138—41. 308 — 7. *Völkerwanderung, Kreuzzüge, Mittelalter* 105. 124. 142. 154. 214 f. 222 f. 226. 295. 309. 431 — 8. *Europa z. Zt. d. ersten Kreuzzugs* 142—52 — 9. *Universalhistor. Übersicht usw. z. Zt. Kaiser Friedrichs I.* 142—52. Über d. Aufsätze 7—9 passim 174—82 — 10. *Vorrede z. d. Gesch. d. Malteserordens* 152. 156 f. 369 f. 386.

III. Problematisches. 1. *Zusammenhang d. tierischen Natur des Menschen mit d. geistigen* 17—23. 35. 39 ff. 65. 131. 138. 163. 227. 295 f. — 2. *Spaziergang unter d. Linden* 32. 36. 65. 102 — 3. *Philosophische Briefe* 17. 62 f. 71. 73. 224 — 4. *Philosophie d. Julius* 17. 20. 23 ff. 26 f. 35. 37. 61. 63 f. 69. 80. 97. 100. 103. 129. 236 — 5. *Raphael an Julius* 82 f. 236 — 6. *Geisterseher* 54. 83—92. 224 — 7. *Carlosbriefe* 92. 94. 104. 107 ff. 144. 155 ff. 225. 232. 238. 253 f. 370.

B. Poetische Werke

I. Dramatisches. 1. *Räuber* 19 f. 36. 39—49. 62. 69. 111. 145. 157. 214. 222. 224. 291. 324 — 2. *Fiesco* 49—53. 91. 104. 331 — 3. *Semele* 19. 53 f. 92 — 4. *Kabale u. Liebe* 54 f. — 5. *Don Carlos* 36. 38. 47. 66. 69. 77. 91. 94—112. 143. 171. 222. 394 — 6. *Wallenstein* 91. 159. 191. 311—45 — 7. *Maria Stuart* 345—68. 374. 392. 411 — 8. *Jungfrau v. Orleans* 368—93. 411. 416 — 9. *Braut von Messina* 393—415. 417. 433 f. — 10. *Wilhelm Tell* 91. 105. 233. 331. 414. 415—35 — 11. *Huldigung d. Künste* 46. 305. 309 — (12. *Malteser* 399).

Schillers Briefwechsel: Friedrich Schiller, Briefe, hgg. von Gerhard Fricke, Carl Hanser Verlag München.

GESAMT-INHALTSÜBERSICHT

Anzeige

Die seit 1956 im Manuskript fertiggestellte vorliegende Arbeit bildet die wissenschaftliche Grundlage zu dem 1961 erschienenen Buch des Verfassers:

,Schiller im Atomzeitalter.'

Daß sich der Verfasser zur Veröffentlichung der umfänglichen Untersuchung über Schillers Gedankenwelt entschloß, wurde veranlaßt durch viele positive Urteile über das vor Jahresfrist publizierte Werk, aus dessen Vorwort einige Sätze hier angeführt seien:

„Die vier den Hauptteil bildenden Essays versuchen die geistige Haltung unserer Gegenwart, wie sie im menschlichen Bereich, im geschichtlichen Denken, in Technik und Kunst sichtbar wird, durch Gegenüberstellung an Schillers Ideenkomplex zu prüfen und damit die weltanschaulichen Anliegen unserer Zeitgenossen ins Licht zu setzen — weltliche Anliegen, welche aber die tiefste seelische Existenz des Menschen berühren."

Möge das reichlich post festum erscheinende Buch in der wissenschaftlichen Welt denselben freundlichen Widerhall finden, der seinem Vorgänger von 1961 beschieden war!

Dr. August Raabe